afgeschreven

DE GEHEIME BOEKENCLUB

GAYLE LYNDS

De geheime boekenclub

Uitgeverij Luitingh

© 2010 by the Gayle H. Lynds 2007 Revocable Trust
Published by arrangement with Lennart Sane Agency AB
All rights reserved
© 2010 Nederlandse vertaling
Uitgeverij Luitingh ~ Sijthoff B.V., Amsterdam
Alle rechten voorbehouden
Oorspronkelijke titel: *The Book of Spies*
Vertaling: Pieter Janssens
Omslagontwerp: Michael de Wee / Groovy Ways
Omslagfotografie: Getty Images BV

ISBN 978 90 245 8962 3
ISBN 978 90 245 7026 3 (e-book)
NUR 332

www.boekenwereld.com
www.uitgeverijluitingh.nl
www.watleesjij.nu

Voor Sophia Stone
mijn kleindochter
kind van licht en gratie

Deel 1

De jacht

'Op weg naar de Senaat kreeg Julius Caesar een briefje in de hand gedrukt. Zijn spionnen hadden hun werk gedaan en gaven hem een lijst van samenzweerders en hun plannen om hem te vermoorden. Helaas had Caesar haast en las hij het niet. Een uur later werd hij vermoord.'
– vertaald uit *Het boek der spionnen*

'In de duistere wereld van de spionage is het niet altijd makkelijk te weten wanneer je bent ingewijd in een geheim.'
– *Time*-magazine, 9 januari 2006

I

Een bibliotheek kan een gevaarlijke plek zijn. De bibliothecaris liet zijn blik over de tien mannen in op maat gemaakte smokings glijden die rond de ovale tafel in het midden van de zaal zaten. Ze werden omringd door schitterend geïllustreerde manuscripten, meer dan duizend, die de muren van de vloer tot het plafond bedekten. De spectaculaire vergulde banden waren zo geplaatst dat de aandacht werd gevestigd op het fortuin aan edelstenen waarmee ze waren versierd.

De mannen waren leden van de boekenclub die de eigenaar en beheerder was van de geheime Gouden Bibliotheek, waar het jaarlijkse diner altijd werd gehouden. De finale was het toernooi, waarbij elk van de mannen de bibliothecaris op de proef stelde met een onderzoeksvraag. Terwijl de boeken hoog om hen heen oprezen en de lucht zinderde van goudkleurig licht, nipten ze aan hun cognac. Met hun ogen sloegen ze hem gade.

'Trajanus,' daagde de internationaal jurist uit Los Angeles hem uit. '53 tot 117 na Christus. Trajanus was een van de meest ambitieuze soldatenkeizers van het oude Rome, maar weinig mensen weten dat hij ook dol was op boeken. Het belangrijkste monument voor zijn successen is de Zuil van Trajanus. Hij liet hem oprichten op het plein tussen twee galerijen van de Romeinse bibliotheek – die hij eveneens liet bouwen.'

De zaal leek zijn adem afwachtend in te houden. De bibliothecaris frunnikte aan zijn smokingjasje. Hij was bijna zeventig en een ordelijk man met een gerimpeld gezicht. Zijn haren waren dun, zijn bril groot en om zijn mond lag een eeuwige vage glimlach.

De spanning steeg terwijl hij nadacht. 'Natuurlijk,' zei hij ten slotte. 'Cassius Dio Cocceianus heeft erover geschreven.' Hij liep naar de kast met de tachtig delen van Cassius Dio's *Romeinse geschiedenis*, gecompileerd in de tweede en derde eeuw na Christus en in de zesde eeuw getranscribeerd door een Byzantijnse kalligraaf. 'Het verhaal staat in deel zevenenzeventig. Het werk van Cassius Dio is grotendeels verloren gegaan. Onze bibliotheek bezit de volledige reeks.'

Terwijl de exclusieve groep tevreden glimlachte, legde de bibliothecaris de zware band in de armen van de uitdager, die de ingelegde opalen en saffieren streelde. Met een waarderende blik op het vergulde boek stond hij op vanachter zijn cognacglas. Acht andere verluchte manuscripten stonden naast acht andere cognacglazen. Elk ervan getuigde van de enorme kennis van de bibliothecaris van de antieke en middeleeuwse literatuur en de onschatbare waarde van de bibliotheek.

Nu bleef alleen het tiende lid – de directeur zelf – over. Hij zou de laatste vraag van het toernooi stellen.

De mannen schonken zichzelf nog een glas cognac in. Hun jaarlijkse diner was een oogverblindend schouwspel. Enkele uren voordat de eerste cocktail werd ingeschonken, waren er tien wilde, pas geschoten eenden per privéjet aangevoerd vanuit Johannesburg. De koks werden, geblinddoekt uiteraard, ingevlogen vanuit Parijs. Het zevengangendiner was exquis en omvatte onder meer zwezerik met truffels en kastanjes. De alcohol was van topkwaliteit – de cognac vanavond was een Louis XIII van Rémy Martin, met een dagwaarde van meer dan duizend dollar per fles. Alle sterkedrank van de boekenclub was gelagerd door hun voorgangers, die een kelder van onbetwistbare kwaliteit hadden aangelegd.

De directeur schraapte zijn keel en iedereen keek hem aan. Hij was een Amerikaan en was eerder op de dag aangekomen vanuit Parijs. De stemming in de zaal veranderde, kreeg iets dreigends.

De bibliothecaris richtte zich alert op.

De directeur keek hem aan. 'Salah al-Din, ook wel Saladin genoemd. 1137 of 1138 tot 1193. Generaal Saladin, een Koerdische moslim, was befaamd om zijn netwerk van spionnen. Op een avond ging zijn vijand Richard Leeuwenhart slapen in zijn tent in Assyrië, aan alle kanten bewaakt door zijn Engelse ridders. Ze trokken een spoor van witte as rondom de tent, dat niemand onopgemerkt kon oversteken. Maar toen Richard wakker werd, stond er een meloen met daarin een dolk naast zijn bed. Het lemmet had even makkelijk in Richards hart gestoken kunnen zijn. Het was een waarschuwing van Saladin, achtergelaten door een van zijn verspieders. De spion ontkwam spoorloos en werd nooit gevonden.'

Opnieuw sloegen de ogen de bibliothecaris gade, die bij elk woord nerveuzer was geworden. De deur achter hem ging zachtjes open. Hij keek om terwijl Douglas Preston binnenkwam. Preston was het hoofd Beveiliging van de bibliotheek, een lange, gespierde man die een expert was op wapengebied en zijn werk serieus nam. Hij droeg geen smoking, maar zijn gebruikelijke leren jack en een spijkerbroek. Hij had, vreemd genoeg, een badhanddoek in zijn hand.

De bibliothecaris hield zijn stem met moeite in bedwang terwijl hij door het vertrek naar een andere boekenkast liep. 'Het verhaal is te vinden in *Sirat Salah al-Din – Het leven van Saladin* – door Baha al-Din...'

'Natuurlijk, je hebt gelijk,' viel de directeur hem in de rede. 'Maar ik bedoel een ander manuscript. Breng me *Het boek der spionnen*.'

De bibliothecaris bleef staan, met zijn handen uitgestoken naar het boek. Hij draaide zich om. De gezichten van de mannen stonden woedend, onverzoenlijk.

'Hoe hebben jullie het ontdekt?' fluisterde hij.

Niemand antwoordde. Het was zo stil in het vertrek, dat hij de tred van crêpezolen kon horen. Voordat hij zich opnieuw kon omdraaien, sloeg Preston het badlaken om zijn hoofd, zodat het zijn ogen en mond bedekte. Hij hoorde een luide knal en de pijn explodeerde in zijn hoofd. Terwijl hij viel, realiseerde hij zich dat het hoofd van de beveiliging hem eerlijk had gewaarschuwd door een techniek van de latere Assassijnen te gebruiken: de handdoek was bedoeld om de intrede- en de uitschotwond te bedekken en rondspattend bloed en bot tegen te houden. De boekenclub wist dat.

2

Los Angeles, Californië. Eén jaar later – april
Eva Blake glimlachte toen ze het laboratorium van het Getty Center met zijn gootstenen en afzuigkappen betrad. Op de zee van werktafels lagen eeuwenoude geïllustreerde manuscripten, kaarten en perkamentrollen, die allemaal, hoe versleten en wormstekig ze ook waren, tot nuttig leven zouden worden gewekt. Conserveren was voor haar meer dan een baan – door oude boeken te restaureren, restaureerde ze zichzelf.

Haar blik gleed door de ruimte. Drie andere conservatoren stonden al over hun tafel gebogen, eenzame eilanden van beweging in het uitgestrekte hightechlaboratorium. Ze zei opgewekt hallo en pakte een jas. Ze was een slanke vrouw van dertig met een ingetogen gezicht – haar jukbeenderen waren sterk, haar kin zacht en rond, haar lippen vol – zonder de scherpte van klassieke schoonheid. Haar rode haren golfden over haar schouders en haar ogen waren kobaltblauw. Ze droeg vandaag een witte blouse met open hals, een witte kokerrok en platte witte sandalen. Ze had ook iets elegants, en een zachtheid, een kwetsbaarheid die ze had leren verbergen.

Ze bleef staan bij de werktafel van Peggy Doty. 'Ha, Peggy. Hoe gaat het met je nieuwe project?'

Peggy keek op, haalde een juweliersloep uit haar oog en zette haastig een grote bril met dikke glazen op. 'Hoi. Ik maak me zorgen over Seneca. Aristoteles kan ik, denk ik, wel redden, maar ja, die zei dan ook: "Geluk is een soort handeling," dus met zo'n zenhouding houdt hij het natuurlijk langer uit.'

Peggy, geboren en getogen in Engeland, was een begaafd conservator en een oude vriendin, zo'n goede vriendin dat ze zelfs contact had gehouden nadat Eva na de dood van haar man was beschuldigd van doodslag. Eva kreeg een brok in haar keel toen ze aan hem dacht. Zonder erbij na te denken betastte ze de gouden ketting om haar hals.

Toen zei ze: 'Ik ben altijd dol geweest op Aristoteles.'

'Ik ook. Ik zal zien wat ik voor Seneca kan doen. Arme donder: zijn toga valt als een bananenschil van hem af.' Peggy's donkerblonde haren waren kort en warrig, haar bril gleed al van haar neus en in een roze hart dat op haar onderarm was getatoeëerd stond 'ex libris'.

'Hij is in goede handen.' Eva wilde doorlopen.

'Wacht even. Ik kan je hulp goed gebruiken – de herkomst hiervan is onduidelijk.' Peggy wees naar de kleurrijke middeleeuwse kaart die uitgespreid op haar werktafel lag. 'Ik wacht op de uitslag van de datering, maar ik zou graag op zijn minst de eeuw willen weten.'

'Natuurlijk. Laten we eens zien wat we te weten kunnen komen.' Eva trok een stoel bij.

De kaart was circa 35 centimeter hoog en 50 centimeter breed. Onderaan stonden twee figuren met touwsandalen en felblauwe toga. Links stond Aristoteles, die de natuurfilosofie symboliseerde, en rechts Seneca, moraalfilosofie. Ze waren hoe dan ook een paar apart: Aristoteles was een Griek, Seneca een Romein en driehonderd jaar later geboren. Eva bestudeerde hen even en verplaatste haar blik toen naar de medaillons die als wolken boven hun hoofden hingen. Elk medaillon bevatte twee tegenstrijdige theorieën, een ideeënstrijd tussen twee grote klassieke denkers. De tekst op de kaart was in het cyrillisch.

'De kaart zelf is in het oud-Russisch geschreven,' legde Eva uit, 'maar niet in het vereenvoudigde alfabet van Peter de Grote. Hij dateert dus waarschijnlijk van voor 1700.' Ze legde haar vinger langs de rechtermarge van het perkament, waarin kriebelige, verbleekte woorden waren geschreven. 'Dit is geen Russisch – niet oud en niet nieuw – het is Grieks. De vertaling luidt: 'Gemaakt door de hand van Maximos na het catalogiseren van de Koninklijke Bibliotheek.'

Peggy kwam dichterbij en staarde omlaag. 'Ik weet in elk geval zeker dat Maximos een Griekse naam is. Maar welke Koninklijke Bibliotheek? Rusland of Griekenland? Welke stad?'

'Onze cartograaf – Maximos – werd in Griekenland geboren als Michael Trivolis en werd later bekend als Maximos. Na zijn verhuizing naar Rusland werd hij Maxim genoemd. Heb je daar genoeg aan om te weten wie hij was?'

Peggy's gezichtje klaarde op. 'Sint-Maximus de Griek. Hij heeft lang in Moskou gewoond, boeken vertaald en geschreven, en lesgegeven. Ik herinner me hem van een college oosterse geschiedenis.'

'En dat geeft je het antwoord op je vraag. Maxim kwam in 1518 in Rusland aan en is er nooit meer weggegaan. Hij stierf zo'n veertig jaar later. Je kaart is dus ergens in de eerste helft van de zestiende eeuw in Rusland gemaakt.'

'Gaaf. Bedankt.'

Eva glimlachte. 'Hoe is het met Zack?' Zack Turner was hoofd van de beveiligingsdienst van het British Museum in Londen.

'Ver weg – in de zin van hij is nog steeds daar en ik ben nog steeds hier. Arme ik... en hij.'

'Als je eens terugging naar de British Library?'

'Ik heb erover nagedacht. Hoe is het met jou?' Peggy keek haar bezorgd aan.

'Goed.' Dat klopte grotendeels, nu het Getty haar een baan als conservator had aangeboden om de tijd tot haar rechtszaak te overbruggen. In het laboratorium was ze onzichtbaar – de media hadden uitgebreid verslag gedaan van het auto-ongeluk. Maar ja, Charles was dan ook de befaamde directeur van de gerenommeerde Elaine Moreau Library geweest en zij topcurator van het beroemde Getty. Charmant, knap en verliefd als ze waren, waren ze een sterrenpaar in de artistieke en financiële beau monde van L.A. Zijn dramatische dood – en haar arrestatie en ontkenning – hadden voor een bijzonder sappig schandaal gezorgd.

Het was na het ongeluk moeilijk geweest de hele dag thuis te zitten. Ze zocht in de schaduwen naar Charles, luisterde of ze zijn stem in de tuin hoorde, sliep met haar kussen dicht tegen haar wang. De leegte had zich om haar heen gesloten als een koude vuist, hield haar gevangen in een soort pijnlijke zweeftoestand.

'Ik vind het heel erg, Eva,' zei Peggy. 'Charles was een groot wetenschapper.'

Ze knikte. Haar vingers gleden opnieuw naar de ketting om haar hals, waaraan een oude Romeinse munt hing met de beeltenis van de godin Diana – haar eerste cadeautje van Charles. Ze had de ketting sinds zijn dood niet meer afgedaan.

'Eten vanavond?' vroeg Peggy opgewekt. 'Ik trakteer, omdat ik een beroep heb mogen doen op dat enorme brein van je.'

'Graag zelfs. Ik heb karateles, dus ik zie je daarna.'

Ze kozen een restaurant uit en Eva liep door naar haar werkplek. Ze ging zitten en trok de arm van haar stereobinoculaire microscoop naar zich toe. Ze hield van de vertrouwde beweging en van het comfort van haar bureau met zijn diadozen, de verstelbare bureaulamp en de ultravioletlamp. Haar project was een avonturenmanuscript over de ridders van koning Arthur dat in 1422 in Londen was voltooid.

Ze keek door de oculairen van de microscoop en gebruikte een scalpel om een afbladderend stukje groen pigment van de mantel van een prinses te tillen. De rust van het werk en de absolute concentratie die ervoor nodig was, werkten geruststellend. Voorzichtig bracht ze lijm aan onder de kleurschilfer.

'Hallo, Eva.'

Ze was zo geconcentreerd bezig dat ze opschrok van de stem. Ze keek op. Het was haar advocaat, Brian Collum.

Hij was van gemiddelde lengte, eind veertig, met wenkbrauwen en haren die de grijze kleur van een magneet hadden en het krachtige gezicht van iemand die wist wat hij verlangde van het leven. Hij ging onberispelijk gekleed in een antracietgrijs pak met een dun krijtstreepje en was de naamgevende partner van het internationale advocaten-kantoor Collum & Associates. Vanwege hun vriendschap vertegen-woordigde hij haar in de rechtszaak rond Charles' dood.

'Leuk je te zien, Brian.'

Hij liet zijn stem dalen. 'We moeten praten.' Gewoonlijk straalde zijn gezicht van optimisme, maar nu niet. Hij keek grimmig.

'Slecht nieuws?' Ze keek naar haar collega's en zag dat ze zich angst-vallig op hun project concentreerden.

'Goed – of slecht, afhankelijk van wat je denkt.'

Eva ging hem voor naar een binnenplaats met gazons en bloemen. Een fontein kabbelde vredig over perfect gerangschikte rotsblokken. Het hoorde allemaal bij het Getty Center, een opvallend architectuur-complex van glas en Italiaanse travertijn boven op een heuvel in de Santa Monica Mountains.

Zwijgend liepen ze langs de museumbezoekers en gingen op een bank zitten waar ze niet konden worden afgeluisterd.

'Wat is er gebeurd?' vroeg ze.

Hij wond er geen doekjes om. 'Ik heb een aanbod van de openbaar aanklager. Als je bekent, krijg je strafvermindering. Vier jaar. Maar met goed gedrag kom je al na drie jaar vrij. Ze zijn tot een deal be-reid omdat je nog nooit een verkeersovertreding hebt begaan en een gerespecteerd lid van de samenleving bent.'

'Ik dénk er niet aan.' Ze dwong zichzelf kalm te blijven. 'Ik zat niet achter het stuur.'

'Wie dan wel?'

De vraag hing als een zeis in de tintelende Californische lucht.

'Herinner je je echt niet meer dat Charles achter het stuur ging zit-ten?' vroeg ze. 'Je stond in de deuropening toen we wegreden. Ik zag je. Je móét ons gezien hebben.' Ze hadden die avond bij Brian gedi-neerd en waren als laatsten vertrokken.

'Daar hebben we het al vaker over gehad. Ik ben meteen nadat ik welterusten had gezegd naar binnen gegaan... voordat jullie bij de au-to waren. Alcohol speelt je herinnering parten.'

'Daarom rijd ik ook nooit. Nóóit.' Ze deed haar best om de klank van ontzetting uit haar stem te weren terwijl ze het voor de zoveelste keer vertelde. 'Het was na enen en Charles reed ons naar huis. We lachten. Er was geen verkeer op Mulholland en Charles liet de auto heen en weer slingeren. We werden tegen de gordels aan gegooid en moesten alleen maar harder lachen. Hij reed met één hand en met de andere...' Ze fronste haar wenkbrauwen. Er was nog iets, maar het ontglipte haar. 'Opeens schoot er een auto uit een oprit vóór ons. Charles ging boven op zijn rem staan. Onze auto raakte in een slip. Ik moet het bewustzijn hebben verloren. Toen ik weer bijkwam, lag ik vastgebonden op een brancard.' Ze slikte. 'En Charles was dood.'

Ze streek haar rok glad en staarde voor zich uit terwijl haar verdriet door haar heen raasde.

Brian zweeg zo lang dat het zachte dreunen van het verkeer op de San Diego Freeway luider leek te worden.

Ten slotte zei hij zacht: 'Ik ben ervan overtuigd dat je het je zo herinnert, maar we hebben er geen bewijzen voor. En ik heb al zoveel van je geld uitgegeven aan detectives om getuigen te zoeken, dat ik wel móét geloven dat we er geen zullen vinden.' Zijn stem werd harder. 'Hoe zal een jury reageren als ze horen dat je bewusteloos werd aangetroffen op nog geen drie meter van het linkerportier – en dat het openstond, wat bewijst dat jij achter het stuur zat? Dat Charles naast de bestuurder zat en dat zijn gordel in wat er van hem over was, was gesmolten? Hij kan onmogelijk gereden hebben. En je had éém komma zes promille alcohol in je bloed – twee keer de wettelijke limiet.'

'Maar ik reed niet...' Ze zweeg en beheerste zich moeizaam. 'Je vindt dat ik het aanbod van de openbaar aanklager moet aannemen, is het niet?'

'Ik denk dat de jury zal geloven dat je zó dronken was dat je een black-out kreeg en niet meer wist wat je deed. Ze zullen de maximale straf eisen. Als ik ook maar een greintje hoop had dat ik ze van het tegendeel zou kunnen overtuigen, zou ik je adviseren er niet op in te gaan.'

Geschokt stond Eva op en liep om de vredige waterplas rondom de fontein heen. Ze voelde zich beklemd. Ze staarde in het water en probeerde zichzelf te dwingen adem te halen. Eerst had ze Charles verloren, en al hun dromen en hoop voor de toekomst. Hij was briljant geweest, grappig, eindeloos fascinerend. Ze sloot haar ogen en voelde bijna hoe hij haar wang streelde, haar troostte. Haar hart deed pijn van verlangen naar hem.

En nu riskeerde ze een gevangenisstraf. De gedachte joeg haar angst aan, maar ze gaf voor het eerst toe dat het mogelijk was – ze had nog nooit een black-out gehad, maar ditmaal misschien wel. Áls ze een black-out had gekregen, was ze misschien achter het stuur gestapt. En als ze dat had gedaan, betekende dat dat ze Charles inderdaad had gedood. Ze boog haar hoofd en betastte de gouden trouwring aan haar vinger. Tranen biggelden over haar wangen.

Achter haar legde Brian zijn hand op haar schouder. 'Herinner je je Trajanus, de grote heerser die het Romeinse rijk uitbreidde?'

Haastig veegde ze haar tranen weg en draaide zich naar hem om.'Natuurlijk. Waarom vraag je dat?'

'Trajanus was meedogenloos en sluw en won elke grote veldslag waarin hij zijn mannen aanvoerde. Hij had een stelregel: als je niet kunt winnen, vecht dan niet. Als je niet vecht, is er geen nederlaag. Je zult het overleven. Neem het aanbod aan, Eva. Overleef.'

3

Washington, D.C. Twee jaar later – april
Met een thermosfles hete koffie en twee bekers liep Tucker Andersen naar Stanton Park, slechts vijf straten van zijn kantoor op Capitol Hill. De middernachtelijke schaduwen waren lang en zwart en de lucht was koel. Er waren geen kinderen in de speeltuin, geen voetgangers op de trottoirs. Hij snoof de geur van vers gemaaid gras op en luisterde naar het verkeer dat door C Street dreunde. Alles was zoals het hoorde.

Ten slotte zag hij zijn oude vriend Jonathan Ryder, bijna onzichtbaar op een bank tegenover het standbeeld van Nathanael Greene, een held uit de Onafhankelijkheidsoorlog. Tuckers vrouw had die avond gebeld dat Jonathan hem probeerde te bereiken.

Tucker liep op hem af. Hij was een slanke man van een meter vijfenzeventig met de lange spieren van de hardloper die hij nog altijd was. Zijn ogen waren groot en intelligent achter een schildpadbril, zijn snor was lichtbruin, zijn grijze baard kortgeknipt. Hij was grotendeels kaal, maar een krans van grijsbruin haar hing op de kraag van zijn overhemd. Hij was drieënvijftig jaar oud en hoewel hij volgens zijn officiële papieren van de CIA was, dekte dat eigenlijk niet de lading.

'Hallo, Jonathan.' Tucker ging zitten en sloeg zijn benen over elkaar. 'Leuk je weer eens te zien. Hoe lang is het geleden... tien jaar?' Hij bestudeerde hem. Jonathan leek nu klein, en hij was geen kleine man. En gespannen. Heel gespannen.

'Minstens tien jaar. Bedankt dat je me op zo korte termijn kon ontmoeten.' Jonathan glimlachte even en toonde een rij hagelwitte tanden in zijn gerimpelde gezicht. Hij was slank en fit en had een hoog voorhoofd met daarboven een grote bos grijzend blond haar. Hij had een zwarte joggingbroek aan en een zwarte sweater met het logo van Yale University op de mouw in plaats van zijn gebruikelijke dure maatpak.

Tucker overhandigde hem een beker en schonk koffie in voor hen beiden. 'Het klonk belangrijk, maar ja, je kon altijd al schromelijk overdrijven.'

'Het ís belangrijk.' Hij rook aan de koffie. 'Ruikt lekker.' Zijn hand trilde toen hij een slok nam.

Tucker maakte zich even zorgen. 'Hoe maakt je gezin het?'

'Jeannine maakt het prima. Druk met al haar goede doelen, zoals gewoonlijk. Judd is weg bij de legerinlichtingendienst en wil niet bijtekenen. Drie keer Irak en een keer Pakistan vond hij eindelijk genoeg.' Hij aarzelde. 'Ik heb de laatste tijd veel over vroeger nagedacht.'

Tucker zette de thermosfles naast hem op de bank. Ze waren goed bevriend geweest tijdens hun studietijd aan Yale. 'Ik weet nog dat we studeerden en dat je die beleggingsclub begon. Dankzij jou verdiende ik duizend dollar in twee jaar. Dat was een verdomde smak geld in die tijd.'

Jonathan knikte, grinnikte toen. 'Ik vond je destijds alleen maar een bijdehante kerel – een en al uiterlijk vertoon, geen hersens, geen engagement. Toen redde je mijn leven die avond op de Alexanderplatz in Oost-Berlijn, weet je nog? Daar was heel wat kracht voor nodig – en hersens.'

Na hun afstuderen waren ze allebei bij de CIA gegaan, de operationele dienst, maar Jonathan had na drie jaar ontslag genomen om aan Wharton bedrijfskunde te gaan studeren. Met een bachelorsgraad in de chemie had hij voor een reeks farmaceutische bedrijven gewerkt en daarna was hij voor zichzelf begonnen. Nu was hij president-commissaris en bestuursvoorzitter van Bucknell Technologies. Rijk en machtig als hij was, was hij een vaste gast in het sociale circuit van Washington en tijdens het jaarlijkse Prayer Breakfast van de president.

'Blij dat ik een goede daad heb gedaan,' zei Tucker. 'Moet je zien hoe ver jij het hebt geschopt: een belangrijke pief in de farmaceutische industrie, terwijl ik nog steeds de achterbuurten en naar pis stinkende stegen afschuim.'

Jonathan knikte. 'Ieder het zijne. Maar als je gewild had, had je de baas over Langley kunnen worden. Het probleem met jou is, dat je een beroerde bureaucraat bent. Ken je dat videospel, Bureaucracy? Als je beweegt, verlies je.'

Tucker grinnikte. 'Oké, oude makker. Tijd om me te vertellen waar het over gaat.'

Jonathan keek naar zijn koffie en zette die toen naast zich op de bank. 'Er is iets gebeurd. Ik ben doodsbang. Het is meer jouw straatje dan het mijne.'

'Je hebt een heleboel contacten. Waarom ik?' Tucker nam een slok.

'Omdat dit voorzichtig moet worden aangepakt. Daar ben je een meester in. Omdat we vrienden zijn en omdat ik er niet aan ten onder wil gaan. Ik wil er niet aan doodgaan.' Hij staarde Tucker aan en wendde toen zijn blik af. 'Ik ben op iets gestuit... een rekening van zo'n twintig miljoen dollar bij een internationale bank. Ik weet niet precies wat het te betekenen heeft, maar ik weet verdomd zeker dat het iets met islamterrorisme te maken heeft.' Jonathan zweeg.

'Ga door,' zei Tucker kortaf. 'Welke bank? Waarom denk je dat die twintig miljoen iets met de jihad te maken heeft?'

'Het is ingewikkeld.' Hij keek om zich heen, inspecteerde het park.

Tucker keek ook. Het weidse gazon was verlaten.

'Je bent hierheen gekomen.' Tucker onderdrukte een opwelling om de informatie uit hem te schudden. 'Je weet dat je het me wilt vertellen.'

'Ik had er niets mee te maken. Ik ben zelf bepaald geen engel... Maar ik snap niet hoe iemand...' Jonathan rilde. 'Wat weet je over de Gouden Bibliotheek?'

'Nooit van gehoord.'

'Daar draait het om. Ik ben er geweest. Daar heb ik het ontdekt, over die...'

Tucker keek Jonathan aandachtig aan terwijl die sprak. Hij zat enigszins voorovergebogen en staarde in de verte.

Er was geen geluid. Geen waarschuwing. Plotseling verscheen er een rode stip op Jonathans voorhoofd en zijn achterhoofd explodeerde met een luide knal. Bloed, weefsel en bot vlogen door de lucht. Tuckers training nam onmiddellijk de overhand. Nog voordat Jonathans levenloze lichaam tijd had op de grond te vallen, liet Tucker zich op het trottoir vallen en rolde zich onder de bank. Er drongen nogmaals twee sluipschutterskogels in het beton, zodat de scherven opspatten. Zijn hart bonsde. Het bloed van zijn vriend druppelde naast hem omlaag. Tucker slikte en vloekte. Hij was ongewapend.

Met zijn gsm belde hij het alarmnummer en meldde de aanslag. Toen trok hij zijn blazer uit, rolde die strak op en tilde hem op. Hij was lichtbruin en stak duidelijk af tegen de schaduwen. Toen er niet opnieuw werd geschoten, kroop hij onder de bank vandaan en haastte zich door het park naar Massachusetts Avenue, waar hij dacht dat de kogels waren afgevuurd. Terwijl hij liep, dacht hij na over wat Jonathan had gezegd. Islamitisch terrorisme... twintig miljoen dollar op een internationale bank... de Gouden Bibliotheek... Wat was verdomme de Gouden Bibliotheek?

Terwijl hij de straat overstak, inspecteerde Tucker de omgeving. Een jong stel zat koffie te drinken uit Starbucks-bekers; de man had een aktetas bij zich. Een andere man duwde een winkelwagen voort. Een middelbare vrouw in joggingpak met een kleine rugzak rende hem voorbij en draaide zich om. Elk van hen kon de schutter zijn; het geweer kon haastig uit elkaar zijn genomen en verstopt in de aktetas, de winkelwagen, de rugzak. Of de schutter kon iemand anders zijn en hem nog steeds volgen.

Toen hij Sixth Street bereikte, rende Tucker het snel rijdende verkeer in. Boven het geluid van toeterende claxons uit hoorde hij het onmiskenbare geluid van een kogel die over zijn hoofd floot. Hij dook tussen de rijen rijdende auto's in elkaar, draaide zich om en keek om. Er stond een man op de hoek, op het trottoir, met een pistool in beide handen.

Toen de man nogmaals vuurde, zette Tucker een sprint in en rende met de auto's mee. Nog meer getoeter. Vloeken vlogen door de lucht. Een taxi die zijn vrachtje had afgezet, voegde in. Tucker bonsde op het spatbord om hem vaart te laten minderen, rukte het portier open en tuimelde naar binnen.

De chauffeur draaide zijn hoofd met een ruk om. 'Wel verdomme.'

'Rijden.'

Toen de taxi wegreed keek Tucker door het achterraam. Achter hem rende de moordenaar de opstopping in, keek om zich heen en zocht met zijn wapen naar zijn doelwit. Een busje voegde in en Tucker verloor de man uit het oog. Toen het busje de hoek om sloeg en het uitzicht zich weer opende, zag hij de man drie blokken achter hem. Een auto ontweek hem luid toeterend. Een andere auto slipte. De man draaide om zijn as en werd geraakt door een scheurende sedan. Hij verdween onder de wielen van de auto.

'Laat me eruit,' commandeerde Tucker. Hij stopte de chauffeur wat geld toe en sprong uit de taxi.

Hij rende terug en bekeek de stroom auto's. Ze hadden moeten stoppen. Ze hadden op zijn minst om de overreden moordenaar heen moeten rijden.

Terwijl er twee politieauto's met gillende sirenes arriveerden, liep Tucker de met bomen omzoomde straat op en neer. Aan beide kanten. Verkeer raasde hem voorbij. Er was geen spoor van het lichaam.

4

De begrafenisdienst voor Jonathan Ryder vond plaats in de Chevy Chase Presbyterian Church in het noordwesten van Washington. Een sombere menigte vulde de kerk: zakenlieden, advocaten, beleggers, filantropen en politici. Jonathans weduwe Jeannine, zijn zoon Judd en een stoet familieleden zaten op de eerste rij, terwijl Tucker Andersen een plekje achterin vond, waar hij kon kijken en luisteren.

Na de moord op Jonathan had de politie de gebouwen rondom Stanton Park doorzocht en alle mogelijke getuigen verhoord. Ze ondervroegen de weduwe, de zoon, buren en zakenpartners, die zich niet konden voorstellen waarom iemand een goed mens zoals Jonathan zou willen vermoorden. Het politieonderzoek werd voortgezet.

Toen hij Jonathans laatste woorden checkte, vond Tucker in de database van Langley slechts één verwijzing naar de Gouden Bibliotheek. Hij raadpleegde de bibliotheek online en praatte met geschiedkundigen aan plaatselijke universiteiten. Hij had ook de doelwitanalisten van de afdeling Contraterrorisme gesproken. Tot dusver had hij niets nuttigs gevonden.

'In Jezus Christus is de dood overwonnen en de belofte van eeuwig leven bevestigd.' De stem van de dominee die de begrafenisdienst leidde, weerkaatste tegen de hoge muren. 'Dit is een moment om de wonderbaarlijke geschenken te vieren die we van God hebben ontvangen in onze relatie met Jonathan Ryder...'

Tucker voelde een opwelling van verdriet. Eindelijk was de viering van Jonathans leven afgelopen en de tonen van 'The Old Rugged Cross' vulden de kerk. De familie ging als eerste naar buiten en Judd Ryder ondersteunde zijn moeder, die met gebogen hoofd naast hem liep.

Zodra het fatsoenshalve kon, liep Tucker achter hen aan.

De receptie was in de kerk, in de Chadsey Hall. Tucker knoopte her en der een praatje aan en stelde zich voor als een oude studievriend van Jonathan. Het duurde een uur. Toen Jeannine en Judd Ryder alleen de deur uit liepen, klampte Tucker hen aan.

'Tucker, wat leuk je te zien.' Jeannine glimlachte. 'Je hebt je baard afgeschoren.' Ze was een tengere brunette, gekleed in een nauwsluitende zwarte jurk, met een parelsnoer strak om haar hals. Ze was sterk veranderd, niet meer de levendige vrouw die hij zich herinnerde. Ze was van zijn leeftijd, maar ze had iets bedaagds gekregen, alsof er geen vragen meer waren.

'Karen was diep geschokt,' bekende Tucker glimlachend. Hij had jarenlang zijn baard nu eens laten staan en dan weer afgeschoren. 'Het was even geleden sinds ze mijn hele gezicht had gezien.'

Hij gaf Jonathans zoon, Judd, een hand. 'De laatste keer dat we elkaar zagen, zat je op Georgetown.' Hij herinnerde zich de geboorte van Judd, Jonathans trots. Zijn volledige naam was Judson Clayborn Ryder.

'Lang geleden,' beaamde Judd vriendelijk. 'Werk je nog steeds bij Buitenlandse Zaken?' Hij was bijna een meter vijfentachtig lang, tweeëndertig jaar oud, breedgeschouderd en ongedwongen. Fijne rimpeltjes overdekten zijn gezicht, dat donker was van te veel uren in de zon. Zijn haar was golvend en kastanjebruin en zijn bruine ogen waren verkleurd tot een donker, bedachtzaam grijs. Zijn blik was rotsvast, maar er lag iets gedesillusioneerds in en een zweem van cynisme. Voormalig legerinlichtingenofficier, herinnerde Tucker zich.

Het ministerie van Buitenlandse Zaken was al heel lang Tuckers dekmantel. 'Ze zullen mijn vingers van mijn bureau moeten wrikken om me kwijt te raken.'

'De politie vertelde dat je bij mijn vader was toen hij werd neergeschoten,' zei Judd ogenschijnlijk slechts nieuwsgierig, maar Tucker voelde iets diepers.

'Ja. Laten we buiten verder praten.'

Ze liepen naar het gazon. Er waren nog slechts enkele aanwezigen, die in auto's en limousines langs het trottoir stapten.

Tucker ging hun voor naar een plek in de schaduw van de natuurstenen kerk. 'Hebben jullie ooit van de Gouden Bibliotheek gehoord?'

'Het was een van de verhaaltjes voor het slapengaan die papa altijd vertelde, net als *Lorna Doone* en *De rode pimpernel*,' zei Judd. 'En jij, mama?'

Jeannine fronste haar wenkbrauwen. 'Heel vaag. Sorry, maar ik herinner me niet veel meer. Het was iets tussen Jonathan en Judd.'

'Heeft de Gouden Bibliotheek iets met de moord op mijn vader te maken?' vroeg Judd.

Tucker haalde nonchalant zijn schouders op. 'De politie denkt dat hij misschien is neergeschoten door iemand die de Beltway Snipers nadeed.' De Beltway Snipers waren enkele jaren geleden verantwoordelijk geweest voor een reeks willekeurige moorden.

Jeannine bracht haar hand naar haar hals. 'Wat afschuwelijk.'

Judd legde zijn arm om haar schouders.

'Jonathan vroeg of ik hem wilde helpen met iets in verband met die bibliotheek,' ging Tucker verder. 'Maar hij stierf voordat hij precies kon zeggen waarmee. Wat heeft je vader je erover verteld, Judd?'

Judd plantte zijn voeten op de grond. 'Laat me de hoofdlijnen schetsen. Het begon allemaal met het Byzantijnse rijk. Duizend jaar lang, terwijl de keizers de wereld veroverden, verzamelden en bestelden ze geïllustreerde manuscripten. Maar toen werd het keizerrijk in 1453 door de Ottomanen veroverd. Dat had het einde van de hofbibliotheek kunnen zijn, maar een nicht van de laatste keizer ontsnapte met de beste boeken. Ze waren bedekt met goud en edelstenen. Toen ze trouwde met Ivan de Grote, nam ze achthonderd van de boeken mee naar Moskou.' Hij zweeg even. 'De legende ontstond tijdens het bewind van hun kleinzoon, Ivan de Verschrikkelijke. Nadat hij de bibliotheek had geërfd, vulde hij die aan met nog meer geïllustreerde manuscripten en begon ze aan belangrijke Europeanen te tonen. Die waren zo onder de indruk, dat ze er thuis over praatten. Door heel Europa ging de mare dat je te midden van Ivans gouden boeken "wijsheid, kunst, rijkdom en eeuwige macht" echt begreep. Zo kwam de verzameling aan haar naam – de Gouden Bibliotheek. Het was een mooi avonturenverhaal met een goede afloop die uitliep op een mysterie. Ivan stierf in 1584, mogelijk door kwikvergiftiging. Rond die tijd werden verscheidenen van zijn spionnen en huurmoordenaars ziek en stierven of ze werden terechtgesteld – en de bibliotheek verdween spoorloos.'

Tucker merkte dat hij voorovergebogen stond te luisteren. Hij deed een stap terug en keek Jeannine aan. 'Herinner jij je het ook zo?'

'Het is veel meer dan ik ooit heb gehoord.'

'Ik heb de bibliotheek geraadpleegd en ongeveer dezelfde informatie gevonden,' bekende Tucker. 'De Byzantijnse hofbibliotheek heeft echt bestaan, maar veel historici denken dat de boeken niet in Moskou terecht zijn gekomen. Volgens sommigen eindigden er een paar in Rome en de Ottomanen hebben er veel verbrand, een paar gehouden en de rest verkocht.'

'Ik vond Jonathans verhaal mooier,' concludeerde Jeannine.

'Heb je je vader gevraagd waar hij dat verhaal heeft gehoord, Judd?'

'Daar heb ik nooit een reden voor gehad.'

'Waar was die bibliotheek nu volgens Jonathan?'

Judd keek hem strak aan. 'Ik heb de afloop van het verhaal verteld zoals mijn vader het aan mij vertelde – met de dood van Ivan de Verschrikkelijke en de verdwijning.'

'Zouden jullie er bezwaar tegen hebben als ik Jonathans papieren doornam?' vroeg Tucker.

'Ga je gang, als je iets nuttigs denkt te kunnen vinden,' zei Jeannine.

'Ik help je wel,' bood Judd aan.

'Dat hoeft niet...' probeerde Tucker.

'Ik sta erop.'

De Ryders woonden aan de prestigieuze Maryland State-kant van Chevy Chase. Het huis was een statig wit landhuis in *Greek Revival*-stijl, met zes hoge zuilen, bekroond door een druk bewerkte architraaf. Jonathans kantoor stond vol boeken, maar dat was niets vergeleken met zijn echte bibliotheek. Tucker staarde ernaar. Duizenden boeken, vele in handgemaakte leren banden, van de parketvloer tot het plafond.

'Ongelooflijk,' zei Tucker.

'Hij verzamelde boeken. Maar zie je hoe versleten zijn stoel is? Hij verzamelde niet alleen, hij las ook veel.'

Tucker keek naar de roodleren fauteuil, kaal en zacht geworden. Hij kwam ter zake en ging Judd weer voor naar het kantoor. Ze doorzochten Jonathans kersenhouten bureau, de bijpassende dossierkasten en de kartonnen verhuisdozen met zijn persoonlijke bezittingen uit zijn werkkamer in het hoofdkantoor van Bucknell.

'Het ministerie van Buitenlandse Zaken is een goede dekmantel,' zei Judd terloops. 'Voor wie werk je echt, Tucker? De CIA... Homeland Security... National Intelligence?'

Tucker lachte luidkeels. 'Sorry dat ik je moet teleurstellen, jongen. Ik werk echt voor Buitenlandse Zaken. En nee, niet voor de inlichtingendienst. Ik ben gewoon een pennenlikker, die de diplomaten helpt met de vele politieke wisselingen die met het Midden-Oosten te maken hebben. Een pennenlikker zoals ik is geknipt om Jonathans papieren door te nemen.' In werkelijkheid was Tucker een geheim agent, wat betekende dat zijn medespionnen, operaties, medewerkers, agenten en de mensen met wie hij bewust of onbewust had samengewerkt gevaar zouden kunnen lopen als zijn werkelijke functie bekend werd.

'Oké,' zei Judd en daar liet hij het bij.

Toen Tucker ernaar vroeg, beschreef Judd wat hij had gezien in Irak en Pakistan, zonder hem iets substantieels over zijn eigen werk te vertellen.

'Ik wed dat je benaderd bent door elke instantie binnen de inlichtingendiensten,' zei Tucker.

'Ik ben nog niet lang genoeg thuis.'

'Ze vinden je wel. Kom je in de verleiding?'

Judd had zijn colbert uitgetrokken en zat in zijn witte overhemd en donkere broek gebogen over een verhuisdoos en las dossiernamen. 'Mijn vader vroeg me precies hetzelfde. Toen ik nee zei, probeerde hij me over te halen ook bij Bucknell te gaan werken. Maar ik heb gespaard en een huis op de Hill gehuurd. Ik was van plan niets te doen tot ik het beu was. Tegen die tijd zou ik moeten weten wat ik wil.'

Tucker had Jonathans bureau geïnspecteerd. De laatste la bevatte hangmappen. Hij las de ruitertjes. De laatste map had geen naam. Hij haalde hem uit de la. Er zaten een stuk of tien knipsels uit kranten en tijdschriften van de afgelopen week in... en alle artikelen gingen over de jihad in Afghanistan en Pakistan. Hij keek op. Judd zat met zijn rug naar hem toe. Hij vouwde de knipsels op, stopte ze in zijn binnenzak en hing de lege map weer in de la.

Hij zette de computer aan. 'Weet je het wachtwoord van je vader?' Judd keek om. 'Probeer "Jeannine" eens.'

Toen dat niet lukte, deed Judd meer voorstellen. Ten slotte lukte het met zijn geboortedatum. Zodra Judd terugkeerde naar de verhuisdozen, zocht Tucker op het web naar 'Gouden Bibliotheek', maar hij vond niets. Toen bekeek hij Jonathans financiële situatie op Quicken. Niets wat alarmbellen deed rinkelen.

'Het eten is klaar,' kondigde Jeannine in de deuropening aan. 'Jullie zijn aan een pauze toe.'

Ze voegden zich bij haar voor een eenvoudige maaltijd aan de esdoornhouten tafel in de keuken.

'Het is een schitterend huis,' zei Tucker. 'Jonathan heeft het ver geschopt sinds de South Side in Chicago.'

'Dit alles was belangrijk voor hem.' Jeannine maakte een gebaar dat het huis en hun bevoorrechte wereld omvatte. 'Je weet hoe ambitieus hij was. Hij hield van de zaak en hij hield van het geld dat hij ermee kon verdienen. Maar ik denk vreemd genoeg niet dat hij ooit genoeg zou hebben verdiend om hem echt gelukkig te maken. Maar goed, we hebben veel goede tijden gekend.' Ze zweeg, met tranen in haar ogen.

'We hebben een heleboel goede herinneringen, nietwaar, mama?' zei Judd.

Ze knikte en at verder.

'Jonathan zal wel veel gereisd hebben,' zei Tucker.

'Voortdurend,' zei ze. 'Maar hij was altijd weer blij als hij thuis was.'

Na de koffie keerden Tucker en Judd terug naar het kantoor. Tegen tien uur waren ze klaar met zoeken en Tucker was moe van het eentonige werk.

'Weet je zeker dat ik je niet kan overhalen om nog een glas cognac te drinken?' vroeg Judd terwijl hij meeliep naar de voordeur. 'Mama komt erbij zitten.'

'Ik zou willen dat het kon, maar ik moet naar huis. Straks denkt Karen nog dat ik verdwaald ben.'

Judd knikte begrijpend en ze gaven elkaar een hand.

Tucker liep naar zijn oude Oldsmobile. Hij hield van die auto, met zijn sterke achtcilindermotor die liep als een goed geoliede naaimachine. Hij stapte in en reed over de cirkelvormige oprijlaan en door de elektronische poort naar de openbare weg, op weg naar zijn veel bescheidener huis in Virginia. Omdat het werk was, had hij Karen niet meegenomen naar de begrafenis, maar ze zou op hem wachten, bij de brandende open haard. Hij moest haar zien om zich de goede tijden te herinneren en heel even de angst in Jonathans stem te vergeten voor een of andere naderende ramp, die hij niet meer had kunnen benoemen.

Toen hij achter de limousine van Jeannine en Judd aan naar hun huis was gereden, had hij gedacht dat een zwarte Chevrolet Malibu hem een groot deel van de weg was gevolgd. Hij had afgeremd toen hij door de poort van de Ryders reed en in zijn spiegel gekeken. Maar de auto was doorgereden, zonder één blik van de bestuurder, wiens profiel moeilijk te zien was geweest onder de diep over zijn hoofd getrokken golfpet.

Terwijl hij nu reed, schakelde Tucker over op alarmfase twee en bestudeerde voetgangers en auto's. Na tien blokken sloeg hij scherp af een stille straat in. Er reed opnieuw een auto achter hem, misschien dé auto. Een donkere kleur. Ook een motorfiets sloeg af en reed achter de auto aan.

Tucker sloeg opnieuw rechts af en toen links, een stille woonstraat in. De auto bleef bij hem, net als de motor. Hij gaf gas. Er klonken schoten en kogels drongen door de achterruit naar binnen. Glasscherven spatten in het rond en over hem heen. Hij bukte zich diep, pakte zijn 9mm browning en legde die naast zich op de voorbank. Sinds de dood van Jonathan had hij hem altijd bij zich.

Hij gaf plankgas, voelde de zware achtcilindermotor trekken en de auto sprong naar voren. Huizen flitsten in een waas voorbij. Geen kogels meer, maar hij werd nog steeds gevolgd, hoewel het gat groter werd. In stilte bedankte hij de sterke motor van de Olds. Verderop was een helling. Hij scheurde naar boven; de voorwielen werden op en over de top getild. De voorzijde klapte omlaag en hij scheurde verder, een straat in en nog een.

Hij keek hoopvol om zich heen en zag een openstaande garagedeur; in het huis ernaast brandde geen licht. Hij keek in zijn spiegel. Geen spoor van zijn achtervolger... nog niet.

Hij trapte op de rem en de auto schoot de garage in. Hij sprong eruit en rukte hard aan het koord van de deur, die met een klap dichtviel.

Door een zijraam, met zijn wapen in de hand, zag hij zijn achtervolger voorbij racen. Het was de zwarte Chevrolet Malibu, maar hij zag alleen de rechterkant van de auto, niet de kant van de bestuurder, en hij kon het kenteken niet goed zien. Hij had er nog steeds geen idee van wie er achter het stuur zat. Onmiddellijk daarna flitste de motor langs; het gezicht van de bestuurder ging schuil achter een helm.

Tucker bleef bij het raam staan kijken. Een halfuur later stopte hij zijn browning weer in de holster en liep naar het midden van de grote garagedeur. Kreunend trok hij hem omhoog... en verstarde toen hij in de loop van een halfautomatisch Beretta-pistool keek.

'Niet doen.' Judd Ryders gezicht stond grimmig. Hij had zijn pak verruild voor een spijkerbroek en een bruinleren pilotenjack.

Tucker liet de hand die naar zijn wapen was gegleden langs zijn lichaam vallen. 'Waar ben je verdomme mee bezig, Judd? Hoe heb je me gevonden?'

Ryder wierp hem een scheve glimlach toe. 'Je leert het een en ander bij de legerinlichtingendienst.'

'Heb je een peilbaken aan mijn auto gehangen?'

'Reken maar. Waarom heeft die sluipschutter in Stanton Park jou niet ook vermoord?'

'Ik had geluk. Ik dook onder de bank.'

'Gelul. Je zegt dat je een pennenlikker bent, maar pennenlikkers verstarren. Ze pissen in hun broek. Ze sterven. Waarom heb je mijn vader erin geluisd?'

Tucker zweeg. Ten slotte bekende hij: 'Je hebt gelijk... Ik werk bij de CIA. Je vader kwam me om hulp vragen, precies zoals ik zei. Nadat ik ontsnapt was, probeerde de sluipschutter ook mij neer te schieten. Hij werd overreden terwijl hij achter me aan zat, maar toen ik terugging, was zijn lichaam verdwenen. Ofwel hij heeft het overleefd of iemand heeft hem opgehaald. Hij moet me gezien hebben; daarom heb ik mijn baard afgeschoren, om mezelf minder gemakkelijk herkenbaar te maken. En zojuist heeft iemand opnieuw geprobeerd me te vermoorden, misschien dezelfde klootzak.'

'Wat zei mijn vader precies?'

'Dat hij zich ernstig zorgen maakte. Hij zei: "Ik ben op iets gestuit... een rekening van zo'n twintig miljoen dollar bij een internationale bank. Ik weet niet precies wat het betekent, maar ik denk dat het met islamitisch terrorisme te maken heeft."'

Judd ademde scherp in.

Tucker knikte. 'Hij werd neergeschoten voordat hij meer kon zeggen dan dat hij de informatie had gevonden in de Gouden Bibliotheek.'

Judd fronste zijn wenkbrauwen. 'Hij heeft mij dat verhaal over de bibliotheek altijd verteld alsof het een verzinsel was. Weet je zeker dat hij zei dat hij het ín de bibliotheek had gevonden?'

'Hij zei dat de bibliotheek de sleutel vormde. Dat hij er geweest was.' Hij zag heel even een blik van gekwetstheid in Judds ogen. 'Iedereen heeft geheimen. Je vader was geen uitzondering.'

'En dit geheim heeft hem misschien het leven gekost.'

'Misschien.' Er schoot hem iets te binnen. 'Zat jij op die motor achter me?'

'Hij staat verderop in de straat. Ik heb het kenteken van de Chevrolet die je achtervolgde. Ik kan het niet laten opsporen... jij wel. In Silver Spring schudde hij me af, verdomme.' Hij stopte zijn pistool in zijn binnenzak. 'Sorry, Tucker. Ik moest zeker van je zijn.'

Tucker merkte dat het zweet op zijn voorhoofd stond. 'Wat is het kenteken?'

Judd gaf het hem. Tucker liep door de garage naar zijn auto.

Judd volgde hem. 'Laten we dit samen doen.'

'Geen sprake van, Judson. Je bent ermee gestopt, weet je nog? Je hebt een rijtjeshuis op de Hill en je hebt een tijdje vrij genomen.'

'Dat was verdomme voordat mijn vader door een sluipschutter werd vermoord. Als het moet, zoek ik zijn moordenaar in mijn eentje.'

Tucker draaide zich om en keek hem dreigend aan. 'Je bent heetgebakerd en je bent er te nauw bij betrokken. Verdomme, hij was je váder. Ik kan niet met iemand samenwerken die ik niet kan vertrouwen.'

'Zou jij het anders hebben gedaan?' Voordat Tucker kon antwoorden, ging Judd verder: 'Het is alleen maar logisch dat ik achterdochtig was. Misschien was jij schuldig aan de dood van mijn vader. Je had kunnen proberen mij ook te liquideren. Bekijk het eens anders: je wilt niet dat ik je voor de voeten loop. Reken maar dat ik dat omgekeerd ook niet wil.'

Tucker opende het autoportier en zuchtte. 'Oké. Ik zal erover nadenken. Maar als ik ermee instem, volg je mijn bevelen op. De míjne, begrepen? Geen spektakel meer. En haal nu dat peilbaken van mijn auto.'

'Goed... als je me naar mijn motor brengt.'

'Jezus christus. Stap in.'

5

Meteen nadat hij Judd Ryder had afgezet, belde Tucker Andersen met het hoofdkantoor.

'Ik kom eraan.'

Behoedzaam om zich heen kijkend parkeerde hij de Olds achter een druk winkelcentrum net buiten Chevy Chase, nam een taxi en belde zijn vrouw. Toen nam hij een andere taxi, ditmaal terug naar Capitol Hill.

Het hoofdkantoor van het uiterst geheime Catapult-team was een bakstenen huis uit de federale tijd ten noordoosten van het Capitool, in een bruisende buurt met levendige bars, restaurants en zelfstandige winkeliers. Zo'n drukke omgeving was een prima dekmantel voor Catapult, een speciale afdeling Contra-operaties van de CIA – contraterrorisme, contraspionage, contramaatregelen, contraproliferatie, contrarevolte. Catapult werkte in het geheim achter de schermen, ondernam aanvallende acties om negatieve gebeurtenissen in banen te leiden of te stoppen, selecterend zowel als plannend.

Tucker liet de taxi langs het verweerde bakstenen huis met zijn glimmend zwarte deur en luiken rijden. Het licht in de portiek brandde. Op het discrete bord boven de deur stond RAAD VOOR GROEPSEDUCATIE.

Drie blokken verder stapte hij uit en kuierde terug alsof hij niets aan zijn hoofd had, maar eenmaal op het omheinde terrein, haastte hij zich langs de beveiligingscamera's naar de zijdeur, waar hij zijn pincode intoetste op een elektronisch toetsenbord. Na een reeks zachte klikken duwde hij de deur open. Het was een zware stalen deur, ontworpen om een bankkluis te beveiligen.

Hij liep de gang in. Het huis was aan de buitenkant elegant en oud, maar binnen was het zakelijk en sober. De gepleisterde muren en het zware lijstwerk waren gedempt groen en grijs geschilderd en er hingen schrille zwart-witfoto's van steden overal ter wereld aan, die de weinige mensen die hier toegang kregen herinnerden aan de lange arm van Catapult.

Terwijl hij enkele stafleden met uiterst geheime blauwe mappen passeerde en naar boven keek, zag hij de minuscule camera's en bewegingsmelders zo groot als een munt. In de ontvangstruimte regeerde de bureauchef, Gloria Feit, van achter haar grote stalen bureau. Aan zijn rechterhand was de voordeur en links strekte een lange gang zich uit door het huis, naar de kantoren, de bibliotheek en het communicatiecentrum. Boven waren nog meer kantoren, een vergaderzaal en twee ruime slaapkamers met britsen voor geheim agenten en speciale bezoekers op doorreis.

Gloria was die morgen om acht uur begonnen, maar ze zag er nog altijd fris uit. Ze was een kleine vrouw van achter in de veertig met lachrimpeltjes rond haar ogen. Ze was zelf ooit veldagent geweest en had twintig jaar lang met onderbrekingen met hem samengewerkt.

Ze trok haar wenkbrauwen op tot boven haar kleurige leesbril. 'Je bent op tijd!'

Het was een voortdurend twistpunt tussen hen, aangezien hij vaak te laat kwam. 'Hoe weet je dat? Ik ben meestal hier.'

'Behalve wanneer je er niet bent. Heb je geluk gehad?'

'Geluk is het resultaat van voorbereiding. Ik was voorbereid. Maar ik had minder geluk dan ik gehoopt had. Ik denk wel eens dat je te veel weet, Gloria.'

Ze glimlachte. 'Dan moet je me voortaan niets meer vertellen.'

'Goed punt.'

Ze had een ijzeren geheugen en hij verliet zich op haar voor details die hij af en toe vergat in de stortvloed van informatie waaronder hij dagelijks werd bedolven. Bovendien was ze een wandelende encyclopedie van degenen met wie ze in binnen- en buitenland hadden samengewerkt.

'Waarom ben je er nog?' vroeg hij. 'Je had al uren geleden naar huis moeten gaan.'

'Nu jij er bent, ga ik. Ted heeft me mee uit eten gevraagd. Karen heeft gebeld om te vragen of je veilig en wel in Catapult bent aangekomen. Je kunt haar maar beter bellen.'

'Waarom maakt iedereen zich zoveel zorgen om mij?' Maar Karen had zich eerlijk gezegd al veel te lang moeten afvragen waar hij was en soms of hij nog leefde.

'Omdat jíj je zorgen maakt, Tucker.' Gloria schakelde haar computer uit. 'De rest hier is noodzakelijk om ervoor te zorgen dat jij je kunt concentreren op je bezorgdheid. Het is een zware baan, maar alles in dienst van het land.' Ze grijnsde. 'Je berichten liggen op je bureau. Ik heb Cathy laten weten dat je er bent zodra ik je op de monitor zag. Ze wacht op je in je kantoor. Veel plezier.' Ze pakte haar tas, haalde haar autosleutels eruit en liep naar de deur.

Gebukt onder het gewicht van Jonathans dood liep Tucker door de lange gang. Zijn kantoor was het laatste, gekozen omdat het er rustiger was wanneer de hectiek losbarstte. Als tweede man had hij enkele privileges en zijn kantoor was zijn favoriete.

Hij opende de deur. Catherine Doyle, het hoofd van Catapult, zat in een van de twee van overheidswege verstrekte fauteuils voor zijn met paperassen bezaaide bureau.

Ze draaide zich om. 'Je ziet er bescheten uit.'

'Zo goed? Bedankt.' Hij grijnsde naar haar en liep naar zijn bureau.

Cathy Doyle grinnikte. Ze was even lang als Tucker en gekleed in een lichtbruin broekpak en enkellaarzen, die ze stevig op het tapijt had geplant. Hoewel ze over de vijftig was, was ze nog steeds een schoonheid, met kort geblondeerd haar en een porseleinen huid. Tijdens haar studie aan New York University had ze de kost verdiend als fotomodel. Ze was cum laude afgestudeerd, daarna aan Colombia University gepromoveerd op internationale betrekkingen en vervolgens door Langley aangetrokken.

'Gloria is naar huis.' Hij ging zitten. 'Ik kan Communicatie bellen voor koffie of thee.'

'Ik zou geen bezwaar hebben tegen iets sterkers.'

'Dat komt me prima uit.' Tucker draaide zijn stoel naar de dossierkast en opende de onderste lade. Hij haalde er een fles Johnny Walker Red Label uit, hield hem op en keek om.

Cathy knikte en Tucker schonk twee vingers in twee waterglazen. De pittige geur van de blended whiskey steeg op, complex in zijn rokerigheid en de aroma's van gemout graan en hout. Hij gaf haar een glas en verwarmde het zijne tussen zijn handen.

'Dat kenteken is gevonden,' vertelde ze hem. 'Het hoort bij een Chevrolet Malibu die eerder op de dag als gestolen is aangegeven.'

'Geen verrassing. Iets over de Gouden Bibliotheek, een internationale bank en financiering van de jihad?'

Een groot aantal instanties in Washington – CIA, FBI, DIA, de douane, de IRS, het Financial Crimes Enforcement Network, het Office of Foreign Assets and Control en de Secret Service – stuurde namen van verdachte personen en groepen naar Financiën, die ze doorzond naar een uitgebreide database van twijfelachtige geldtransacties. De database vergeleek de namen met bestaande bestanden en signaleerde eventuele overeenkomsten.

Cathy schudde haar hoofd. 'Nog niets.'

'Hoe staat het met SWIFT?'

De Society for Worldwide Interbank Financial Telecommunication – SWIFT – hield internationale financiële transacties in de gaten ter wille van het Amerikaanse contraterrorisme en zocht naar verdachte transacties om terroristen te financieren, geld wit te wassen of voor andere criminele activiteiten. Het probleem was dat de informatie waarover SWIFT beschikte, niet beter was dan wat de banken aan beide zijden van de transacties verschaften.

'Niets,' zei ze. 'Als we op zijn minst de naam van de bank hadden, hadden we iets om mee verder te gaan. Maar goed, de gebruikelijke verdachte transacties zijn opgedoken en zullen hoe dan ook grondig worden nagetrokken. En er was ook niets over de Gouden Bibliotheek.'

'Hoe zit het met Jonathan Ryder? Reizen, telefoongesprekken?'

'Nog steeds niets. We zoeken nog.' Ze keek hem aandachtig aan. 'Wat is er met jou gebeurd?'

Hij vertelde haar over de begrafenis en over Judd Ryders 'verhaaltje voor het slapengaan'.

'Typisch dat zijn vader dat deed,' zei ze. 'Daaruit blijkt wel dat hij al heel lang iets met de Gouden Bibliotheek had.'

'Precies. Na afloop ben ik naar het huis van de Ryders gegaan en heb ik samen met Judd Jonathans kantoor doorzocht. Het enige wat ik vond, was een map in zijn bureau – een naamloos dossier.' Hij overhandigde haar de knipsels. Terwijl ze die las, zei hij: 'Ze gaan allemaal over recente terreurdaden in Pakistan en Afghanistan – voornamelijk de taliban en Al Qaida. Wat geld betreft, er is er een bij over hoe moeilijk het is de geldstromen voor de jihad te volgen – een naald in een hooiberg, is het cliché dat in het artikel wordt gebruikt. Een ander artikel gaat over hoe onafhankelijke jihadgroepen zichzelf financieren door middel van fraude, ontvoeringen, bankovervallen, kleine criminaliteit, slechts een fractie van wat we weten – en dat doorsluizen naar Al Qaida.'

Al Qaida's uiterst bekwame, operationeel verfijnde kern, gedecimeerd door de inlichtingendiensten en het leger en grotendeels afgesneden van hun vroegere bronnen van inkomsten, kon niet langer overal ter wereld aanslagen plegen. De voornaamste dreiging was nu de Al Qaida-beweging, de talloze regionale afdelingen en basisbewegingen die ontstonden of zich omvormden tot onderafdelingen.

'Ik ben benieuwd wat de analisten ervan vinden,' zei Tucker. 'Er worden verscheidene banken genoemd in die artikelen. Het lijkt me momenteel dat Jonathan inlichtingen verzamelde, maar ik weet niet precies wat hij zocht.'

'Mijn idee, hoewel hij zich op die twee landen concentreerde.' Ze legde de knipsels op zijn bureau.

'Na mijn vertrek bij de Ryders gebeurde er nog iets.' Hij beschreef de achtervolging door de Chevy Malibu. 'Ik denk dat die knaap me op de begrafenis van Jonathan heeft gezien, dus hij weet nu hoe ik eruitzie. Ik kan de Olds niet meer gebruiken totdat dit achter de rug is.'

'Als je dat maar weet. Dus daarom belde je over Buitenlandse Zaken. En je kunt ook niet naar huis. Hij zou erachter kunnen komen waar je woont.'

'Ik slaap hier wel. Gezellig.' Hij trok een gezicht en nam een slok. 'Karen is aan het inpakken. Ze gaat naar een vriendin in de Adirondacks tot dit voorbij is. Heb je mijn dekmantel bij Buitenlandse Zaken aangepast?'

'Dat heb ik meteen gedaan. Ongeveer een uur geleden. Je bent hier wel op je dooie gemak naartoe gekomen.'

'Ik moest mijn spoor uitwissen – je weet hoe dat gaat.' Hij leunde achterover en draaide zijn whiskeyglas in het rond. 'Ik heb in onze database een treffer voor de Gouden Bibliotheek gevonden. Een paar jaar geleden nam iemand die beweerde dat hij de hoofdbibliothecaris was contact op met een van onze agenten. Hij zei dat er binnen de boekenclub – de eigenaars ervan – allerlei internationale criminele activiteiten plaatsvonden en dat hij niet kon ontsnappen. Tenzij we hem daar weghaalden.'

'Wat voor activiteiten?'

'Dat wilde hij niet zeggen. Hij was bang dat ze zouden ontdekken dat de informatie van hem kwam en hem zouden vermoorden, maar hij zou ons alles vertellen zodra hij in veiligheid was. Toen we hem vroegen zijn goede trouw te bewijzen, smokkelde hij een van de geïllustreerde manuscripten naar buiten, *Het boek der spionnen*, uit de zestiende eeuw. We hebben sindsdien geen contact meer met hem kunnen krijgen en nu ligt het boek ergens in Langley.'

Ze knikte peinzend. 'Heb je een plan?'

'Ik ben ermee bezig.'

'Oké, maar het zal moeilijk zijn je hulp te geven. Ik heb nu al te weinig mensen, zeker als je hiermee aan de slag gaat.'

'Geen punt.' Hij vertelde hoe Judd hem had gevonden in de garage waar hij zich voor de Chevy had verborgen. 'Zijn volledige naam is Judson Clayborn Ryder. Ik wil hem aannemen als contractwerker. Hij heeft er de opleiding voor en ik kan hem gebruiken.'

'Geen goed idee. Hij is er emotioneel bij betrokken.'

'Dat is zo, maar hij kalmeerde snel en hij gaat sowieso op onderzoek uit. Op deze manier kan ik hem in de gaten houden en hij heeft bij de legerinlichtingendienst gezeten en weet dus van wanten.'

Ze dacht erover na. Dronk haar glas leeg. 'Ik zal hem door Langley laten natrekken.'

6

Jefferson County, Missouri

De nacht was tintelend en helder boven de glooiende heuvels van Missouri toen de man Interstate 55 verliet en langs boerderijen en bossen naar het westen reed. De truck was een Class 6 Freightliner met soepele stuurbekrachtiging. Zijn vingers trommelden op het stuur terwijl hij naar het landschap keek. Op de stoel naast hem lag een M4-karabijn, het standaardwapen van de meeste commando's en parkwachters. Hij was een oude vriend en als hij zoals nu aan het bijklussen was, nam hij hem mee als gezelschap. Hij glimlachte bij de gedachte aan het geld dat hij zou verdienen.

De kledingfabriek lag recht voor hem, een laag gebouw zo groot als een voetbalveld, omringd door een hoog hek en prikkeldraad. Hij stopte bij de poort en toonde de papieren die Preston hem had gegeven. De slaperige bewaker keek er even naar en wuifde hem door.

Met een zucht van verlichting reed hij door en telde intussen de laadperrons die als grijze tanden uit de zuidzijde van het gebouw staken. Toen hij had uitgedokterd welk ervan nummer drie was, keerde hij en reed er achteruit naartoe. De remmen sisten.

Eenmaal op het perron vloekte hij bij het zien van de stapel kratten. Twee uur lang zwoegde hij, reed zijn steekwagen heen en weer tussen het perron en de geopende muil van de truck en stapelde de kratten op. Het was een hels karwei voor één man. Hij zou Preston erop aanspreken. Wie had ooit kunnen denken dat uniformen zoveel plaats innamen?

Hij was bezweet toen hij klaar was. Maar goed, dit deel, het gevaarlijkste deel, was in elk geval achter de rug. Hij klom achter het stuur en reed op zijn gemak naar het wachthuisje. De poort ging bij zijn nadering open en hij reed er veilig doorheen. Dat was typisch Preston. Hij wist hoe hij een karwei moest plannen. Hij pakte zijn mobiele telefoon en toetste het nummer in. Tijd om het goede nieuws door te geven.

San Diego County, Californië
De jongeman parkeerde zijn gestolen sedan onder de takken van een peperboom aan de rand van de uitgestrekte parkeerplaats aan de drukke Interstate 15. Hij stopte zijn FAMAS pistoolmitrailleur in het speciale foedraal onder zijn lange jas, stapte uit en liep nonchalant door de nachtelijke schaduwen aan de rand van het parkeerterrein, ver van het helder verlichte benzinestation met het restaurant, de slaapkamers, de wasstraat en de herstelwerkplaats. Met de komende en gaande trucks, de stank van diesel en de smaak van uitlaatgassen was de plaats een aanval op de zintuigen.

Behoedzaam in het rond kijkend liep hij naar dertig in keurige rijen geparkeerde trucks, waarvan de lichten waren gedoofd terwijl de bestuurders zich binnen bezighielden met hun werk, eten of ontspanning. De truck die hij zocht was een Class 7 Peterbilt, een zware achttienwieler.

Hij vond hem snel en las voor de zekerheid het kenteken. Tevredengesteld keek hij rond en probeerde toen de deur. Die was zoals verwacht niet op slot. Hij hees zichzelf naar binnen. De sleutel zat in het contactslot. Hij startte de motor, zag dat de tank vol was en reed weg. Zodra hij op de autoweg was, belde hij Preston.

Howard County, Maryland
Eindelijk hoorde Martin Chapman de auto op zijn oprit. Hij keek uit het raam op de tweede verdieping. De maan wierp zijn zilverkleurige licht over het jachtgebied van Maryland. Zijn vrouw was in hun chateau in Sankt Moritz om het eind van het skiseizoen mee te pikken, en het was stil in zijn grote plantershuis. Buiten blaften zijn Duitse herders en de paarden hinnikten in de weiden en de stallen. De bewakingslampen schenen fel en verlichtten slechts een fractie van zijn uitgestrekte arabierenstoeterij.

Hij drukte op de intercom. 'Ik doe wel open, Bradley. Ga weer slapen.' Bradley was zijn bediende, al twintig jaar in trouwe dienst.

Nog aangekleed keek Chapman naar de foto op zijn bureau, van Gemma in een lange, strakke jurk, glinsterende diamanten bij haar ogen en om haar hals, en hijzelf in een gehuurde smoking. Ze glimlachten breed. Het was zijn lievelingsfoto, jaren geleden gemaakt toen hij aan de UCLA en zij aan de USC studeerde, geografisch kilometers van elkaar verwijderd, financieel tot twee aparte werelden behorend, maar stapelverliefd. Nu waren ze beiden begin vijftig. Vervuld van warme gedachten maakte hij zich los, een lange man met een volle bos zilvergrijze, golvend achterovergekamde haren, blauwe ogen en een rimpelloos, zorgeloos gezicht.

Hij haastte zich naar beneden en opende de deur. Doug Preston stond op het stenen bordes, een golfpet in zijn handen. Preston, rijzig en atletisch, straalde kalm zelfvertrouwen uit. Hij was tweeënveertig en had scherpe, aristocratische trekken. Op zijn gebronsde gezicht was weinig meer te lezen dan de gebruikelijke neutrale uitdrukking, maar Chapman kende hem beter dan hij zichzelf kende: er lag iets gespannens rond zijn ogen en zijn lippen waren dunner. Er was iets gebeurd wat Preston niet zinde.

'Kom binnen,' zei Chapman kortaf. 'Wil je iets drinken?'

Preston knikte eerbiedig en Chapman ging hem voor naar zijn enorme bibliotheek, waar hoge kasten vol in leer gebonden boeken alle wanden in beslag namen. Hij keek er waarderend naar en liep naar de bar, waar hij voor hen beiden bourbon met een scheut water inschonk.

Met een beleefd bedankje pakte Preston zijn glas op, liep naar de tuindeuren en keek het donker in.

Chapman sloeg hem gade en voelde een moment van ongeduld, dat hij onderdrukte. Preston moest voorzichtig worden aangepakt en hij behandelde hem dan ook met dezelfde bedrevenheid als zijn scherp concurrerende miljardenbedrijf.

'Wat ben je te weten gekomen over de onbekende in het park?' polste Chapman. Preston had de sluipschutter met zijn Mercedes overreden en het lijk in de auto getrokken. Ze hadden de man moeten elimineren; te veel mensen hadden zijn gezicht gezien.

Preston draaide zich om en bracht geconcentreerd verslag uit. 'Ik heb buiten gewacht tijdens de begrafenis van Jonathan Ryder, heb foto's gemaakt van de man die bij Ryder was en die door verschillende databanken gehaald. Hij heet Tucker Andersen. Hij werkt bij Buitenlandse Zaken. Ik ben Andersen gevolgd naar het huis van Ryder en hem opgepikt toen hij wegging. Ik heb hem niet te grazen kunnen nemen... Hij rijdt als een autocoureur. Dat kan iets betekenen, maar misschien ook niet. Daarom heb ik een contactpersoon op hoog niveau bij Personeelszaken van BuZa gebeld. Andersen is een documentenspecialist en hij vertrekt vanavond naar Genève voor een VN-conferentie over het Midden-Oosten. Die duurt drie weken. Ik heb het gecheckt en hij heeft een kamer gereserveerd in het conferentieoord. Voor alle zekerheid laat ik zijn huis in Virginia in de gaten houden en ik houd nauw contact met mijn contactpersoon bij BuZa. Als Andersen niet vertrekt, weten we dat we problemen hebben. Ik zal klaarstaan om hem te elimineren.'

Chapman hoorde de irritatie in Prestons stem. Dat hij er niet in geslaagd was Andersen te elimineren, was moeilijk te verkroppen voor iemand die de pest had aan onafgedane zaken.

Maar er was geen reden om bij de pakken neer te zitten. 'Goed werk.' Chapman zweeg even en hij zag een flits van dankbaarheid in Prestons ogen. 'En de districtspolitie?'

Preston glimlachte voor het eerst. 'Ze stellen nog steeds geen vragen over de bibliotheek, wat ze inmiddels zouden doen als ze ervan wisten. Het begint erop te lijken dat Ryder Andersen niets belangrijks heeft verteld of heeft kunnen vertellen.' Preston was al meer dan tien jaar hoofd Beveiliging van de Gouden Bibliotheek, had een passie voor boeken en was volkomen loyaal, eigenschappen die bij bibliotheekmedewerkers niet alleen op prijs werden gesteld, maar zelfs vereist waren.

'Dat zou mooi zijn.' Hij sneed zijn volgende onderwerp aan. 'Hoe gaat het met het diner van de bibliotheek?'

Preston nam een grote slok en ontspande zich. 'Alles staat op de rails. Het menu, de koks, het vervoer.'

De leden van de boekenclub waren de afgelopen maand naar de bibliotheek gekomen en hadden met hulp van de vertalers vragen opgezocht en onderzocht om zich op het jaarlijkse bankettoernooi voor te bereiden. Het was tijdens Jonathans bezoek aan de bibliotheek enkele dagen geleden geweest dat hij achter Chapmans nieuwste zakelijke transactie was gekomen en geschrokken was.

'Hoe ver ben je met het project-Khost?' Khost was een provincie in het oosten van Afghanistan, aan de grens met Pakistan. Chapman wilde de enorme verliezen die hij door de wereldwijde economische crisis had geleden daar terugverdienen, ruimschoots.

'Op schema. De uniformen en de uitrusting zijn opgehaald. Ze worden morgenvroeg verscheept. Ik heb alles onder controle.'

'Zorg dat het zo blijft. Er mag niets tussen komen. Niets. En hou de situatie met Tucker Andersen in de gaten. We kunnen geen gedonder gebruiken.'

7

Chowchilla, Californië. Twee weken later
Om twee minuten over halftwee in de nacht gaf Tucker Andersen zijn laatste instructies aan de directeur van de Californische vrouwenge-

vangenis. Ze was een stevig gebouwde vrouw met grijzend bruin haar, die de hebbelijkheid had haar handen voor haar lichaam te vouwen. Ze leidde hem haar privékantoor uit.

'Vertel me over Eva Blake,' zei Tucker.

'Ze klaagt niet en ze heeft nooit een waarschuwing gekregen,' zei de directeur. 'Ze is begonnen op de binnenplaats: vegen en vuilnisbakken leegmaken. Tien maanden geleden hebben we haar beloond met een baan aan de lopende band in onze elektronicafabriek. In haar vrije tijd luistert ze naar de radio, doet karateoefeningen en vrijwilligerswerk – ze geeft leescursussen en leest gevangenen in de ziekenboeg voor. Een paar maanden geleden heeft ze een reeks cv's verstuurd, maar daar weten de andere gevangenen niets van. Er is hier een ongeschreven regel: je vraagt een medegevangene niet wat ze gedaan heeft of waar ze mee bezig is. Blake is verstandig geweest en heeft haar mond gehouden over zichzelf.'

'Van wie krijgt ze bezoek?' vroeg Tucker terwijl ze langs de receptie liepen.

'Van familie, af en toe, van buiten de staat. Vroeger kwam er om de paar maanden een vriendin uit L.A. – Peggy Doty, een oud-collega. Mevrouw Doty is al een hele tijd niet meer geweest. Ik geloof dat ze nu in de British Library in Londen werkt. Dit is de afdeling van Blake.'

Ze betraden een wereld van lange, met linoleum belegde gangen, afgesloten deuren, schelle tl-verlichting en oorverdovende herrie van krakende intercoms, tv-programma's in de dagverblijven en luide kreten en vloeken.

De directeur keek hem aan. 'Ze roepen net zo goed om iets te doen te hebben als om zich te uiten. We hebben een dubbele bezetting, dus de herrie is twee keer zo hard als zou moeten. Blake is op de binnenplaats. Ze mag elke dag drie uur, als ze wil. Ze wil altijd.'

De directeur knikte naar de bewaker naast de deur. Hij deed open en de doordringende geur van kunstmest walmde hun tegemoet. Ze stapten naar buiten, waar de Central Valley-zon inbeukte op een open ruimte met gras, beton en zand. Vrouwen zaten, doezelden en liepen doelloos rond. Achter hen rezen hoge bakstenen muren op met ge-elektrificeerd prikkeldraad.

Tucker liet zijn blik over de gevangenen glijden en zocht naar Eva Blake. Hij had foto's bestudeerd en een videoband van de rechtszaak, waarin ze schuld had bekend aan de dood door ongeval van haar man. Hij zocht naar haar rode haren, knappe gezicht, tengere gestalte.

'U herkent haar niet, is het wel?' vroeg de directeur. 'Dat is ze.'

Hij volgde haar hoofdknik naar een vrouw in een slobberig gevangenishemd en -broek die om de binnenplaats heen liep. Haar haren waren volledig weggestopt onder een honkbalpet. Haar gezicht was nietszeggend, haar houding niet bedreigend. Ze leek weinig op de levendige vrouw op de foto's en de videoband.

'Ze loopt uren aan één stuk om de binnenplaats heen, keer op keer. Ze is alleen omdat ze het zo wil. Zoals ik al zei, ze is intelligent – ze heeft geleerd zichzelf onzichtbaar te maken, oninteressant. Iedereen hier die interessant is, kan geweld verwachten.'

Indrukwekkend in haar optreden en haar vermogen om niet op te vallen, dacht Tucker.

De directeur vouwde haar handen voor haar lichaam. 'Ik zal u een goede raad geven. Mannelijke gevangenen volgen bevelen op of leggen ze naast zich neer. Vrouwelijke gevangenen vragen waarom. Lieg niet tegen haar, maar als het niet anders kan, zorg er dan voor dat ze u niet betrapt, in elk geval niet terwijl u haar probeert over te halen om te doen wat u haar wilt laten doen. U vertelt me echt niet wat er aan de hand is, hè?'

'Het gaat om de nationale veiligheid.'

Ze knikte kort en Tucker liep, nageroepen en nagefloten, over het gras naar Eva Blake. Hij vroeg zich af hoe lang het zou duren voordat ze besefte dat hij op haar af kwam. Toen hij nog zo'n meter of dertig van haar verwijderd was, werden haar stappen nerveuzer en haar kin kwam omhoog. Ze bleef staan en draaide zich langzaam en doelbewust naar hem om. Haar armen hingen schijnbaar ontspannen langs haar zijden, maar haar houding was breed en uitgebalanceerd, een karatehouding. Haar reactietijd was uitstekend en te oordelen naar haar bewegingen was ze nog steeds in goede fysieke conditie.

Hij liep naar haar toe. 'Doctor Blake, mijn naam is Tucker Andersen. Ik zou u willen spreken. De directeur heeft ons een spreekkamer toegewezen.'

'Waarom?' Haar gezicht was een masker.

'Ik heb misschien een voorstel voor u dat u denk ik wel zult willen horen.'

Ze keek om zich heen en hij keek om.

De directeur stond nog altijd in de deuropening. Ze knikte Blake streng toe. Dat was een bevel.

'Zeg het maar,' antwoordde Blake en ze ontspande zich enigszins. Toen ze hem wilde passeren, struikelde ze, ging door haar enkel en viel tegen hem aan. Hij pakte haar bij haar schouders en hield haar overeind. Ze hervond haar evenwicht, excuseerde zich, liet hem los en liep met vaste tred naar de gevangenis.

De spreekkamer bestond uit pastelkleurige muren, een metalen tafel met vier metalen stoelen en camera's hoog in twee hoeken.

Tucker ging aan de lange zijde van de tafel zitten en gebaarde naar de andere stoelen. 'Kies maar uit.'

Er kon geen lachje af. Eva Blake ging aan de korte zijde zitten. 'U zegt dat u Tucker Andersen heet. Waar komt u vandaan?'

'McLean, Virginia. Waarom?'

Ze haalde zijn portefeuille onder haar blouse uit, las het rijbewijs en keek hem aan. Ze spreidde de creditcards uit, allemaal op dezelfde naam. Ze knikte in zichzelf, klapte de portefeuille dicht en gaf hem aan hem. 'De eerste keer dat ik op een geen-bezoekdag een bezoeker op de binnenplaats zie.'

Hij had niet gemerkt dat ze zijn portefeuille had gepikt, maar het feit dat ze tegen hem aan was gevallen, was een aanwijzing geweest. Terwijl hij achter haar aan naar de gevangenis liep, had hij zijn jack beklopt en gemerkt dat zijn portefeuille weg was.

'Goed werk,' zei hij mild, 'maar ja, u hebt immers ervaring.'

Haar ogen werden enigszins groter.

Mooi, hij had haar verrast. 'Uw jeugddossier is afgesloten. U had het moeten laten vernietigen.'

'Hebt u mijn jeugddossier kunnen inzien?' vroeg ze.

'Dat kon ik, en ik heb het gedaan. Vertel me wat er gebeurd is.'

Ze zei niets.

'Oké, dan vertel ik het zelf,' zei hij. 'Toen u veertien was, was u wat men gewoonlijk "een wildebras" noemt. U kocht stiekem bier. Rookte af en toe wiet. Sommige van uw vriendinnen pleegden winkeldiefstal. U probeerde het ook. U werd bij Macy's betrapt door een man die eruitzag als een bewaker in burger. In plaats van u aan te geven, gaf hij u een compliment en vroeg hij of u het lef had om het groter aan te pakken. Het bleek dat hij niet in dienst was van de winkel –

hij was een meesterzakkenroller die met een stuk of vijf teams werkte. Hij leerde u het vak. U bewerkte luchthavens, honkbalstadions, treinstations en zo. Omdat u mooi bent, zorgde u er meestal voor dat de slachtoffers werden afgeleid en in positie werden gebracht. Maar toen u zestien was, maakte een zakkenroller in uw team zich met de buit uit de voeten toen de politie hem in de gaten kreeg. Hij rende de straat op om te ontsnappen...'

Ze boog haar hoofd.

'Hij werd geraakt door een oplegger en gedood,' ging Tucker verder. 'Iedereen maakte dat-ie wegkwam. U ook. Maar om de een of andere reden veranderde u van gedachten; u ging terug en praatte met de politie. U werd uiteraard gearresteerd en ze vroegen u te helpen de bende op te rollen, wat u deed. Waarom?'

'We waren nog zo jong... het leek gewoon goed ermee te stoppen zolang we misschien nog tijd hadden om betere mensen te worden.'

'En later gebruikte u uw vaardigheden toen u aan de UCLA studeerde.'

'Maar wel legaal. Bij een beveiligingsbedrijf. Wie bent u?'

Hij negeerde de vraag. 'U wordt volgend jaar waarschijnlijk vervroegd vrijgelaten en dus stuurt u cv's rond. Al beetgehad?'

Ze wendde haar blik af. 'Geen enkel museum en geen enkele bibliotheek neemt een veroordeelde aan als conservator; mij in elk geval niet. Te veel bagage vanwege... de dood van mijn man. Omdat hij zo bekend was en gerespecteerd binnen zijn vakgebied.' Ze speelde met een gouden ketting om haar hals. Wat eraan hing, ging schuil onder haar blouse. Hij zag dat ze haar trouwring nog steeds droeg, een eenvoudige gouden ring.

'Juist,' zei hij neutraal.

Ze hief haar kin op. 'Ik vind wel iets. Een of andere baan.'

Hij wist dat ze geen geld had. Omdat ze was veroordeeld wegens doodslag op haar man, keerde zijn levensverzekering niet uit. Ze had haar huis moeten verkopen om haar advocaat te kunnen betalen. Hij kreeg even medelijden, zette het toen van zich af.

'U bent erg goed geworden in het verbergen van uw emoties,' merkte hij op.

'Je moet wel, om het hier te redden.'

'Vertel me over de Gouden Bibliotheek.'

Het leek haar te overvallen. 'Waarom?'

'Doe me een plezier.'

'U zei dat u een voorstel had. Een dat ik wel zou willen horen.'

'Ik zei dat ik misschíén een voorstel had. Laten we eens zien hoeveel u zich herinnert.'

'Ik herinner me een heleboel, maar Charles, mijn man – doctor Charles Sherback – was de echte autoriteit. Hij had de bibliotheek zijn leven lang bestudeerd en kende alle details.' Ze klonk trots.

'Begin bij het begin.'

Ze vertelde het verhaal van het ontstaan van de bibliotheek in de tijd van het Byzantijnse Rijk tot aan de verdwijning na de dood van Ivan de Verschrikkelijke.

Hij luisterde geduldig. Toen: 'Wat gebeurde ermee?'

'Dat weet niemand. Na de dood van Peter de Grote werd er tussen zijn papieren een aantekening gevonden dat Ivan de boeken onder het Kremlin had verborgen. Napoleon, Stalin, Poetin en gewone mensen hebben eeuwenlang gezocht, maar er zijn minstens twaalf niveaus met tunnels en de meeste zijn niet in kaart gebracht. De locatie is een van de grote wereldraadsels.'

'Weet u waaruit de bibliotheek bestaat?'

'Het zou om poëzie en romans gaan. Boeken over natuurkunde, alchemie, religie, oorlog, politiek, zelfs sekshandboeken. Ze gaan terug tot de oude Grieken en Romeinen, dus er zijn waarschijnlijk werken van Aristophanes, Vergilius, Pindaros, Cicero en Sun Tzu. Er zijn ook bijbels, thora's en korans. In allerlei talen – Latijn, Hebreeuws, Arabisch, Grieks.'

Hij zweeg even en dacht na. Na een moeilijke start als tiener had ze zich hersteld en een carrière op hoog niveau opgebouwd, wat blijk gaf van talent, hersens en verantwoordelijkheid. Ze had stommetje gespeeld om in het gevangenisleven te passen en dat duidde op aanpassingsvermogen. Dat ze zijn portefeuille had gerold omdat hij een vreemde was, vertelde hem dat ze nog steeds lef had. Hij werkte met deze opdracht in een vacuüm. Geen van de analisten had iets nuttigs gevonden en de verzameling krantenknipsels van Jonathan Ryder had evenmin veel opgeleverd.

Hij bestudeerde het gezicht onder de gevangenispet, de verfijnde lijnen, de uitdrukking die weer koel en neutraal was geworden. 'Wat zou u zeggen als ik u vertelde dat ik aanwijzingen heb dat de Gouden Bibliotheek wel degelijk bestaat?'

'Ik zou zeggen: vertel me meer.'

'De Lessing J. Rosenwald Collection heeft enkele geïllustreerde manuscripten uitgeleend aan het British Museum, voor een speciale tentoonstelling. Het topstuk is *Het boek der spionnen*. Kent u dat?'

'Nooit van gehoord.'

'Het werd, verpakt in piepschuim en in een kartonnen doos, afgeleverd bij de Library of Congress. Er zat een anonieme brief bij dat het deel had uitgemaakt van de Gouden Bibliotheek en een schenking was aan de Rosenwald Special Collection. Ze hebben de inkt en het papier en zo getest. Het is authentiek. Niemand heeft de schenker of schenkers kunnen achterhalen.'

'Zijn dat alle aanwijzingen die u hebt dat het uit de Gouden Bibliotheek komt?'

Hij knikte. 'Dat is voorlopig genoeg.'

'Wil dat zeggen dat u de bibliotheek wilt vinden?' Toen hij knikte, zei ze: 'Waarmee kan ik u helpen?'

'De tentoonstelling in het British Museum wordt volgende week geopend. Uw taak zou erin bestaan dat u doet wat u altijd deed als u met uw man op reis was. Praat met de bibliothecarissen, de historici, de verzamelaars die er jarenlang naar hebben gezocht. Luister gesprekken tussen hen en anderen af. We hopen dat, als *Het boek der spionnen* inderdaad uit de bibliotheek komt, het iemand zal aantrekken die de locatie ervan kent.'

Ze had zich naar voren gebogen. Nu leunde ze weer naar achter. Emoties gleden over haar gezicht. 'Wat zit er voor mij in?'

'Als u goed werk levert, gaat u uiteraard terug naar de gevangenis, maar over vier maanden zult u vervroegd worden vrijgelaten – ervan uitgaande dat u zich goed blijft gedragen. Dat is acht maanden eerder.'

'En de keerzijde?'

'Er is geen keerzijde, behalve dat u te allen tijde een gps-enkelband zult moeten dragen. Er kan niet mee geknoeid worden en er zit een ingebouwde gsm/grps-zender in die automatisch doorgeeft waar u bent. Ik zal u ook een mobiele telefoon geven. U brengt verslag uit aan mij en mag niemand vertellen wat u doet of wat u opsteekt, zelfs de directeur niet.'

Ze zweeg. 'U hebt mijn jeugddossier gelicht. U kunt me uit de gevangenis krijgen. En u kunt me strafvermindering bezorgen. Voordat

45

ik ja zeg, wil ik weten wie u in werkelijkheid bent.'

Hij wilde zijn hoofd schudden.

'De eerste voorwaarde voor mijn medewerking is de waarheid,' waarschuwde ze.

Hij herinnerde zich wat de directeur had gezegd over niet liegen tegen de gevangenen. 'Ik werk bij de Central Intelligence Agency.'

'Dat zit niet in uw portefeuille.'

Hij bukte zich en opende een zakje in zijn lange sok. Hij gaf haar het identiteitsbewijs. 'U mag het tegen niemand zeggen. Afgesproken?'

Ze bestudeerde het gelamineerde officiële identiteitsbewijs. 'Afgesproken. Als iemand ginds weet waar de bibliotheek is, kom ik erachter. Maar als ik klaar ben, wil ik niet terug naar de gevangenis.'

Hij glimlachte inwendig; haar onverzettelijkheid stond hem wel aan.

De jaren leken van haar af te vallen. 'Wanneer vertrek ik?'

8

Londen, Engeland

De wereld leek Eva opwindend nieuw – geen handboeien, geen gevangenbewaarders, geen ogen die haar de klok rond in de gaten hielden. Het was halfnegen in de avond en het stortregende toen ze zich over het voorplein naar het British Museum haastte. Ze voelde de natte kou nauwelijks op haar gezicht. Het Londense verkeer dreunde achter haar en ze had haar oude Burberry-trenchcoat om zich heen getrokken. Ze keek omhoog naar de oprijzende zuilen, de kale stenen muren, de Greek Revival-sculpturen en -beelden. Herinneringen stroomden door haar heen aan de mooie tijden die zij en Charles in het majestueuze oude museum hadden doorgebracht.

Ze week uit voor een plas en rende lichtvoetig de stenen trap op, deed haar paraplu dicht en betrad de Front Hall. De hal was felverlicht en het hoge plafond verdween in dramatische duisternis. Ze bleef staan bij de ingang van de Queen Elizabeth Great Court, achtduizend vierkante meter marmeren vloer, omringd door muren van Portlandsteen en zuilengalerijen. Ze dronk de serene schoonheid ervan in.

In het midden was de ronde Reading Room, een van de beste bibliotheken ter wereld – en uit de deur daarvan kwamen Herr Professor en Frau Georg Mendochon.

Glimlachend liep Eva hun tegemoet. Ze keken elkaar aan en aarzelden.

'Timma. Georg.' Ze stak haar hand uit. 'Dat is jaren geleden.'

'Hoe is het met je, Eva?' Georg had een licht Duits accent. Hij was een globe trottende academicus uit Oostenrijk.

'Geweldig dat ik jullie weer zie,' zei ze oprecht.

'Ja. En we weten waarom het zo lang geleden is.' Subtiel was Timma nooit geweest. 'Wat doe je hier?' Ze zei nog net niet: je hebt je man vermoord, hoe durf je je te vertonen?

Eva sloeg haar ogen neer en keek naar de gouden trouwring om haar vinger. Ze had geweten dat het moeilijk zou worden. Ze had zich erbij neergelegd dat ze Charles had gedood, maar haar schuldgevoel kwelde haar nog steeds.

Ze keek op en negeerde de klank in Timma's stem. 'Ik hoopte oude vrienden te zien. En *Het boek der spionnen* natuurlijk.'

'Het is heel opwindend, die vondst,' beaamde Georg.

'Ik vraag me af of iemand eindelijk de Gouden Bibliotheek heeft gevonden,' ging Eva verder. 'Als er íemand is, ben jij het wel, Georg.' Nu Charles dood is, dacht ze, hem nog erger missend.

Georg lachte. Timma liet zich vermurwen en glimlachte om het compliment.

'Ach, dat zou ik wel willen,' zei hij.

'Gaan er geen geruchten dat iemand op het punt staat haar te vinden?' duwde Eva door.

'Ik heb niets van dien aard gehoord, helaas,' zei Georg. 'Kom, Timma. We moeten nu naar de Chinese expositie. We zien je boven, Eva, ja?'

'Zeker weten.'

Terwijl zij de Great Hall overstaken, liep Eva naar de North Wing en nam de trap naar de hoogste verdieping. Het geroezemoes van een veeltalige menigte drong naar buiten door een deuropening, waar een bord aankondigde:

IN HET SPOOR VAN DE SCHRIJFKUNST:
SPECIALE EXPOSITIE VAN DE LESSING J. ROSENWALD COLLECTION.

Ze zocht naar haar uitnodiging en de suppoost nam die aan. 'Veel plezier, mevrouw.'

Ze ging naar binnen. De grote zaal bruiste van opgewonden energie. Mensen vormden groepjes en verzamelden zich rond de glazen vitrines, velen voorzien van kleine oortelefoons waardoor ze naar de rondleiding luisterden. Suppoosten in burger liepen discreet rond. De lucht rook zoals ze zich herinnerde, naar dure parfum en geurige wijnen. Ze haalde diep adem.

'Eva, ben jij het?'

Ze draaide zich om. Het was Guy Fontaine van de Sorbonne. Hij was klein en gezet en stond bij een groepje vrienden van Charles. Ze keek naar hun gezichten, zag hun tegenstrijdige emoties bij haar komst.

Ze zei hartelijk hallo en schudde handen.

'Je ziet er goed uit, Eva,' concludeerde Dan Ritenburg, een rijke Gouden Bibliotheek-jager uit Sydney. 'Hoe kan het dat je hier bent?'

'Doe niet zo lomp, Dan,' zei Antonia de la Toro berispend. Ze was een befaamd historicus uit Madrid. 'Ik vind het zo erg van Charles. Zo'n toegewijd onderzoeker, al kon hij natuurlijk wel eens lastig zijn. Gecondoleerd.'

Enkele anderen betuigden mompelend hun medeleven. Toen viel er een gespannen stilte.

Eva verbrak die en beantwoordde hun onuitgesproken vragen. 'Ik ben vrijgelaten.' Dat was wat Tucker haar had opgedragen te zeggen. 'Toen ik las dat hier een manuscript uit de Gouden Bibliotheek was, moest ik wel komen.'

'Natuurlijk,' beaamde Guy. '*Het boek der spionnen*. Het is prachtig. *Incroyable*.'

'Denk je dat het opduiken ervan betekent dat iemand de bibliotheek heeft gevonden?' vroeg Eva.

De groep barstte uit in gepraat, verwoordde theorieën dat de bibliotheek zich nog altijd onder het Kremlin bevond, dat Ivan de Verschrikkelijke haar had verborgen in een klooster buiten Moskou, dat het niet meer was dan een prachtige mythe die door Ivan zelf in het leven was geroepen.

'Maar als het een mythe is, hoe komt *Het boek der spionnen* dan hier?' wilde Eva weten.

'Aha, precies wat ik bedoel,' zei Desmond Warzel, een Zwitserse academicus. 'Ik heb altijd gezegd dat Ivan haar voor zijn dood stukje bij beetje heeft verkocht omdat de schatkist leeg was. Vergeet niet dat hij de oorlog met Polen had verloren – en die was kostbaar geweest.'

'Maar als dat zo is,' zei Eva nuchter, 'zouden er inmiddels vast andere geïllustreerde manuscripten uit de bibliotheek zijn opgedoken.'

'Ze heeft gelijk, Desmond,' zei Antonia. 'Precies wat ik je al jaren zeg.'

Ze zetten de discussie voort en ten slotte verontschuldigde Eva zich. Luisterend naar gesprekken, zoekend naar meer bekenden, bewoog ze zich door de menigte en bleef staan bij de bar. Ze bestelde een perrier.

'Ken ik u niet, mevrouw?' vroeg de barbediende.

Hij was lang en slank, maar met het mollige gezicht van een wangzakeekhoorn. De tegenstelling was verrassend en innemend. Natuurlijk kende ze hem nog.

'Ik kwam hier een paar jaar geleden regelmatig,' vertelde ze hem.

Hij grijnsde en reikte haar de perrier aan. 'Welkom thuis.'

Glimlachend deed ze een stap opzij en bekeek de kaart waarop was aangegeven waar elk houtblokboek, geïllustreerd manuscript en gedrukt boek tentoon was gesteld. Toen ze de locatie van *Het boek der spionnen* vond, liep ze erheen, langs de spectaculaire Gutenbergbijbel uit 1453 en het veel kleinere en grotesk geïllustreerde *Book of Urizen* uit 1818, een parodie op het boek Genesis door William Blake. Een paar jaar geleden, op een gelukkige winterdag, hadden Charles en zij beide boeken persoonlijk onderzocht in de Library of Congress.

De menigte rondom *Het boek der spionnen* was zo groot, dat enkelen aan de rand ervan het opgaven. Eva fronste haar wenkbrauwen, maar niet vanwege de imponerende menselijke muur. Haar aandacht werd getrokken door een vertrekkende man. Hij had iets bekends. Ze kon zijn gezicht niet zien doordat hij met zijn rug naar haar toe stond en zijn hand aan zijn oor hield om naar de rondleiding te luisteren.

Wat was er zo vertrouwd aan hem? Ze zette haar glas op een dienblad en liep, andere bezoekers ontwijkend, achter hem aan. Hij had glanzend zwart haar, droeg een zwarte trenchcoat en zijn nek was gebruind. Ze wilde vóór hem komen om zijn gezicht te kunnen zien, maar de menigte maakte het moeilijk snel vooruit te komen.

Toen betrad hij een open ruimte en zag ze hem voor het eerst helemaal. Haar hart begon te bonzen terwijl ze hem bestudeerde. Zijn tred was atletisch, soepel. Zijn gespierde schouders spanden zich elke zes of acht passen. Hij straalde een enorme zelfverzekerdheid uit, alsof hij de zaal in eigendom had. Hij had de juiste lengte, iets minder dan een meter tachtig. Hoewel zijn haren lichtbruin moesten zijn in plaats van gitzwart, en ze zijn gezicht nog steeds niet kon zien, was al het andere aan hem griezelig, opwindend vertrouwd. Hij kon Charles' dubbelganger zijn.

Hij liet zijn hand zakken. Opgewonden haastte Eva zich verder tot ze bijna evenwijdig aan hem liep. Hij inspecteerde de menigte, zijn hoofd bewoog langzaam van rechts naar links. Eindelijk zag ze zijn gezicht. Zijn kin was breder en zwaarder dan die van Charles en zijn oren stonden enigszins uit, terwijl die van Charles plat tegen zijn schedel lagen. Hij zag er over het geheel genomen gehard uit, als een man die te veel vuistgevechten had verloren.

Maar toen bleef zijn blik op haar rusten. Hij verstarde. Hij had de ogen van Charles, groot en zwart, met bruine spikkels en dichte wimpers. Zij en Charles hadden acht intieme jaren samengewoond en ze kende elk gebaar, elke nuance van zijn gezicht, en hoe hij reageerde. Zijn ogen straalden schrik uit en vernauwden toen van angst. Hij legde zijn hoofd in zijn nek: trots. En eindelijk was er de emotieloze uitdrukking die ze zo goed kende als hij met iets onverwachts werd geconfronteerd. Zijn lippen vormden het woord *Eva*.

Het was alsof de zaal vervaagde en het geroezemoes verstomde terwijl ze probeerde adem te halen, het kloppen van haar hart probeerde te voelen, te weten dat haar voeten stevig op de grond stonden. Ze probeerde uit alle macht na te denken, te begrijpen hoe het kon dat Charles nog leefde. Opluchting spoelde door haar heen toen ze zich realiseerde dat ze hem niet had gedood. Maar hoe had hij het ongeluk overleefd? Haar verdriet en schuldgevoel gingen abrupt over in doffe woede. Dankzij hem was ze twee jaar kwijt. De meeste van haar vrienden kwijt. Haar reputatie. Haar carrière. Ze had gerouwd en zichzelf veroordeeld – terwijl hij al die tijd in leven was geweest.

Terwijl hij haar waarschuwend aankeek, pakte ze haar mobiele telefoon, raakte het toetsenbord aan en richtte de lens van de videocamera op hem.

Zijn blik werd indringender en met een ruk van zijn hoofd bedekte hij zijn linkeroor en dook de menigte in.

'Charles, wacht!' Ze rende achter hem aan, ontweek mensen en liet een spoor van afkeurende opmerkingen na.

Hij worstelde zich langs een ouder echtpaar en verdween dieper in de menigte. Ze ging op haar tenen staan en zag dat hij langs een vitrine liep. Terwijl hij zich langs een kring vrouwen elleboogde, raakte hij met zijn schouder een kelner met een blad vol wijnglazen. Het blad kantelde, glazen vlogen door de lucht. Rode wijn spatte op de vrouwen. Ze gilden en gleden uit op hun hoge hakken.

Terwijl de gasten toekeken, rukten de suppoosten hun radio van hun riem en stormde Charles de deur uit. Ze rende achter hem aan en de trap af. De suppoosten riepen hun toe te blijven staan. Toen ze op de overloop aankwam, maakte een suppoost zich los van de muur en liet zijn radio zakken.

'Blijf staan, juffrouw!' Hij rende met schommelende hangbuik op haar af.

Ze trok een sprint en de suppoost had geen tijd om zich te herstellen. Zijn handen graaiden naar haar trenchcoat en misten. Hij struikelde en viel over de leuning heen, gevaarlijk balancerend boven de één verdieping hoge afgrond.

Ze wilde zich omdraaien om hem te helpen, maar een man in een donkerblauw jack sprong met drie treden tegelijk naar beneden en trok de suppoost in veiligheid.

Het tijdverlies vervloekend hervatte Eva haar onstuimige afdaling terwijl de voeten van de suppoosten achter haar roffelden. Op de tweede verdieping aangekomen rende ze langs de liften naar de spelonkachtige Great Court. Er klonk een luide donderslag en een regenvlaag ranselde de hoge glazen koepel.

Ze zag Charles. Hij keek haar over het grote plein heen boos aan en rende toen langs een enorm beeld van het hoofd van de Egyptische farao Amenhotep III.

Ze rende achter hem aan naar de Front Hall van het museum. Bezoekers bleven stomverbaasd staan toen ze langsrende. Twee suppoosten stonden aan weerszijden van de geopende voordeur, met een radio aan hun oor en een blik alsof ze zojuist bevelen hadden ontvangen.

Toen Charles hen naderde, zag ze zijn rug verstrakken.

Zijn woorden bereikten haar toen hij het tweetal met Charles' diepe stem ernstig vertelde: 'Ze is gek... Ze heeft een mes.'

Woedend rende ze verder. De suppoosten keken elkaar aan en Charles profiteerde van de afleiding door tussen hen door te duiken en de stormachtige nacht in te rennen.

Eva vloekte in stilte. De twee mannen hadden zich hersteld en stonden schouder aan schouder om de doorgang te blokkeren.

'Halt,' commandeerde de langste van de twee.

Ze stormde recht op hen af. Terwijl ze hun ogen tot spleetjes knepen, bleef ze staan en ramde de muis van haar beide handen met een *teisho*-karateslag tegen het borstbeen van de mannen.

Verrast en naar adem happend wankelden ze en boden haar net genoeg ruimte. In een oogwenk was ze buiten. Koude regen viel in vlagen uit de kolkende lucht en doorweekte haar toen ze de stenen treden af rende.

Charles was een zwarte streep in de nacht terwijl hij met maaiende armen over het lange voorplein naar de toegangspoort van het museum rende.

'Verdomme, Charles. Wacht!'

Het gillen van een politiesirene werd luider, kwam dichterbij. Hijgend rende ze achter hem aan Great Russell Street in. Voertuigen passeerden en hun banden wierpen donkere plenzen water op het trottoir. Voetgangers haastten zich met opgestoken paraplu voorbij, een falanx van deinende regenkleding.

Toen ze vaart minderde en overal naar Charles zocht, werd ze van achter vastgegrepen. Ze verzette zich, maar de handen lieten niet los.

'Ik zei dat u moest stoppen,' zei een suppoost hijgend.

Een ander nam haar schoudertas in beslag.

Een auto van de Metropolitan Police stopte met gillende banden langs het trottoir. Bobby's in uniform sprongen eruit, duwden haar tegen de auto en fouilleerden haar. Gefrustreerd, woedend, draaide ze zich om en zag Charles aan het eind van de straat in een taxi stappen. De rode achterlichten verdwenen in het verkeer.

9

De verhoorruimte was een kamertje op een van de lagergelegen verdiepingen van het dertien etages tellende Holburn Police Station, zeven blokken van het British Museum.

'Nou, doctor Blake, het lijkt erop dat u niet eerlijk tegen me bent geweest.' Inspecteur Kent Collins van de Metropolitan Police knikte naar de politieagent in de hoek, die terug knikte. De inspecteur deed de deur achter zich dicht en sloot de wereld buiten. 'U zei dat uw man dood is – u hebt er niet bij verteld dat u bent veroordeeld wegens doodslag.'

Collins was een prikkelbare man met een grote neus en ondanks het late tijdstip gladgeschoren kaken. Hij was onverzettelijk, onberispelijk en overduidelijk de baas en had een nieuwe lichtbruine map onder zijn arm.

Eva's handen lagen in haar schoot en ze draaide de gouden trouwring aan haar vinger in het rond. Ze was, sinds de politie haar had gearresteerd, niet alleen geweest en had Tucker Andersen daardoor niet kunnen bellen. Zijn waarschuwing dat ze niemand over haar opdracht mocht vertellen klonk luid in haar oren. Maar hoe moest ze zich hieruit redden? Kon het überhaupt wel?

'Ik zei dat Charles dood gewáánd werd,' zei ze tegen de inspecteur. 'Als ik u de rest ook had verteld, had u me misschien niet laten uitpraten. De man die ik gezien heb, was Charles Sherback. Mijn echtgenoot. Levend en wel.' Toen bracht ze hem in herinnering: 'Ík ben niet degene die tegen de suppoosten heeft gelogen. Dat heeft híj gedaan. Hij zei dat ik een mes had. Ze hebben me gefouilleerd. Ik had geen mes.'

Inspecteur Collins smeet de map op tafel en liet zich naast haar op een plastic stoel vallen, zodat ze naast elkaar zaten, maar onder een hoek van negentig graden. Ze herkende de techniek: als je iemand wilt bereiken, ga dan naast hem zitten. Maar als je hem wilt uitdagen, ga dan tegenover hem zitten. De hoek van negentig graden gaf hem wat speelruimte.

Hij draaide zich naar haar toe. 'We hebben het een tikkeltje te druk om tussen de levenden te zoeken naar een man die dood en begraven is.'

'Charles loog niet alleen over het mes, hij ging ervandoor omdat hij me herkende.'

'Of omdat hij een onschuldige vent was die door u werd lastiggevallen.'

'Maar dan zou hij bij de suppoosten over me hebben geklaagd.'

De inspecteur verloor zijn geduld. 'Gelul. U – niet hij – hebt de twee suppoosten bij de ingang van het museum aangevallen.'

'Ik had geen tijd om te blijven staan om te bewijzen dat ik geen mes had en uit te leggen waarom ik Charles moest inhalen. En nog iets: ik heb een zwarte band in karate. Ik had die suppoosten ernstig kunnen verwonden. In plaats daarvan heb ik ze net hard genoeg geraakt om te zorgen dat ze opzij gingen en diep ademhaalden. Heeft een van beiden een klacht ingediend?' Ze vermoedde van niet, want er was niets over gezegd.

'Eerlijk gezegd: nee.'

Ze knikte. 'Dit gaat niet alleen over mij. Charles leeft en er moet iemand anders in zijn graf liggen. Wilt u alstublieft naar hem uitkijken?'

Het gezicht van inspecteur Collins sprak boekdelen; hij dacht dat ze gek was. 'Hoe moeten we hem vinden? U hebt geen adres. Niets concreets.'

Ze pakte haar mobiele telefoon en drukte enkele toetsen in terwijl ze zei: 'Ik heb hem gefilmd in het museum.'

Ze hield het schermpje zo dat hij het kon zien en startte de opname. En daar was een Charles in miniatuur, in zijn zwarte trenchcoat afstekend tegen de kolkende achtergrond van museumbezoekers. Hij keek haar recht aan, boven de hoek van de mobiele telefoon, nors.

'Hier kun je nog niet zien hoe hij loopt,' zei ze. 'Zijn manier van lopen is belangrijk. Hij is sportief en beweegt als een atleet, een beetje sloom en deinend. En hij trekt af en toe met zijn schouders. Heel kenmerkend. En hij heeft de juiste leeftijd en lengte. En de juiste kleur ogen en stem.'

Op de video keek Charles omlaag.

'Hier zag hij mijn telefoon,' legde ze uit.

Charles bracht zijn hand naar zijn oor, draaide zich abrupt om en werd opgeslokt door de menigte. Ze vloekte inwendig. Hij had zo snel bewogen, dat ze geen opname had van zijn manier van lopen. De film was afgelopen.

'Dat was het?' De vraag van de inspecteur klonk als een aanval. 'Dat is alles wat u hebt?'

'Het is in elk geval iets. Een begin.'

'U zei dat er anderen waren die u en uw man al jaren kennen. Als dat uw man was – een dode – zouden ze iets hebben gezegd. Sterker nog, ik stel me zo voor dat er opschudding zou zijn ontstaan.' De inspecteur schudde zijn hoofd, opende zijn dossier en haalde er een vel papier uit, dat hij over de tafel schoof. 'Dit is een e-mail van de politie van Los Angeles. Zeg me wie het is.'

Het was een portret van Charles voor brochures van de Elaine Moreau Library. Zijn verfijnde trekken en vurige zwarte ogen keken haar aan.

'Charles natuurlijk,' zei ze zacht. 'Na zijn verdwijning heeft hij zijn haren geverfd en iets aan zijn gezicht laten doen.'

De inspecteur zette zijn duim op de foto. 'Deze foto líjkt niet eens op de man op uw filmpje.' Hij keek haar uitdagend aan. 'Ik heb met de gevangenis gesproken. Is dit de eerste keer dat u hem meende te zien sinds zijn dood?'

Ze aarzelde, herstelde zich toen. 'U weet blijkbaar van niet.'

Hij pakte een tweede vel papier en las voor: 'In de drie weken na de dood van doctor Sherback zei doctor Blake twee keer dat ze hem had gezien. Volgens haar benaderde ze de mannen, die vriendelijk bleven, maar toen ze uitlegde waarom ze wilde praten, trokken ze zich terug.'

Het was alsof de zuurstof uit haar longen verdween. 'Ze leken op Charles.' Hoe kon ze hier wegkomen om hem te zoeken? Ze dacht snel na. Toen: 'Mijn man en ik waren bibliothecaris en conservator van antieke en middeleeuwse geschriften. We vlogen de hele wereld rond om openingen zoals die van vanavond bij te wonen. Toen ik weer in die sfeer verkeerde... Misschien hebt u gelijk en heb ik me verschrikkelijk vergist.' Ze liet haar stem dalen. 'Ik mis hem ontzettend. Ik hoop dat u dat begrijpt.'

Er verscheen een trek van medeleven op het harde gezicht van de inspecteur. Hij keek haar aan, zich schijnbaar afvragend wat hij met haar aan moest.

Haar hele lichaam was gespannen. Ze draaide zich zo dat haar schouder de zijne raakte. 'Het spijt me echt dat ik zoveel problemen heb veroorzaakt.'

'Misschien wilt u dat hij nog leeft, zodat u zich niet schuldig hoeft te voelen over wat u hebt gedaan,' zei hij.

Ze gaf hem het antwoord dat hij wilde horen. 'Ja.'

Er lag medelijden in zijn vermoeide blik. Hij haalde zijn schouders op en stond op. Hij haalde haar paspoort uit zijn sportcolbert en gaf het aan haar. 'Neem morgen het vliegtuig naar huis. Maak een afspraak met een therapeut.'

Eva raapte haar spullen bij elkaar en volgde inspecteur Collins door de gang van het politiebureau. Terwijl ze naar het amechtige ventilatiesysteem luisterde, keerden haar gedachten telkens opnieuw terug naar de man in het museum, de man van wie ze zeker wist dat het Charles was, ondanks wat ze tegen de inspecteur had gezegd.

Met elke stap reconstrueerde ze zijn profiel, zijn lengte en leeftijd, de geschokte blik van herkenning in zijn ogen. In de lift naar beneden draaide ze in gedachten opnieuw zijn woorden tegen de suppoosten af, hoorde de intonatie van zijn stem.

De inspecteur liet haar alleen en ze liep naar buiten en bleef staan. In de beschutting van de portiek van het politiebureau zag ze weer hoe Charles wegrende, de stormachtige nacht in. Ze zag zijn armen langs zijn lichaam zwaaien. Er was iets mee. Iets met zijn handen.

Op dat moment herinnerde ze het zich. Ze pakte haar mobiele telefoon. Ze startte het filmpje weer en keek aandachtig. Ze zette het beeld stil en vergrootte het beeld. Tijdens een opgraving in Turkije had Charles een lelijke snee in zijn hand opgelopen. Als die man Charles was, moest er een lang litteken op zitten.

Ze verwachtte min of meer gave huid te zien, maar haar adem stokte in haar keel toen ze het zag: een litteken dat als een blauwwitte slang over de top van zijn duim en zijn hand kronkelde en onder de mouw van zijn trenchcoat verdween. *Charles.*

Ze sprong op en wilde weer het politiebureau binnengaan... en hield zichzelf tegen. De politie zou haar niet helpen. Ze dacht aan Tucker Andersen, maar ook hij wist waarschijnlijk van de vorige keren dat ze had gehoopt Charles te zien. Hij zou haar evenmin geloven.

Maar ze moest zich melden. Ze toetste zijn nummer in.

Hij viel met de deur in huis. 'Wat ben je te weten gekomen?' vroeg hij onmiddellijk.

'Ik heb niemand gevonden die iets nieuws wist over de Gouden Bibliotheek,' vertelde ze hem naar waarheid. 'Ze hebben allemaal de gebruikelijke theorieën.'

'Jammer. Ga morgen terug naar het museum. Breng er de dag door.'

'Uiteraard.' Ze had wat tijd gewonnen.

Ze opende haar paraplu, liep door het lamplicht op het trottoir en probeerde haar gedachten te ordenen. Haar huwelijk met Charles was niet volmaakt geweest, maar welke relatie was dat wel? Na zijn dood was ze de problemen vergeten. Ze had veel van hem gehouden en had gedacht dat hij van haar hield. Hij was veertien jaar ouder dan zij en was al een gevierd man op zijn vakgebied toen ze hem leerde kennen. Ze wist nog hoe hij die eerste keer de collegezaal binnenkwam, de lange, zelfverzekerde passen. Het knappe gezicht, dat intelligentie en nieuwsgierigheid uitstraalde. Hij was gastdocent voor een cursus en zij een assistente die aan haar proefschrift werkte. Homerus en Plato citerend had hij iedereen gecharmeerd en onder de indruk gebracht.

'*Gratias tibi ago*, doctor Sherback. *Benigne ades*,' had ze tegen hem gezegd toen de menigte bewonderaars eindelijk was verdwenen en ze met hem alleen was. 'Bedankt. Het was heel vriendelijk dat u bent gekomen.'

Hij keek haar aan, nam haar op. Toen zei hij, eveneens in het Latijn: 'U doet me denken aan Diana, de godin van de jacht, de maan en de beschermster van de onschuldige jeugd. Hebt u een eikenbos en een hert in de buurt?'

Ze lachte. 'Plus mijn pijl en boog.'

'Aha, maar ja, u bent niet alleen jager, maar ook een toonbeeld van kuisheid. Geen wonder dat u uw wapens nodig hebt. Ik hoop dat u me niet in een hertenbok verandert, zoals u met Acteon hebt gedaan.' De godin had Acteon getransformeerd toen hij haar naakt had gezien terwijl ze baadde in een beek en had vervolgens haar jachthonden tegen hem opgehitst.

'U bent volmaakt veilig,' stelde ze hem gerust. 'Ik heb geen honden, zelfs geen teacup-poedel.'

Hij lachte en er verschenen rimpeltjes rondom zijn ogen. 'Ik hou van vrouwen die Latijn spreken en de antieke goden en godinnen kennen. Zullen we een kop koffie gaan drinken?'

Collega's, critici en kunstliefhebbers hadden hem bewonderd en vrouwen hadden zich aan zijn voeten geworpen. Maar zij was degene die hem gevangen had. Ze had nooit gedacht dat ze getrouwd was met een man die kon doen alsof hij dood was en haar naar de gevangenis kon sturen. Maar ja, zoals zoveel anderen was ze door hem verblind, door hun manier van leven en door haar eigen dromen en ambitie.

Terwijl ze door de straat liep, roffelde de regen onafgebroken op haar paraplu. Ze moest Charles vinden. Alles wat ze had, was dat korte filmpje. De inspecteur had gelijk: het zou niet genoeg zijn. Ze haalde haar telefoon weer tevoorschijn en toetste het nummer van Peggy Doty. Peggy had haar oude baan bij het British Museum weer opgenomen om bij haar vriend Zack Turner te kunnen zijn en Eva logeerde bij haar zolang ze in Londen was.

Toen Peggy's slaperige stem antwoordde, excuseerde Eva zich en zei: 'Weet je nog dat ik je rugdekking heb gegeven bij het Getty toen je naar Parijs verdween om een paar dagen bij Zack te zijn? En de keer dat ik je de geheime lijm liet zien die onzichtbaar is en nooit loslaat? En die keer dat ik die seksverslaafde toerist tegenhield die wat van je wou?'

Er klonk gegiechel. 'Je bent blijkbaar ten einde raad. Wat wil je?'

'Een grote gunst, en ik zou het niet vragen als het niet belangrijk was. Ik heb kopieën nodig van de bewakingsvideo's van de opening van vanavond. In het bijzonder die van de mensen rondom *Het boek der spionnen*.'

'Wat?'

'En wel meteen. Onmiddellijk. Ik loop nu naar het museum. Ik zou het niet vragen als ik ze niet dringend nodig had.' Als ze geluk had, zou Charles erop staan, in gesprek met iemand die ze kende. Misschien zou die iets nuttigs hebben gehoord.

Het bleef lang stil. 'Je wilt dat ik het Zack vraag.' Zack was hoofd Beveiliging van het museum.

'Hij heeft alles voor je over. Bel hem alsjeblieft.'

Er klonk een diepe zucht aan de andere kant van de lijn. 'Ik bel je terug.'

Eva bedankte haar, klemde haar schoudertas tegen zich aan en liep Theobalds Road in, maar onder het lopen kreeg ze een raar gevoel. Ze keek om. Een meter of dertig achter haar liep een man in een blauwe jekker. Zijn gezicht was in de schaduwen. De man die de suppoost had gered van een val van de trap had ook een blauwe jekker gedragen. Ze keek nogmaals, maar hij was verdwenen.

Bij Southampton Road sloeg ze af in noordelijke richting en liep daarna via Great Russell Street naar het westen. Ze betrapte zich erop dat ze de passerende auto's bekeek. Een bronskleurige Citroën minderde even vaart, bleef naast haar rijden en scheurde toen verder. Bezorgd realiseerde ze zich dat ze die eerder had gezien. Er zat niemand naast de bestuurder en de bestuurder zelf had ze niet kunnen zien.

Ten slotte kwam het museum in zicht. Ze sloeg Montague Street in, die langs de oostkant van het kolossale gebouw liep en uitkwam op Montague Place. De straat was maar één blok lang, een van de smalle straten in Bloomsbury. Er was geen verkeer, maar er stonden wel auto's langs het trottoir. Ze keek om en meende dat ze iets zag bewegen in de schaduw van een hoge boom.

Haar telefoon ging over. Het was Peggy. Haastig vroeg ze: 'Heb je goed nieuws?'

'Lieverd, Zack zegt dat hij geen kopieën voor je kan laten maken. Het is verboden. Het spijt me. Kom hierheen. Het is al laat.'

Teleurgesteld sloot Eva haar ogen. 'Bedankt dat je het geprobeerd hebt. Sorry dat ik je wakker heb gemaakt. Ik hoop dat je snel weer in slaap valt.' Ze klapte het toestel dicht.

Ze probeerde te bedenken wat ze nu moest doen en stak juist de straat over toen ze het geluid van een automotor hoorde en het trottoir onder haar voeten voelde trillen. Ze keek naar links. De auto scheurde met gedoofde lichten op haar af. Angst schoot door haar heen. Ze versnelde haar pas, maar de auto zwenkte mee en hield haar in het vizier.

Voor haar was het hoge ijzeren hek rondom het museum. Ze liet haar paraplu vallen, sloeg de riem van haar tas voor haar borst en sprintte. Een schietgebedje fluisterend maakte ze een hoge *tobi-geri*-sprong. Haar handen sloten zich om twee natte spijlen en haar voeten vonden een wankel houvast op twee andere.

Toen keek ze nogmaals. De auto was een bronskleurige Citroën, net zoals de auto die in Great Russell Street naast haar had gereden. Maar wie...? Ze keek door de voorruit. Charles? O god, het was inderdaad Charles. Zijn volle gezicht leek verstard, zijn blik leeg, maar zijn handen toonden zijn emoties. Ze klemden zich om het stuur alsof het een strop was.

Met een abrupte beweging sprong de Citroën op de stoeprand en ramde het hek. Vonken vlogen in het rond. Het geluid van de slingerende auto, van metaal op metaal, leek in haar hoofd te exploderen. Ze klauterde hoger. De ruwe ijzeren spijlen bewogen heen en weer in haar handen. Terwijl ze vocht om ze vast te houden, racete de Citroën onder haar voorbij en hulde haar in stinkende uitlaatgassen.

Toen hij er over het gladde, natte wegdek vandoor ging, liet ze los en sprong op de grond. Geschokt probeerde ze tot zich te laten doordringen dat Charles zojuist had geprobeerd haar te vermoorden. Vervuld van afschuw rende ze weg, haar spieren trilden terwijl ze steeds sneller bewoog en Charles' kille gezicht zich in haar geest brandde.

10

Tegen elf uur was het British Museum een donker fort, kolossaal en schijnbaar onneembaar. Omringd door een hoog ijzeren hek besloeg het een compleet blok en beheerste het de smalle, schilderachtige straten van de Londense wijk Bloomsbury. Het motregende. Het verkeer in de omringende straten was afgenomen, behalve in Great Russell Street, waar het de hele nacht doordenderde. Er waren geen voetgangers te bekennen.

Vier mannen renden achter elkaar langs het museum over Montague Place. Ze droegen zwarte nylon maskers en zwarte overalls en hadden een grote, waterdichte zwarte rugzak op hun rug. Toen ze de ijzeren poort naderden, drukte Doug Preston op de elektronische afstandsbediening aan zijn riem. Het klikken van het slot van het hek werd hoorbaar. Hij glipte snel naar binnen, gevolgd door de anderen.

Het team rende langs gazons en open ruimten tot ze een zijdeur in de North Wing bereikten. De deur zwaaide open, geduwd door een man in het donkerblauwe uniform van een museumsuppoost. Ze stapten naar binnen, de deur werd met een klap gesloten en de vier mannen haalden handdoeken uit elkaars rugzak.

'Schiet op, Preston,' zei de suppoost, Mark Allen Robert, terwijl ze zich afdroogden. 'Ik moet zo snel mogelijk terug zijn.'

'Is alles geregeld?' vroeg Preston.

Mark keek nerveus op zijn horloge. 'Over vijfentwintig minuten doen ze weer de ronde in deze vleugel. Ze zullen de verdiepingen en galerijen een uur lang checken. Om zeker te zijn moet je over twintig minuten weer hier zijn. Niet later. Ik zal de beveiligingsapparatuur van beneden af bedienen.' Hij rende weg en de straal van zijn zaklamp ging hem voor door macabere schaduwen, geworpen door zwakke amberkleurige lampen hoog aan de muren.

Zwijgend trokken de mannen schoenen met crêpezolen aan. Ze dweilden regenwater op.

'We hebben zeventien minuten,' zei Preston zacht.

Ze renden weg door de duisternis, niet geholpen door zaklampen. De beveiligingslampen van het museum waren genoeg en ze hadden zich de route ingeprent.

Boven aan de noordelijke trap echter snoof Preston de doordringende geur van sigarettenrook op. Met een bruusk gebaar beduidde hij zijn mensen te wachten. Hij was niet alleen hoofd Beveiliging van de Gouden Bibliotheek, maar ook een hoog in aanzien staande expert in inbraken en illegale klussen en dit kon een onbeduidende onderbreking zijn. Hij hoopte maar dat het onbeduidend was: hij had opdracht in te breken, te pakken waar ze voor waren gekomen en te vertrekken zonder enig spoor achter te laten dat er een bres was geslagen in het bolwerk van het museum.

Hij zakte door zijn knieën, pakte zijn nachtkijker, boog hem en richtte hem om de hoek heen. Een rustig rokende suppoost slenterde door de gang in hun richting. Roken was verboden in het museum, dus Preston nam aan dat de man hierheen was gekomen om aan de regen te ontsnappen, in de hoop dat niemand het zou merken.

Preston fronste zijn wenkbrauwen, ging op zijn hurken zitten en keek oplettend toe hoe de suppoost het trappenhuis naderde. Hij wilde zijn mannen juist een teken geven om zich naar de volgende verdieping terug te trekken, toen de suppoost de sigaret doofde, een nieuwe opstak en in een halve cirkel op zijn schreden terugkeerde.

Preston bewoog zijn schouders om de spanning te verdrijven. Onder het masker glom zijn gezicht van het zweet. Hij had er de pest over in dat hij de suppoost niet mocht uitschakelen.

Er verstreken opnieuw vijf minuten terwijl de man door de gang slenterde. Eindelijk doofde hij de tweede sigaret, drukte op de liftknop en verdween.

'Nog tien minuten over.' Preston zag dat zijn mannen verstijfden. 'Het kan.'

Met een snelle beweging van zijn pols gaf hij het signaal en ze sprintten naar de zaal waar de collectie-Rosenwald werd geëxposeerd. Het hek was zoals verwacht neergelaten, maar het licht op het elektronische slot was groen, ten teken dat het gedeactiveerd was. Mooi zo, dacht Preston; het vergrootte de kans dat ook de bewegingsmelders in de galerie waren uitgeschakeld.

Samen tilden ze het hek een meter op, renden naar *Het boek der spionnen* en legden hun rugzak af. Er ging geen alarm af.

'Negen minuten,' zei Preston opgelucht.

De zwaarbeveiligde vitrine had een frame van titanium, zonder naden waardoorheen lucht naar binnen kon dringen. De bovenkant bestond uit twee stukken gehard, niet-reflecterend glas van vijf millimeter dik met daartussen een laag polyvinylbutyral, dat scherven bijeenhield en weg van het manuscript als het glas brak. De verzegelingen waren van Inconel, een nikkellegering, in de vorm van elkaar kruisende c's, waarvan de uiteinden in groeven pasten en een sterk slot vormden. Als je niet wist hoe het werkte, zou je er uren voor nodig hebben om de vitrine te openen.

Hun bewegingen waren traag maar exact op elkaar afgestemd. Met speciaal handgereedschap openden twee mannen de bovenste sloten, verwijderden de eerste glasplaat en legden hem op de grond terwijl Preston en de vierde man een vervalst geïllustreerd manuscript uit een rugzak haalden en uitpakten.

Zodra de tweede glasplaat was verwijderd, sloeg een van de mannen het met juwelen bezette *Boek der spionnen* voorzichtig dicht en wikkelde het in doorschijnend archiefpolyester en een doorschijnende laag polyethyleen en verpakte het in piepschuim. Ze lieten het boek in Prestons rugzak glijden.

Rustig ademhalend bestudeerde Preston de binnenkant van de vitrine, die voorzien was van een gitzwarte laklaag. Hij zocht naar de kleine pennen die de juiste plaats aanduidden. Tevredengesteld legde hij de vervalsing in de vitrine en sloeg het boek open op de enige twee pagina's die echt waren – kleurenkopieën, met de hand bijgewerkt van foto's die Charles Sherback tijdens de avondexpositie had genomen. Er waren kleine naden waar de pagina's in het boek waren gelijmd, maar tenzij iemand ze nauwkeurig bestudeerde, waren ze onzichtbaar.

Toen hij opkeek, hadden zijn mannen hun rugzak weer omgedaan. Terwijl hij de zijne op zijn rug hing, legden de twee eersten de glasplaten terug en deden de sloten dicht.

Met een tevreden zucht keek hij op zijn horloge. 'Vier minuten.'

Een van de mannen grinnikte, een andere lachte. Preston keek om zich heen om er zeker van te zijn dat ze niets hadden achtergelaten en toen renden ze weg.

11

Terwijl de Citroën de hoek om scheurde, rende Judd Ryder door de smalle straat achter Eva Blake aan, die in de opkomende mist verdween. Hij was in opdracht van Tucker Andersen in Londen om haar in de gaten te houden en had twee belangrijke dingen opgestoken. Ten eerste: ze lette op haar omgeving – ze had enkele keren omgekeken, wat erop wees dat ze voelde dat ze gevolgd werd. Ze had hem minstens één keer gezien. En ten tweede: de man die ze voor haar echtgenoot hield, had zojuist geprobeerd haar te vermoorden.

Terwijl ze voortrende, gooide ze iets achter een struik. Hij keek en zag een zwakke glinstering. Hij raapte een trouwring en een hanger aan een gouden ketting op, stopte ze in zijn jaszak en rende langs het Montague Hotel en de hoek om. Verkeer reed langs en er liepen mensen op het trottoir. Hij zag haar toen ze de Russell Square Garden in rende.

Tussen auto's door zigzaggend betrad hij het park, een zorgvuldig bijgehouden complex van gazons en kronkelende wandelpaden onder de zich wijd uitspreidende takken van oude bomen. Hoewel het koud was voor april, stonden de bomen in blad en ze wierpen zwarte schaduwen, waarin zelfs de barokke lantaarnpalen in het park geen licht konden werpen.

Blake was nergens te zien, maar hij zag de Citroën aan de oostkant van het park, tussen het andere verkeer. Hij reed rondjes. Hij pakte zijn telefoon en toetste haar nummer in.

Een hijgende vrouwenstem antwoordde: 'Tucker?'

Hij wist dat ze dacht dat alleen Tucker haar telefoonnummer had. 'Mijn naam is Judd Ryder. Tucker heeft me gestuurd om u te helpen. Ik ben u gevolgd...'

Ze verbrak de verbinding.

Vloekend rende Ryder over een pad en onderzocht de schaduwen. Had hij zojuist beweging gezien bij het Garden Café, op de noordoostelijke hoek van het plein? Hij ging achter een boom staan. Een schim in een geelbruine trenchcoat flitste in en uit de schaduw van het café. Het was Blake.

Hij hield gelijke tred met haar toen ze door het smeedijzeren hek het park verliet en zich verstopte achter een ouderwetse schuilplaats voor taxichauffeurs toen de Citroën passeerde en in westelijke richting reed. Terwijl de auto opnieuw een rondje om het park maakte, stak ze het drukke kruispunt over naar het historische Russell Hotel.

Hij verliet het park ook. Ze hield haar pas in toen ze het hotel passeerde en zich een weg baande door de menigte rondom het metrostation aan Russell Square.

Hij verliet het trottoir en sprintte langs de straatgoot. Toen hij voor haar was, verstopte hij zich achter de kiosk van de *Herald Tribune* en pakte zijn zwarte bivakmuts. Toen Blake langsrende, pakte hij haar arm vast en gebruikte haar snelheid om haar naar zich toe te zwaaien.

'Ik ben Judd Ryder. Ik heb u net gebeld...'

'Laat me los.' Ze rukte zo hard dat hij bijna losliet.

Haar haren waren drijfnat van de regen en tegen haar schedel geplakt en haar mascara was uitgelopen en vormde zwarte kringen onder haar ogen en grijze strepen op haar wangen. Maar het waren haar kobaltblauwe ogen die hem in hun greep hielden. Ze straalden angst uit... en onverzettelijkheid.

'Ik moet u hier weg zien te krijgen,' zei hij.

Ze boog zich abrupt opzij en haalde met haar voet naar hem uit met een deskundige *yoko-keage*-trap. Hij stapte snel achteruit en ze raakte alleen de losse voorkant van zijn jekker. Verrast doordat ze niets raakte, viel ze voorover tegen zijn borst, met haar handen tegen hem aan.

Hij trok haar overeind en stopte haar zijn wollen muts toe. 'Zet deze op. Stop uw haren eronder. We moeten uw uiterlijk veranderen... tenzij u liever riskeert dat uw man u weer vindt. Trek uw trenchcoat uit. Als u precies doet wat ik zeg, kan ik u misschien hier vandaan brengen.'

Terwijl de forenzen zich om hen heen verdrongen bleef ze roerloos staan. 'Werkt u echt samen met Tucker?' vroeg ze.

'Vóór hem. Net als u. Daarom heb ik uw mobiele nummer.'

'Dat zegt niets. Waarom heeft hij me niets over u gezegd?'

'Dat leg ik later wel uit.' Hij pakte de muts, trok hem over haar hoofd en begon haar jas los te knopen.

'Ik trek hem verdomme zelf wel uit.' Ze schoof de riem van haar tas van haar schouder en trok haar jas uit.

Hij ving ze op voordat ze op de grond vielen en rolde de jas op, zodat alleen de olijfgroene voering zichtbaar was. Ze droeg een eenvoudig zwart jack, een coltrui en een strakke spijkerbroek die ze in zwarte laarzen had gestopt. Haar donkere kleren zouden helpen om op te gaan in de avond.

'Stop uw haren onder de muts.' Terwijl ze dat deed, gaf hij haar haar tas terug. 'Geef me een arm alsof u verliefd bent.'

Op haar hoede stak ze haar arm door de zijne. Onder het lopen klopte hij op haar hand. Die was ijskoud en gespannen. Hij liet haar trenchcoat in een vuilnisbak vallen.

Ze wilde zich omdraaien.

'Niet omkijken,' waarschuwde hij haar. 'Laten we uw man zo min mogelijk gelegenheid geven om uw gezicht te zien.'

Terwijl ze verder liepen, slonk het aantal voetgangers, wat zowel gunstig als ongunstig was. Gunstig omdat ze sneller vorderden. Ongunstig omdat ze makkelijker te vinden waren. Hij haalde een zakspiegel tevoorschijn, legde zijn hand eromheen en keek naar de auto's achter hen.

'Ik zie de Citroën niet,' meldde hij. 'U rilt. Doe uw jack dicht. We zoeken een warme plek waar we kunnen praten.'

'Hoe zei u dat u heet?' Ze knoopte haar jack dicht tot aan haar hals.

Er klonk geen vertrouwen in haar stem, maar alles wat hij nodig had, was haar medewerking. 'Judd Ryder.' Hij zocht onder zijn jekker naar zijn portefeuille. Zijn hand kwam leeg weer tevoorschijn. Hij herinnerde zich onmiddellijk haar zijdelingse trap en dat ze met haar handen tegen zijn borst tegen hem aan was gevallen. Tucker had gelijk: ze was een verdomd goede zakkenroller.

Ze haalde de portefeuille uit haar tas, keek erin en inspecteerde zijn rijbewijs, zijn creditcards en lidmaatschapskaarten.

'Niets wat op de CIA wijst.' Ze gaf hem de portefeuille terug.

'Ik ben incognito.'

'Dan is Judson Clayborn Ryder misschien niet je echte naam.'

'Dat is het wel. Zoon van Jonathan en Jeannine Ryder. Neef van velen.'

'Papieren kunnen vervalst worden.'

'De mijne zijn niet vervalst. Ik heb een goed idee: probeer eens dankbaar te zijn. Ik ben degene die u helpt om aan uw man te ontsnappen.'

'Als u me echt zou wilt helpen, waarom hebt u dan niets gedaan om Charles tegen te houden toen hij me probeerde te overrijden? U had op zijn minst zijn banden lek kunnen schieten.'

Dus ze had zijn Beretta gevonden. 'Het is een sprookje dat je banden lek kunt schieten.'

'Denkt u dat Charles opnieuw zal proberen me te vermoorden?'

'Afgaande op het feit dat hij rondjes reed om het park, lijkt hij het een geweldig idee te vinden.'

Haar gezicht verstarde en ze wendde haar blik af.

Toen ze Guilford Street insloegen, vroeg ze: 'Bent u degene die die suppoost redde die bijna over de trapleuning viel?'

'Hij had hulp nodig. Ik was gelukkig in de buurt.'

Ze haalde diep adem. 'Ik ben blij dat u het gedaan hebt.'

Ze passeerden een reeks winkels, allemaal gesloten. Voor een ervan zat een dakloze met gekruiste benen op het trottoir onder een smerige strandparasol, met naast zich een met de hand geschreven bord:

MIJN HOND EN IK HEBBEN HONGER. HELP ONS A.U.B.

Hij voelde dat ze opeens verstarde.

'Charles!' fluisterde ze.

Vanuit zijn ooghoek zag hij de Citroën achter hen naderen.

'Geen tijd om weg te rennen,' zei hij zacht. 'Kijk me aan en glimlach. Kijk me aan! We zijn een doodgewoon stel dat een ommetje maakt.' Hij sloeg zijn arm om haar schouders, troonde haar mee naar de bedelaar en liet een munt van twee pond in zijn hand vallen. 'Waar is je hond?' vroeg hij om tijd te rekken terwijl de auto dichterbij kwam.

'Heb ik een hond?' brabbelde de man. Hij stonk naar goedkope wijn.

'Volgens het bordje wel.' Hij zag dat de Citroën bijna naast hen reed.

'Godver. Ik heb die verrekte hond thuisgelaten. Ik lijk wel gek geworden.' De munt verdween in de zak van de man en hij staarde niets ziend voor zich uit terwijl de Citroën hen passeerde.

Ryder keek Blake aan. 'Onze gasten kunnen elk moment komen, schat. We kunnen beter naar huis gaan.'

Ze knikte kort en ze haastten zich verder.

12

The Lamb op Lamb's Conduit Street 94 was een klassieke, ouderwetse pub met donker hout, nicotinebruine muren en een barokke, U-vormige bar met zeldzame zogenaamde *snob screens*, die konden draaien om een klant enige privacy te bieden. Het schemerige interieur was verzadigd van de rijke aroma's van de betere bieren.

Opgelucht dat ze in veiligheid was, waste Eva haar gezicht in de toiletten en nam toen plaats op een bank achterin. Ze keek naar Judd Ryder aan de bar, zijn lange lijf enigszins voorovergebogen terwijl hij op hun bestelling wachtte en de gelagkamer rondkeek. De klanten dromden om hem heen, schoenen op de voetenstang. Ryder en zij hadden slechts even de aandacht getrokken en nu was er niemand die naar haar keek, ook Ryder niet.

Als ze in de gevangenis íéts had geleerd, was het dat overleven achterdocht vereiste. Hij had zijn jekker op de leren bank gegooid. Ze doorzocht de binnenzakken. Er zaten een paar viltstiften in, zijn spiegeltje, een mueslireep, een dikke bundel bankbiljetten en een plattegrond van de Londense metro. Ze stopte alles behalve de plattegrond terug en wilde net kijken of hij er aantekeningen op had gemaakt, toen hij haar theeblad oppakte. Ze schoof de plattegrond haastig weer in zijn binnenzak.

Hij kwam met grote passen in haar richting. Hij was gekleed in spijkerbroek, een donkerblauw polohemd en een ruimvallend corduroy jasje. Ze kon de holster met zijn wapen niet onderscheiden. Zijn vierkante gezicht was verweerd en had iets ruigs, alsof het meer door het leven was gevormd dan door biologie. Zijn handen waren groot en bekwaam, maar zijn donkergrijze ogen waren ondoorgrondelijk. Hij was atletisch gebouwd en blijkbaar bekend met karate, anders had hij haar trap nooit kunnen ontwijken. Hij kon heel goed de waarheid spreken – of niet.

Ze verborg haar gespannenheid en glimlachte. 'Bedankt. Het ruikt heerlijk.'

'Lapsang souchong, zoals gevraagd. Warme melk en een voorverwarmde kop.' Hij zette het blad neer. 'Drink. U rilt.'

Terwijl hij terugliep naar de bar om zijn stout te halen, pakte ze de metroplattegrond en inspecteerde die. Er stonden geen merktekens of aantekeningen op. Daarna doorzocht ze de buitenzakken van de jekker. Ze fronste haar wenkbrauwen toen ze een elektronische ontvanger van een of ander peilbaken vond, een kleine handcomputer met gps-mogelijkheden, die veel gelijkenis vertoonde met wat ze in de elektronicafabriek van de gevangenis had geassembleerd. Peilbakens konden worden gebruikt om van alles in de gaten te houden en ontvangers zoals deze toonden allerlei informatie die door het zendertje werd uitgezonden.

Ze keek op. De barkeeper zette een grote pul voor Ryder neer en hij rekende af. Ze had niet veel tijd. Haar vingers vlogen terwijl ze op toetsen drukte en het scherm van de handcomputer kleurrijk tot leven kwam. Ze zag dat hij twee peilbakens volgde. Ze logde in op de eerste. Diagrammen flitsten op en smolten samen tot een kaart van Londen waarop een locatie was aangeduid: Le Méridien Hotel in West End. Ze kende het niet en ze had geen tijd om het andere apparaatje te checken. Ze stopte de ontvanger terug in zijn jekker.

Hij kwam weer in haar richting, een pul in zijn hand, starend. Toen hij bij de tafel bleef staan, zag ze dat zijn gezicht een merkwaardige verandering had ondergaan en iets hards en angstaanjagends had gekregen.

Ze klopte op zijn jekker en streek hem glad. 'Sorry. Ik heb een loopneus. Ik wilde net een zakdoek zoeken.' Dat van haar neus klopte.

Zonder iets te zeggen haalde hij een zakdoek uit zijn zak, gaf die aan haar en ging zitten met zijn pul *oatmeal stout*.

'Bedankt.' Ze snoot haar neus en legde haar handen om haar kop hete thee. 'Als Charles en ik in Londen waren, kwamen we hier wel eens. Voor het geval je het niet weet: Charles Dickens, Virginia Woolf en de Bloomsbury Group waren stamgasten. Er komen nog steeds redacteurs en schrijvers. De pub leek ons oud Bloomsbury in een notendop, het kloppende hart van de Londense literaire wereld.'

'U voelt zich beter,' concludeerde hij.

Ze knikte. 'Waarom heeft Tucker niets over u gezegd?'

'U bent niet getraind en we wilden dat u zich normaal gedroeg. Sommige mensen kunnen er niet tegen als ze in de gaten worden gehouden. U zou niet weten hoe u moest reageren en wij evenmin, tot u in het museum was. Er was maar één openingsavond en we deden alles om uw kans van slagen zo groot mogelijk te maken.'

'Heet u echt Judd Ryder?'

'Ja. Ik ben contractmedewerker van de CIA. Tucker heeft me hiervoor ingehuurd.'

'Dan werkt u voor Catapult.' Tucker had haar verteld over zijn afdeling, die contra-operaties deed. 'Waarom u juist?'

Ryder staarde in zijn glas, keek toen met een somber gezicht op. 'Mijn vader en Tucker waren studievrienden. Ze gingen tegelijk bij de CIA werken, maar mijn vader ging er weg om in zaken te gaan. Een paar weken geleden vroeg hij Tucker hem te ontmoeten in een park op Capitol Hill. Onder vier ogen. Het was laat op de avond... Mijn vader werd gedood door een sluipschutter.'

Ze zag de pijn in zijn ogen en leunde achterover. 'Wat vreselijk. Het spijt me. Het moet afschuwelijk voor u zijn.'

'Dat is het.'

Ze dacht even na. 'Maar moord is een zaak voor de politie.'

'Mijn vader probeerde Tucker te waarschuwen voor iets wat te maken had met een miljoenenrekening bij een niet nader genoemde internationale bank en islamitisch terrorisme.'

'Terrorisme?' Geschrokken fronste ze haar wenkbrauwen. 'Wat voor terrorisme? Al Qaida? Een zijtak? Een nieuwe groep?'

'Dat weten we nog niet, maar hij was blijkbaar bang dat er een ramp zou gebeuren. Mijn vader had krantenknipsels verzameld over de jihad in Pakistan en Afghanistan, maar daar zijn we tot dusver niet wijzer van geworden. Catapult zit uiteraard boven op de internationale bankactiviteiten. Bij de enige harde informatie komt u om de hoek: mijn vader zei dat hij de informatie had gevonden in de Gouden Bibliotheek.'

'Ín de bibliotheek? Dan bestaat die dus echt?'

'Ja. Mijn vader vertelde Tucker ook dat ze eigendom is van een of andere boekenclub.'

'Was uw vader daar lid van?'

Hij haalde ongemakkelijk zijn schouders op. 'Dat weet ik nog niet.'

'Als uw vader lid was van die boekenclub, lijkt het me dat hij een geheim leven had.'

Hij knikte grimmig. 'Net als uw man.'

Ze boog zich naar voren. 'U wilt uitzoeken wat uw vader deed en wie er achter zijn dood zit.'

'Reken maar.' Er verscheen een woedende blik op zijn gezicht.

'Waarom heeft Tucker me daar niets over verteld?'

'U hoefde het niet te weten en we dachten dat uw opdracht eenvoudig zou zijn.'

'We hebben allebei persoonlijke redenen om de bibliotheek te vinden, maar dit is van een heel ander niveau. Veel groter.'

Hij zette zijn glas neer, stak zijn hand in zijn jaszak en schoof haar gouden trouwring en het collier over de tafel. 'Het is inderdaad voor ons allebei persoonlijk. Ik dacht dat u dit wel terug zou willen hebben.'

Ze staarde ernaar, liet haar kop los en liet haar handen in haar schoot vallen. 'Ik heb ze niet meer nodig. Dat was een ander leven. Een ander mens.'

Hij keek haar aan. Toen pakte hij ze op en stopte ze weer in zijn zak. 'Vertel me over Charles en het ongeluk.'

'Hij reed over Mulholland naar huis na een diner en...' Ze zweeg. In gedachten deed ze de rit over: Charles' zorgeloze lach, de speelse manier waarop hij de auto over de verlaten weg liet slingeren... Ze vertelde het hem. Toen: 'Er schoot een auto uit een oprit verderop en Charles ging boven op de rem staan. Onze auto sloeg over de kop. Ik was misselijk en draaierig. En ik raakte bewusteloos. Toen ik weer bijkwam, lag ik op een brancard.' Ze aarzelde. 'Hij moet me iets hebben gegeven. Later vond de patholoog zijn trouwring op zijn lichaam en het gebit kwam overeen met Charles' tandartsdossier.'

'Dat duidt op veel planning, geld en duistere bronnen. Had Charles het alleen kunnen doen?'

'Uitgesloten. Hij is een academicus. Iemand moet hem geholpen hebben.'

'Wie?'

Ze dacht na. 'Ik ken niemand die ervoor in aanmerking komt.'

'Waar denkt u dat hij geweest is?'

'God mag het weten. Hij is bruin geworden, dus het moet er zonnig zijn.'

'Wat voor man was hij?'

'Toegewijd. Onze wereld is klein. Er zijn maar een paar duizend mensen die echt verstand hebben van geïllustreerde manuscripten. En misschien maar honderd echte experts. De meesten van ons kennen elkaar min of meer. Ik denk dat buitenstaanders ons excentriek vinden. We spelen kaartspellen uit de Griekse en de Romeinse tijd en hebben eigen quizavonden. Onze gesprekken kunnen raar klinken... We spreken bijvoorbeeld Latijn en Grieks. Charles werd door sommigen als dé autoriteit op het gebied van de Gouden Bibliotheek beschouwd. Hij ging er helemaal in op, leefde ervoor, verlangde ernaar en daarom wist hij er zoveel van. Het zou moeilijk voor hem zijn geweest samen te leven met iemand die dat niet begreep.'

'En u begreep het?'

'Ja. Ik vond het begrijpelijk.'

Hij knikte. 'Kan zijn verdwijning verband houden met de bibliotheek?'

'Hij maakte voor het ongeluk verschrikkelijk lange dagen. Misschien had hij iets beseft of ontdekt en voelde hij zich genoodzaakt te verdwijnen, om te voorkomen dat iemand er lucht van kreeg.'

Ze volgde zijn blik terwijl hij de oude pub rondkeek. De gepoetste koperen kranen blonken. Enkele klanten waren weggegaan, een paar andere binnengekomen.

'Ik heb ongeveer een uur aan video-opnamen van de mensen rondom *Het boek der spionnen*,' vertelde hij haar. 'Als er op dit tijdstip nog een internetcafé open is, kunnen we ze samen bekijken.'

Ze trok haar tas naar zich toe. 'We hoeven nergens naartoe. Ik heb mijn laptop bij me.'

Ze schoven over de u-vormige bank naar elkaar toe. Terwijl zij haar computer op tafel zette en inschakelde, haalde hij een kleine videocamera, een usb-kabel en een softwaredisk uit zijn jaszakken.

Enkele minuten later bekeken ze de expositie. Ryder spoelde versneld door tot Charles in beeld kwam. Ze wees op Charles' kenmerkende tred, beschreef de uiterlijke veranderingen die hij had aangebracht en identificeerde de andere mensen die ze herkende. Maar Charles sprak niemand aan en niemand sprak Charles aan. En ze zag Charles niet één keer oogcontact maken.

'Dat is interessant,' mompelde Ryder. Hij stopte de film en speelde enkele fragmenten opnieuw af. Hoewel hij eerder vanaf een afstand had gefilmd, schoot hij nu van dichtbij. 'Kijk eens hoe Charles rondom de vitrine drentelt. Kijk naar zijn rechterhand.'

Ze concentreerde zich op de hand. Charles hield hem bij zijn middel, nonchalant. De hand ging op en neer terwijl hij liep en zijn duim bewoog.

Ze staarde ernaar. 'Maakt hij stiekem foto's van *Het boek der spionnen?*'

'Daar lijkt het wel op. Maar waarom? De verslaving van een maffe bibliomaan?'

'Het kan ook iets te maken hebben met de Gouden Bibliotheek... maar wat?'

'Dat vraag ik me ook af.' Hij keek op zijn horloge. 'Het is al laat. We moeten gaan. U logeert bij Peggy Doty.' Hij fronste zijn wenkbrauwen. 'Zou Charles dat weten?'

Haar keel werd droog. Ze pakte haar telefoon en toetste een nummer in.

Ten slotte nam haar vriendin slaperig op. 'Hallo?'

'Peggy, weer met Eva. Je moet daar weg. Ik snap dat het onmogelijk klinkt, maar ik heb Charles vanavond gezien in het museum.'

Peggy klonk plotseling klaarwakker. 'Waar heb je het over?'

'Ik heb Charles gezien op de tentoonstelling. Hij is even springlevend als jij of ik.'

'Dat kan niet. Charles is dood, lieverd. Weet je nog; je hebt al vaker gedacht dat je hem zag. Hij is dóód. Kom naar huis. We praten erover.'

Eva pakte haar telefoon steviger beet. 'Charles heeft geprobeerd me te vermoorden. Hij weet dat ik bij jou logeer. Je loopt misschien gevaar. Je moet daar weg. Ga naar een hotel, dan zie ik je daar. Zelfs als je me niet gelooft, doe het voor mij, Peggy.'

Ze kozen voor het Chelsea Arms en Peggy bood aan: 'Ik zal een kamer voor ons boeken.'

Plotseling doodmoe ging Eva ermee akkoord en ze verbrak de verbinding.

Ryder dronk zijn glas leeg. 'Ik zal Tucker vragen de identiteit van de man in Charles' graf na te gaan en je morgen verslag uitbrengen.' Hij gaf haar zijn mobiele nummer en het adres waar hij verbleef.

Ze stonden op. Terwijl zij haar tas over haar schouder hing, stopte hij zijn camera-uitrusting in zijn jaszakken en trok zijn jekker aan. Ze liepen langs de gasten aan de bar naar de uitgang en stapten de nacht in. Glinsterende regendruppels zweefden in het lantaarnlicht.

'Lukt het wel?' Hij hield een taxi voor haar aan.

'Ik zal me een stuk beter voelen als we Charles hebben gevonden.'

Toen de taxi stopte, glimlachte hij haar geruststellend toe. 'Slaap lekker.' En tegen de taxichauffeur: 'Het Chelsea Arms.'

Ze stapte in. Toen de taxi wegreed, draaide ze zich om en keek wat

Ryder deed. Hij liep de andere kant op. Hij haalde zijn elektronische ontvanger tevoorschijn en leek hem te bestuderen. Ten slotte hief hij zijn hoofd en hield een taxi aan voor zichzelf. Met nogmaals een blik op de ontvanger stapte hij in.

Ze werd bekropen door achterdocht. Ze boog zich naar voren. 'Ik ben van gedachten veranderd. Draai om. Breng me naar Le Méridien op Piccadilly.'

13

Charles Sherback besefte dat hij een verschrikkelijke vergissing had begaan. Hij leverde de Citroën af bij het verhuurbedrijf en nam een taxi. Zijn hoofd tolde. Ovidius had gelijk: *Res est ingeniosa dare.* Geven vereist gezond verstand. En hij had niet gewoon 'gegeven'; hij had een offer gebracht voor Eva. Hij had heel veel voor haar geriskeerd.

Terwijl de ruitenwisser over het glas gleed, staarde hij zonder iets te zien naar de regenachtige Londense nacht. Ze hoorde in de gevangenis te zitten. Hoe had ze aanwezig kunnen zijn bij de expositie in het British Museum? En nu was hij er niet in geslaagd haar te liquideren.

'We zijn er, chef.' De taxichauffeur keek in zijn spiegel. Hij had zilverwit haar, een lodderig gezicht en een vermoeide blik die gelukkig verveeld bleef.

Charles betaalde en stapte uit de taxi de herrie op Piccadilly in. Auto's en vrachtauto's gleden voorbij op de boulevard en hij ontweek voetgangers en liep het vijfsterrenhotel Le Méridien binnen, in de hoop dat Preston niet te vroeg was.

Hij keek om zich heen. De lobby was groot, twee verdiepingen hoog onder een gebrandschilderde koepel. De inrichting was modern en verfijnd en het rook er naar verse bloemen. Het hotel was elegant, precies zoals hij het graag had. Bovendien was het er druk.

In de lift drukte hij op de knop voor de zevende verdieping en stapte in. Tergend traag steeg hij op. Zodra de deuren open gleden, rende hij door de gang, schoof zijn sleutelkaart in het slot en beende de

luxueuze slaapkamer in. De gordijnen waren gesloten tegen spieden-
de blikken en op een salontafel voor twee gecapitonneerde stoelen
stond een kan warme koffie. Geen spoor van Preston.

'Hallo, schat.' Gezeten op het voeteneind van het bed zette Robin
Miller de tv uit. 'Ik ben blij dat je terug bent. Alles in orde?'

Geluk stroomde even door hem heen. 'Prima.' Hij trok zijn natte
regenjas uit.

'Is ze dood?'

Dik, asblond haar lag als een krans rondom Robins gezicht en ze
had een dichte pony boven haar groene ogen. Haar lippen waren vol
en rond en haar huid straalde gezond bruin. Ze was vijfendertig jaar.
In opdracht van de directeur ondergingen alle medewerkers plastische
chirurgie voordat ze in de bibliotheek mochten werken. Hij had foto's van Robin uit die tijd gezien en nu was ze zelfs nog mooier.

'Er hebben zich complicaties voorgedaan.' Hij schudde afkeurend
zijn hoofd. 'Eva is ontkomen.'

Ze staarde hem bezorgd aan. 'Zeg je tegen de directeur dat ze je
heeft herkend?'

Hij liet zich in een leesfauteuil vallen en schonk een kop dampende koffie in. 'Het is veiliger voor me als ik het zelf oplos.' Hij deed
suiker en melk in zijn koffie tot die de kleur had van *café au lait*. Hij
wou dat hij wat goede Ierse whisky had om erin te doen.

'Maar wat ga je doen?'

'Ik moet haar doden.' Hij hoorde de vastberaden klank in zijn stem.
Hij was zover gekomen en hij had geen keus. Vanaf het moment dat
hij de baan van hoofdbibliothecaris van de Gouden Bibliotheek had
aangenomen, was zijn lot bezegeld geweest. Hij herinnerde zich het
gevoel van vervulde bestemming. Hij had de realiteit onder ogen gezien, elk gevoel van spijt uitgebannen en zich in zijn nieuwe, opwindende leven gestort.

'Misschien moet je Preston om hulp vragen.'

Hij schudde abrupt zijn hoofd. 'Hij zou het tegen de directeur zeggen.'

Ze zwegen, in het besef van de dreiging. Hij zag dat haar knokkels
wit werden doordat ze de rand van het bed omklemde. Hij ging naar
haar toe en trok haar tegen zich aan. Ze legde haar hoofd op zijn
schouder. Haar warmte stroomde door hem heen.

'Ik ben bang,' fluisterde ze.

Robin was een sterke vrouw. Ze had nog nooit toegegeven dat ze bang was. Omdat ze het niet meteen tegen de directeur had gezegd, kon ze evenveel moeilijkheden verwachten als hij.

'Het is allemaal de schuld van Eva,' stelde hij haar gerust. 'Het zou niet zo'n puinhoop zijn als ze me niet had herkend. Ik hou van je. Vergeet dat niet. Ik hou van je.'

'Ik hou ook van jou, lieverd.' Ze sloeg haar armen om hem heen. 'Maar je bent geen moordenaar. Je weet niet hoe je zulke dingen moet doen. Zolang Eva nog leeft, vormt ze een gevaar voor de bibliotheek... en voor ons. Je moet het Preston vertellen, zodat hij met haar kan afrekenen. Als jij het niet wilt, doe ik het wel.'

Er werd vier keer op de deur geklopt.

'Preston is er.' Ze maakte zich los. 'Geef me even tijd.'

'Haast je.'

Ze knikte, stond op en streek haar haren, haar witte kasjmier trui en bruine broek glad.

Hij liep naar de deur en stak zijn hand ernaar uit toen er opnieuw vier keer werd geklopt. Hij gluurde door het kijkgat. Een vervormde Doug Preston doemde hoog op in de gang, met een uitpuilende rugzak in zijn linkerhand. Zijn rechterhand ging schuil onder zijn zwartleren jack, waar zijn pistool in de holster zat. Alles aan hem, van zijn licht gebogen knieën tot de scherpe waakzaamheid waarmee hij de gang inspecteerde, straalde dreiging uit.

Charles haalde diep adem en opende de deur. Preston beende de hotelkamer binnen. Charles keek ongemakkelijk toe terwijl hij de kamer rondkeek. Toen zijn blik op Robin bleef hangen, knikte ze hem toe, een behoedzame blik in haar ogen. Charles keek naar de rugzak. Hij kon de beslissing om het Preston wel of niet te vertellen voor zich uit schuiven, omdat de inhoud ervan van onmiddellijk belang was.

'Heb je *Het boek der spionnen*?' vroeg hij.

'Ja.' Preston legde de rugzak op een stoel en wilde hem openritsen.

'Ik neem het nu over.'

Preston deed een stap terug.

Terwijl Robin zich bij hem voegde, haalde Charles de in piepschuim verpakte bundel tevoorschijn. 'Breng de koffie weg, Robin. Laat de servetten liggen.'

Ze pakte het dienblad en bracht het weg. Hoewel de tafel schoon leek, gebruikte hij de linnen servetten om hem af te vegen. Daarna legde hij het pakket neer en verwijderde de lagen piepschuim en doorschijnend polyethyleen. Ten slotte bleef er alleen archiefpolyester achter.

Hij stopte, voelde zijn ingewanden draaien. Met een brok in zijn keel staarde hij naar het geïllustreerde manuscript, dat gloeide achter de beschermende laag.

'Klaar?' Hij liet zich in de leesfauteuil zakken en keek op.

Preston knikte.

'Schiet op,' zei Robin.

Hij verwijderde het polyester en liet het opzij vallen.

'O mijn god,' fluisterde Robin.

'Het is inderdaad prachtig,' beaamde Preston.

Charles staarde, dronk de aanblik in van het legendarische *Boek der spionnen*, samengesteld in opdracht van Ivan de Verschrikkelijke, die geobsedeerd werd door spionnen en huurmoordenaars. Het met goud ingelegde boek was groot, zo'n vijfentwintig bij dertig centimeter, tien centimeter dik, versierd met grote smaragden, robijnen, glanzende parels, een fortuin aan edelstenen. De smaragden waren langs de randen van het voorplat aangebracht, een rechthoek van schitterend groen. De parels vormden een stralende dolk die het bovenste twee derde deel van het voorplat besloeg en onder de punt van de dolk lagen de rode robijnen, als een grote druppel bloed. De stenen weerkaatsten het lamplicht en fonkelden als vuur.

Eerbiedige stilte vulde de kamer. Charles opende het boek en sloeg langzaam pagina's om, zwolg in de stijl, de verf, de inkt, het gevoel van kostbaar perkament tussen zijn voorzichtige vingers. Elke pagina was een uitstalkast van overdadige afbeeldingen, sobere Cyrillische letters en barokke randen, stralend van kleur. Hij huiverde bij het besef van de inspanning die het moest hebben gekost, niet alleen om de kennis te vergaren, maar om zo'n kunstwerk te creëren.

'Zes jaar lang is er aan dit meesterstuk gewerkt,' vertelde Charles. 'Twaalf maanden per jaar, zeven dagen per week, twaalf tot veertien uur per dag. De meest primitieve penselen en verfsoorten. Alleen zonlicht en olielampen om bij te werken. Geen fatsoenlijke verwarming tijdens de onbarmhartige Moskouse winters. In de zomer de constante aanvallen van de muggen. Stel je de moeilijkheden voor, de toewijding.'

Robin ging op de grond zitten en leunde met een elleboog op de tafel om het van dichtbij te bekijken. Preston schoof een stoel bij, ging zitten en keek naar het omslaan van de pagina's. De illustraties toonden stiekeme spionnen, bombastische diplomaten, vorsten in bontmantels, soldaten in kleurrijke uniformen, schurken met sluwe gezichten. Het was een rijke bundel verhalen over echte en mythische huurmoordenaars, spionnen en missies sinds pre-Bijbelse tijden.

'Weet je zeker dat het echt is?' vroeg Robin met zachte, opgewonden stem.

'De stijl klopt, neigend naar naturalisme,' vertelde Charles haar. 'De laatste toets is vloeibaar goud in plaats van bladgoud.' Naturalisme en vloeibaar goud verschenen pas aan het eind van de middeleeuwen, wat klopte met het jaar waarin het manuscript in Moskou was voltooid, 1580. 'De echtheid wordt bevestigd door de nietige letters onder enkele kleuren. Zie je ze? Ze zijn bijna onzichtbaar. Zelfs de beste vervalsers vergeten dat veelzeggende detail.'

Hij wees zonder de pagina aan te raken. De letters stonden voor de Latijnse woorden voor de kleuren die de kunstenaar in lang vervlogen tijden had moeten gebruiken om de lijntekeningen van een eerdere kunstenaar te vullen. 'R' voor *ruber* betekende rood; 'v' voor *viridis* betekende groen, en 'a' voor *azure* betekende blauw.

'Het is geschilderd door een Italiaan die aan het hof van Ivan werkte,' legde hij uit.

'Ik herinner me het boek nog goed,' zei Preston. 'De verhalen over spionnen werken inspirerend. Degenen die de geheimen ontdekken en meenemen in hun graf, zijn de ware helden. Daarvoor hebben we getekend toen we voor de Gouden Bibliotheek gingen werken. Onvoorwaardelijke trouw.'

Terwijl Preston sprak, keek Robin Charles aan. Ze fronste vastbesloten haar wenkbrauwen en kneep haar lippen op elkaar. De boodschap was duidelijk: als hij het Preston niet vertelde, zou zij het doen.

'We hebben een probleem.' Hij zette zich schrap toen Preston hem aankeek.

'De directeur hoeft het niet te weten, Preston,' zei ze dringend. 'Je kunt het zelf regelen.'

Preston keek haar niet aan. 'Wat is er gebeurd, Charles?'

Hij zuchtte diep. 'Het begon in het museum. Ik was net klaar met het fotograferen van *Het boek der spionnen* en liep weg toen ik Eva zag. Mijn vrouw. God mag weten hoe ze uit de gevangenis is gekomen, maar ze was er, en ze herkende me.' Hij ging haastig verder, beschreef de achtervolging in het museum en haar arrestatie. 'Ik huurde een auto. Toen de politie haar vrijliet, volgde ik haar en ik vond een stille straat. Daar kon ik haar bijna overrijden. Maar ze ontkwam. Ik heb overal rondgereden om haar terug te vinden.'

'Weet ze van de Gouden Bibliotheek?' vroeg Preston onmiddellijk.

'Natuurlijk niet. Ik heb er nooit over gesproken.'

'En verder?'

'Ze heeft me gefilmd met haar mobiele telefoon,' bekende hij.

'Zeg het alsjeblieft niet tegen de directeur, Preston,' smeekte Robin.

Preston zweeg. De spanning steeg.

Charles wreef in zijn ogen en leunde achterover. Toen hij weer keek, had Preston zich niet bewogen, zijn blik was ondoorgrondelijk.

'Waar zou ze in Londen logeren?' vroeg Preston.

'Er waren twee hotels waarvoor we een voorkeur hadden: het Connaught en het Mayflower. Als ze alleen ging, logeerde ze bij een vriendin, Peggy Doty. In het museum hoorde ik dat Peggy weer naar Londen is verhuisd. Ik heb haar adres niet, maar ik denk dat Eva bij Peggy is. Ze waren dikke vriendinnen.'

Preston toetste een nummer in op zijn telefoon. 'Eva Blake kan in een van de volgende hotels logeren.' Hij gaf de informatie door. 'Ik mail je een foto van haar. Liquideer haar. Ze heeft een mobiele telefoon. Zorg dat je die in handen krijgt.' Hij verbrak de verbinding en zei toen tegen Charles: 'Peggy Doty neem ik zelf voor mijn rekening.'

Toen Preston naar de deur liep, stond Charles op. Hij zweette. 'Ga je het de directeur vertellen?'

Preston zei niets. De deur ging dicht.

14

Op weg naar het appartement van Peggy Doty genoot Preston van de gedachte dat hij de complexe missie om *Het boek der spionnen* te bemachtigen had uitgevoerd. Het was gegaan zoals in de goeie ouwe tijd, toen hij als CIA-agent overal in Europa en de voormalige Sovjet-

Unie undercover had gewerkt. Maar na het beëindigen van de Koude Oorlog had Langley de steun van het Congres, het Witte Huis en het Amerikaanse volk om de wereld in de gaten te houden verloren. Vol afkeer en met bloedend hart had hij ontslag genomen. Tegen de tijd dat iedereen zich na de aanslagen op elf september realiseerde dat informatie cruciaal was voor de veiligheid van de Verenigde Staten, had hij zich al gewijd aan iets groters, iets duurzamers. Iets wat veel belangrijker was, bijna eeuwig: de Gouden Bibliotheek.

Woede golfde door hem heen. Charles was zelfingenomen – en zelfingenomenheid was altijd gevaarlijk. Hij had de bibliotheek in gevaar gebracht.

Hij belde de directeur.

'Heb je *Het boek der spionnen?*' Martin Chapmans stem klonk krachtig, onmiddellijk geconcentreerd, hoewel het in Dubai vier uur 's nachts was. De onvermoeibaarheid van de reactie was kenmerkend en een van de redenen waarom Preston hem bewonderde.

'Het boek is veilig. Binnenkort op het vliegtuig. En Charles heeft de echtheid bevestigd.'

Zoals Preston had gehoopt klonk de stem van de directeur verrukt. 'Gefeliciteerd. Goed werk. Ik wist dat ik op je kon rekenen. Zoals Seneca schreef: "Het doet er niet toe hoeveel boeken iemand heeft, maar hoe goed ze zijn." Ik popel om het terug te zien. Alles goed gegaan?'

'Eén probleempje, maar hanteerbaar. De vrouw van Charles is uit de gevangenis en ze was op de opening. Ze herkende hem, maakte een scène en werd gearresteerd. Charles heeft geprobeerd haar te overrijden. Het mislukte natuurlijk. Ik ben op weg naar het appartement waar ze volgens hem logeert. Ik weet het nog maar net.'

'De zak had het onmiddellijk moeten melden. Wist Robin ervan?'

'Ja.' De regels van de bibliotheek waren onverbiddelijk. Dat wist iedereen. Het was een van de belangrijkste redenen waarom de bibliotheek eeuwenlang onaantastbaar – en onzichtbaar – was gebleven.

De stem van de directeur klonk kil, onverzoenlijk. 'Dood Eva Blake. Ik beslis later wel wat er met Charles en Robin moet gebeuren.'

Preston parkeerde in de buurt van St. John Street in de hippe wijk Clerkenwell, om de hoek van het appartementengebouw van Peggy Doty. Hij stapte uit de Renault en trok de klep van zijn Manchester United-pet voor zijn ogen. De doordringende geur van Vietnamese koffie uit een verlicht café doordrenkte de nacht. De historische wijk wemelde van hippe jongelui die opgingen in zichzelf en het nachtelijk vertier.

Overtuigd dat hij er onschuldig uitzag liep Preston snel terug naar het gebouw van Peggy Doty en voelde aan de deur. Op slot. Na lange tijd kwam er een vrouw naar buiten. Hij ving de deur op voordat die in het slot kon vallen, glipte naar binnen en liep de trap op.

Peggy Doty deed onmiddellijk open en het was duidelijk waarom: ze stond op het punt weg te gaan. Ze droeg een lange wollen jas en er stond een koffer naast haar op de vloer. Het was stil en donker in het appartement; er was dus verder niemand.

Hij moest een beslissing nemen. Vroeger zou hij haar hebben bedreigd om erachter te komen waar Blake was, maar ze had iets intelligents en onverzettelijks wat hem waarschuwde dat ze misschien zou liegen, en als hij haar te snel doodde, zou het te laat zijn om nog achter de waarheid te komen.

Hij toverde een hartelijke glimlach op zijn gezicht. 'U moet Peggy Doty zijn. Ik ben een vriend van Eva. Mijn naam is Gary Frank. Gelukkig ben ik nog op tijd. Eva dacht dat u misschien een lift zou willen hebben.'

Peggy fronste haar wenkbrauwen. 'Bedankt, meneer Frank, maar ik heb al een taxi besteld.' Ze was klein, met kort bruin haar en een bril die van haar neus gleed. Haar gezicht was openhartig, het gezicht van iemand die je automatisch aardig vond.

'Zeg maar Gary.' Ze had niet gevraagd hoe Blake wist dat ze uit zou gaan, dus ze hadden blijkbaar contact. 'U woont in een geweldige wijk. Situeerden Peter Ackroyd en Charles Dickens hun boeken niet in Clerkenwell?' Hij knipoogde samenzweerderig. 'Ik handel in tweedehands boeken.'

Haar gezicht klaarde op. 'Ja, dat is zo. U denkt misschien aan Ackroyds *The Clerkenwell Tales.* Een geweldige roman over Londen in de veertiende eeuw. De klerk van Tellson's Bank in *A Tale of Two Cities* woonde ook hier. Jarvis Lorry heette hij. En ook Fagin woonde in Clerkenwell.'

'*Oliver Twist* is een van mijn lievelingsboeken. Eva vertelde dat u in de British Library werkt. Ik hoor graag wat u doet. Laat me u brengen.'

Ze aarzelde.

Hij verbrak de stilte. 'Hebt u Eva verteld dat u een taxi had besteld?'

Ze zuchtte. 'Nee. Goed. Het is echt geweldig van u.'

Hij pakte haar koffer en ze vertrokken.

Met Peggy Doty naast zich reed Preston naar het zuiden, in de richting van het hotel in Chelsea waar ze met Blake had afgesproken. Blake was er misschien al en hij wilde dat deze kleine brunette bij hem was om in haar kamer te kunnen komen zonder de aandacht te trekken.

'U kreeg dus ook het idee dat Eva van streek was?' polste hij.

Ze had haar handen in haar schoot gevouwen, bleek tegen haar nachtblauwe jas. 'Ze zegt dat haar overleden man nog leeft. Dat ze hem gezien heeft. Niet te geloven. Ik hoop dat ze weer bij zinnen is als wij er zijn.'

Hij parkeerde, trok de klep van zijn pet diep over zijn ogen en liep, met haar koffer in zijn hand, het hotel binnen. Toen ze zich inschreef, zag hij dat ze linkshandig was.

'Is Mrs Blake al aangekomen?' vroeg ze.

'Nog niet, miss.'

Haar gezicht betrok. Ze namen de lift naar haar kamer, vol tierelantijnen en die foeilelijke tekeningen van paarden op heuvels die je in Londense toeristenhotels ziet.

Ze staarde naar de lege kamer. 'Ze had er inmiddels moeten zijn, Gary.'

Hij zette haar koffer op de dressboy. 'Zou ze eerst ergens naartoe zijn gegaan?'

'Ik bel haar.' Ze toetste een nummer in en luisterde met een steeds grimmiger gezicht. Ten slotte zei ze: 'Eva, met Peggy. Waar ben je? Bel zodra je mijn bericht hoort.' Ze hing op.

'Was er iemand bij haar toen je haar sprak? Misschien zijn ze samen ergens naartoe gegaan.'

'Ik hoorde alleen maar achtergrondlawaai.' Ze zuchtte diep. 'Ik hoop maar dat er niets gebeurd is.'

Het was zover. Hij wist inmiddels hoe hij Eva Blake kon liquideren.

'Peggy, ik wil dat je weet dat je een aardige vrouw bent.'

Met een verbaasd gezicht keek ze hem aan. 'Bedankt.'

'En dit is gewoon mijn werk.' Hij bukte zich bliksemsnel en haalde het niet te traceren tweeschotspistool uit zijn enkelholster.

Ze staarde ernaar en deed een stap terug. 'Wat ben je..?'

Hij volgde haar en pakte haar schouders beet. Ze was licht. 'Ik zal het snel doen.'

'Nee!' Ze verzette zich en trommelde met haar vuisten op zijn jas.

Hij zette het pistool onder haar kin en schoot. Schedel en hersens explodeerden. Hij hield haar even overeind en liet haar toen op de grond vallen, slap in haar grote jas.

Hij trok latex handschoenen aan en maakte zijn zwarte jack schoon met de speciale tissues die hij altijd bij zich had. Terwijl hij het wapen afveegde, luisterde hij aan de deur. Geen enkel geluid op de gang. Hij rende naar haar terug, legde haar handen om de kolf en de loop, stopte de kolf in haar rechterhand en sloot haar vingers eromheen.

Hij raapte haar telefoon op, dacht even na en concludeerde ten slotte dat de politie argwaan zou krijgen als die weg was. Hij prentte zich het mobiele nummer van Blake in, schakelde Peggy's telefoon uit en liet hem achter in haar jaszak. Toen veegde hij het handvat van haar koffer af, gebruikte de tissues om de koffer naast haar te zetten, vouwde de ene en daarna de andere hand om het handvat en legde de koffer terug op de dressboy.

Buiten leek de avond warm en uitnodigend. Terwijl hij door de drukke straat liep, belde Preston zijn mensen in Londen. 'Eva Blake wordt binnenkort op dit adres verwacht.' Hij noemde het hotel en het kamernummer. 'Liquideer haar.'

De temperatuur in de kamer in Le Méridien leek tien graden gedaald. Zodra Preston was vertrokken, had Charles zijn Glock gepakt en hem naast *Het boek der spionnen* op de salontafel gelegd. Hij keek toe hoe Robin methodisch hun spullen inpakte. Hij had het koud en zijn handen deden pijn van het knijpen. Het was alsof de wereld rondom hem instortte.

'Je bent toch niet boos op me, Charles?' vroeg ze ten slotte.

'Natuurlijk niet. Je had gelijk: Preston zal Eva vinden en het probleem oplossen. Je bent vergeten het manuscript te scannen.'

'Ik denk dat ik een beetje van slag ben.'

Ze ritste de koffer open en vond de detector, zo groot als een sleutelhanger. Er zat een telescoopantenne aan die verborgen draadloze camera's, audioapparatuur en zendertjes opspoorde. Zodra ze hem inschakelde, lichtte er een rood waarschuwingslampje op.

Charles vloekte en ging rechtop zitten.

Met gefronste wenkbrauwen bewoog ze door de kamer, zoekend naar de bron. Toen ze *Het boek der spionnen* naderde, knipperde het lampje sneller.

'O nee.' Robins gezicht was gespannen.

Ze bewoog de detector over het voorplat van het geïllustreerde manuscript tot het knipperen ophield. De detector wees naar een van de smaragden op het vergulde voorplat.

Ze las het digitale scherm af. 'Er zit blijkbaar een zendertje in die smaragd.' Verslagen keek ze Charles aan.

'Misschien door het museum of de Rosenwald Collection aangebracht als veiligheidsmaatregel,' zei hij. 'Nee, dat is krankzinnig. Ze zouden zoiets kostbaars als *Het boek der spionnen* nooit beschadigen. Het moet iemand anders zijn geweest... maar waarom?'

'Wat doen we nu? We kunnen er geen edelsteen af halen. Het boek zou niet compleet meer zijn. Het is heiligschennis.'

Ze staarden naar het manuscript.

Ten slotte besloot Charles: 'Het is al niet compleet meer, want die smaragd kan onmogelijk echt zijn.' Hij pakte zijn zakmes en wrikte de steen los, zodat er een gapend gat achterbleef in de perfecte rechthoek van groene edelstenen.

Ze kreunde. 'Het ziet er verschrikkelijk uit.'

Hij knikte, van afschuw vervuld, sprong toen op en rende naar de badkamer. Hij spoelde het zendertje door het toilet.

15

Judd Ryder snapte er niets van. Hij liep over de brede boulevard langs de voorkant van Le Méridien, stak Piccadilly Place en Swallow Street over en bestudeerde het verkeer. Volgens zijn peilbaken bevond *Het boek der spionnen* zich in het midden van de boulevard, nog steeds bewegend, maar sneller dan de auto's. Hoe kon dat? Hij controleerde de hoogte... en vloekte.

Het zendertje bevond zich onder de grond. Er lagen riolen onder de boulevard. Degene die *Het boek der spionnen* had, had het zendertje dat Tucker erop had aangebracht doorgespoeld.

Hij draaide zich om zijn as. Het boek kon nog in het hotel zijn. Terwijl hij zich terug haastte, pakte hij zijn Secure Mobile Environment Portable Electronic Device – een SME-PED handcomputer. Hij kon er versleutelde e-mails mee versturen, toegang krijgen tot geheime netwerken en er geheime telefoongesprekken mee voeren. Het voldeed aan de normen van National Security en zag er doodgewoon uit, een soort BlackBerry, en kon in zowel beveiligde als onbeveiligde modus worden gebruikt als een willekeurige smartphone met internetverbinding.

In de beveiligde modus draaide hij Tucker Andersens doorkiesnummer op het hoofdkantoor van Catapult.

'Ik zat op nieuws van je te wachten, Judd,' zei Tucker. 'Wat ben je te weten gekomen?'

Hij stak Piccadilly Street over, zodat hij de ingang van het hotel in de gaten kon houden. Hij trok zich terug in de schaduwen. 'Ik heb een verrassing voor je. Charles Sherback is niet omgekomen bij dat auto-ongeluk. Hij is springlevend.' Hij beschreef de gebeurtenissen in het museum, hoe hij Eva Blake vanaf het politiebureau was gevolgd en getuige was geweest van Sherbacks poging om haar te overrijden. 'Het komt erop neer dat de valstrik van *Het boek der spionnen* heeft gewerkt... We hebben beet. Maar wat het betekent dat Sherback nog leeft, weet ik absoluut niet. En er is nog een probleem: *Het boek der spionnen* is gestolen en de dieven hebben het zendertje weggeflikkerd.'

Tucker verhief zijn stem. 'Weet je niet waar het boek is?'

'Misschien in Le Méridien. Daar was het zendertje een paar minuten geleden nog. Sherback heeft in het museum foto- of filmopnamen van het boek gemaakt en zoals het er nu voor staat, lijkt het me waarschijnlijk dat hij en het boek samen zijn of dat hij weet waar het is. Volgens Blake heeft hij cosmetische chirurgie ondergaan. Zodra ik ophang, zal ik je het filmpje mailen dat ik op de Rosenwald-expositie heb gemaakt. Ik heb me op hem geconcentreerd. Kijk eens of zijn nieuwe gezicht in een van onze databanken voorkomt. En zoek uit wie er in zijn graf in L.A. ligt. Misschien helpt het ons degene te vinden die hem heeft helpen verdwijnen.'

'Ik doe het allebei met voorrang.'

84

'Je moet ook weten dat ik Blake moest vertellen dat ik voor jou werk, en over het verband tussen mijn vader en de Gouden Bibliotheek.'

Het bleef even stil. 'Ik begrijp het. Wat vind je van haar?'

'Ze lijkt me even normaal als jij of ik. Ze is slim en taai.'

'Ze is ook mooi en atletisch. En kwetsbaar. Precies jouw type. Ga haar niet te aardig vinden, Judd.'

Ryder zei niets. Tucker had hem grondiger nagetrokken dan hij besefte.

Toen Ryder verderging, klonk zijn stem kortaf. 'Blake overnacht in een hotel. Of ik meer met haar doe, hangt af van wat ik hierna vind.'

'Met wat geluk kun je haar naar huis sturen,' concludeerde Tucker. 'Ze heeft goed werk verricht, maar ik werk niet graag met amateurs.'

Ryder wilde haar terugzien, maar Tucker had gelijk: het zou beter voor haar zijn als hij het niet deed. Hij had povere ervaringen met het in leven houden van de mensen om wie hij gaf. Terwijl hij daarover nadacht, checkte hij het andere zendertje dat hij volgde. Dat bewoog eveneens, maar niet richting Chelsea. Het kwam naar het noorden... op hem af?

16

Gekleed in hun zwarte trenchcoats namen Robin en Charles de lift naar de garage van het hotel. Van daaruit liepen ze over een oprit naar een donkere steeg met klinkers. Robin trok hun grote rolkoffer voort en keek Charles aan, die er knap en gespannen uitzag. Hij droeg de rugzak waarin *Het boek der spionnen* zat, zijn handen bezitterig om de riemen geklemd.

Ze kwamen uit op de boulevard, ver van het enorme hotel en zijn felle verlichting. Zij aan zij liepen ze verder en ten slotte bleven ze staan op de plek waar ze op Preston moesten wachten.

'Ik had gehoopt dat Preston er al zou zijn.' Charles staarde naar het verkeer. 'Misschien heeft hij er langer dan verwacht voor nodig gehad om Peggy te vinden.'

'Alles goed met je?'

Hij pakte haar hand en kuste die. 'Prima. En jij?'

'Ik ook, vreemd genoeg.' En ze meende het.

Er was een gevoel van onvermijdelijkheid over haar gekomen. Niet alleen maar omdat Preston het op zich had genomen Eva op te ruimen, of omdat ze veel hoop had dat Preston het niet tegen de directeur zou zeggen, maar doordat een of andere vertrouwde kracht – moed misschien, vermengd met overmoed – was opgestaan om haar haar zelfvertrouwen terug te geven.

Charles keek haar aan. 'Lijkt Preston jou een *abnormis sapiens crassaque Minerva?*' Een onorthodoxe wijze met gezond verstand.

'Ja. Maar hij is ook een *helluo librorum.*' Een boekenwurm, een boekenverslinder. 'Denk je dat we hem kunnen vertrouwen?'

'We hebben geen keus.'

Ze rechtten hun rug als Romeinse tribunen en keken uit naar Prestons Renault. Voertuigen denderden over de boulevard. Er liepen wat mensen op het trottoir, zwaaiend met gesloten paraplu's onder de bewolkte avondlucht.

De stoep was enkele ogenblikken verlaten. Toen er verderop een taxi stopte, keek Robin slechts even naar de roodharige vrouw die uitstapte en zich vooroverboog om de chauffeur te betalen.

'*Merde.*' Charles verstrakte toen de vrouw zich naar hen omdraaide.

'Wat is er? Wat is er gebeurd?'

'Dat is Eva. Zorg voor *Het boek der spionnen.*' Hij legde de rugzak af en zette hem aan haar voeten. Hij pakte zijn Glock.

'Ben je gek geworden? Je hebt al een keer tevergeefs geprobeerd haar te vermoorden. Iemand zou je wapen kunnen zien.' Terwijl ze sprak, zag ze dat Eva naar Charles staarde. 'Ze heeft je gezien.'

Charles was rood aangelopen. Hij knikte en stopte het wapen weer weg. 'Ik zal haar volgen en Preston bellen. Hou een taxi aan en breng *Het boek der spionnen* naar de luchthaven.'

Terwijl Charles zijn zin afmaakte, draaide zijn vrouw zich om haar as en snelde richting Piccadilly Circus. Hij rende achter haar aan.

Terwijl Charles andere voetgangers passeerde zette hij zijn headset op, belde Preston en vertelde hem over Eva.

'Ik ben er over vijfentwintig minuten,' zei het hoofd Beveiliging. 'Hoe wist ze dat ze naar het hotel moest komen?'

'Geen idee. Tenzij... Maar dat lijkt me onmogelijk. Onze scanner vond een zendertje op het voorplat van het boek.'

'Jezus. Wat heb je ermee gedaan?'

'Doorgespoeld. Maar Eva kan het onmogelijk geweest zijn.'

'Raak haar verdomme niet kwijt. Hou de lijn open.'

Hij zag dat Eva tussen wat mensen op de hoek van Piccadilly Circus stond en wachtte tot het licht op groen sprong. Maar voordat hij haar kon inhalen, stak ze over naar het plein en verdween in de menigte.

Hij strekte zijn hals en begon te rennen.

17

De herrie en de chaos op Piccadilly Circus galmden in Eva's hoofd terwijl ze met haar telefoon aan haar oor doorrende en met Judd Ryder praatte.

'Het is Charles. Hij volgt me. Ik ben op Piccadilly Circus en loop in de richting van het Criterion. Ben je in de buurt? Hij is gewapend.'

'Ik ben al onderweg. Laat je telefoon aanstaan.'

Er kwamen vijf straten uit op de razende rotonde rondom het drukke plein. Schelle neon- en led-reclames voor Coca Cola, Sanyo en McDonald's hulden de omgeving in maniakaal rood en geel licht. Ze zocht een bobby. Nu Charles vlakbij was, wilde ze een politieagent.

'Ik loop langs Lillywhites,' meldde ze Ryder. Toen ze haar gezicht weerspiegeld zag in de ruit van de sportzaak, haar gespannen uitdrukking, wendde ze haar blik af. Zes van de toeristen met wie ze de straat was overgestoken, sloegen af naar de Shaftesbury-fontein en het beeld. Ze liep met hen mee en keek om hun schouders heen. 'Charles zit nog steeds achter me. Hij heeft een headset op en praat met iemand.'

'Dan weten we dus dat hij een vriend heeft. Is er iemand bij hem?'

Ze keek. 'Voor zover ik zie niet. Mijn groep klimt nu de treden van de fontein op en ik loop met ze mee. Ik loop eromheen. Achter de fontein kan hij me niet zien.'

'Ik ben bij de oversteekplaats op Piccadilly Street. Kun je omkeren en me tegemoet lopen?'

'Dan ziet hij me.'

'Oké. Ga naar het Trocadero Centre. Ik zorg dat ik er ben.'

De bronzen Shaftesbury-fontein blonk nikkelgrijs in de nachtelijke verlichting. Op de treden zaten groepjes mensen. Boven aangekomen rende Eva naar de andere kant en keek omlaag naar het plein, verstopt en omringd door een tot het middel reikend ijzeren hek, onderbroken door de oversteekplaats die ze moest hebben. Ze zag geen spoor van Charles of een politieagent. Maar achter het voortrazende verkeer stond het London Trocadero Centre, een gigantisch gebouw waar mensen elkaar verdrongen voor voedsel, alcohol, theater en videogames. Daar zou ze Ryder ontmoeten.

Ze sloot zich aan bij een jong stel dat hand in hand de treden van de fontein af huppelde. Beneden aangekomen sloegen ze rechts af en zij liep rechtdoor.

Opeens voelde ze iets hards en scherps in haar linkerzij. 'Dat is een wapen wat je voelt, Eva.' De stem van Charles. 'Je bent erbij, beste meid. Het lag voor de hand dat je hierheen zou gaan. *Sic eunt fata hominum*. Dat is het lot van de mens.'

'Grammaticale fout, Charles. *Homina*. Vrouwelijk in mijn geval, zak.' Terwijl ze verder liepen, keek ze omlaag en zag dat de zak van zijn trenchcoat uitpuilde door zijn hand met daarin het wapen.

Ryder zei in haar oor: 'Verstop je telefoon. Laat hem aanstaan.'

Maar toen ze de telefoon onder haar jas liet glijden, porde de loop weer in haar zijde.

'Nee,' snauwde Charles. 'Hier met dat ding.'

Ze verstarde en toen ze naar hem omkeek, zag ze de ijzige uitdrukking, de harde zwarte ogen. De woede en de frustratie die ze had opgekropt kwamen tot uitbarsting. 'Ik hield van je. Ik dacht dat jij van mij hield. Ik wil blij zijn dat je nog leeft, maar je maakt het me wel heel moeilijk. Waar ben je verdomme mee bezig?'

'Loop door en schreeuw niet zo. Geef me je telefoon. Nu.' Enkele mensen keken naar hen. 'Als je denkt dat ik niet zal schieten, lig je dadelijk dood op het trottoir.'

Haar hart bonsde en het koude zweet brak haar uit. Ze gaf hem de telefoon. 'Noem me geen beste meid. Ik heb er altijd een hekel aan gehad, klootzak.'

Hij klapte de telefoon dicht en zei triomfantelijk in zijn headset: 'Ik heb haar, Preston. Ik hou haar vast, dan kun jij met haar afrekenen. Waar wil je ons oppikken?'

18

Terwijl Charles naast haar liep, met het wapen in haar zij, onderdrukte Eva een rilling. Ze probeerde de woede en de gekwetstheid in haar stem te onderdrukken. 'Waarom heb je je dood in scène gezet en ben je verdwenen? Ik dacht dat we gelukkig waren. Maar om jou heb ik twee jaar in de gevangenis gezeten... en nu wil je me vermoorden. Beteken ik dan niets voor je, na al die jaren samen?'

'Je betekende veel... ooit,' zei hij ongeduldig. 'Je zult het nooit begrijpen. Je was altijd veel te werelds.'

'En jij niet genoeg. Gaat het om de Gouden Bibliotheek?'

'Natuurlijk gaat het om de bibliotheek. Ik werd gevraagd als hoofdbibliothecaris,' zei hij eerbiedig. Toen zei hij in zijn headset: 'Het doet er niet toe, Preston. Ze kan het toch niet navertellen.'

'Ik herken je niet. Wat is er met je gebeurd?'

Hij gebaarde minachtend met zijn vrije hand. 'Sommige dingen zijn alles waard.'

'Was de Gouden Bibliotheek belangrijker dan de rouwende vrienden en collega's die je achterliet? Belangrijker dan ik?' Ze hunkerde naar haar verloren liefde.

'Je bent kleingeestig, Eva. Godzijdank waren er in de loop der eeuwen een paar mensen die groter waren. Ze hielden de bibliotheek levend, niet alleen materieel, maar ook naar de geest.'

Ze zweeg en probeerde haar emoties te bedwingen. Ze moest zo veel mogelijk te weten zien te komen terwijl ze een manier zocht om te ontsnappen.

'Waar is de bibliotheek?' vroeg ze.

'Dat weet ik niet.'

'Dat meen je niet.'

Hij schudde zijn hoofd. 'Je zult het nooit begrijpen,' zei hij nogmaals.

Charles had altijd genoten van de klank van zijn eigen stem, zijn briljante logica, zijn sterke persoonlijkheid. 'Wie hebben de bibliotheek levend gehouden?' vroeg ze, in de hoop zijn voorliefde voor betogen te prikkelen.

Er verscheen een glimlach op zijn gezicht. 'Toen Ivan de Verschrikkelijke de laatste oorlog met Polen verloor, gaf hij de bibliotheek in het geheim aan koning Stefan Báthory, als oorlogsschatting. Stefans opvolger gaf haar door aan de Franse kardinaal Mazarin, die zelf een beroemde bibliotheek had. Uiteindelijk kwam ze in handen van Friedrich Wilhelm von Brandenburg, de keurvorst. Ook Peter de Grote heeft haar gehad, en George II van Engeland. Later was ze onder de hoede van Napoleon Bonaparte, Thomas Jefferson en Andrew Carnegie – allemaal belangeloos toegewijd aan de bibliotheek. Die betrokkenheid heeft door de jaren heen nooit gewankeld en het geheim van het bestaan van de Gouden Bibliotheek is altijd heilig geweest.'

Zich nerveus bewust van zijn wapen keek Eva om, in de hoop dat ze Judd Ryder zag – maar die was naar Trocadero gegaan, een heel andere kant op. Tot overmaat van ramp nam Charles haar nu mee de hoek om naar Haymarket Street. Zou de man die Preston werd genoemd hen daar ontmoeten – en met haar 'afrekenen'?

Ze keek om. Nog steeds geen politie. Een man in een haveloze, tot zijn kin dichtgeknoopte regenjas en een zwarte muts over zijn voorhoofd en oren getrokken slenterde met gebogen hoofd voort.

Charles duwde haar een andere straat in. Nu zou het voor Ryder nog moeilijker zijn om haar te vinden. Misschien onmogelijk.

Ze vermande zich. 'Je zegt dus dat je wens eindelijk half vervuld is. Je hebt de leiding over de bibliotheek, maar je hebt nog steeds pech, want de andere helft heb je níét: internationale roem omdat je haar ontdekt hebt. Daar hunkerde je naar, maar je zult het nooit krijgen, omdat je niemand kunt of mag vertellen waar de Gouden Bibliotheek is.'

Charles glimlachte zelfingenomen. Zijn hand ging naar zijn headset. Hij aarzelde en schakelde hem uit. Preston kon niet meer horen wat hij zei.

'De kans bestaat dat iemand ooit zal ontdekken waar ze is,' zei hij.

'Jij wéét het. Waarom zou je wachten?' Ze liet haar stem oprecht klinken. 'Je zou beroemd kunnen zijn. Zeg het me. Ik zal je helpen.'

'Om die baan te krijgen moest ik ermee instemmen dat ik tot mijn dood bij de bibliotheek zou blijven. We hebben allemaal levenslang.'

'Gevangenschap, bedoel je. Zeg op. Als we de bibliotheek aan het licht brengen, ben je vrij.'

'Nee, Eva. Het is niet veilig. Je kent Preston niet. Trouwens, ik wil er niet weg.' Hij bleef dicht bij haar en veranderde van onderwerp. 'Herinner je je de oude bordspellen die we vroeger speelden? De eenvoudigste in alle landen zijn gebaseerd op drie oeroude achtervolgingen: de jacht, de wedren en de veldslag. De hedendaagse equivalenten zijn dammen, triktrak en schaken.'

'Natuurlijk weet ik het nog. De Grieken en Romeinen kenden ze, net als de oude Egyptenaren. Ik denk aan "scripta" en "latrunculi".'

'Heel goed. Je bent niet alles vergeten wat ik je geleerd heb.'

'Je hebt me veel geleerd, maar sommige dingen heb ik nooit willen leren, zeker niet van iemand van wie ik hield – zoals liegen en bedriegen.'

'Omdat je Diana bent, de meedogenloze jager. Ik moest van de aardbodem verdwijnen. Ervan uitgaande dat je geloofde dat ik bij een auto-ongeluk om het leven was gekomen terwijl jij thuis lag te slapen, zou je nog steeds in ons wereldje zijn geweest. Als er zelfs maar een áánwijzing was geweest over mij en de bibliotheek, zou je erbovenop zijn gesprongen. Dat was een risico, veel te gevaarlijk.'

'Je heb me verdoofd! Er ligt een ander in je graf!'

Zijn gezicht vertrok van woede, alsof zíj ontrouw was geweest. 'Ik heb verdomd hard mijn best moeten doen om de directeur over te halen je niet in de auto te laten verbranden. Je naar de gevangenis sturen was mijn idee. Ik heb je leven gered.'

'En je denkt dat dat goedmaakt wat je hebt gedaan? Mijn god, Charles, je hebt het geweten van een pissebed. *Stat fortuna domus virtute.* Zonder deugdzaamheid kan niets waarlijk succesvol zijn. Je mag dan de hoofdbibliothecaris zijn, je bent een mislukkeling.'

Terwijl Charles zijn stekels opzette, verscheen er aan zijn andere zijde een uitgestrekte hand, met de open palm naar boven. 'Kun je een paar pond missen, makker?'

Eva keek over Charles' schouder. Het was de man met de haveloze regenjas en de muts. Zijn mondhoeken wezen in een permanente grijns omlaag en hij straalde zelfbeklag uit. Toen ving ze een fonkeling op in zijn grijze ogen en zag ze zijn vierkante gezicht. Stomverbaasd wendde ze haar blik af. Het was Judd Ryder.

'Donder op.' Charles trok haar mee.

Ryder verscheen onmiddellijk weer naast hem en liep met hen op. 'Kom op, wees eens aardig. Help een medemens. Kijk, mijn hand is leeg. Stop er een mooie munt in en ik ben als een scheet weer weg.'

Van slechte grammatica tot beeldspraak... ze wist dat het Charles te veel zou zijn.

Woedend draaide Charles zich om naar Ryder. 'Rot op.'

En Eva kwam in actie. Met een blik op Charles' hand, nog steeds in zijn zak maar niet meer op haar gericht, stapte ze snel achteruit, schopte tegen de binnenkant van zijn knie en ramde met de zijkant van haar hand in een *shuto-uchi*-klap tegen zijn hals. Hij kreunde en wankelde.

Ryders wapen verscheen in zijn hand. 'Laat je wapen zakken, Sherback.' Hij rukte de headset van Charles' hoofd.

Charles hervond zijn evenwicht en zijn sterke kaak trilde van woede.

'Nu meteen,' snauwde Ryder. 'Ik vraag het geen tweede keer.'

Met een bange blik overhandigde Charles hem zwijgend zijn pistool.

Eva haalde diep adem. 'Hoe heb je ons gevonden, Ryder?'

Er verscheen een vage glimlach om zijn lippen. 'De enkelband die Tucker je heeft gegeven.'

Hij dreef Charles over het verlaten trottoir en zij ging aan zijn andere zijde lopen, weg van Charles. Met beide wapens op hem gericht loodste Ryder hem de hoek om naar een van de verlaten kleine straten in dit deel van Londen, zo smal dat er geen trottoir was langs de hoge gebouwen en geen plaats om te parkeren. Er passeerden geen auto's.

'Waar gaan we naartoe?' vroeg Charles.

'Hierheen.'

Ryder ging hun voor naar een doodlopende steeg, tussen vuilnisbakken en kartonnen dozen. De steeg was verlaten. De weinige deuren waren dicht. Het stonk er naar knoflook en bedorven eten. De gebouwen om hen heen waren steile monolieten en ze zagen slechts een smalle streep lucht.

'Laten we de politie bellen,' zei ze tegen Ryder. 'Ik wil dat Charles gearresteerd wordt, zodat ik mijn naam kan zuiveren. Ik wil mijn leven terug.'

Ryder schudde zijn hoofd. 'We moeten eerst meer weten over de Gouden Bibliotheek.'

Zwijgend en stram rechtop liep Charles door. Ryder liep nog steeds tussen hen in, met zowel zijn eigen wapen als dat van Charles.

'Charles is hoofdbibliothecaris van de Gouden Bibliotheek,' zei ze. 'Uit wat hij me verteld heeft, begrijp ik dat die sinds de dood van Ivan de Verschrikkelijke in particuliere handen is en geheim.'

'Maar waar is ze? Wie zit erachter?'

'Dat wilde hij niet zeggen. De politie zal hem verhoren. Dat is hun werk. Daarna kunnen we alle informatie doorgeven aan Tucker.'

Ryder schudde vastbesloten zijn hoofd. 'Dit is iets voor de CIA.'

'Ik ga de bobby's bellen.' Ze boog zich om Ryder heen. 'Geef me mijn telefoon, Charles.'

Charles glimlachte scheef en zijn hand gleed naar de jaszak waar hij hem in had gestopt.

'Stop,' beval Ryder.

'Liever de politie dan jullie.' Maar Charles' woorden en gebaren waren een afleidingsmanoeuvre. Abrupt verplaatste hij zijn gewicht, wierp zich bliksemsnel op Ryder en probeerde zijn wapen te heroveren.

Ryder plantte zijn vuist in Charles' middenrif terwijl diens hand zich om de loop van het wapen sloot. Toen hij aan het wapen rukte, tuimelden ze door de snelheid van zijn beweging achterover. Ellebogen schoten opzij en hun lichaam draaide. Voordat Eva iets kon doen, klonk er een luide knal en de stank van kruit steeg op in de donkere lucht in de steeg.

Charles viel op zijn knieën.

'O mijn god.' Ze sloeg haar hand voor haar mond. Gal steeg op naar haar keel.

Bloed borrelde op Charles' lippen terwijl hij roerloos op de grond knielde. Er verscheen een glimmende bloedvlek in zijn zwarte trenchcoat.

Charles sloeg zijn ogen op en keek haar aan. 'Herodotus en Aristagoras,' zei hij. Toen viel hij met een klap voorover, zijn armen gestrekt langs zijn zijden en zijn wang op het plaveisel.

19

Ryder zakte naast de gevallen man op zijn hurken en voelde aan diens halsslagader. Geen hartslag. Hij vloekte. Hij had zojuist zijn beste kans verspeeld om de bibliotheek te vinden en een antwoord op de vraag wie er achter de dood van zijn vader zat.

'Sorry, Ryder,' zei Eva. 'Is hij dood?'

Hij knikte. Hij kwam overeind, keek naar de deuren in de smalle steeg en naar de plek waar de steeg uitkwam in de straat. Niets wees erop dat de schoten de aandacht hadden getrokken. Hij pakte Sherback beet onder zijn oksels en sleepte hem achter een rij vuilnisbakken, waar ze uit het zicht waren en voldoende licht hadden voor wat hij van plan was.

Hij hurkte naast het slappe lichaam en doorzocht de zakken van de trenchcoat.

Eva zakte naast hem op haar hurken. 'Wat doe je?'

'Hem ondervragen.' Hij pakte Sherbacks telefoon. 'Een prepaidtelefoon.' Toen vond hij haar toestel.

Ze trok het uit zijn handen.

Hij staarde haar aan. 'Ga je gang... bel de politie – als je gearresteerd wilt worden wegens medeplichtigheid aan de moord op je man.'

Ze verstijfde. Haar schouders zakten af. Ze schakelde het toestel uit en borg het op.

Hij doorzocht Sherbacks jack, vond een portefeuille en een in leer gebonden notitieboekje. Hij zocht verder.

Ze opende de portefeuille en stond op om meer licht te hebben. 'Hij heeft een Brits rijbewijs met zijn foto. De naam is Christopher Heath, maar dat maakt niet uit. Zijn lichaam kan geïdentificeerd worden aan de hand van zijn DNA.'

'Misschien niet meteen, niet als het DNA van de man die op de plaats van het auto-ongeluk werd gevonden geïdentificeerd is aan de hand van het veronderstélde DNA van je man. De politie zou er heel wat tijd voor nodig hebben – als ze al de moeite zouden nemen het na te trekken. Zit er verder nog iets in? Memo's aan zichzelf?'

Ze zakte weer door haar knieën. 'Niets. Geen creditcards of zo. Alleen contant geld.'

Het laatste wat ze vond zat in Sherbacks broekzak: een Zwitsers zakmes met een heleboel hulpstukken. Ryder stond op, trok de oude grijze trenchcoat uit en stopte hem in een vuilnisbak. Vervolgens stopte hij alles, inclusief Sherbacks Glock, in de zakken van zijn jekker. Hij zou Sherbacks notitieboek inspecteren als hij er tijd voor had.

'Ik moet hier weg. Ga je mee?' Hij zag de emoties die over haar gezicht gleden. Haar huid was strak en ze had een blauw oog. God sta hem bij: met een amateur samenwerken was erg, maar hij had haar nodig. Ze was zijn laatste nog in leven zijnde link met Sherback en de bibliotheek.

'Ja.'

Terwijl ze door de steeg renden, zei hij: '*Het boek der spionnen* is vannacht gestolen uit het British Museum. Ik vermoed dat je man in Londen was in het kader van die operatie. Zijn mensen moeten een duplicaat in het museum hebben achtergelaten. Een duplicaat zou verklaren waarom hij foto's maakte van het origineel en ze zouden er tijd mee winnen. Het echte was op een bepaald moment in Le Méridien.'

'Een zekere Preston moet ermee te maken hebben. Hij moest Charles oppikken en mij daarna vermoorden.'

'Geweldig. Verder nog iemand die van je af wil?'

'Mijn populariteit eindigt daar.'

Terwijl ze zich voorthaastten, weerkaatste het geluid van hun voetstappen in de steeg.

'Wat bedoelde Charles met "Herodotus" en "Aristagoras"?' vroeg hij.

'Hij vertelde me dat er een kans bestond dat iemand zou ontdekken waar de bibliotheek zich bevindt. Nu ik erover nadenk, vermoed ik dat hij een of meer aanwijzingen heeft achtergelaten omtrent de verblijfplaats. Dat zouden dus Herodotus en Aristagoras kunnen zijn. Maar ik herinner me niets over die twee samen.'

Hij voelde een tinteling van opwinding. 'Laten we eens zien wat het vanuit een andere invalshoek zou kunnen betekenen. Wie waren Herodotus en Aristagoras afzonderlijk?'

'Herodotus was een Griek, een onderzoeker en verteller in de vijfde eeuw voor Christus. Hij wordt als de eerste geschiedkundige beschouwd.'

'Hij zou dus over Aristagoras geschreven kunnen hebben.'

Ze zweeg even. 'Je hebt gelijk. Dat heeft hij gedaan. Het verhaal speelde zich vijfentwintighonderd jaar geleden af, toen Darius de Grote een groot deel van de antieke wereld veroverde. Toen hij een belangrijke Ionische stad, Miletes, veroverde, schonk Darius die aan een Griek, een zekere Histiaeus. Maar na enige tijd werd hij nerveus doordat Histiaeus steeds machtiger werd. Daarom nodigde hij Histiaeus uit om bij hem in Perzië te komen wonen en gaf hij Miletes opnieuw weg, aan diens schoonzoon Aristagoras. Histiaeus was woedend. Hij wilde zijn stad terug en besloot een oorlog te beginnen, in de hoop dat Darius die de kop zou indrukken en hem opnieuw zou installeren. Hij schoor het hoofd van zijn trouwste slaaf en tatoeëerde een geheime boodschap op de huid. Zodra het haar was aangegroeid, stuurde hij de man naar Aristagoras, die de man liet kaalscheren en het bevel las om in opstand te komen. Het gevolg was de Ionische Oorlog, waarover Herodotus uitgebreid heeft geschreven.'

'Je zei dat Charles vroeger lichtbruine haren had. Dat hij ze zwart had geverfd.'

Ze staarde hem aan.

Ze draaiden zich om hun as en renden terug door de steeg. Ze hurkten naast het lichaam neer.

Hij gaf haar zijn kleine zaklamp. 'Richt hem op zijn hoofd.' Ze deed het en hij pakte Charles' zakmes, opende een lang lemmet, nam een pluk haar en begon te zagen.

Bijna op hetzelfde moment begon in de verte een politiesirene te loeien.

'Ik geloof dat ze deze kant op komen.'

Hij knikte. 'Waarschijnlijk heeft iemand het schot gemeld.' Er lag een hoopje haren naast hem op het vettige beton. Hij haalde het schaartje uit het Zwitserse zakmes en knipte haastig de haren af tot op de schedel.

Ze boog zich naar voren. 'Ik zie iets.'

Er waren letters zichtbaar in het felle schijnsel van de zaklamp, indigoblauw op een bleekwitte huid.

'LAW,' las ze. 'Allemaal hoofdletters. En er zijn ook cijfers.'

Hij knipte sneller.

'031308,' zei ze.

'Wat betekent LAW 031308?' vroeg hij.

'LAW zou een code voor een juridische bibliotheek kunnen zijn. Sommige codes zijn universeel, andere niet. Deze herken ik niet. Het zou om een particuliere bibliotheek kunnen gaan... zoals de Gouden Bibliotheek. Maar ik zie niet hoe dit ons daarheen zou kunnen leiden.'

De sirene gilde in de straat, steeds dichterbij.

Hij sprong op. 'Probeer de deuren aan deze kant. Ik neem de andere kant.'

Ze renden, trokken aan deurklinken. Allemaal op slot. Ze zaten in de val in een doodlopende steeg. Als ze naar de straat renden, zou de politie hen zien. Er verschenen ronddraaiende blauwe flitsen bij de ingang van de steeg, oplichtend in het donker en terugkaatsend tegen de muren.

'Daar is een trap,' zei hij tegen haar.

Ze sprintten. De zwaailichten hadden een brandtrap langs de zijkant van een gebouw verlicht, bijna onzichtbaar doordat het zwarte ijzer opging in het zwarte graniet van de muur. Hij eindigde zo'n drie meter boven hun hoofd. Ryder sprong. Hij greep de onderste trede met beide handen vast, hees zich op en keek snel om zich heen. De trap kon niet worden neergelaten.

Hij pakte de leuning beet, bukte zich en stak een hand uit. 'Springen.'

Terwijl de grille van de politieauto verscheen, rende ze drie meter terug, stormde op hem af en sprong hoog op. Hij pakte haar hand. Met inspanning van al zijn krachten hield hij zich vast aan de leuning en trok. Zweet parelde over zijn voorhoofd terwijl hij haar naar de eerste trede trok.

Ze klommen snel. Tegen de tijd dat de politieauto de steeg binnenreed, waren ze er hoog boven, Ryder voorop. Bovenaan klom hij over een lage muur. Het gigantische Londen Eye was een zilveren wiel van licht aan de horizon. Haastig inspecteerde hij het platte dak: water-, gas- en elektriciteitshokken, ventilatiekappen en een klein hok waarin een trap naar beneden zou zitten.

Eva's grimmige gezicht verscheen boven de rand van het dak. Ze klauterde eroverheen, liet zich op haar knieën zakken, boog zich naar voren en keek omlaag. Hij kwam naast haar zitten. De politieauto was een meter of tien vanaf de ingang van de steeg gestopt, bijna recht onder hen. Twee bobby's liepen rond, een zaklamp in hun hand, schopten tegen kartonnen dozen, doorzochten vuilnisbakken.

'Ze zullen Charles vinden,' fluisterde ze. 'Wat zullen ze doen als ze zien wat er op zijn hoofd staat?'

'God mag het weten. Maar hij heeft geen identiteitsbewijs, dus het zal even duren voordat ze het hebben uitgevogeld.' Hij zweeg even. 'Ik heb een voorstel. De kans is groot dat *Het boek der spionnen* is teruggebracht naar de Gouden Bibliotheek. Jij weet veel meer over de bibliotheek en over Charles, de hoofdbibliothecaris, dan zij. Ik zou je op een veilige plek in Londen willen opbergen en je bellen of mailen wanneer ik je om advies wil vragen.'

Er verscheen een harde uitdrukking op haar gezicht. 'Ik ben niet het soort vrouw dat ergens wordt opgeborgen. Ik ga met je mee.'

'Geen denken aan. Veel te gevaarlijk.'

Op dat moment klonk er onder hen een kreet.

Ze gluurden over de rand van het gebouw naar rechts. Een van de bobby's keek achter de vuilnisbakken waar ze Sherback hadden achtergelaten. Zijn zaklamp bewoog langzaam, wat erop duidde dat hij het hele lichaam bescheen. De tweede politieagent voegde zich haastig bij hem, met zijn vrije hand de spullen vasthoudend die aan zijn riem hingen.

Toen de bobby's door hun knieën zakten, knikte Ryder naar de ingang van de steeg. 'Nog meer bezoek.'

Er was een auto gestopt op de straat, die de steeg blokkeerde. Het was een Renault. De bestuurder stapte uit. Hij was gekleed in spijkerbroek en een openhangend zwartleren jack en bewoog zich soepel toen hij naar de politieagenten toe liep.

Ryder bestudeerde hem, zag de soepele gewrichten, de geopende handen die ontspannen leken maar dat allesbehalve waren, het hoofd dat licht heen en weer bewoog, waaruit bleek dat hij de omgeving veel grondiger in zich opnam dan de meeste mensen zich zouden realiseren. Alles aan hem wees op een goed getrainde beroeps.

Eva keek Ryder aan. 'Preston?'

Hij hield zijn blik op de onbekende gericht, prentte zich zijn gelaatstrekken in. 'Ja, ik denk het wel.'

20

De twee bobby's draaiden zich om, sloten de gelederen en blokkeerden de vuilnisbakken terwijl Preston dichterbij kwam. Preston zei iets tegen hen, maar zijn woorden waren op die afstand onverstaanbaar. De politieagenten luisterden en ontspanden zich enigszins. Een van hen knikte en gebaarde.

Preston kwam dichterbij en bukte zich om het lichaam van Charles Sherback te bekijken. Ryder zag dat zijn schouders zich enigszins spanden.

En toen gebeurde het. Met korte, snelle bewegingen stond Preston opeens rechtop en draaide zich met een pistool met demper in zijn hand naar de bobby's. Zijn gezicht vertoonde geen enkele emotie.

Ryder rukte zijn wapen tevoorschijn. Te laat. Preston vuurde onder zijn arm door recht in het hart van de dichtstbijzijnde bobby en toen onmiddellijk in het hart van de tweede. Hij had hen neergeschoten zonder zich helemaal om te draaien, zo zeker was hij van hun positie en zijn vermogen om te doden.

Eva verstijfde. Ryder legde een hand op haar arm.

De twee politieagenten bleven onbeweeglijk staan, overrompelde bloedende beelden. Toen ze vielen, zat de een met gekruiste benen, de ander op één knie. Toen vielen ze om, de eerste op zijn buik, de tweede op zijn zijde. Bloed verspreidde zich en hun ledematen schokten.

Preston stopte zijn wapen weg en sleepte Charles achter de vuilnisbakken vandaan. Het schrapen van Charles' hielen over het plaveisel steeg op. Preston legde het lichaam over zijn schouder en beende weg. Ryder zag dat hij nog steeds geen emotie vertoonde.

'Hij wil niet dat iemand de tatoeage ziet,' concludeerde Eva.

Ryder bestudeerde de bewegingen van de moordenaar. Charles' lichaam hing over zijn ene schouder en bedekte Prestons romp gedeeltelijk, maar diens hoofd en benen waren op deze afstand een nog onzekerder doelwit. Nog even en hij zou onder hen door lopen, in de richting van de Renault. Ryder moest snel iets doen. De romp was zijn beste doelwit.

'Bel het alarmnummer en beschrijf waar de steeg is,' zei hij. 'Ga ervoor naar dat hok. Daarvandaan zal je stem niet te horen zijn in de steeg. Zeg niets over ons.'

Zwijgend pakte ze Charles' telefoon en rende weg.

Zich schrap zettend mikte hij zorgvuldig, ademde in en uit en vuurde twee keer snel achter elkaar, mikkend op Prestons rechterzij om zijn hart niet te raken. De explosies waren luid. Preston wankelde.

Maar nog terwijl Charles' lichaam op de grond viel, herstelde Preston zich, liet zich ernaast vallen en rolde zich om. Zijn wapen verscheen in beide handen en wees omhoog, op zoek naar de schutter. De man was verdomd goed.

Ryder mikte en vuurde opnieuw twee keer.

Preston schokte en toen had Ryder geluk – Prestons hoofd sloeg tegen de keien. De extra klap gaf de doorslag. Preston verstarde even. Zijn ogen gingen dicht. Zijn ene hand liet het pistool los, de andere viel op de grond.

In zichzelf grimlachend rende Ryder naar het trappenhuis.

Eva stond naast de deur. 'Ik heb gebeld. Voor twee dode bobby's hadden ze wel aandacht. Ze zijn onderweg. Heb je Preston gedood?'

'Ik hoop het niet. Ik wil hem grondig ondervragen. Ga weg van de deur.'

Er zat een hangslot op. Met de kolf van zijn Beretta brak hij het slot en de deur zwaaide open. Er kwam een muffe geur uit. Betonnen treden, slechts verlicht door zwak sterrenlicht, daalden af in een donkere afgrond. Hij knipte zijn zaklamp aan en ze renden naast elkaar naar beneden.

Hij hield zijn stem vlak. 'Kun je over Charles' tatoeage praten?' Ze leek zich aardig te redden, maar hij had er geen idee van wat het met haar had gedaan.

'Meen je dat nou? Reken maar.'

'Het lijkt me dat, aangezien Charles wilde dat de bibliotheek werd gevonden, het zijn bedoeling was dat we die tatoeage zouden kunnen ontcijferen. Ik vermoed dat hij ons over Aristagoras en Herodotus vertelde omdat hij dacht dat je niet alleen zou snappen dat hij een tatoeage had achtergelaten, maar ook de boodschap zou begrijpen. Laten we dus bij het begin beginnen: wat betekent LAW 031308?'

Ze zei niets. Ze daalden nogmaals twee trappen af. De deuren waren genummerd en ze zagen dat ze de vijfde verdieping hadden bereikt.

Ten slotte zei ze: 'Ik denk dat "LAW" misschien niets met de wet of iets juridisch te maken heeft. Het kunnen initialen zijn, of een afkorting. Maar geen die ik herken. "Loyal Association of the West". "Legislative Agency for War",' zei ze, vrij associërend. 'Het slaat nergens op. Het getal is te kort voor een telefoonnummer... als je de nul overslaat, wordt het 31.308. Er zou ook een decimaalteken in kunnen staan. Maar waar ergens?'

'Oké, laten we in termen van codes denken. Streepjescodes. Postcodes. Een of andere verzendcode.'

'Zegt me niets.'

Zwijgend daalden ze verder af.

'Misschien heeft het wél met de wet te maken,' zei hij. 'Ben je ooit betrokken geweest bij een rechtszaak?'

'Grapje zeker.'

Op de begane grond aangekomen opende hij de zware metalen branddeur op een kier, keek naar buiten en deed hem zachtjes weer dicht.

'We hebben gezelschap,' zei hij. 'Er zit een bewaker achter de receptiebalie en hij ziet er afschuwelijk alert uit. Ik heb geen zin om nog meer risico te nemen. We gaan naar het souterrain.'

Ze daalden verder af.

Hij kreeg een idee. 'Misschien is het een persoonlijke code. Ik bedoel, iets tussen jou en Charles.'

De deur aan de voet van de trap kwam uit op een verlaten parkeergarage, verlicht door een reeks tl-lampen. Dertig meter verderop leidde een oprit naar de ingang, die was afgesloten met een zware garagedeur, maar er was een zijdeur. Ze renden erheen. De deur was op slot en ditmaal was er geen hangslot dat hij kon forceren. Hij keek om zich heen en schroefde de demper op zijn Beretta.

'Achteruit,' beval hij.

Dat deed ze en hij richtte omlaag, zodat de kogel aan de andere kant in de grond zou dringen. Hij schoot. *Plof.* Metaalsplinters spatten in het rond.

Hij borg zijn wapen op, draaide de knop om en keek naar buiten. Ze waren in een drukke straat, maar hij wist niet welke.

'Ziet er veilig uit,' zei hij.

Ze stapten naar buiten in de stank van uitlaatgassen. Het was druk op het trottoir, mensen die kroegen in en uit gingen. Er ging een deur open en luide technorock schalde naar buiten. Maar daarbovenuit klonk het gillen van meer politiesirenes. Twee, dacht hij.

Hij keek haar aan, zag haar geschrokken gezicht. 'Met wat geluk zijn ze op weg naar de steeg,' zei hij. 'Ze zullen Preston vinden en de kogels in de lichamen van de agenten zullen overeenkomen met zijn pistool.'

'Ja, maar ze kunnen een signalement van ons hebben van de oproep waardoor de twee bobby's naar de steeg zijn gegaan. De beller heeft ons misschien gezien.'

Dat zat ook hem dwars. Er waren die avond al zoveel onvoorspelbare dingen gebeurd dat hij nergens meer op durfde rekenen.

Ze liepen verder en zij ging door: 'Ik heb nagedacht over wat je zei,

Judd... dat het een persoonlijke code tussen Charles en mij zou kunnen zijn.'

Het was de eerste keer dat ze hem bij zijn voornaam noemde. 'Ga door.'

'De cijfers zouden een datum kunnen zijn. Charles en ik zijn op dertien maart in tweeduizend getrouwd. "03" zou dus maart kunnen zijn, "13" de dertiende dag en "08" is 2008.'

"Dat was precies een maand voordat hij verdween. Wat is er op jullie trouwdag in 2008 gebeurd?'

Plotseling scheurden er twee politieauto's in hun richting. De blauwe zwaailichten flitsten als sabels door de nacht.

Hij trok een nietszeggend gezicht. 'We moeten langzamer lopen en in de menigte opgaan. Geef me een arm.'

Ze legde haar hand in de zijne en hij kreeg een zo vreemd, prettig gevoel dat hij het van zich af zette voordat het in zijn tegendeel kon omslaan. Ze liepen door onder het lantaarnlicht... en de politieauto's reden verder.

Hij haalde zijn zakspiegel tevoorschijn en keek erin. 'Ze zijn de hoek om geslagen.'

Hij voelde dat ze zich ontspande. Toen ze opnieuw het woord nam, klonk haar stem zakelijk. 'Als ik je vertel wat ik heb bedacht, moet je me beloven dat je me meeneemt. Ik wed dat de mensen van de Gouden Bibliotheek door alles wat er vanavond is gebeurd me nóg liever kwijt zullen zijn. Ik wil dat ze gepakt worden. Ik wil erbij zijn.'

'Je chanteert me.'

Ze glimlachte wrang. 'Ik heb blijkbaar iets van je geleerd.'

Hij merkte dat hij eveneens glimlachte. 'Goed, afgesproken.' Toen keek hij haar streng aan. 'Maar je zult precies moeten doen wat ik zeg... en wanneer ik het zeg. Ik meen het, Eva.'

'Jij bent de professional. Wat je ook zegt, zolang het redelijk is.'

'Nee. Hierover is niet te onderhandelen. Bekijk het eens zo: als je meegaat, zul je ook mij in gevaar brengen. Er zal misschien geen tijd zijn voor vragen of discussies.'

Ze zuchtte. 'Goed dan. Ik denk het volgende: in 2008 vierden Charles en ik onze trouwdag door naar Rome te vliegen. We brachten een bezoek aan een oude vriend van hem, Yitzhak *Law*. Hij is hoogleraar, befaamd binnen zijn vakgebied. Hij en Charles praatten vaak tot diep in de nacht. Ze hadden een gezamenlijke passie: het vinden van de Gouden Bibliotheek. Misschien heeft Charles die tatoeage laten aanbrengen om duidelijk te maken dat Yitzhak weet waar de bibliotheek is.'

Hij haalde diep adem. 'Dan gaan we naar Rome.'

DEEL 2

De race

'Hannibals leger trok op naar Rome toen een van zijn
spionnen meldde dat er in de stad geruchten de ronde deden
dat de dictator Fabius door hem werd betaald. Na het horen
van dat nieuws trok de grote legerleider plunderend door het
land en vernielde en verbrandde alles wat op zijn weg kwam –
behalve de bezittingen van Fabius. Zodra dat nieuws Rome
bereikte, liet Fabius verklaringen uitgaan dat hij geen verrader
was. Maar zijn volk geloofde hem niet en Hannibal won
kostbare tijd en psychologisch voordeel.'
– vertaald uit *Het boek der spionnen*

'Spioneren is zo oud als de beschaving en een lang door de
bekwaamste en meest verraderlijke strategen beoefend vak.
– *u.s. News & World Report,* 19 januari 2003

21

Londen, Engeland

Krimpend van de pijn werd Doug Preston abrupt wakker. De steeg. Hij was nog in de steeg, lag naast het lijk van Charles Sherback op straat. Moeizaam draaide hij zijn hoofd om en zag de lichamen van de twee politieagenten. Toen keek hij de andere kant op, langs de politieauto naar zijn Renault. De steeg was nog steeds verlaten.

Hij staarde naar Charles' kale schedel, grauw als een oud bot in het licht. Wat betekende die tatoeage in godsnaam?

Plotseling drong het luide janken van politiesirenes tot hem door. Dat was wat hem had gewekt. Hij krabbelde overeind. Zijn hoofd bonsde. Hij wreef over de bult op zijn achterhoofd, zo groot als een arendsei. De rechterkant van zijn borstkas leek in brand te staan. Hij had een lelijke kneuzing, maar hij was niet gewond, doordat hij een van die nieuwe kevlar kogelvesten droeg, dun en licht, onder zijn jack en zijn overhemd, en de kogels waren er niet doorheen gedrongen.

Hij voelde zich zwak en boog zich voorover, zette zijn handen op zijn dijen en verdreef de pijn. Toen tilde hij Sherbacks lichaam op, legde het over zijn schouder en strompelde naar zijn auto. Toen hij de ingang van de steeg bereikte, inspecteerde hij de smalle straat, opende het achterportier van zijn auto en schoof Charles naar binnen.

Toen hij plaatsnam achter het stuur en de contactsleutel omdraaide, maakte het geluid van sirenes hem duidelijk dat hij elk moment kon worden betrapt. Hij gaf plankgas, liet een spoor van rubber achter, zwenkte scherp de hoek om en minderde toen vaart. Hij voegde zich soepel in het verkeer.

Met bevende hand veegde hij het zweet van zijn voorhoofd en vloekte luid. Wie was verdomme de schutter? Waarschijnlijk degene die Charles had gedood.

Hij dacht na over de man die hij over de rand van het gebouw had zien gluren, een wapen in zijn hand. Maar toen was hij al geraakt en de man had nog twee keer geschoten voordat hij het vuur kon beantwoorden. De man was geen moment méér geweest dan een zwart silhouet. Als Eva werd geholpen door een zo goede schutter, zou ze moeilijker te vangen zijn.

Er schoot hem nog iets onprettigs te binnen. Hij had de twee bobby's overgehaald hem het lijk te tonen doordat hij Charles had beschreven en hun had verteld dat zijn oude vriend dronken en verdwaald was, maar ook omdat de bobby's niets in Charles' zakken hadden gevonden en hem niet konden identificeren. Dat betekende dat de schutter waarschijnlijk Charles' spullen had, inclusief zijn telefoon, met daarin het nummer van Robin en van hem. Als de schutter verbinding kreeg, kon hij de nummers traceren door middel van de locatiechips in hun telefoons.

Preston pakte zijn telefoon, draaide het raam open en smeet het toestel naar de andere rijbaan. In zijn spiegel zag hij de banden van een pickup eroverheen rollen. Tevredengesteld pakte hij een nieuw prepaidtoestel uit het dashboardkastje en belde Robin Miller.

'Ben je aan boord?' vroeg hij.

'Ja. We wachten op jou en Charles.' Ze klonk slaperig.

'Luister goed en doe precies wat ik zeg. Maak zodra ik ophang je telefoon open en haal de batterij eruit. Stop hem in géén geval terug. Het kan me niet schelen waar je bent of waar je hem voor nodig denkt te hebben, neem je telefoon níét meer in gebruik. Begrepen?'

'Natuurlijk. Hoe laat ben je hier?' Ze klonk prikkelbaar, beledigd omdat hij had gevraagd of ze het begreep. Ze vond het niet leuk als er aan haar intelligentie werd getwijfeld.

'Gauw,' zei hij. 'Geef me het satelliettelefoonnummer van het vliegtuig.'

Hij hoorde de geluiden van de telefoon die uit het plastic hoesje werd gehaald. Ze las het nummer voor. Toen gaf hij haar zijn nieuwe mobiele nummer.

'De laatste keer dat je Charles zag, was zijn hoofd toen kaalgeschoren?' vroeg hij.

'Nee. Waarom zou hij dat doen?'

'Ik dacht dat jij dat zou weten.'

Haar stem klonk argwanend. 'Is Charles bij je?'

'Ja, maar hij is dood,' zei hij bot.

Hij hoorde een luide snik.

Voordat ze in tranen kon uitbarsten, ging hij verder: 'Hij is neergeschoten en waarschijnlijk was Eva Blake erbij betrokken. Toen ik hem de laatste keer sprak, had hij haar te pakken. Ik stuur zijn lichaam samen met jou terug naar de bibliotheek. Haal de batterij uit je telefoon. Zeg dat de piloot het toestel laat warmdraaien.' Hij hing op.

Door Robin nu te vertellen dat Charles dood was, hoopte hij voor elkaar te krijgen dat ze zichzelf weer onder controle zou hebben tegen de tijd dat hij daar aankwam. De directeur moedigde romances tussen de medewerkers van de Gouden Bibliotheek aan, aangezien ze makkelijker te manipuleren waren als ze een soort gezinsleven hadden. Het zorgde af en toe voor problemen, als relaties ontspoorden of stellen uit elkaar gingen, maar zelfs dat hield de medewerkers betrokken.

Toen hij zijn nieuwe telefoon naast zich op de stoel legde, trok er een stroom van pijn door hem heen. Zijn oogleden werden zwaar. Na de eerste adrenalinestoot van het treffen van regelingen met Robin veranderde zijn brein in moes. Hij kon drie dagen zonder slaap en toch alert blijven, maar nu was hij gewond en dat ondermijnde zijn uithoudingsvermogen.

Hij opende het dashboardkastje en pakte een grote fles water en een buisje aspirine. Hij gooide enkele tabletten in zijn mond en dronk met gulzige slokken. Met zijn ogen knipperend draaide hij de auto naar het westen, richting Heathrow, en bleef drinken.

Ten slotte slaakte hij een zucht. Hij voelde zich sterker. Terwijl hij reed, legde hij de fles water naast zich en stelde zich de plek voor waar hij naartoe ging wanneer hij moest genezen en zichzelf hervinden. Hij zag het goudkleurige licht, de rijen glanzende boeken, de geboende antieke tafels en stoelen. Hij kon de zachte, ritmische geluiden van de luchtverversingsinstallatie horen.

In zijn verbeelding deed hij de deur op slot, koos een geïllustreerd manuscript uit en liep ermee naar zijn favoriete leesfauteuil. Hij nam het boek op schoot en genoot van het gedreven goud en de fonkelende edelstenen. Toen opende hij het en bladerde het door, nam de schitterend gekleurde illustraties en de verfijnde letters in zich op. Hij kon geen van de buitenlandse talen in de bibliotheek lezen, maar dat hoefde ook niet. Alleen al het zien van de boeken, de mogelijkheid om ze aan te raken, terug te denken aan de offers en de zorg in de loop van de geschiedenis van de bibliotheek, hielp hem om zijn moeilijke jeugd te verdrijven, het armoedige bestaan, de ontbrekende vader, de boze moeder. Het gevoel van verlies toen hij er getuige van was geweest hoe Langley ten onder ging in een stortvloed van politiek gekonkel.

De Gouden Bibliotheek was het bewijs dat de toekomst even gekoesterd en roemrijk kon zijn als het verleden. Dat het werk dat hij deed essentieel was. Dat hij essentieel was.

Na een poos voelde hij dat zijn hart langzamer begon te kloppen. Het zweet droogde op zijn huid. De pijn trok weg. Hij werd vervuld van een gevoel van zekerheid.

Hij deed zijn gordel om, pakte zijn telefoon en toetste opnieuw een nummer in. Toen de directeur opnam, vertelde hij hem: 'Er zijn enkele dingen gebeurd, meneer. U moet weten wat er aan de hand is. Om te beginnen: iemand heeft een peilbaken aangebracht op *Het boek der spionnen*. Het zat in een valse edelsteen op het voorplat. Het is doorgespoeld.'

'Jezus christus. Wie kan de juiste connecties hebben om een van de edelstenen te kopiëren en er een peilbaken in te plaatsen?'

'Ik moet steeds weer aan de voorganger van Charles denken. We dachten dat hij het boek gestolen had en aan een verzamelaar verkocht, om aan geld te komen om weg te gaan. Maar als die verzamelaar de anonieme schenker aan de collectie-Rosenwald zou zijn en tevens degene die het peilbaken heeft aangebracht, zou de National Library het hebben gevonden voordat het naar het British Museum ging.'

'Tenzij de schenker veel invloed had. Iemand met genoeg geld en contacten om iemand binnen de National Library te vinden die kon worden omgekocht.'

Preston knikte in zichzelf. 'Ik heb enkele telefoongesprekken gevoerd en ontdekt dat Asa Baghurst, de gouverneur van Californië, een speciaal bevel heeft getekend om Eva Blake uit de gevangenis te ontslaan – drie dagen geleden. Ik heb Peggy Doty uitgeschakeld en Charles heeft Eva Blake gevonden. Ik was op weg om ze op te halen en haar ook te elimineren, maar ze verschenen niet.' Hij beschreef hoe hij de politieauto had gezien die hem naar Charles had geleid, doodgeschoten in de steeg.

'Dus we zijn Charles uiteindelijk kwijt. Opgeruimd staat netjes. Gezien de manier waarop hij het verpestte, hadden we hem sowieso moeten elimineren.' De directeur zuchtte. 'Heeft zijn vrouw hem gedood?'

'Er was een man bij. Die kan het gedaan hebben. Hij heeft me enkele keren beschoten, maar ik heb zijn gezicht niet gezien. De nauwkeurigheid waarmee hij mikte en de manier waarop hij positie koos, spraken boekdelen: hij is getraind. Het lijkt doorgestoken kaart: het baken, Eva Blake en een schutter. Iemand wilde *Het boek der spionnen* volgen.'

'Kan Blake vóór de opening in het British Museum ontdekt hebben dat Charles onze hoofdbibliothecaris was?'

'Ik zou niet weten hoe. Het was de eerste keer dat Charles buiten de bibliotheek kwam. En nadat zijn voorganger *Het boek der spionnen* naar buiten had gesmokkeld, hebben we de beveiliging uiteraard verdubbeld, dus Charles had geen contact met de buitenwereld. Maar hij was iets van plan. Toen ik zijn lichaam vond, was zijn hoofd kaalgeschoren en er stond een tatoeage op: LAW 031308.'

'Wat heeft dat verdomme te betekenen?'

'Ik weet het niet, meneer. U zei zelf dat Charles een romanticus was. Maar hij was ook ambitieus. Hij had een hoge dunk van zichzelf.'

'Had Charles zijn hoofd zelf kaalgeschoren of had iemand anders het gedaan?'

'Ik denk iemand anders. Misschien Blake en de schutter. Ik zal mijn mensen Charles' huis en kantoor grondig laten doorzoeken. Misschien vinden we er iets wat ons vertelt wat de tatoeage betekent.'

'En de rest van de operatie?'

'Volgens plan. Robin en *Het boek der spionnen* zijn in het vliegtuig. Ik zal Charles' lichaam aan boord brengen en dan vliegen ze naar huis, maar zonder mij. Ik blijf in Londen om Blake te zoeken. Ik heb een manier om haar te vinden: uit de telefoon van Peggy Doty heb ik haar mobiele nummer. Ik heb een NSA-bron die ik kan gebruiken om haar aan de hand van de locatie van de telefoon op te sporen, ervan uitgaande dat die is ingeschakeld.'

'Goed,' zei de directeur opgelucht. 'Doe dat.'

22

Brentwood, Californië
Advocaat Brian Collum was diep in slaap in zijn grote huis in tudorstijl toen zijn telefoon overging. Zijn ogen gingen open. Het was koel in de donkere slaapkamer. Hij keek naar de oplichtende cijfers op zijn digitale wekker – halftwee – en griste de telefoon naar zich toe.

Zijn vrouw draaide zich om en keek hem bezorgd aan. De tijd dat cliënten in paniek op de meest onmogelijke tijden belden was allang voorbij, dus er moest iets met een van hun kinderen zijn. Ze hadden er drie, die ieder aan een andere universiteit studeerden.

'Ja?' zei hij in de telefoon.

'Hallo, Brian.' Een bekende stem. 'Sorry dat ik je stoor. Met Steve Gandy. Ik heb iets vreemds hier. Het betreft een van je cliënten, Eva Blake. Je moet me een dienst bewijzen.'

Steve Gandy was al heel lang de patholoog-anatoom van het district Los Angeles, een goudeerlijke vent op wie je altijd een beroep kon doen voor een fanatiek potje squashen. Brian was mensen in overheidsdienst altijd graag ter wille en aangezien dit over Eva ging, was hij nog meer tot luisteren bereid.

'Een momentje graag.' Hij draaide zich om naar zijn vrouw. 'Het gaat niet over de kinderen. Slaap lekker verder. Ik neem hem in mijn kantoor.'

Ze knikte en hij nam de telefoon mee de slaapkamer uit. 'Alles goed met Eva?'

'Ik neem aan van wel, maar ik kan geen contact met haar opnemen. Ze is uit de gevangenis ontslagen. Niemand schijnt te weten waar ze is. Ben je nog steeds gemachtigd om dingen voor haar te ondertekenen?'

'Ja.' Hij was geschokt. Was Eva uit de gevangenis? 'Vertel me wat er aan de hand is.' Hij zat achter zijn bureau in het bleke maanlicht. Hij had Eva verdedigd tijdens haar proces en behartigde nu ook haar juridische belangen.

Steves stem klonk gespannen. 'Ik heb zwart op wit toestemming nodig om het lichaam van haar man op te graven.'

'Waarom?' Zijn longen knapten bijna. 'Wie wil hem laten opgraven?'

Er klonk een zucht aan de andere kant van de lijn. 'De CIA. De term "nationale veiligheid" viel een paar keer. Ze zeggen alleen dat het van het allerhoogste belang is dat we precies kunnen zeggen wie er begraven ligt en hoe hij is gestorven, en dat zo weinig mogelijk mensen ervan weten. Maar het komt je tegenwoordig verdomd duur te staan als je betrokken bent bij een publicitaire CIA-ramp. Misschien is het legitiem, maar ik heb in elk geval geen kristallen bol. En ik wil onder geen beding dat mijn kantoor de repercussies ondervindt. Het probleem is dat ze willen dat we hem opgraven zonder officieel bevel. Daarom klop ik bij jou aan.'

'Jezus.'

'Zeg dat wel.'

'Het is krankzinnig. Je weet dat het Charles Sherback is die in dat graf ligt. Jouw kantoor heeft de gebitsgegevens geverifieerd.'

'Dat vinden ze niet genoeg. Ze willen een tweede autopsie... en dat we het DNA checken.'

Brian vloekte inwendig. 'Heb je een naam bij de CIA?'

'Ik ben gebeld door Gloria Feit. Van de Clandestine Service.'

'Is ze betrouwbaar?'

'Ja. Ik wil geen ruzie met de CIA, maar ik moet ook mezelf en mijn mensen beschermen,' benadrukte Steve. 'Je moet dat bevel tekenen, Brian. Ik kom zo naar je toe. Dan kunnen we gaan graven zodra het licht wordt en kan ik de CIA antwoord geven.'

Brian dacht snel na. 'Ik heb een beter idee. Ik heb de sleutel van Eva's opslagruimte. Ze heeft vast nog wel wat spullen van Charles. Ik ga er morgenvroeg meteen heen en kijk of ik iets kan vinden om alvast mee aan de gang te gaan voor het DNA. Daarna kom ik naar je kantoor en onderteken de machtiging.'

Steve klonk opgelucht. 'Het is niet perfect, maar je hebt gelijk. Een DNA-monster zal het proces versnellen. Zorg dat je er om acht uur bent. En bedankt.'

Ze hingen op, maar Brian bleef op zijn stoel zitten en staarde naar de schaduwen in zijn kantoor. Het stond vol boeken, waarvan de titels in het donker onleesbaar waren, maar hij voelde zich erdoor gerustgesteld, en door de in de loop der tijden doorgegeven adviezen. Hij glimlachte wrang toen hij zich een platvloers advies herinnerde van Trajanus, de Romeinse soldaatkeizer: 'Ga nooit tussen een hond en waar hij pist staan.'

Gelukkig hoefde hij zich niet met Steves onderzoek te bemoeien. De man die in het graf van Charles lag, was een handelsreiziger uit South Dakota, een alleenstaande man die Preston in een bar in L.A. had uitgekozen en later met een nekslag had geëlimineerd, wat overeenkwam met het letsel tijdens een auto-ongeluk. Vervolgens had Preston een nachtelijke inbraak bij de tandarts van Charles Sherback georganiseerd om de gebitsgegevens van Charles te vervangen door die van de dode. Brian had de handschoenen van de dode man en nog wat andere spullen opgeborgen in de kluis in zijn kantoor.

Hoewel het DNA aan de binnenkant van de handschoenen en de autopsie de nieuwsgierigheid van de CIA wel zouden bevredigen, bleef Brian met een veel grotere en mogelijk veel gevaarlijker vraag zitten: wie of wat had de belangstelling van de inlichtingendienst gewekt?

Hij pakte de telefoon en belde het nummer van de directeur van de Gouden Bibliotheek. 'Marty, met Brian Collum. We hebben een probleem.' Hij vertelde hem over het telefoontje van de patholoog. 'Het CIA-bevel voor de opgraving is gegeven door een zekere Gloria Feit van de Clandestine Service.'

Martin Chapman explodeerde in een stroom van verwensingen. 'Wat heb je met de patholoog afgesproken?'

'Ik geef hem de handschoenen van het lijk voor een DNA-test. Daarmee moet het opgelost zijn. Heb jij enig idee waarom ze de identiteit opnieuw willen checken?'

'Geen enkel, behalve dan dat Charles Sherback nu echt dood is.'

Brian schrok even. 'Dat is een slag voor de bibliotheek. Hij was verdomd goed in zijn werk. Wat is er gebeurd?'

Hij was al een jaar of tien geleden begonnen om Charles voor zich te winnen; hij had bewondering voor diens kennis van de Gouden Bibliotheek en zijn obsessie om die te vinden. Toen ze een nieuwe hoofdbibliothecaris zochten, had hij Charles aanbevolen en de boekenclub had hem gemachtigd hem de baan in het geheim aan te bieden. Nu zou de boekenclub een vervanger moeten zoeken.

'Hij is in Londen gestorven,' zei de directeur. 'Doodgeschoten.'

'Heeft Preston *Het boek der spionnen* in handen gekregen?'

'Ja. Hij is op weg naar huis.'

'Dat is een hele opluchting.' Hij herinnerde zich wat Steve had gezegd. 'De patholoog vertelde me dat Eva uit de gevangenis is ontslagen. Heeft zij hier iets mee te maken?'

'Ze is pas het begin van het probleem.'

Verbaasd en steeds bezorgder luisterde Brian terwijl Martin Chapman vertelde dat Eva Charles in het museum had gezien, over zijn poging om haar te doden, het peilbaken op *Het boek der spionnen* en Prestons zoektocht naar haar, die was geëindigd met de vondst van Charles' lijk.

'Preston denkt dat Eva hulp heeft van een ervaren man,' zei de directeur. 'Blijkbaar was iemand van plan het spoor van *Het boek der spionnen* te volgen... misschien tot aan de bibliotheek. Ik vraag me af wie in de gelegenheid geweest kan zijn het peilbaken aan te brengen. Nu de CIA zich ermee bemoeit, vermoed ik dat zij het waren.'

'Godver.'

'Daar komt bij dat Charles een tatoeage op zijn schedel had – LAW 031308. Zegt dat je iets?'

'Geen moer.'

'Het zou een boodschap kunnen zijn,' zei de directeur. 'Maar voor wie? En waarom?'

'Denk eens aan Charles' voorganger. Niemand van ons had ooit gedacht dat hij niet alleen het lef zou hebben om weg te willen gaan, maar ook om *Het boek der spionnen* naar buiten te smokkelen. We hebben Charles onder meer gekozen omdat de bibliotheek het belangrijkste in zijn leven was. Maar de keerzijde waren zijn eerzucht en arrogantie. God mag weten wat die boodschap betekent. Wat het ook is, het kan gevaarlijk voor ons zijn.'

'Als Eva die tatoeage heeft gezien – en we hebben geen reden om het tegendeel te denken – begrijpt ze het misschien.'

'Je hebt gelijk.'

'Preston kan haar opsporen via haar mobiele telefoon. Zorg jij voor de patholoog.' Er viel een bedachtzame stilte. Toen de directeur opnieuw het woord nam, klonk zijn stem weer even kordaat en zakelijk als altijd. 'Ik weet wel een manier om het met de CIA af te handelen.'

23

Washington, D.C.
De man parkeerde zijn auto in een donkere woonstraat op de glooiende heuvels ten noorden van het centrum van Washington. In de verte glansde de hoge koepel van het Capitool als ivoor. Hij opende het portier en Frodo, zijn kleine terriër, sprong kwispelend uit de auto.

Achter de terriër aan, die bij de dekmantel van de man hoorde, liep hij over het trottoir en sloeg de straat in waar Ed Casey woonde. Hij zag een tweede vroege hondenuitlater, die hem door de stille schaduwen tegemoetkwam. Zoals altijd toverde hij een toegeeflijke hondenbezittersglimlach op zijn gezicht en knikte de man toe. Toen trok hij Frodo naar de stoeprand om het tweetal ruim baan te geven.

Zodra de andere wandelaar uit het gezicht was verdwenen, bleef de man staan naast een *Eugenia*-struik, waarvan de onderste takken de grond raakten. Hij schoof de riem van Frodo eronder en Frodo volgde, kroop eronder en draaide zich om. Zijn zwarte oogjes keken naar buiten.

'Blijf.' Hij maakte een handgebaar.

Frodo trok zich onmiddellijk terug tussen de bladeren, onzichtbaar voor alle voorbijgangers. Ze hadden dit al heel vaak gedaan. Frodo zou geen vin verroeren en geen kik geven.

Na een zorgvuldige blik om zich heen sprintte de man over het gazon naar het gepotdekselde huis van Ed Casey en onderzocht de deuren en ramen op de begane grond. Ze zaten allemaal op slot, ook de tuindeuren, die uitzicht boden op een goudvissenvijver in de achtertuin. Hij keerde terug naar de tuindeuren. Geen nachtslot. Er waren schuifsloten aangebracht, maar niemand had de moeite genomen ze dicht te schuiven. Hij vond het prachtig zoals mensen zich in slaap lieten wiegen door het onbewogen verstrijken van de tijd – zijn beroep berustte erop.

Met een klein instrument opende hij de tuindeuren en stapte een schemerige huiskamer binnen. Hij werkte het liefst met een plattegrond, maar daar was geen tijd voor geweest. Doug Preston had alleen het adres van Ed Casey kunnen doorgeven toen hij hem aannam voor het karwei.

Behoedzaam sloop hij over dik tapijt naar een centrale gang. Een staande klok tikte regelmatig. Verder was er geen geluid. Hij luisterde onder aan de trap, stak zijn hoofd toen in deuropeningen – een woonkamer, een eetkamer en een keuken. Allemaal verlaten. Hij opende de enige dichte deur. Bingo – een kantoor.

Scherp luisterend naar eventuele bewegingen boven liep hij regelrecht naar het bureau, waarop een computer stond. Hij ging aan de slag en installeerde kleine draadloze transmitters aan de harde schijf en het toetsenbord.

Toen hij klaar was, luisterde hij nogmaals. Stilte. Hij glipte het kantoor uit en liet zichzelf uit via de tuindeuren. De ochtendlucht was nog donker. Morgenavond zou hij terugkomen en de zendertjes verwijderen, om de kans dat iemand ooit zou merken wat hij gedaan had nog kleiner te maken.

Op straat aangekomen bleef hij staan en keek om zich heen. Toen liep hij naar de *Eugenia*-struik en maakte een gebaar. Frodo kroop eronder uit en de man gaf hem een hondenkoekje. Zachtjes fluitend liep hij met zijn troeteldier terug naar de auto.

Johannesburg, Zuid-Afrika
Het was halfeen in de middag in Johannesburg toen Thomas Randklev werd gebeld door de directeur van de Gouden Bibliotheek. Zodra hij had opgehangen, belde Randklev Donna Leggate, de jonge senator voor Californië. Het was pas halfzes in de ochtend in Washington en al snel bleek dat ze nog had liggen slapen.

Zodra hij zijn naam noemde, veranderde de klank van haar stem van nors in hartelijk. 'Een raar tijdstip om te bellen, Thom, maar het is altijd leuk je te horen.'

Hij wist dat ze loog. 'Dat doet me deugd. Ik zou wat informatie willen hebben. Niets onbetamelijks natuurlijk.'

'Waar kan ik je mee helpen?'

'Het gaat over een zekere Gloria Feit, een medewerkster van jullie Clandestine Service. We willen graag weten voor wie ze werkt en wat ze doet.'

'Vanwaar die interesse?'

'Dat mag ik niet zeggen, maar het betreft iemand zoals jij, iemand die we graag van dienst zijn – een van onze investeerders. Beslist niet over jullie nationale veiligheid. Puur zakelijk.'

Ze aarzelde. 'Ik wil liever niet...'

Hij viel haar in de rede. 'Ik hoop dat je vrolijk wordt van je aandelen in de Parsifal Group.'

Ze was in de Senaat gekozen als opvolger van haar man nadat die vier jaar geleden was gestorven. Door zijn schulden had hij haar in een wankele financiële positie achtergelaten, maar via Parsifal verdiende ze veel meer dan haar man ooit had verdiend. Ze was ook veel ambitieuzer, maar in Washington was ambitie zonder geld niet meer dan een sociale handicap.

Haar stem klonk behoedzaam. 'Ja, heel erg zelfs.'

'En er is natuurlijk het dividend,' bracht hij haar in herinnering.

'Nog beter,' gaf ze toe. 'Niettemin...'

Haar aarzeling, hoe begrijpelijk ook, was irritant. Ze moest iets doen, en snel ook... maar hij was nog niet van plan haar dat te vertellen.

'Je zit in de inlichtingencommissie van de Senaat,' zei hij. 'Je hebt een CIA-medewerker, Ed Casey, bij Parsifal binnengeloodst. Zeg dat hij iemand in Langley moet mailen om informatie te vragen. Als je vindt dat je dat niet kunt maken, zul je je moeten terugtrekken uit onze speciale club voor beleggers en zal ik je aandelen overhevelen naar een van onze andere groepen. Je kunt erop rekenen dat de opbrengst redelijk is, maar niet genoeg voor je oude dag.' Hij liet het bezinken. 'Anderzijds, als je ons dit plezier kunt doen, kun je in de club blijven, geselecteerde anderen blijven rekruteren en een aanzienlijke bijdrage voor je herverkiezingscampagne ontvangen.'

'Hoe aanzienlijk?' vroeg ze onmiddellijk.

'Honderdduizend dollar.'

'Vijfhonderdduizend zou de zon nog veel stralender maken.'

'Dat is een heleboel geld, Donna.'

'Je vraagt ook veel.'

Hij zweeg. Toen: 'Ach, verdomme. Oké, afgesproken... maar alleen als je Ed Casey onmiddellijk belt.'

'Als ík wakker ben, kan híj verdomme ook wel uit zijn nest komen.'

'Je hebt me altijd kunnen charmeren, Donna.' Hij glimlachte. Ze was te laag begonnen met onderhandelen. De directeur had hem toestemming gegeven tot achthonderdduizend te gaan.

'En jij bent een heerlijke schavuit, Thom,' zei ze. 'Dat vind ik zo aardig aan je. Zeg eens, heb je nog meer op je verlanglijstje staan?'

'Misschien. En denk eraan dat jij ook af en toe iets kunt vragen.

Als het in mijn macht ligt, zal ik je met alle plezier helpen. We zijn tenslotte vrienden. Allemaal lid van dezelfde club.'

24

Washington, D.C.
Senator Leggate trok haar badjas aan, stak een sigaret op en wuifde rook uit haar ogen. Washington was een stad waar gunsten werden uitgewisseld als pokerfiches. Om er te overleven leerde je behulpzaam te zijn en tegelijk uit te kijken met wie je speelde. Als je een serieuze speler wilde zijn in de snelle, verraderlijke politieke wateren van het land, moest je over olympische kwaliteiten beschikken.

Het had iets onheilspellends zoals Thom Randklev haar opties duidelijk had gemaakt als ze weigerde te helpen, maar ook iets opwindends. Hij was snel akkoord gegaan met haar hoge bedrag. Dat betekende dat hij over nog meer geld kon beschikken. Wat haar bang maakte, was de vraag of ze hem – en zichzelf – aan zou kunnen, mocht ze ooit moeten weigeren.

Maar dat was van later zorg. Misschien pas jaren later. Met wat geluk nooit. Ze beende haar kantoor binnen, deed haar bureaulamp aan, opende haar Rolodex en toetste een nummer in.

'Een heel goede morgen, Ed. Met Donna Leggate.'

'Goeie god, Donna, weet je hoe laat het is?' Ed Casey had een hoge functie in het Support to Mission-team van Langley, dat CIA-faciliteiten bouwde en runde, beveiligde communicatiemiddelen creëerde en onderhield, het telefoonbedrijf van de CIA leidde en agenten aannam, trainde en toewees aan de verschillende directoraten. Zijn afdeling deed ook de salarisadministratie, waardoor hij toegang had tot het dossier van iedereen die in dienst was van de CIA – voor zover ze in de boeken stonden.

'Ik zit al urenlang geheime dossiers te lezen,' zei ze, een leugen verzinnend die hij zou geloven. 'Sorry dat ik je stoor, maar ik zou je hulp willen vragen voordat ik naar kantoor ga. In een van de rapporten wordt melding gemaakt van een zekere Gloria Feit van de Clandestine Service, maar het zegt niet aan wie ze verslag uitbrengt. Dat zou ik graag weten, plus wat zij en haar baas doen.'

'Dan zul je je tot het kantoor van de D/CIA moeten wenden.'

'Als ik hier vragen over stel, zullen anderen van de subcommissie dat ook doen. Als ik het via de D/CIA speel, kan er gelekt worden en zullen de persmuskieten zich erop storten. Ik bel je omdat ik weet dat jij en ik hetzelfde denken over het beschermen van Langley waar het maar kan.'

'Het moet via de geëigende kanalen. Ik ga er niet omheen.'

'Terwijl ik je belde,' ging ze bedachtzaam verder, 'bedacht ik opeens dat je me eens hebt verteld over het collegegeld voor je kinderen. Hoe oud zijn ze nu?'

Er sloop een andere klank in Eds stem. Van schuld misschien. 'Ik waardeer het dat je me de kans hebt gegeven aandelen in de Parsifal Group te kopen.'

Ze dramde door. 'Is het een goede belegging voor ze geweest?'

'Ja,' gaf hij toe.

'Blij dat te horen. Ik vind dat we elkaar waar mogelijk moeten helpen. Ik kan hoe dan ook aan de gevraagde informatie komen, maar het enige verschil is dat ik het nu wil weten, nu het nog vers in mijn geheugen ligt.'

'Waar gaat dat rapport over?'

'Het heeft een M-classificatie. Sorry.' 'M' betekende een extreem gevoelige geheime operatie. Het was een van de strengste veiligheidsclassificaties van de Verenigde Staten, die inhield dat de informatie zo geheim was dat ze alleen met een letter mocht worden aangeduid, en het was onmogelijk dat Ed ervan op de hoogte was. 'Mail je kantoor.'

'Wacht even,' bromde hij.

Senator Leggate glimlachte in zichzelf. Ze had gezien hoe haar mannetje vleide en dreigde om te krijgen wat hij wilde, en nu was zij degene die aan de touwtjes trok.

Johannesburg, Zuid-Afrika

Thom Randklev stond voor het kamerhoge raam van zijn kantoor, met zijn handen losjes op zijn rug gevouwen, en staarde naar de rotsen en de schalielagen van Witwatersrand. Toen de wolken voorbijdreven en de zon doorkwam, glinsterden de lagen kwarts en trokken zijn aandacht. Heel even voelde hij zich intens trots.

Witwatersrand was de bron van veertig procent van al het goud op aarde en van het eerste kleine fortuin van zijn familie. Later had zijn nietsnut van een vader alles opgemaakt aan drank, echtscheidingen en braspartijen. Nu echter had Thom alles en meer terug, inclusief huizen in Sankt Moritz en New York City, waar hij senator Leggate had ontmoet en voor zich had ingenomen. Ze was, zoals hij de directeur had verzekerd, degene die de eerste stap kon zetten om het probleem op te lossen dat de CIA 'Charles Sherback' wilde opvragen.

Terwijl hij zijn gedachten liet ronddwalen over wat hij bereikt had, draaide hij zich om en keek naar de boeken die twee lange muren van zijn kantoor in beslag namen. Hij had zich zorgen gemaakt over de informatie van de directeur, maar vertrouwde er tegelijkertijd vast op dat het probleem – wat het ook was – kon worden opgelost.

Het ging erom dat de Gouden Bibliotheek eeuwenlang geheim was gebleven door de zorgvuldige aandacht voor details, en dat geheimhouding het kenmerk was van degenen die haar hadden geërfd. In de wereld van vandaag werden de belangrijkste oorlogen uitgevochten in bestuurskamers, achter gesloten deuren, en de boekenclub wist haarfijn hoe ze elke schermutseling moest uitvoeren en winnen. En dat was dit: gewoon een schermutseling. Met dat in zijn achterhoofd dacht hij aan wat Plato had geschreven: 'Denken is het praten van de ziel met zichzelf.' Helemaal waar, concludeerde hij terwijl hij zichzelf iets te drinken inschonk.

De telefoon ging en hij nam hem op.

Het was Donna Leggate, zoals hij had gehoopt. 'Gloria Feit is de stafchef van Catherine Doyle. Doyle heeft een of andere speciale taak, maar wat die inhoudt, is nergens vastgelegd. Ik weet wel wat van die dingen en ik denk dat Doyle een team heeft... en dat het zeer geheim is. Dat betekent dat er mogelijk geen officieel dossier is van medewerkers of opdrachten. Meer wilde Ed me niet vertellen. Ik betwijfel eerlijk gezegd of hij meer weet, want het gaat zijn bevoegdheid te boven. Doyle lijkt me een NOC.' Onofficiële geheim agenten – NOC's – waren bijzonder talentvolle en onverschrokken agenten die opereerden zonder de officiële dekking van hun CIA-legitimatie. Als ze in het buitenland werden gearresteerd, konden ze als spion worden berecht en geëxecuteerd.

'Bedankt, Donna. Ik stel het op prijs. Ik zal mijn mensen opdracht geven het geld naar je herverkiezingscampagne te sluizen. We willen dat goede vrienden zoals jij in functie blijven.'

Zodra hij haar had afgescheept, belde hij de directeur en gaf de informatie door.

Stockholm, Zweden
Het was twaalf uur in de middag in Stockholm en Carl Lindström zat in de leren fauteuil in zijn kantoor financiële verslagen te lezen toen de directeur belde. Toen hij begreep wat de directeur wilde, liep Carl naar zijn bureau, checkte zijn e-mail en vond het doorgestuurde bericht met de informatie die de inbreker in Washington had gevonden in Ed Caseys beveiligde e-mail aan Langley.

Nu had hij niet alleen de route, het bericht en het adres waar het naartoe was gestuurd, maar ook de geheime codes die ervoor werden gebruikt.

Daarmee belde hij zijn hoofd Computerbeveiliging, Jan Mardis, een voormalig tophacker die belast was met het signaleren en onschadelijk maken van aanvallen op hun wereldwijde netwerk. Ze hield haar medewerkers scherp met regelmatige gesimuleerde aanvallen op hun systeem, schreef kraakprogramma's en bedacht tactieken om netwerken te infiltreren.

Af en toe deed ze speciale karweitjes voor hem. De directeur had haar via hem de afgelopen maanden enkele keren gebruikt.

'Ik heb een uitdaging voor je, Jan,' zei hij. 'En als je het voor elkaar krijgt, kun je op een fikse bonus rekenen. Je moet inbreken in het computersysteem van de CIA. Je moet een speciaal team voor me vinden. Het wordt geleid door Catherine Doyle. Een van haar medewerkers is Gloria Feit. De afdeling is waarschijnlijk geheim, wat betekent dat ze niet-geregistreerd zullen lijken, maar we weten allebei dat er ergens een dossier moet zijn. Ik heb je de benodigde informatie gemaild.'

'Interessant.' Jan Mardis' stem klonk meestal verveeld, maar nu niet. 'Oké, ik heb je mailtje gelezen. Complicaties daar gelaten kan het leuk worden, een duik in het Mälarmeer op een warme zomerdag als het ware. Ik zal mijn signalen via verschillende landen leiden, China en Rusland in elk geval. Dat zal de digitale politie tot staan brengen. Ik laat van me horen.'

Carl Lindström stond op en rekte zich uit. Cybercriminaliteit was de snelst groeiende criminele activiteit van de eenentwintigste eeuw en zijn softwarebedrijf, Lindström Strategies, was een van de snelst groeiende ter wereld. Het was keer op keer aangevallen, maar door toedoen van Jan Mardis had niemand de firewall ooit kunnen doorbreken. Hij had volledig vertrouwen in haar, niet alleen vanwege haar kunde, maar ook om menselijke factoren: hij had haar uit de gevangenis gehouden door binnen het rechtssysteem aan enkele touwtjes te trekken, met onder meer de belofte haar in dienst te nemen. De extra karweitjes die hij haar af en toe liet doen, maakten het haar mogelijk haar hobby uit te oefenen: het opnemen tegen een van de best beveiligde organisaties ter wereld. En hij betaalde haar uitzonderlijk goed. Zoals Machiavelli al schreef: om te slagen is het van essentieel belang te begrijpen wat iemand motiveert – en dat te gebruiken.

Terwijl hij op bericht van haar wachtte, liep hij naar zijn boekenkast, die was gevuld met in leer gebonden, gebosseleerde banden. Hij pakte een bundel van August Strindberg, een van zijn favoriete moderne schrijvers. Hij opende het boek en zijn blik viel op een passage: 'Een schrijver is slechts een verslaggever van zijn leven.'

Hij dacht erover na en paste het toe op zichzelf. Zijn hele leven, vanuit de achterbuurten van Stockholm tot het oprichten en leiden van Lindström Strategies, was een afspiegeling van wat hij had geleerd over de noodzaak alle middelen te baat te nemen om zich te wapenen tegen de vernederingen van de armoede. Vol trots concludeerde hij dat zijn bedrijf zijn boek was, het boek dat híj had geschreven.

Een uur later zat hij opnieuw in zijn fauteuil financiële verslagen te lezen, toen de telefoon ging. Hij nam hem aan.

'Met mij, baas,' zei Jan Mardis. 'Ik heb een extraatje voor je. Ik heb toegang tot de kantoorcomputer van Catherine Doyle. Is er iets speciaals waar ik naar moet zoeken?'

Lindström schoot overeind en zijn hart bonsde van opwinding. 'Stuur me een kopie van alle e-mails die Doyle de afgelopen vierentwintig uur heeft verstuurd. En maak dan dat je er wegkomt.'

25

Hoog boven Europa
De Gulfstream v-turbojet ijlde door de nacht, de sterke Rolls Royce-motoren zoemden zacht. Boven het vliegtuig welfde zich een einde-

loos baldakijn van fonkelende sterren, terwijl diep beneden grijze stormwolken zich verspreidden, onderbroken door zigzaggende bliksemschichten. Achter het raam gezeten bestudeerde Judd Ryder het luchtgezicht en hij had het gevoel dat hij tussen twee werelden zweefde, onzeker en op de een of andere manier gevaarlijk. Hij vroeg zich af waar zijn vader in verwikkeld was geweest en hoe sterk hij op zijn vader leek.

Hij zette de gedachte van zich af, leunde achterover en concentreerde zich. De Gulfstream had op hem gewacht in een privéhangar op Gatwick, een van de toestellen die Langley regelmatig huurde voor het vervoer van federale werknemers en waardevolle gevangenen. Hij en Eva waren de enige passagiers, naast elkaar in het midden van de cabine. Elke armsteun bevatte een laptop en aansluitingen voor elektronische apparatuur. Op hun tafeltjes stonden dampende koppen koffie uit de pantry. Het volle aroma steeg op in de lucht.

Hij gluurde naar haar vermoeide gezicht, de ronde kin, haar door de Californische zon licht gebruinde huid. Haar rode haren lagen als een krans van lange krullen rondom haar hoofd, dat tegen de rugleuning rustte. De oogleden van haar blauwe ogen waren half geloken. Ze vertoonde op dit moment niets van het vuur en de strijdlust die hem hadden geïrriteerd en zag er zacht en kwetsbaar uit. Hij wist nog steeds niet precies wat hij van haar vond. Het deed er trouwens ook niet toe. Het belangrijkste was dat hij haar nodig had voor de operatie. Hij hoopte dat hij haar gauw weer terug kon sturen naar Californië.

Ze opende haar ogen. 'Ik moet proberen Peggy te bereiken.'

'Je mag je telefoon niet tijdens de vlucht gebruiken, maar je mag de mijne lenen.' Hij sloot het kabeltje van zijn mobiele telefoon aan op de armleuning en het draadloze communicatiesysteem van het vliegtuig. Hij legde de beveiligde modus uit en deed toen voor hoe ze een schijnbaar normaal telefoongesprek moest voeren.

Ze toetste Peggy's mobiele nummer in, luisterde naar de stem aan de andere kant en keek hem met gefronste wenkbrauwen aan. 'Kan ik Peggy spreken?' Een korte stilte. 'Ik ga u niet vertellen wie ik ben voordat u me vertelt wie u bent.' Opnieuw een stilte. Abrupt verbrak ze de verbinding.

'Wat is er?' vroeg hij onmiddellijk.

'Er werd opgenomen door een man. Hij bleef maar vragen stellen.'

Terwijl ze opnieuw een nummer intoetste, zei ze: 'Ik bel inlichtingen voor het nummer van de Chelsea Arms.' Toen ze het had, belde ze opnieuw. 'De kamer van Peggy Doty, alstublieft.' Ze luisterde. 'Ik weet zeker dat ze een kamer heeft geboekt. We zouden hem delen. Wat? Wát is ze?' Met een geschrokken gezicht hing ze op en staarde hem aan. 'Peggy is dood. Volgens de receptie denkt de politie aan zelfmoord, maar dat zou ze nooit doen. Iemand moet haar vermoord hebben. Ik kan niet geloven dat ze dood is.' Er biggelden tranen over haar wangen.

Hij keek haar aan en voelde opnieuw het afschuwelijke verlies van zijn vader, zijn tegenstrijdige emoties. Hij liep naar de pantry en kwam terug met een doos tissues.

Hij gaf haar de doos. Terwijl ze haar tranen droogde en haar neus snoot, zei hij: 'Ik vermoed dat Charles Preston heeft verteld dat Peggy je vriendin was en dat Preston naar haar toe is gegaan in de hoop dat hij jou zou vinden. Hij heeft haar vermoord. Het spijt me, Eva. Dit is afschuwelijk voor je.'

Hij zag opeens zijn vader voor zich toen die ongeveer zijn leeftijd had, boven hem uittorenend in de mallemolen in Glen Echo Park. De volle kop blond haar, de sterke neus en kin, de gelukkige uitdrukking op zijn gezicht terwijl de muziek schalde en hij beschermend naast hem stond. Hij was een jaar of vijf en zat op een Palomino-paard met golvende zilverkleurige manen. Terwijl het paard op- en neerging en de mallemolen draaide, voelde hij dat hij wegleed. Zijn moeder wuifde en haar gezicht straalde van trots. Toen hij zijn hand opstak om terug te wuiven, viel hij en zijn benen waren te kort om steun te vinden op de grond, zodat hij naast het paard hing.

'Hou je goed vast en trek jezelf op,' had zijn vader rustig gezegd. 'Je kunt het.'

Hij had de paal stevig beetgepakt en zijn armpjes deden pijn terwijl hij zich langzaam oprichtte.

'Je kunt alles, Judd. Alles. Op een dag zul je me niet meer nodig hebben om naast je te staan.'

Opeens realiseerde hij zich dat Eva iets zei.

'Die mensen zijn onuitsprekelijk slecht.' Ze staarde hem met een kil gezicht aan. 'De smeerlappen. We moeten ze vinden.'

'We vinden ze wel.' Hij pakte zijn jekker van de stoel tegenover hen. 'Klaar om aan het werk te gaan?'

'Nou en of.'

Hij haalde de dingen die hij haar man had afgepakt uit zijn zak: prepaidtelefoon, leren notitieboekje, portefeuille en Zwitsers zakmes. Hij liet het Glock-pistool in de zak zitten en legde de jekker op de stoel naast hem. Toen trok hij zijn corduroy jasje uit en legde het erop. Hij leunde achterover en schoof zijn schouderholster recht.

Ze had het notitieboekje in haar hand en bladerde het door. Hij dacht even na en besloot toen haar voor te laten gaan.

Hij checkte Sherbacks telefoon en zocht naar telefoonnummers. 'Hij heeft zijn adresboek gecodeerd. Wat kan hij als wachtwoord hebben gebruikt?'

'Waarschijnlijk iets klassieks. Een Griekse of Romeinse naam. Probeer Seneca eens, Sophocles, Pythagoras, Cicero, Augustus, Archimedes...'

'Oké, ik snap het.' Hij toetste de ene naam na de andere in.

'Dit is interessant,' zei ze ten slotte. 'Ik heb alle pagina's bekeken, maar er zijn geen namenlijsten met of zonder telefoonnummer of adres. Zo te zien alleen maar wat losse invallen en allerlei citaten. Elke aantekening is gedateerd; de eerste is zes jaar oud. Dat betekent dat hij het al had toen we samenwoonden, maar ik heb het nooit gezien.'

'Hij hield het voor je verborgen, dus er was al iets geheimzinnigs.'

Ze knikte. 'Luister. De eerste aantekening, en die geeft je een idee. "In vroeger tijden werden goden aanbeden in een prachtig bos, op een heilige plek of in een tempel. Het is geen toeval dat bijna alle bibliotheken zich bevonden op heidense aanbiddingsplaatsen, zoals ze zich later in islamitische, joodse en christelijke tijden in moskeeën, tabernakels en kerken bevonden. Het geschreven woord heeft altijd een magische, goddelijke kracht gehad en mensen verenigd. Religies wilden die uiteraard controleren. Maar ja, boeken zijn een andere naam voor God."'

'Kijk eens of hij het ergens heeft over de Gouden Bibliotheek of Yitzhak Law.'

'Dat heb ik al gedaan. Nog een: "Er zijn boeken die ik nooit zal kunnen vinden, laat staan lezen."'

'Navrant.'

Ze knikte en las verder.

Judd raakte door de namen heen waarmee hij Charles' telefoon kon kraken. Hij stopte, zijn vingers zweefden boven de toetsen.

Ze keek op. 'Ik heb een van Charles' lievelingscitaten gevonden. Van Aristoteles. "Alle mensen verlangen van nature te weten." Dat klinkt toepasselijk. Probeer "Aristoteles" eens.'

Hij toetste de naam van de Griekse filosoof in en het adresboek verscheen op het scherm. 'Bingo. Het slechte nieuws is, dat het leeg is. Hij moet de nummers die hij belde vanbuiten hebben geleerd. Oké, tijd om de inkomende en uitgaande gesprekken te checken.' De lijst was gecodeerd, maar 'Aristoteles' werkte ook nu. 'Het zijn er maar twee. Alle twee in Londen. Herken je er een?' Hij las ze voor.

Ze schudde haar hoofd. 'Draai ze.'

Hij belde. Bij het eerste nummer ging de telefoon drie keer over en toen vroeg een antwoordapparaat hem een bericht achter te laten. Hij dacht even na en verbrak toen de verbinding. Ze sloeg hem gade.

'Ik kreeg een antwoordapparaat,' zei hij. Hij probeerde het tweede nummer en kreeg dezelfde reactie. 'Weer niets.'

'Toen ik Charles zag, was er een blonde vrouw bij hem. Die twee nummers zouden van Preston en van haar kunnen zijn. Ik herkende haar niet, maar zij en Charles waren overduidelijk samen.'

'Beschrijf haar.'

'Lang blond haar en een pony. Knap. Begin of midden dertig, lijkt me. Ongeveer een meter vijfenzestig. Ze had een grote rolkoffer bij zich. Hij had een rugzak, die hij bij haar liet staan voordat hij achter me aan kwam. De rugzak was groot en stevig en *Het boek der spionnen* kan erin hebben gezeten.'

'Dat zou verklaren waarom het boek in het hotel was.'

'Ja.' Ze bladerde terug naar de eerste pagina van Charles' notitieboek.

Hij onderzocht het Zwitserse zakmes. Uit niets bleek dat het van Charles of wie dan ook was. Hij opende de portefeuille, haalde het rijbewijs en het geld eruit en spreidde ze uit op het klaptafeltje.

'Ik heb misschien iets gevonden. Zoals ik al zei is alles hierin gedateerd.' Ze tikte op het notitieboekje. 'Daarom heb ik naar patronen gezocht. Met één uitzondering schreef Charles af en toe iets op, hoogstens eens per week. Maar er is een periode van drie maanden voordat we naar Rome gingen waarin hij een heleboel aantekeningen maakte, soms een paar per dag. Dat was tijdens zijn sabbatjaar, waarin hij enkele van de grote wereldbibliotheken bezocht. Hij heeft me nooit een routebeschrijving gegeven en hij vertelde weinig over de reis toen hij terug was.'

'Zegt hij welke bibliotheken?'

'Nee, maar wat hij schrijft gaat bijna alleen over bibliotheken.'

'Wat denk je dat dat gewijzigde patroon betekent?'

'Ten eerste dat hij tijd genoeg had om zijn gedachten vaker op te schrijven en dat hij aan de waarde van bibliotheken dacht. Maar ten tweede zou hij niet hebben gewild dat ik of iemand bij de bibliotheek wist dat hij iets op zijn schedel had laten tatoeëren. Ik zie de volgende volgorde: hij liet zich tatoeëren, hield zich drie maanden verborgen en kwam naar huis met haar dat lang en dicht genoeg was om er normaal uit te zien. Daarna vierden we onze trouwdag bij Yitzhak in Rome. Twee weken later waren we terug in L.A. en weer twee weken later was het auto-ongeluk.'

'Zou heel goed kunnen.'

Ze dronken hun koffie en werkten verder. Hij vond geen aantekeningen op Charles' bankbiljetten. Hij stopte het rijbewijs en het geld weer in de portefeuille en borg alles op in de zakken van zijn jekker. Daarna inspecteerde hij het magazijn van Charles' Glock. Het wapen was schoon en in puntgave conditie. Er ontbraken geen patronen.

Ze gaf hem het notitieboekje. 'Ik zie verder niets nuttigs. Jouw beurt.'

Hij pakte het aan. 'Je ziet er moe uit. Waarom ga je niet even slapen?'

'Ik denk dat ik dat maar doe.' Ze zette haar koffiekop op zijn tafeltje en klapte het hare in haar armleuning. Toen bukte ze zich en trok haar broekspijp op. 'Ik doe die enkelband af.'

'Nee. Als er iets gebeurt waardoor we elkaar kwijtraken, kan ik je altijd terugvinden met mijn peilbaken.'

Ze dacht even na en knikte. Ze klapte haar stoel achterover en sloot haar ogen.

Hij mailde Tucker en vroeg hem de twee telefoonnummers in Sherbacks mobiel te achterhalen en te onderzoeken of Sherback en mogelijk een vrouw in Le Méridien hadden gelogeerd, gaf hem ook de valse naam op Sherbacks rijbewijs, het signalement van de vrouw, en schreef dat *Het boek der spionnen* in haar rugzak zou kunnen zitten. Toen hij Tucker had gebeld om het vliegtuig te regelen, had hij hem bijgepraat over de gebeurtenissen van die avond, hem het adres van professor Law in Rome gegeven en hem gevraagd bij de Londense politie te informeren naar Preston en het lijk van Charles Sherback.

Hij bestudeerde het notitieboekje, maar vond niets nieuws. Toen keek hij lange tijd naar Eva. Hij legde zijn hoofd achterover en hoopte dat hij niet over vroeger zou dromen. Ten slotte viel hij in een onrustige slaap.

26

Londen, Engeland
Doug Preston zat in zijn huurauto op een openbare parkeerplaats vlak bij de Theems, zijn armen over elkaar, zijn hoofd achterover, indommelend en weer wakker wordend. Hij had het lijk van Charles op het vliegtuig van de Gouden Bibliotheek gezet en het was veilig vertrokken. Hij had ook zijn contactpersoon bij de NSA gebeld, die hem had teruggebeld met het slechte nieuws dat het toestel van Eva Blake was uitgeschakeld, waardoor het nog niet kon worden opgespoord. Daarna had hij een nieuwe opdracht van Martin Chapman afgehandeld en een specialist in Washington aangenomen om in te breken bij Ed Casey.

Nu wachtte hij op een telefoontje van NSA dat Blakes telefoon geactiveerd was en haar locatie bepaald, of van de directeur dat hij via de informatie van Ed Casey had vernomen waar Blake naartoe ging. Het kon allebei.

Rusteloos verschoof hij zijn gepijnigde lichaam achter het stuur. Voorjaarsschaduwen bespikkelden de parkeerplaats. Ergens op de rivier klonk een scheepshoorn. Hij keek op zijn horloge. Het was even na enen in de middag. Hij sloot zijn ogen en negeerde de pijn in zijn ribben. Hij dommelde juist weer in, toen zijn telefoon eindelijk overging.

Martin Chapmans stem klonk woedend. 'Tucker Andersen is van de CIA!'

'Dus Buitenlandse Zaken was een dekmantel. Wat ben je nog meer te weten gekomen?' Preston zette het onheilspellende nieuws van zich af.

'Judd Ryder heeft Tucker Andersen gemaild. Dat weten we doordat Andersen een kopie heeft doorgestuurd naar Catherine Doyle, ook CIA. Ze werken aan een of ander geheim programma. Doyle is de chef.' De stem van de directeur klonk gespannen. 'Ryder freelancet nu voor de CIA.'

'De zoon van Jonathan Ryder?'

'Ja. Hij is de schutter die Blake heeft geholpen. Alles in het British Museum was een valstrik. Het is de CIA die het baken op het boek heeft geplaatst en haar strafvermindering heeft bezorgd. Ze willen de Gouden Bibliotheek vinden. We staan tegenover je oude werkgever, Preston. Je was loyaal.' De stem was hardvochtiger geworden, de vraag bleef onuitgesproken.

'Dat is lang geleden. Een ander leven. Ik was blij dat ik er weg was. Nog blijer dat u me wilde hebben.' Toen zei hij de woorden waarvan hij wist dat de directeur ze wilde horen, en hij meende ze: 'Mijn loyaliteit geldt alleen u, de boekenclub en de Gouden Bibliotheek.'

Het bleef even stil. 'Volgens die e-mail zijn Ryder en Blake onderweg naar Rome om Yitzhak Law te bezoeken. Je kunt er niet op tijd zijn. Wat stel je voor dat we doen?'

Preston keek naar buiten en dacht na. Er ontstond een plan in zijn hoofd en hij legde het voor aan de directeur.

'Goed. Heel mooi,' zei de directeur. 'Aangezien we met een geheime afdeling te maken hebben, is het beperkt tot een kleine kring. Dat is het enige voordeel dat we hebben. Ik heb een idee om met Tucker Andersen en Catherine Doyle af te rekenen. Ik kom bij je terug als ik je nodig heb.'

27

Rome, Italië

Het was drie uur in de middag en de zon scheen stralend, bijna overweldigend na de kille, grauwe regen van Londen, toen Eva aankwam in de eeuwenoude wijk Monti in Rome, even ten zuiden van de Via Nazionale, een oase van kunstenaars, schrijvers en rijken die zelden in reisgidsen werd genoemd. De straat werd omzoomd door hoge, met klimop begroeide huizen, slechts onderbroken door beklinkerde stegen die niet veel breder waren dan een Romeinse strijdwagen. Voetgangers bewogen zich voort over de trottoirs.

Met haar schoudertas tegen zich aan geklemd keek Eva achterom. Judd liep zoals verwacht enkele meters achter haar. Met zijn zonnebril, donkere gezicht en kromme neus zag hij er heel mediterraan uit. Ze hadden nieuwe kleren gekocht om zich aan te passen aan het warme weer en de lokale smaak. Hij droeg een bruin sportjasje, een blauw overhemd met open kraag en een Italiaanse spijkerbroek, zij eveneens een Italiaanse spijkerbroek, een groene sweater en een donkergroen jasje.

Terwijl Fiats en scooters voorbijraasden, passeerde ze een lommerrijk pleintje vol spelende kleuters, liefdevol gadegeslagen door kindermeisjes. Ten slotte stak ze over naar de straat waar Yitzhak Law woonde.

Terwijl hij achter Eva aan liep, hield Judd de omgeving heimelijk in de gaten en hij zag het uit drie personen bestaande team dat Tucker Andersen had gestuurd om het huis van professor Law te bewaken.

Eén aan de overkant van de straat, een man in een versleten pak en met een tas vol boodschappen die bij een bushalte zat. Enkele tientallen meters verder een tweede, een zo te zien al wat oudere vrouw die voor een *trattoria* onder een paprikaboom in een strandstoel *La Repubblica* zat te lezen. De derde was een jonge skater met zonnebril en rugzak. Hij slalomde loom voorbij en zijn heupen wiegden op de muziek uit zijn oortelefoon.

Judd gebruikte zijn mobiele telefoon om de skater te bellen, de teamleider. 'Nog nieuwe ontwikkelingen, Bash?'

Het team was nu een uur ter plaatse, minder lang dan hij had gewild, maar ze hadden het moeten samenstellen uit de undercoveragenten van Catapult die al in en rond Rome opereerden.

'Alles cool, man. Niemand naar binnen gegaan of vertrokken,' rapporteerde Bash Badawi. Hij zeilde met zijn skateboard van het trottoir af.

'Laat het me weten als er iets verandert.'

Judd keek naar Eva, die met lange, zelfverzekerde passen voor hem uit liep; haar rode haren schitterden in het felle zonlicht. Hij versnelde zijn pas.

Toen hij haar passeerde, zei hij zonder zijn lippen te bewegen: 'Het is veilig. Ga naar binnen.'

Het huis van Yitzhak Law was een drie verdiepingen tellend gebouw van oude gele stenen met grote ramen en witte luiken. Eva rende de uitgesleten treden op en drukte op de belknop. Binnen klingelde een klokkenspel.

Ze glimlachte breed toen de deur werd geopend. '*Buon giorno*, Roberto.' Roberto Cavaletti was al jarenlang Yitzhaks partner.

'Blijf daar niet zo staan, Eva. Kom binnen, kom binnen. Wat leuk dat je er bent.' Hij kuste haar op beide wangen, zodat ze zijn kortgeknipte baard voelde prikken. Klein en tenger als hij was, deed hij denken aan een slanke vos, met een lang, intelligent gezicht en stralende bruine ogen.

'Ik heb een vriend meegebracht,' waarschuwde ze.

Ze draaide zich om en knikte naar Judd. Judd keek om zich heen, voegde zich bij haar en ze betraden een hal vol antiek en schilderijen. De zoete geur van pittige tomatensaus hing in de lucht. De lunch was in Italië traditiegetrouw de meest uitgebreide maaltijd van de dag en werd tussen twaalf en drie uur 's middags thuis gebruikt, waardoor ze goede hoop had dat ze Yitzhak thuis zou treffen.

Ze stelde Judd voor als haar Amerikaanse reisgezel.

'*Benvenuto*, Judd. Welkom.' Roberto schudde hem enthousiast de hand. 'Geen last van jetlag? Zo te zien niet.' Dat was Roberto's eeuwigdurende zorg, hoewel hijzelf nooit buiten hun eigen tijdzone had gereisd, ondanks Yitzhaks herhaalde uitnodigingen om hem te vergezellen.

'Geen spatje jetlag,' stelde Judd hem gerust.

Opgelucht wendde Roberto zich tot Eva. Hij zette zijn handen in zijn zijden en zei vermanend: 'Je hebt niets van je laten horen.' Met één enkel zinnetje bestreek hij haar auto-ongeluk, haar schuldbekentenis en haar tijd in de gevangenis en liet haar tegelijkertijd weten dat ze wat hem betrof nog altijd vrienden waren.

'Je hebt gelijk en het is mijn schuld. De brief van jou en Yitzhak heeft me goedgedaan.' Ze had het medeleven in de brief van de twee mannen niet vertrouwd en nooit teruggeschreven. Met plotselinge helderheid zag ze hoezeer ze zich had afgesloten.

'Het is je volledig vergeven. Ik ben streng maar grootmoedig, net als de paus. Heb je honger? Heb je trek in *un caffè*? Hij druppelt net door.' Koffie was hier even belangrijk als wijn.

'Koffie zou heerlijk zijn,' zei ze. 'Zoals je hem altijd zet, *molto caldo*.'

Hij nam het compliment glimlachend in ontvangst en wendde zich tot Judd. 'En jij, vriend van Eva?'

'Heel graag. Laten we je helpen.'

Roberto trok zijn wenkbrauwen naar haar op. 'Hij heeft manieren. Goedgekeurd.' Toen fluisterde hij in haar oor: 'En hij ziet er geweldig uit.' Hij wees op de Italiaanse manier, met gestrekte hand en de palm naar beneden, naar de gang en volgde hen.

Ze passeerden geopende deuren naar een zitkamer en een kleine, elegante eetkamer en Eva vroeg: 'Is Yitzhak thuis? We zouden hem ook graag zien.'

'Natuurlijk. En hij zal jou ook willen zien. Breng hem zijn koffie. Hij is in zijn *rifugio*.'

Ze gingen de moderne keuken binnen, die blonk van witgelakte muren en een roestvrijstalen koelkast en gasfornuis. De geur van verse koffie vulde de luchtige ruimte. Roberto schonk de koffie over in een karaf en zette kopjes, een melkkannetje, een suikerpot en lepels op een blad.

Hij wees naar het blad. 'Jouw werk, Judd.'

Judd pakte het blad op. 'Ga voor.'

Roberto leidde hen opnieuw naar de gang en naar de achterkant van het huis, waar een brede trap twee verdiepingen opsteeg. Maar hij opende de deur eronder en toonde een eenvoudige houten trap die omlaag leidde. Koele lucht steeg op. Ze bukten zich en daalden af in de kelder, waar de ruwe bakstenen muren en de ongelijke bakstenen vloer getuigden van de ouderdom van het huis.

In het midden van de vloer bevond zich het opvallendste kenmerk, een onregelmatig gat met houten treden, slechts tien jaar geleden vervaardigd en afdalend in wat een afgrond leek. Ernaast lag een luik vol oude bakstenen op een verhoging van multiplex. Het luik was precies even groot als het gat en Eva wist dat, als het op zijn plaats werd gelegd, de bakstenen keurig in elkaar overgingen en het gat verborgen.

Judd keek omlaag en zei met een uitgestreken gezicht: 'Waar zijn de vlammen? De kreten van gefolterde zielen?'

Roberto lachte. 'Het is Dantes *Inferno* niet, mijn nieuwe vriend. Je staat op het punt iets glorieus te zien wat weinig anderen hebben gezien. Maar ja, we zijn dan ook in Rome, ooit de *caput mundi*, de hoofdstad van de wereld, krioelend van meer dan een miljoen inwoners toen Parijs en Londen slechts buitenposten van lemen hutten waren. Geen wonder dat wij Romeinen zo trots zijn. Ik laat jullie hier achter.' Hij riep naar beneden: 'We hebben nog twee bezoekers, *amore mio*. Bereid je voor op een aangename verrassing.'

'Nog meer bezoekers?' Judd keek nieuwsgierig, maar liet verder niets merken. De aanwezigheid van derden maakte het moeilijker snel van Yitzhak te vernemen wat Charles' boodschap betekende.

Roberto knikte en zei geheimzinnig: 'Eva zal het leuk vinden.' Hij ging weer naar boven.

Eva kende de steile trap van eerdere bezoeken. Ze draaide zich om, pakte de leuning beet en daalde achterstevoren af. Judd volgde haar met het dienblad en ze betraden het privédomein van de professor.

Het was een grote ruimte, verlicht door Torchere-lampen, die zich onder de hele breedte van het huis uitstrekte en in de lengte van de achtertuin tot aan de straat, waar een kleine tunnel leek te zijn aan de rand van een langwerpige hoop puin. De vloer was van glanzend purperkleurig Frygisch marmer, met hier en daar beelden van naakten die tijdens de opgraving waren gevonden. Gedeeltelijk uitgegraven roze marmeren zuilen – voor het grootste deel nog begraven in ruwe bruine aarde – lichtten bleek op. Eén muur was volledig blootgelegd en bestond uit glad, vlak metselwerk dat blijk gaf van het nauwgezette vakmanschap van degenen die het tweeduizend jaar geleden hadden gemaakt. Het pronkstuk, dat Eva's hart altijd wat sneller deed kloppen, was een verbluffend mooi mozaïek van Jupiter en Juno, de koning en de koningin van de Romeinse goden, liggend op een troon. Weinigen hadden het gezien sinds het in de oudheid was bedolven.

Ze voelde Judds eerbiedige ontzag en toen een abrupte terugkeer naar scherpe oplettendheid. Zijn blik gleed door het vertrek naar de plek waar Yitzhak en twee anderen op houten stoelen rond een ongelakte houten tafel zaten waarop aantekeningen en leesbrillen lagen. De Amerikaanse hoogleraar was een wereldberoemd expert op het gebied van de Griekse en de Romeinse geschiedenis, met name het judaïsme. Hij had er tientallen boeken over geschreven.

Eva glimlachte en de drie stonden op. De professor rende haar met uitgestoken armen tegemoet. Hij was een kleine man met afhangende schouders die het energieke optimisme van een geboren Romein uitstraalde. Zijn gezicht en buik waren rond, zijn blik scherp en zijn hoofd zo kaal als een knikker, zodat het blonk in het licht. Hij was begin zestig, vijftien jaar ouder dan Roberto.

'Lieverd, het is veel te lang geleden.' Hij sloeg zijn armen om haar heen.

'Veel te lang.' Ze omhelsde hem.

Toen hij haar losliet, stelde ze Judd aan hem voor.

'Wat vind je van mijn kleine heiligdom, Judd?' vroeg Yitzhak nieuwsgierig. 'In de tijd van Augustus was het het domein van rijke families. Roberto vond een paar potscherven onder de bakstenen in de kelder toen we wat herstelwerkzaamheden moesten verrichten, en zo hebben we het ontdekt.'

Eva legde uit: 'Het oude Rome is een stad die bedolven ligt onder lagen historie die op sommige plekken vijftien meter dik zijn. Wat je ziet is heel bijzonder: meer dan tachtig procent is nog niet opgegraven.'

Yitzhak zei quasifluisterend: 'Verklap het aan niemand, Judd. Wij particuliere huiseigenaars doen onze opgravingen als dieven in de nacht omdat we niet willen dat de *Beni Culturali* aanklopt om ons uit te zetten. En ze hebben er een handje van precies dát te doen, zodat ze onze kleine vondsten openbaar kunnen maken.' Hij keek met stralende blik in het rond. 'De stilte en de afzondering maken het verre verleden griezelig tastbaar, nietwaar?'

'Dat is zo,' beaamde Judd terwijl hij het blad op tafel zette. Toen zei hij precies wat Yitzhak wilde horen: 'Uw huis is heel mooi.'

De professor glimlachte breed en zijn ronde gezicht rimpelde. 'Je moet kennismaken met mijn andere gasten. Dit zijn Odile en Angelo Charbonier, vanuit Parijs via Sardinië hierheen gekomen. We hebben heerlijk geluncht. En waarom ook niet? We zijn oude vrienden. Zulke goede oude vrienden dat Angelo mijn boeken al jaren koopt en leest, met de nadruk op "koopt".' Hij knipoogde naar Judd. 'Wat kun je nog meer verlangen? Eva, ik geloof dat je de Charboniers al kent.'

Angelo schudde Judds hand. 'Aangenaam.' Hij had een licht Frans accent.

Angelo, ruim een meter tachtig lang en eind veertig, zag er fris en energiek uit in zijn openhangende witte overhemd, beige jasje en zomerbroek. Zijn trekken waren gebeeldhouwd als die van Europese mannen die veel tijd doorbrengen in de gymzaal van hun exclusieve sportclub. Hoewel hij een rijke investeringsbankier was, had Eva hem tijdens de openingen en de diners waar ze hem had ontmoet altijd een nuchtere en charmante metgezel gevonden.

Eva kon niets uit Judds glimlachende gezicht opmaken toen hij antwoordde: 'Leuk u te ontmoeten.'

Odile, altijd wat gereserveerder, gaf Judd een hand en zei slechts: 'Aangenaam.'

'Wederzijds,' zei Judd.

Odile, iets jonger dan Angelo, was stiller en had een verfijnd gezicht en perfect gekapt platinablond haar. In haar dure fluwelen jasje en broek was ze een sierlijke, atletische gestalte. Tegelijkertijd had ze iets onbuigzaams, wat beslist van pas was gekomen toen Angelo en zij via Angelo's zakenrelaties en haar filantropische werk hoog waren opgeklommen in de Parijse society.

Nadat hij enkele beleefdheden met Judd had gewisseld, richtte Angelo zich tot Eva. 'Het spijt me van Charles. Zijn dood was natuurlijk een tragedie. Wil je me vergeven als ik zeg dat het, wat er ook gebeurd is, een ongeluk was en zeker niet jouw schuld? Charles was een geweldig man en jij bent een geweldige vrouw. Odile en ik zijn altijd dol op je geweest.'

Hij keek Odile aan, die heftig ja knikte.

Odile gaf Eva een hand. 'O, *chérie*, het spijt ons te zeer voor woorden.'

Onmiddellijk stak ook Angelo zijn hand uit. Geroerd nam Eva hem aan.

Hij drukte zijn lippen op haar hand. Toen hij opkeek, keek hij haar glimlachend aan. 'Ik ben blij dat je niet ernstig gewond bent geraakt bij het ongeluk.'

'Bedankt, Angelo. Bedankt, Odile. Heel lief van jullie.'

'Waarom wist ik niet dat je zou komen, Eva?' beklaagde Yitzhak zich terwijl hij haar waarderend aankeek. 'We hebben lang niets meer van je gehoord.'

'Het is allemaal mijn schuld,' bekende ze. 'Ik wist niet of...'

'We je nog steeds aanbaden?' maakte Yitzhak haar zin af. 'Domme meid. Natuurlijk wel.'

'Het zal je interesseren dat Yitzhak en ik het juist over de Gouden

Bibliotheek hadden,' zei Angelo. 'We hebben de opening in het British Museum gemist.'

'Aha, *Het boek der spionnen*. Wat een vondst.' Yitzhak boog zich over de tafel heen en pakte de karaf. 'Wie wil er koffie?'

'Geniet ervan. Ik ga naar boven om Roberto om mijn gebruikelijke aperitief te vragen,' zei Odile.

Terwijl ze de trap beklom, deed Yitzhak melk en suiker in de koffie en deelde de koppen rond. Terwijl ze gevieren bij elkaar stonden, keek Eva naar Judd, die de Charboniers heimelijk had bestudeerd. Hij glimlachte haar over de rand van zijn kop toe. Ze las niets in zijn grijze ogen.

'Had Charles nog maar geleefd om de opening te kunnen bijwonen,' zei de Fransman. 'Ik ben ervan overtuigd dat hij ons een nieuwe theorie zou hebben voorgelegd over de locatie van de bibliotheek. Zijn theorieën waren altijd heel knap.' Hij keek Eva aan. 'Ben jij er geweest?'

'Ja. Het was interessant en *Het boek der spionnen* is schitterend.'

'Ik benijd je.' De professor nam een slok koffie.

'Wat denk je dat Charles zou hebben gezegd?' vroeg Angelo nieuwsgierig.

Voordat ze kon antwoorden, viel Judd haar in de rede. 'Om je de waarheid te zeggen: Charles hééft iets gezegd – in zekere zin.'

Ze keek hem verbaasd aan.

'Eva,' zei hij, 'ik denk dat dit een goed moment is om de professor alles te vertellen. Het is niet nodig hem met een lange verklaring te vervelen. Geef hem gewoon Charles' boodschap.'

Judd had blijkbaar geconcludeerd dat het veilig was. Angelo Charbonier was eveneens een bibliofiel en misschien kon hij behulpzaam zijn – of stelde Judd de Fransman op de een of andere manier op de proef?

'Het is iets wat ik onlangs heb ontdekt.' Ze zweeg even. 'Het was alleen jouw naam, "Law", en de datum van onze trouwdag in 2008 – die we met jou en Roberto hebben gevierd. Weet jij waarom Charles zo'n bericht voor me zou achterlaten?'

De professor fronste zijn wenkbrauwen en probeerde het zich te herinneren. Hij wreef over zijn kin. Ten slotte grinnikte hij. 'Natuurlijk. Mijn oude brein was het bijna vergeten. Charles heeft een geheim cadeau voor je achtergelaten, Eva, of voor een eventuele boodschapper – maar je moest ernaar vragen en de datum noemen.' Hij liep naar de ladder.

'Is het hier?' vroeg Eva opgewonden.

Hij draaide zich om en zijn ogen dansten. 'Ja. Kom maar mee. Ik ben zelf ook benieuwd wat het is.'

28

Eva volgde Yitzhak en ze klommen naar boven, eerst naar de kelder en daarna naar het huis. Angelo en Judd vormden de achterhoede. In de gang hoorde ze de stemmen van Odile en Roberto in de zitkamer.

De professor ging hun door de luchtige keuken voor naar een grote opslagruimte met metalen rekken vol kartonnen dozen. Ze gingen naast hem staan en de sfeer was met spanning beladen toen hij om zich heen keek.

'Waar heb ik het gelaten?' Met opeen geknepen lippen liep hij naar de achterkant en schoof dozen opzij. Toen hij terugkwam, had hij een kleine, stevig dichtgetapete doos bij zich. Hij draaide hem om en toonde de bovenkant. 'Zie je? Hier staat je naam, Eva.' Hij gaf hem aan haar.

Ze staarde naar het handschrift. Het was dat van Charles.

'Misschien is het een beroemd collier uit het oude Perzië – of met juwelen bezette oorringen uit Mesopotamië.' Angelo's gebeeldhouwde gezicht straalde van spanning.

'Maak open,' beval Yitzhak.

Ze trok het plakband los en tilde het deksel op. Op een laag piepschuim lagen twee beschermende stukken karton van zo'n twintig centimeter breed en dertig centimeter lang, bijeengehouden door clips. Ze maakte ze los en zag een vel perkament. Op de ene zijde stonden kriebelige, verbleekte Arabische lettertekens, de andere kant was blanco. Er was niets op het beschermende karton geschreven.

'Wat is het?' vroeg Judd.

'Het lijkt iets van een oud document.' Ze gaf het vergeelde vel aan Yitzhak. Het was veel kleiner dan de stukken karton, ongeveer acht bij tien centimeter.

'Laten we naar de keuken gaan, daar zie ik het beter.' Yitzhak ging hun voor naar een groot slagersblok in het midden van het lichte vertrek.

Eva ging naast Yitzhak staan terwijl hij het fragment voorzichtig op het hakblok legde en zijn leesbril recht op zijn neus zette. Judd en Angelo gingen aan zijn andere zijde staan; ze waren ongeveer even lang en hadden dezelfde lichaamsbouw, zag ze.

Terwijl Yitzhak in zichzelf mompelend vertaalde, woelde Eva door de piepschuimkorrels. 'Er zit nog iets in.'

Ze haalde een taps toelopende cilinder van glinsterend goud uit de doos, circa twintig centimeter lang en, afgaande op het gewicht, hol. Aan de dunste kant was de diameter vijf centimeter, aan de andere kant ongeveer tien centimeter. Op beide uiteinden glommen volmaakt ronde ivoren knoppen.

Yitzhak staarde naar de staaf. 'Eenvoudig maar spectaculair.'

'Prachtig,' zei Angelo. 'Maar wat is het? Staat er iets op geschreven?'

'Kan hij open?' vroeg Judd.

Ze draaide de cilinder rond en iedereen boog zich naar haar toe.

'Er zijn kleine pijlen, schilden en helmen in gegraveerd. Decoraties, geen letters. Ik zie niet hoe hij opengaat. Probeer jij het eens, Judd.'

Ze zag niets wat verband hield met de Gouden Bibliotheek. Ze gaf de cilinder aan hem.

'Hij ziet er heel oud uit,' merkte Angelo op.

'Dat is ook zo,' zei Eva. 'Het is niet alleen een kunstwerk, het had ook een functie. Je ziet het aan het patina, de kleine slijtplekken en krassen door het gebruik. Het heeft niet zomaar op een kleed in een troonzaal gelegen.'

'Als hij open kan,' meldde Judd, 'zie ik niet hoe.'

'Laat mij eens proberen.' De Fransman nam de conische staaf over, hield hem met beide handen vast en bestudeerde hem.

Yitzhak tuurde hen over zijn leesbril heen aan. 'Het fragment is Arabisch-judaïsch. Militaire poëzie. Het maakt melding van de Spartanen en geheime brieven.'

'Dat is het,' zei Eva begrijpend. 'Het fragment geeft aanwijzingen: de Spartanen, geheime brieven en het leger. De cilinder is een *skytale*. De skytale is rond vierhonderd voor Christus uitgevonden door de Spartanen voor geheime communicatie tussen legeraanvoerders. Het was de eerste bekende toepassing van cryptografie voor correspondentie, maar de meeste skytales hebben over de hele lengte dezelfde diameter; ze lopen niet zoals deze taps toe. Toen ik in het Getty Museum een expositie van oude Griekse voorwerpen beheerde, had ik geluk en vond ik er een, maar die was van gewoon laurierhout.'

'Hoe werkt het?' vroeg Judd.

'Een smalle reep perkament of leer wordt van het ene einde naar het andere diagonaal om de stok heen gedraaid, zonder zichzelf te overlappen. Daarna wordt de boodschap in de lengte op de skytale geschreven. Als de reep wordt afgewikkeld, ziet het bericht eruit als een verzameling willekeurige letters, wartaal. Een boodschapper brengt hem naar de ontvanger, die de reep om zijn eigen skytale wikkelt – die uiteraard dezelfde afmetingen moet hebben. Dan kan hij het bericht lezen.'

'Skytales werden dus gebruikt voor transpositionele versleuteling,' zei Judd. 'Laat me nog eens kijken, Angelo.'

Met tegenzin stond Angelo hem af. 'Het verwarmt je handen. Een eigenschap van goud.'

Yitzhak glimlachte naar Eva. 'Charles heeft je een prachtig cadeau nagelaten. Het is waarschijnlijk veel geld waard.'

'Het zou me een eer zijn het van je te kopen,' zei Angelo ogenblikkelijk.

'Bedankt, Angelo, maar ik wil hem houden.'

Hij kneep zijn lippen op elkaar, teleurgesteld. 'Zit er nog meer in de doos? Ik wacht nog altijd op dat collier uit Perzië.'

Ze nam de skytale van hem aan, legde hem op tafel en woelde door de doos.

'Ik vraag me af of Angelo gelijk heeft,' zei Judd. 'Of er niet nóg iets in zou moeten zitten, een reep papier bijvoorbeeld met nog een boodschap van Charles die om de skytale past, zodat je hem kunt lezen.'

Eva staarde hem aan en draaide de doos toen opeens om, zodat de piepschuimkorrels er uitvielen. Terwijl de mannen ze uitspreidden, inspecteerde zij de binnenkant van de doos.

'Er is met heel kleine letters iets op de bodem geschreven,' zei ze verbaasd. 'Ik heb iets nodig om de zijkanten open te snijden.'

Judd pakte een broodmes van een magneetstrip boven het aanrecht en gaf die aan haar. Ze sneed de doos open en hij hing het mes terug.

'Het is Charles' handschrift.' Ze las voor: 'Denk aan de geniza van

Caïro. Maar de geniza van het verlangen van de wereld heeft het antwoord.'

'Wat is een *geniza?*' vroeg Judd.

'Het is het Hebreeuwse woord voor bergplaats of schuilplaats,' legde Yitzhak uit. 'Alle versleten boeken en bladzijden – van oude hagada's en woordenboeken tot kwitanties en kinderboeken – worden naar een veilige plaats in een synagoge gebracht, in een muur of op een zolder, tot ze een gepaste begrafenis kunnen krijgen.'

'Eerbied voor het geschreven woord is heel gewoon binnen religies,' zei Angelo. 'Moslims bijvoorbeeld geloven dat de koran te heilig is om zomaar af te danken.'

'Maar de joodse geniza is anders,' legde Yitzhak uit. 'Die gaat ervan uit dat niet één enkel boek, maar het geschreven woord als geheel heilig is. In de rabbinale traditie is een geniza een graf voor geschriften.'

'En Caïro?' vroeg Judd.

Yitzhak sloot zijn ogen en er verscheen een dromerige uitdrukking op zijn gezicht. 'Dat is lang, heel lang geleden – eind negende eeuw – toen de joden in wat later Caïro zou worden een verwoeste koptische kerk tot synagoge verbouwden. Ze hakten een opening vlak onder de top van een hoge toren. Kinderen en volwassenen klommen elke dag de ladder op om er alle boeken en stukken papier in te laten vallen die wij tegenwoordig weg zouden gooien. Horen jullie het ritselen terwijl ze naar beneden dwarrelen? De bijdragen stapelen zich duizend jaar op – duizend jaar! – en de woestijn conserveert alles. Toen, iets meer dan een eeuw geleden, gaven de rabbi's eindelijk toestemming voor onderzoek.'

Zijn ogen gingen open. 'Voilà. De geniza geeft haar schatten prijs. Eén kostbaar fragment was afkomstig van *De wijsheid van Ben Sira – Ecclesiasticus.* De oudste versie die we tot dan hadden was een Griekse, hoewel het origineel veel eerder was geschreven, in het Hebreeuws, in tweehonderd na Christus. Door de luchttombe in Caïro ✱ weten we veel meer over hoe mensen van India tot Rusland en Spanje leefden, waar ze over nadachten, wat ze aten en kochten en waarvoor ze vochten. Het leidde tot tientallen wetenschappelijke boeken.'

'Maar wat heeft dat ermee te maken?' vroeg Angelo. 'Het is gewoon een nieuw mysterie. Charles had de irritante gewoonte dubbelzinnig te zijn.' Hij keek naar de glanzende skytale op de tafel.

Judd hield hen bij de les. 'Wat heeft Charles' skytale te maken met "de geniza van het verlangen van de wereld"?'

'Zijn aantekening duidt erop dat hij niet de geniza van Caïro bedoelde,' zei Eva. 'Het gaat dus niet om Caïro.'

'Je hebt natuurlijk gelijk.' Judd glimlachte. 'Maar wel om Istanbul. Zo wordt het genoemd – de Stad van het Verlangen van de Wereld.'

'Elke synagoge daar zou een geniza hebben,' zei de professor. 'Maar dat zijn een heleboel *genizot* om door te spitten.'

Judd keek de professor over de tafel heen aan. 'Misschien heeft Charles dit pakje niet alleen bij jou achtergelaten omdat hij erop vertrouwde dat je het voor Eva zou bewaren, maar omdat je misschien zou begrijpen wat ze daarna moest doen.'

'Je hebt een punt, vriend,' beaamde Yitzhak. 'Laat me nadenken... Istanbul. Geniza...' Hij fronste zijn wenkbrauwen en wreef over zijn kale schedel. Ten slotte glimlachte hij. 'Charles kon zo'n plaaggeest zijn. Ik denk dat hij Andrew Yakimovich bedoelde. Yakimovich heeft de grootste particuliere verzameling documenten uit de Caïro-geniza van Istanbul. De grootste in de regio zelfs.'

'Ik herinner me hem,' zei Eva. 'Hij is antiquair.'

Ze had zich op Yitzhak geconcentreerd, maar keek nu net op tijd naar Judd om te zien dat hij zijn blik op Angelo had gericht, wiens hand zojuist in en uit zijn jaszak was gegleden. Judd draaide zich achteloos om.

'Woont die Yakimovich in Istanbul?' De fijne rimpels op Angelo's gebeeldhouwde gezicht werden dieper van nieuwsgierigheid.

'Hij is notoir terughoudend en reist veel rond,' antwoordde ze. 'Ik herinner me zijn adres niet en zelfs als ik het wist, zou het niet helpen.'

'Hij heeft Charles en mij wel eens geadviseerd.' Yitzhak zette zijn leesbril af en richtte zich tot Eva. 'Het zou me niet verbazen als Charles, aangezien hij de skytale bij mij heeft achtergelaten, ook bij Andrew een wat Judd transpositionele versleuteling noemde heeft achtergelaten.' Opgewekt voegde hij eraan toe: 'Nog een cadeau, Eva. Ik vraag me af wat voor bericht Charles erop heeft geschreven.'

'Yakimovich vinden zal...' Eva verstarde.

Angelo haalde een pistool achter uit zijn broeksband en zwaaide ermee heen en weer. Maar Judd was al in actie gekomen. Toen Angelo zijn mond opende om hem te waarschuwen, boog Judd zich voorover en zijn voeten vlogen over de vloer. Hij ramde zijn schouder tegen de borst van de Fransman. Hij viel met een klap tegen de muur.

'Wat doen jullie!?' riep Yitzhak. 'Hou daarmee op!'

Eva pakte de professor bij zijn arm en trok hem achter de tafel toen het wapen knalde. De keuken schudde onder het lawaai. De kogel drong in het plafond en er daalde een sneeuwstorm van pleisterwerk neer.

Angelo sloeg met het pistool naar Judds hoofd. Judd ontweek het, rukte het uit zijn hand en legde zijn onderarm tegen Angelo's keel. Hij zette het wapen tegen diens slaap.

Angelo's gezicht was rood en woedend. Hij vloekte in het Frans.

'Een man die niet wil dat iemand weet dat hij een bedreiging vormt, kan beter geen uitstulping onder zijn jasje hebben,' zei Judd kalm. 'Ik zag het toen ik achter je op de ladder liep. Wat heb je met de Gouden Bibliotheek te maken?'

'Dat zul je nooit weten,' zei Odile in de deuropening van de keuken.

Eva draaide zich om haar as. Roberto wankelde naar binnen, met Odile achter zich aan, die met vaste hand een pistool tegen zijn achterhoofd hield.

Het werd stil in de keuken.

'Judd, geef het wapen weer aan Angelo,' zei Odile kalm, 'of ik dood Roberto.'

29

Bash Badawi slingerde op zijn skateboard door de straat tegenover het huis van Yitzhak Law. Hij zag er doodgewoon uit in zijn slobberbroek, trui met capuchon en kleine rugzak. Zijn sluike, gitzwarte haren omlijstten een donker gezicht en amandelvormige bruine ogen. Hoewel hij een oortelefoon in had als onderdeel van zijn vermomming, was het constante dreunen van verkeer en het praten van de voetgangers die hij passeerde het enige wat hij hoorde.

Terwijl hij over het kruispunt slalomde en omdraaide om via de overkant van de straat terug te keren, keek hij naar Carl, die nog onverstoorbaar bij de bushalte zat met zijn tas vol boodschappen, en naar Martina, in haar strandstoel onder de paprikaboom, kin naar voren, zogenaamd de krant lezend. Alles was onder controle.

Desondanks remde hij af om de omgeving te bestuderen en zich af te vragen wat die man achter een kinderwagen te betekenen had. Hij was gekleed in een grijs joggingpak en een halfuur geleden gepasseerd. Toen was hij teruggekomen en nu weer de hoek om geslagen. Het was een lange, zware man met een scherp gezicht en dichte zwarte wenkbrauwen. Misschien liep hij met de baby een blokje om om een frisse neus te halen.

Bash zag ook een man met lange bruine haren en een mager gezicht op een blauwe Vespa. Hij was een kwartier geleden langsgereden en misschien ook al eerder. Het krioelde in Rome van scooters en er reden heel wat Vespa's rond. De man zou een koerier kunnen zijn.

Onder de brede kroon van een esdoorn door naderde hij opnieuw het oude huis van Yitzhak Law. Hij zag niemand achter de ramen, maar toen hij passeerde, klonk er ver achter in het huis een zachte knal, gedempt door de stenen muren. Een schot. Zijn borst verstrakte. Hij maakte onmiddellijk rechtsomkeert, zette af op het trottoir en racete op zijn skateboard terug naar de trap.

In de keuken hield Judd zijn pistool onbeweeglijk tegen de slaap van Angelo Charbonier en zijn arm tegen zijn keel. Met één beweging kon hij Angelo's strottenhoofd verbrijzelen als die zijn wapen probeerde terug te nemen.

Maar Angelo glimlachte triomfantelijk nu Odile er was. Zijn ogen waren hard en zwart als antraciet. 'Geef me mijn pistool terug, Judd,' beval hij. 'Je wilt toch niet dat Roberto iets overkomt.'

Roberto was bleek van angst. Zweet glinsterde op zijn voorhoofd. 'Ik begrijp niet...' Hij keek Yitzhak hulpeloos aan.

De professor was opgestaan achter de tafel. Hij knipperde snel met zijn ogen toen hij vroeg: 'Doe jullie wapens weg. Jullie allemaal. Wat is dit voor krankzinnig gedoe?'

Odile vroeg haar man in het Frans: 'Heb je de mannen opgeroepen?'

Eva wilde het vertalen voor Judd.

Judd viel haar in de rede. 'Ik weet wat Odile zei. En ik vermoed dat hun mensen hier zijn of elk moment kunnen komen. Ik zag dat Angelo zijn hand in zijn zak stak toen hij over Yakimovich hoorde.' Hij zei tegen Angelo: 'Je dacht dat je alles gehoord had wat je te horen zou krijgen en hebt ze een signaal gegeven, nietwaar?'

Angelo's glimlach werd breder, maar hij gaf geen antwoord. 'We hebben nu wat je noemt een patstelling. Als je me mijn wapen niet teruggeeft, schiet Odile Roberto dood. En geloof me, ze doet het.'

'Ik kom in de verleiding hoe dan ook te schieten,' zei Judd. 'Jou te doden en tegen de tijd dat Odile de trekker overhaalt, schiet ik haar neer. Dan zijn jullie er alle twee geweest.'

Odile ging verder achter Roberto staan, zodat zijn lichaam een beter schild was tegen de bedreiging die Judd vormde. 'Er is een andere oplossing,' zei ze. 'Jij en ik kunnen ons wapen wegstoppen. We kunnen praten.'

'Laat je wapen zakken, Odile,' zei hij, 'dan laat ik het mijne zakken.'

Ze knikte.

Toen hij de treden naar het huis naderde, remde Bash Badawi zijn skateboard af en keek nogmaals. Er was, behalve het schot, nog iets mis en hij kon niet precies zeggen wat. De namiddagzon scheen fel en veranderde het straattafereel met de ronkende auto's, lage scooters en op en neer bewegende voetgangers in golven van kleur. Terwijl zijn geest snel op een rijtje zette wat zijn ogen zagen, realiseerde hij zich dat een groep van zes mannen in korte broek en t-shirts met brede groene, witte en rode strepen – de kleuren van de Italiaanse vlag – de hoek om was gekomen, lichtvoetig en met geheven onderarmen, handen los, de gebruikelijke manier van joggers. Alles schijnbaar normaal.

Maar dat was het niet. De groep verspreidde zich, nog steeds joggend; vier van hen staken de straat over naar Carl en Martina, twee kwamen in zijn richting. Het waren lijfwachten, huurmoordenaars, en ze hadden het gemunt op hem en zijn team, wat betekende dat iemand – de Vespa-rijder misschien of de man in joggingpak achter de kinderwagen – de omgeving al voor hen had verkend.

Met zijn blik gericht op de twee die op hem af kwamen, liet Bash zijn hand onder zijn jack glijden, maakte zijn schouderholster open en pakte de kolf van zijn browning beet.

Terwijl Judd zijn blik op Odile gericht hield, lieten hij en zij hun pistool langs hun lichaam zakken. Niemand bewoog of sprak, zwevend in een tableau van spanning. Het enige geluid was de hortende, bange ademhaling van Roberto, die tegen de harde oppervlakken van de keuken leek te sidderen. Hij rende naar Yitzhak, die zijn arm om hem heen sloeg.

Alsof ze Roberto ruimte wilde geven schoof Eva dichter naar Odile toe en bleef op een meter afstand van haar staan. Judd, die zich haar ervaring met karate herinnerde, wisselde een blik met haar uit. Ze kneep haar ogen half dicht en knikte bijna onmerkbaar.

Judd stapte weg van Angelo. 'Vertel me over de Gouden Bibliotheek.'

Maar het was Odile die antwoord gaf. 'Er valt niets te zeggen. We zijn er natuurlijk allemaal al jaren nieuwsgierig naar.'

'Gelul,' zei Judd. 'De bibliotheek is de reden waarom jullie hier zijn. Waarom Angelo zijn wapen trok. Waarom jullie mensen buiten hebben. Jullie willen verhinderen dat we haar vinden.'

Angelo Charbonier richtte zich op tegen de muur en streek zijn sportjasje glad. 'Ik wil weten aan wie jullie hebben doorgegeven wat jullie te weten zijn gekomen.'

'Dat zal ik je vertellen,' loog Judd, 'als jullie me vertellen wat jullie relatie is tot de bibliotheek.'

'Laten we eens aannemen dat je gelijk hebt en dat we iets weten,' zei Angelo langzaam. 'Misschien zelfs dat ik lid ben van de kleine boekenclub die de bibliotheek steunt.'

'Was mijn vader ook lid?' vroeg Judd onmiddellijk.

Angelo keek een ogenblik verbaasd en schudde toen heftig nee. 'Jouw beurt.'

Het was een begin, maar Judd vertrouwde Angelo niet. 'Stel dat we jullie de skytale geven en dat jullie ons meer vertellen. Dan kunnen we allemaal levend en wel weglopen en vergeten dat dit ooit is gebeurd.'

'Dat opent perspectieven,' beaamde Angelo.

Judd keek opnieuw naar Eva en zij keek terug.

Hij wees naar de tafel. 'Daar is de skytale. Ga je gang, Odile. Pak hem.'

'Nee,' riep Angelo.

Maar hij was te laat. Odile liep er al naartoe.

Bash nam snel een besluit. Hij had opdracht Judd Ryder en Eva Blake te beschermen. Zijn teamgenoten, Martine en Carl, zouden zich wel redden. Hij moest het huis van de professor binnendringen, en snel ook.

Geen van de beide huurmoordenaars die op hem af kwamen had tot nu toe een wapen getrokken en dat waren ze waarschijnlijk ook niet van plan voordat ze bij hem waren en hem geruisloos konden liquideren. Hij concentreerde zich op hen en stuwde zich steeds sneller voort op zijn skateboard.

De twee mannen waren slechts zes meter van hem verwijderd. Nog steeds joggend verstrakten ze toen ze hem zagen versnellen. Ze tilden hun shirt een paar centimeter op en pakten een klein kaliber pistool met geluiddemper.

Bash trok zijn browning. De lucht voelde heet en glibberig aan toen hij erdoorheen racete. De twee huurmoordenaars mikten. Hij boog zijn knieën, liet zijn voet naar de punt van zijn skateboard glijden en gebruikte de andere om de achterkant omlaag te stampen. Het bord kantelde en vloog de lucht in.

Verrast keken de mannen op. Bash verlegde zijn gewicht en het skateboard ramde de borst van een van de mannen. Hij viel hard op zijn rug en zijn pistool vloog weg.

Bash kwam neer, rolde door en ving de klap op. Er spatte een kogel naast hem in het trottoir terwijl hij doorrolde. Betonsplinters drongen in zijn huid. De gevelde huurmoordenaar graaide haastig naar zijn wapen en kwam op zijn hurken overeind toen een tweede kogel naast Bash' hoofd in het trottoir drong.

Bash schoot twee keer, één keer in de borst van de staande man en toen in die van de andere. Bloed spatte van hun T-shirt. Voetgangers die uit beide richtingen naar hen toe liepen, stoven uiteen. Op hetzelfde moment klonk er een schot aan de overkant van de straat.

Bash sprong overeind en zigzagde door het verkeer. Martine lag onderuitgezakt in haar stoel, met haar hoofd op haar borst, en Carl lag ineengedoken naast de bushalte. Bash haalde diep adem. Beiden waren uitgeschakeld. Toen zag hij dat de moordenaars naar de trottoirband jogden om over te steken en achter hem aan te komen.

Hij griste zijn skateboard mee en rende de trap naar de deur van Yitzhak Law op.

30

De klank van Angelo's luide 'nee!' galmde in Judds oren terwijl Odile naar de blinkende gouden skytale op de keukentafel graaide. Eva's vuist schoot uit in een *kentsui-uchi*-slag naar Odiles zijde. Ze draaide zich om haar as en hield haar heupen horizontaal en haar bovenlichaam verticaal en ramde haar elleboog in een *tate-hiji-ate*-slag naar de onderkant van Odiles kin.

Odiles hoofd sloeg achterover en haar pistool ging af. Er klonk gekreun en Roberto viel tegen de tafel en gleed op de grond. Het bloed stroomde uit de bovenkant van zijn schouder, waar de kogel door zijn overhemd was gegaan.

'Roberto! Roberto!' Yitzhak knielde naast hem

Ondanks de aanval hield Odile het wapen stevig vast. Terwijl de twee vrouwen erom vochten, dook Angelo naar Judd.

Judd stapte snel opzij en richtte zijn wapen op Angelo. 'Stop, verdomme!'

Er verschenen rimpels van woede op Angelo's voorhoofd. Hij vloekte luid, maar verstarde en staarde naar het pistool.

Judd keek naar de vrouwen juist toen Eva met de zijkant van haar hand uithaalde naar Odiles wapen, maar Odile richtte een *shuto-uchi*-slag met de meskant van haar hand naar Eva's arm, balanceerde en haalde woest uit met een *mae-geri*-trap naar haar been.

Eva struikelde en Odile zette de loop van het pistool in haar maagstreek. Odiles platinablonde haren waren een wilde bos en haar ogen fonkelden van woede. Judd schoot en de kogel drong in het hoofd van de Française doordat ze zich plotseling bukte. Bloed sproeide in het rond terwijl ze, met het wapen nog in haar hand, boven op Eva viel.

'Pak haar wapen, Eva,' beval Judd terwijl hij zich omdraaide om Angelo onder schot te houden.

Maar Angelo had een scherp fileermes van de magneet boven het aanrecht gepakt. '*Bâtard.*' Hij kwam op Judd af.

In de deuropening klonken twee schoten. Angelo verstarde, wankelde en viel toen, en er verscheen een vuurrode vlek op zijn beige jasje waar de kogels waren binnengedrongen.

Terwijl de stank van kruit zich door de keuken verspreidde stapte Bash Badawi naar binnen, zijn wapens nog steeds geheven in een gespierde hand terwijl zijn skateboard in de andere hing.

'Gelukstreffers.' Judd grijnsde naar hem.

'Niks gelukstreffers. Blij dat ik op tijd was voor het feest. Hoe is het, Eva?'

'Beter dan ooit.' Met Odiles pistool in haar hand hurkte Eva naast Roberto en Yitzhak op de grond. Haar gezicht en groene jack zaten vol bloedspatten.

Bash keek naar Angelo's roerloze lichaam en toen naar Odile. 'Ze moeten vóór mij zijn aangekomen. Niets wees erop dat ze hier waren.'

Judd knikte. 'Hoeveel huurmoordenaars?'

'Nog vier in actie, gekleed als joggers. Twee andere uitgeschakeld.' Er verscheen een korte, geamuseerde glimlach op zijn jonge gezicht. 'Ik heb ruzie met ze gehad.' Toen voegde hij er nuchter aan toe: 'Ik vrees dat we Martine en Carl kwijt zijn.'

'Dat is vreselijk. Het spijt me. Hoe ben je binnengekomen?'

'Ik heb het slot geforceerd. De *Polizia di Stato* is onderweg. Ik hoorde sirenes, dichtbij. Ze zullen zich richten op de twee huurmoordenaars op het trottoir en op Martine en Carl. Het goede nieuws is dat de sirenes en de getuigen de laatste vier van het liquidatieteam wel verjaagd zullen hebben.'

'Maar ze kunnen terugkomen via de achterdeur.' Judd schoof de grendel toe en keek uit het grote keukenraam, dat uitkeek op een kleine achtertuin met seringen en gras. Een klinkerpad leidde naar een hoge, bakstenen muur rondom het perceel. Daarachter lag een beklinkerde steeg, zichtbaar door een smeedijzeren poort. Niemand te zien.

'We moeten er bliksemsnel vandoor,' zei hij. 'Check de vrouw, Bash. Ik neem de man.' Hij liep naar Angelo.

'Roberto heeft een dokter nodig,' bracht Eva hem in herinnering. 'Hoe voel je je, Roberto?'

'Is het voorbij?' fluisterde Roberto. Hij ging rechtop zitten, met zijn rug tegen een tafelpoot. Zijn baardige gezicht was vaalbleek, zijn lippen waren droog.

'Alles is in orde,' stelde ze hem gerust.

'Hou dit voor me vast.' Yitzhak wees naar de bebloede zakdoek die hij op Roberto's schouderwond drukte. 'Ik bel een ambulance.'

'Deze is dood,' rapporteerde Bash, over Odile heen gebogen. 'En de jouwe?'

'Ook dood.' Judd veegde de kolf van Angelo's pistool af en drukte het in zijn slappe hand. Hij doorzocht Angelo's zakken en liet de portefeuille zitten. Er zat niets nuttigs in, zelfs geen mobiele telefoon. 'Kan jouw wapen worden getraceerd, Bash?'

'Met geen mogelijkheid. Zo stom ben ik niet.'

'Mooi zo. Zorg dat de vingerafdrukken van de vrouw erop zitten en laat het naast haar achter. Het zal eruitzien alsof ze elkaar hebben doodgeschoten. Neem Odiles pistool over van Eva. Je moet gewapend zijn.'

'Nee.' Yitzhak, zijn hand uitgestoken naar de telefoon in de keuken, draaide zich om en keek hen dreigend aan. Zijn gezicht was rood van woede en er lagen zweetdruppels op zijn kale hoofd. 'We moeten de politie de volledige waarheid vertellen.'

Onder druk van de tijd negeerde Judd de professor en zei tegen Bash: 'Zodra je hier klaar bent, ga je naar de voorkant van het huis en check je de ramen. Ik wil weten wat er buiten gebeurt.' Toen richtte hij zich tot Yitzhak. 'Leg de telefoon neer, professor. Roberto heeft een vleeswond. We zullen zorgen dat hij medisch behandeld wordt, maar nu nog niet. Hier blijven zou uw doodvonnis kunnen zijn. En dat van Roberto. Die mensen hebben geprobeerd Eva te vermoorden.'

Yitzhak keek haar fronsend aan. 'Is dat zo?'

'Ja,' zei ze. 'Herinner je je de *opritsjniki* van Ivan de Verschrikkelijke? Zo zijn ze: volkomen meedogenloos.'

'Ze zullen erachter willen komen wat jullie over ons weten en waar we naartoe gaan,' zei Judd. 'Ze zullen jullie opsporen en zodra jullie het hun hebben verteld, zullen ze jullie doden. We moeten allemaal weg, en snel. Kun je lopen, Roberto?'

'Ik denk het wel.' Zijn stem was zwak. Hij had geluisterd, met grote, bange ogen. 'Ja, het is duidelijk dat we weg moeten gaan.'

'Eva, steun jij Roberto aan de ene kant, dan neem ik de andere.' Yitzhak legde de telefoon weer op de haak.

Ze ondersteunden Roberto en hij stond op toen Bash weer de keuken binnenkwam.

'De politie zet de straat af,' zei hij. 'Ik heb de tas van de dode vrouw gevonden in de zitkamer. Ze had ook geen telefoon.'

'Ik ga liever niet door de achterdeur,' zei Judd. 'Yitzhak, ik zag iets wat het begin van een tunnel leek aan het eind van je schuilplaats beneden. Kunnen we daarlangs weg?'

'Ik denk het wel, maar het is misschien niet gemakkelijk.' Yitzhaks stem klonk krachtig. Met Roberto's niet-gewonde arm over zijn schouder was hij weer helemaal de oude.

Eva pakte de gouden skytale en het fragment in Arabisch-judaïsch en zij en de anderen gingen voorop. Judd verscheurde het deksel en de bodem van de kartonnen doos met Charles' handschrift en Eva's naam. Hij stopte de stukken in de afvalvermaler, zette hem aan en gooide toen de piepschuimbolletjes en de rest van de doos in de vuilnisbak. Hij keek de keuken rond om er zeker van te zijn dat ze niets hadden achtergelaten. Ten slotte checkte hij het raam... en liet zich achter het aanrecht vallen. Langzaam kwam hij weer overeind, net ver genoeg om naar buiten te kunnen kijken.

Er stonden mannen bij de achterpoort. Een van hen had een grijs joggingpak aan, de anderen waren gekleed in korte broek en t-shirt. De grote man in het joggingpak probeerde de poort te openen, maar die was op slot. In zichzelf mompelend haalde hij lopers tevoorschijn.

Judd rende naar de ladder onder de brede trap en daalde af in de bakstenen kelder. Stemmen stegen op uit het onregelmatige gat in de vloer. Hij draaide zich om en klom omlaag, even stoppend om het luik met de bakstenen over het gat te trekken. Het was zwaar, maar hij wrikte het omhoog en legde het op zijn plaats. Met een beetje geluk zouden de moordenaars Yitzhaks geheime plek niet ontdekken.

Hij klom haastig verder naar beneden, waar Jupiter en Juno hem vorstelijk aankeken vanaf hun troon. Er heerste stilte in de oude ruimte, een stilte die hem leek te omhullen en veiligheid beloofde. Maar ze waren nog niet veilig.

De anderen hadden zich verzameld aan de straatkant van het lange vertrek, waar puin lag en een bruine zandwal opsteeg naar het plafond. Bash en Eva gooiden brokstukken opzij. Wat een smalle tunnel was geweest, was nu veel groter.

Eva zag hem. 'Zijn Angelo's mannen binnen?'

'Nog niet, maar het is een kwestie van minuten.' Hij rende naar hen toe.

De tunnel was circa een meter twintig hoog en een meter breed. Het was donker aan de andere kant en hij hoorde vaag het geluid van stromend water. Vijf zaklampen lagen op een rij op de marmeren vloer.

'Jij gaat voorop,' zei Roberto tegen de professor. 'Ik kan zelf lopen. Judd heeft gelijk. Ik voel me goed... ik zie er alleen niet uit.' Hij keek naar de bebloede zakdoek die hij op de wond drukte.

De professor knikte. 'We gaan onder de straat door. Pak een zaklamp.' Hij gaf er een aan Roberto en nam er zelf een. Hij bukte zich en liep het donker in.

'Ik ga als laatste,' zei Judd tegen de anderen, denkend aan de huurmoordenaars, die misschien slimmer waren dan hij hoopte.

Bash pakte zijn skateboard en Eva gooide haar tas op haar rug. Ze verdwenen in het gat. Judd bleef even staan. Toen hij boven niets hoorde, bukte hij zich en haastte zich het donker in. Zijn zaklamp wierp een lichtbundel voor hem uit. De lucht begon naar mos en vocht te ruiken.

De kleine groep stond aan het einde op hem te wachten.

'Dit moet je zien,' zei Eva tegen hem.

Hij wrong zich langs hen en zag een natuurlijke ondergrondse tunnel, zwart en schijnbaar eindeloos, een ruwe aarden gang door het oude Rome, bijna twee meter hoog en vier meter breed, in de loop der eeuwen uitgesleten door een zoetwaterstroom die met hoge snelheid voorbijraasde. Toen hij zijn zaklamp erop richtte, glinsterde het als kwik.

Hij bewoog zijn zaklamp opnieuw. Het stroompje was aan weerszijden omgeven door zanderige oevers, niet hoog boven het snelstromende water. Ze waren verraderlijk smal, op sommige plekken niet meer dan dertig centimeter. Het zou riskant zijn. Ze zouden achter elkaar aan moeten lopen.

'Volgt het stroompje de straat?' vroeg hij.

'Ja, in elk geval voor een deel,' antwoordde de professor. 'Ik geloof dat het uitkomt in de Cloaca Maxima – het hoofdriool – ten westen van hier, een oud riool onder het Forum Romanum, waar meer ondergrondse rivieren in uitmonden.'

'Hoe komen we uit de tunnel?'

'Ergens onderweg moet een uitgang zijn. We zullen niet de enige bewoners zijn die de stroom hebben ontdekt. Roberto en ik hebben het ooit verkend, maar niet ver. Het was toen niet belangrijk.'

Judd knikte. 'Het lijkt me beter dan wat ons in het huis wacht. Yitzhak, ga jij weer voorop. Jij kent de tekenen die ons zullen vertellen dat we een ontsnappingsmogelijkheid hebben. Daarna Eva en Roberto. Bash en ik gaan als laatsten, voor het geval we worden gevolgd. Kom, we gaan.'

31

Dubai, Verenigde Arabische Emiraten

De chique cocktailparty was op de eenendertigste verdieping van de verbluffende Burj a-Arab, de Toren van de Arabieren, het grootste en misschien wel prachtigste hotel ter wereld. De suite strekte zich over twee hele verdiepingen uit en kon bogen op een marmeren wenteltrap, kilometers vierentwintigkaraats gouden decoratie en grote ramen met panoramische vergezichten op de olierijke Perzische Golf. Twee Saoedische prinsen in wapperende witte *kandura* waren zojuist met hun hele gevolg vanuit Saint-Tropez aangekomen via het heliplatform op de negenentwintigste verdieping.

Martin Chapman, de directeur van de Gouden Bibliotheek, verplaatste zijn aandacht van het gedrang om hem heen naar een Russische verslaggever en zijn minnares, die gesprekken voerden op met diamanten ingelegde mobiele telefoons van tienduizend dollar. Chapman glimlachte geamuseerd, maar hij zou zijn werknemers nooit zoveel protserig vertoon toestaan.

Chapman, conservatief gekleed in driedelig pak met zijsplitten, excuseerde zich tegenover een groep internationale bankiers en liep weg. Hij droeg zijn onmetelijke persoonlijke fortuin met het natuurlijke gemak van Oud Geld, al had hij verdomme elke cent eigenhandig verdiend.

Tussen de deelnemers door zigzaggend genoot hij van de onderstroom van opwinding en onversneden inhaligheid. Maar ja, het was Dubai, het epicentrum van een storm van commercie, met vrijhandelszones, bedrijfslicenties op afroep, geen belastingen, geen verkiezingen en nauwelijks criminaliteit. Men zei dat het stadswapen een bouwkraan was; wolkenkrabbers, voornamelijk bij voorbaat verkochte appartementen en kantoren, leken van de ene dag op de andere op te schieten uit het woestijnzand. Gretig en stinkend rijk als het was, was Dubai geknipt voor Chapman, die hier was om geld in te zamelen.

'Hapje vooraf, meneer?' De ober, gekleed in een dollargroene smoking, hield zijn blik neergeslagen.

Chapman koos Beluga-kaviaar op een driehoekig toastje en vervolgde zijn weg. Alles in Dubai, van religie via criminaliteit tot terrorisme, probeerde een graantje van de winst mee te pikken, en de winsten waren gigantisch. Al voordat Halliburton besloot zijn wereldhoofdkantoor van Houston naar Dubai te verplaatsen, had Chapman beseft dat het tijd werd om op te letten. Dus had hij zijn huizenbezit uitgebreid en een villa gekocht in het exclusieve Palm Jumeirah – en vriendschappen aangeknoopt.

Tijd om aan de slag te gaan. Hij koerste op sjeik Ahmad bin Rashid al-Shariff af.

De zwarte snor van de sjeik krulde omhoog terwijl hij een schare gebronsde blonde groupies wegstuurde en naar Chapman glimlachte. Hij hief zijn cognacglas op bij wijze van begroeting. '*Assalam aleikum.*' Vrede zij met u.

'Aleikum assalam.' En vrede zij met u. Chapman sprak geen Arabisch, maar hij had zich het juiste antwoord lang geleden ingeprent. 'Ik geniet van je feest.'

Sjeik Ahmad was een donkere, spichtige man van midden veertig, elegant gekleed in een grijze krijtstreep. Hij was een neef van de heerser over het emiraat en was gedeeltelijk opgeleid in de Verenigde Staten en afgestudeerd aan Stanford. Eerder die dag had hij persoonlijk plaatsgenomen achter het stuur van een witte Cadillac-limousine om Chapman rond te leiden over enkele van zijn bouwplaatsen. Chapman was dan ook geen gewone bezoeker. Hij was het hoofd van Chapman & Associates, ooit de grootste participatiemaatschappij in de vs. Door de instorting van de economie was het vermogen van zo'n achtennegentig miljard geslonken naar een schamele vijfendertig miljard, maar alle Amerikaanse participatiefondsen waren uitgehold, zij het dit misschien meer dan andere. Chapman rekende erop dat zijn Khostproject hem zou terugbrengen op de plaats die hem toekwam, de eerste. Belangrijker nog: zijn vrouw zou het leuk vinden.

'Ja, de gebruikelijke financiers en industriëlen,' zei de sjeik. 'Een stel niets doende rijken. Ze zijn net saffraan: kruidig en aantrekkelijk, amusant voor werkezels zoals jij en ik. Er zijn ook een paar van je participatiemensen.'

'Participatie' was een eufemisme voor gedwongen bedrijfsovername. Chapman & Associates hadden de eerste vier maanden van dat jaar veel minder miljarden dollars uitgegeven en geleend dan tijdens de hoogtijdagen, toen hij ondermaats presterende of ondergewaardeerde bedrijven zocht om te kopen. Voor elke nieuwe deal moest er nieuw oorlogskapitaal worden aangetrokken, dus was hij voortdurend op zoek naar geld, charmerend, vleiend, cijfers oplepelend terwijl hij zijn doelwitten verleidde met zijn krachtige handdruk en visioenen van een glorieuze toekomst. Doordat hij een veel groter belang in de onderneming had dan wie ook, leverde elke nieuwe transactie hem een vet percentage op.

Hij at zijn kaviaar, veegde zijn vingers af aan een servet en liet het op het blad van een passerende ober vallen. 'Ik heb eerder met enkelen van hen gesproken. Ze zouden ook maar wát graag een persoonlijke rondleiding door Dubai van je krijgen.'

De sjeik lachte. 'Dat vind ik nou zo aardig aan je, Martin. Je geeft mijn geld graag weg, zelfs aan je concurrenten. Ze zullen zoals meestal te klein voor me zijn, zoals je al weet. Tussen haakjes, ik heb een beslissing genomen over je voorstel.'

Hij zweeg even ter verhoging van het effect en om te laten doorschemeren dat zijn antwoord misschien niet zou zijn wat Chapman wilde.

Zonder aarzelen knikte Chapman begripvol en kaatste terug: 'Ja, ik heb ook over de aankoop nagedacht. Misschien is het niets voor jou. Ik kan de uitnodiging misschien beter intrekken en ons beiden gezichtsverlies besparen.'

Sjeik Ahmad knipperde traag met zijn ogen en zijn half geloken oogleden gingen dicht en open als die van een havik die in een banyan op prooi wacht. Maar zijn prooi was Martin Chapman.

Hij glimlachte. 'Martin, je bent me een mooie. Speel je mijn spelletje? Ik zal ter zake komen. Ik wil me inkopen. Vijfhonderd miljoen dollar toch?'

'Driehonderdtwintig miljoen. Meer niet. Dan heb je nog altijd twintig procent.'

Chapman maakte er een regel van dat hij beleggers altijd naar meer liet verlangen, en als de deal afketste, waarvan hij wist dat het niet zou gebeuren, zou de sjeik minder redenen hebben om wraak te nemen. Chapman was ervan overtuigd dat de gedwongen overname van een grote handelsonderneming minstens zestig procent winst zou opleveren. Het management had de veranderde tijden niet kunnen bijbenen, maar de organisatie was gezond genoeg voor een doorstart gefinancierd door het verkopen van eigendommen en het sluiten van leningen. Er zouden slechts vijfduizend ontslagen hoeven vallen.

'Driehonderdtwintig miljoen dan,' stemde sjeik Ahmad goedge-mutst in. 'Ik hou wel van investeringen waarvoor ik geen poot hoef uit te steken. Heb je nog meer waar ik geld voor kan geven?'

'Binnenkort. De deal is nog niet rond... maar binnenkort.'

'Wat is het? Een handelsonderneming, een distributiebedrijf, staal, hout, nutsvoorzieningen?'

Chapman zei niets en hij glimlachte bij de gedachte aan zijn geheime Khost-project.

De sjeik knikte. 'Aha, ik snap het. Ik wacht wel tot je alles kunt onthullen. Je glas is leeg. Je moet nog iets drinken, zodat we het kunnen vieren.' Hij hief een hand op en wenkte. Binnen enkele seconden stond er een ober voor hen.

Weigeren zou onbeleefd zijn, dus accepteerde Chapman nog een cognac en praatte nog even door, de neiging om op zijn horloge te kijken onderdrukkend. Ten slotte nodigde de sjeik hem uit om een *majlis* bij te wonen, zijn koninklijke raadsvergadering, die boven bijeenkwam, en kon Chapman met goed fatsoen weg.

Op de weidse trap van het paleisachtige hotel belde Chapman zijn vrouw terwijl hij zich koesterde in een openlucht-airconditioning. Hij keek over de baai uit naar de verzameling kunstmatige eilanden die The World werd genoemd, een van de Las Vegas-achtige tot leven gewekte fantasieën van de bv Dubai. Hij had gehoord dat Rod Stewart 'Brittannië' voor negentien miljoen dollar had gekocht. Misschien dat hij de volgende keer dat hij kwam, als het Khost-project zeker was, ook een continent zou kopen.

Toen ze niet opnam, sprak hij een bericht in. 'Ik vertrek, lieverd. Ik wil alleen even zeggen dat ik van je hou.' Ze was nog in Sankt Moritz, maar zou binnenkort naar Athene vertrekken.

Terwijl hij naar de felrode zon keek die onderging boven het purperen water van de baai, stopte zijn limousine. De chauffeur opende het portier en hij stapte achterin, waar zijn aktetas al stond. Even later reden ze over Sheik Zayed Road naar het oosten langs de op Manhattan lijkende skyline van de stad terwijl de donker wordende woestijn en de baai zich aan weerszijden vlak en leeg uitstrekten.

Hij belde zijn assistent in de Gouden Bibliotheek. Het Khost-project was zo geheim, dat Chapman de operatie van daaruit leidde.

'Hoe ver zijn we?' vroeg hij.

'De legeruniformen en het materieel zijn in Karachi aangekomen.'

De havenstad aan de Arabische Zee was een beruchte gatenkaas. 'Preston heeft alles keurig afgehandeld. Onze bespreking met de krijgsheer staat voor morgen op de agenda, in Pesjawar.'

'En de beveiliging?'

'Ik werk met Preston. Het zal waterdicht zijn.'

Nadat hij had opgehangen, voerde Chapman nog enkele gesprekken, liet zich bijpraten over andere zakelijke dingen en gaf instructies. Hoe goed de mensen die je in dienst had ook waren, ze hadden leiding nodig.

Toen de limousine aankwam op het privégedeelte van Dubai International Airport, reed de chauffeur naar de Learjet. De motoren draaiden. Hij stopte en rende om om het achterportier te openen.

Chapman stapte uit met zijn aktetas. Hij gaf zijn paspoort aan de wachtende douanebeambte. Hij verwachtte geen problemen en ontmoette er ook geen – de man zette slechts een stempel. Terwijl de chauffeur zijn koffer uitlaadde, beende Chapman naar het toestel.

Onder aan de trap stonden twee mannen te wachten, de piloot en de gewapende man voor wie Preston had gezorgd. Hij had een kleine tas bij zich.

'Goed u te zien, meneer.' De copiloot tikte tegen de rand van zijn pet.

'Nog problemen?'

'Nee. We hebben uw instructies opgevolgd en niet met haar gesproken.'

Chapman knikte en stapte in het weelderig ingerichte vliegtuig, met zijn witleren stoelen, aangepaste kleuren en hightechsnufjes. Op de laatste rij zat Robin Miller, de enige passagier.

'Hallo, meneer Chapman.' Ze keek hem over de hele lengte van het middenpad aan; haar groene ogen waren roodomrand en haar gezicht was rood van het huilen. Ze was een hoopje ellende. Haar lange blonde haren zaten in de war, haar pony was opzijgeschoven en haar witte kasjmier trui was gekreukt.

Hij negeerde haar en staarde naar de zwarte rugzak op de stoel aan de andere kant van het pad. Plezier stroomde door hem heen. Toen herinnerde hij zich dat de CIA vastbesloten was de Gouden Bibliotheek te vinden. Met een bruusk gebaar beval hij de lijfwacht in de pantry te gaan zitten.

Terwijl de piloot de deur dichtdeed en afsloot, marcheerde Chapman door het middenpad en draaide de stoel tegenover Robin om om haar aan te kijken. Hij vergrendelde de stoel, ging zitten en deed zijn gordel om. Nog steeds zwijgend vouwde hij zijn handen in zijn schoot. Nu moest hij erachter zien te komen in hoeverre ze betrokken was bij Charles Sherbacks bedrog.

Terwijl de motoren van de jet op toeren kwamen, keek Robin nerveus naar de directeur. Zijn rimpelloze gezicht stond stug, zijn dunne lippen vormden een rechte streep en zijn lange vingers rustten verstrengeld op zijn colbert alsof zijn handen het universum bestuurden. En hij bestuurde haar universum: de Gouden Bibliotheek.

De stilte was beangstigend. Ze had het de directeur vaker zien doen – niets zeggen, wat de ander ertoe verleidde de stilte te verbreken, vaak met onthullingen die ze later betreurden. Ze dwong zichzelf te wachten.

De jet steeg vloeiend op naar de sterrenhemel boven Dubai. Ze keek uit het raam. Onder hen strekten de lichten van de stad zich in sprankelende kleuren uit langs de kustlijn.

Toen hoorde ze haar stem die de ondraaglijke stilte verbrak: 'Gaan we nog steeds naar Athene?' Het leek neutraal genoeg. Het was de bedoeling geweest dat ze *Het boek der spionnen* vandaaruit per helikopter naar de bibliotheek zouden brengen.

'Natuurlijk. Waarom heb je me niet gebeld onmiddellijk nadat Eva Blake Charles in het British Museum had herkend?' De vraag werd nieuwsgierig gesteld, een oom die geïnteresseerd was in het antwoord van een favoriete nicht.

'Preston zou voor haar zorgen.' Ze dacht aan het dode lichaam van die arme Charles, in canvas gewikkeld en als iemands afgedankte spullen in het bagageruim van het vliegtuig gehesen.

De directeur fronste licht zijn wenkbrauwen. Het duurde maar even, maar ze wist dat haar antwoord verkeerd was. Preston had hem vast verteld dat Charles en zij de informatie voor hem hadden achtergehouden.

'Het belangrijkste is dat we *Het boek der spionnen* hebben.' Ze knikte naar de rugzak aan de andere kant van het middenpad. 'Het is ongelooflijk, nog mooier dan op onze foto's. Wilt u het niet zien?' Als hij het geïllustreerde manuscript eenmaal in handen had, zou hij misschien vergeten dat ze Charles niet meteen had aangegeven.

'Straks. Vertel me wat er gebeurd is.'

Ze vermande zich en beschreef zorgvuldig alles wat er in Londen was gebeurd, zo nauwgezet mogelijk. Ze had het gevoel dat hij elk woord vergeleek met wat Preston had gezegd.

Toen ze klaar was, vroeg hij: 'Heb je de tatoeage op Charles' hoofd gezien?'

'Ja.'

'Wat betekent het?'

'Ik weet het niet. Ik wist niet eens dat hij die had.'

Hij knikte. 'Waarom denk je dat hij een geheime tatoeage wilde?'

'Ik weet het niet.'

'Als jouw hoofd werd kaalgeschoren, zou ik er daar dan ook een vinden?'

Ze rilde van angst. 'Absoluut niet.'

'Dan vind je het vast niet erg als ik het controleer.'

'U wilt toch niet dat ik mijn haren afknip?'

'Nee, dat doet Magus wel.' De directeur riep over zijn schouder naar de voorkant van de jet. 'We zijn zover.'

De bewaker pakte zijn kleine tas en liep door het middenpad.

Hulpeloos keek ze naar hem op.

Magus haalde een schaar uit zijn tas, pakte haar haren beet en knipte. Lange blonde krullen dwarrelden op de grond. Hij pakte meer haar en knipte. En meer en meer. De haren vielen om haar heen. Ze voelde warme tranen in haar ogen. Woedend op zichzelf knipperde ze ze weg.

Het enige geluid in het vliegtuig was het knippen van de schaar en het zwakke dreunen van de motoren. Terwijl ze met bevende vingers haren van haar gezicht streek, borg Magus de schaar op en pakte een elektrisch scheerapparaat op batterijen. Het staal was koud toen het over haar schedel gleed. Haar huid trilde en jeukte. Haartjes vlogen in het rond. Haar hoofd was te licht. Ze voelde zich naakt, beschaamd.

'Zie je iets, Magus?' vroeg de directeur. 'Woorden, getallen of symbolen?'

'Nee, meneer.' Hij schakelde het scheerapparaat uit en liet het in de tas vallen.

'Ga terug naar je plaats.' De directeur richtte zijn blik op haar. 'Heeft Charles je ooit iets verteld over de locatie van de bibliotheek?' Zijn ogen waren ijzig blauw.

Toen ze erin keek, zag ze plotseling de ogen van haar vader, zwart, maar even ijzig. Ze dacht terug aan het moment waarop ze had geweten dat ze weg moest gaan en nooit naar Schotland mocht terugkeren. Ze had alles achter zich gelaten, had haar accent afgeleerd en aan de Sorbonne en later in Cambridge gestudeerd, klassieke kunst en bibliotheekwetenschappen. Ze had een eigen leven opgebouwd, had eerst met zeldzame boeken en manuscripten gewerkt in de Houghton Library in Boston en daarna bij de Bibliothèque Nationale de France in Parijs, waar ze over de Gouden Bibliotheek had gehoord en zich in de mythische geschiedenis ervan had verdiept. Hoe meer ze te weten kwam, hoe sterker ze naar meer had gehongerd, tot het opwindende moment waarop Angelo Charbonier haar in zijn elitestaf had opgenomen, waar ze Charles had ontmoet en had gedacht dat ze eindelijk, na tien jaar van omzwervingen, een thuis had gevonden.

'Charles heeft de locatie van de bibliotheek nooit genoemd,' vertelde ze hem koel.

'Verwijst zijn tatoeage ernaar?' vroeg de directeur.

'Ik heb al gezegd dat ik niet weet wat die betekent.'

'Weet je waar de Gouden Bibliotheek is?'

'Nee. Ik heb het Charles nooit gevraagd, maar ik denk ook niet dat hij het wist. Ik heb nooit geprobeerd het te achterhalen. Dat is tegen de regels.'

Hij knikte opnieuw; het antwoord leek hem te bevallen. 'Denk aan het oude Latijnse gezegde: "Wat zuur te verduren was, is zoet om te herinneren." Je hebt je bewezen en je haren zullen weer aangroeien. Nu moet ik zaken afhandelen. Ga naar de voorkant van het vliegtuig en ga bij Magus zitten.'

Ondanks zijn woorden werd ze vervuld van angst. Ze had het gevoel dat ze ten dode was opgeschreven, door Charles' tatoeage nog wel. Als de directeur Charles niet had vertrouwd, die meer van de bibliotheek leek te houden dan van het leven zelf, hoe kon hij haar dan ooit vertrouwen als ze overduidelijk van hem had gehouden?

Ze had een verschrikkelijke fout gemaakt... niet door van Charles te houden, maar door zich met de bibliotheek in te laten. Haar mond werd droog toen ze besefte wat ze moest doen. Ze moest opnieuw weggaan, zoals ze van haar vader was weggegaan. Als de Learjet in Athene landde, moest ze een manier vinden om te ontsnappen.

32

Rome, Italië

In de donkere lemen tunnel volgde Judd Yitzhak, Eva, Roberto en Bash. Hun schoenen plakten en zakten weg, glibberden en gleden op de smalle, modderige richel dertig centimeter boven het water. De tijd verstreek en het opgesloten gevoel werd benauwend, het geluid van stromend water drukkend. Hun zaklampen konden de naargeestige sfeer niet verdrijven.

Judd beval iedereen te blijven staan en stil te zijn en checkte nogmaals. Ze waren een halfuur onderweg en er was nog steeds geen spoor van achtervolgers. Ze hervatten hun trage tocht. Roberto ademde moeilijk.

'Hoe gaat het, Roberto?' riep hij over de schouders voor hem.

'Rillerig maar goed.'

'Zeg het als je even wilt pauzeren.'

Roberto knikte en vroeg toen bezorgd: 'Hoe diep denk je dat het water is, Yitzhak?'

'Ik zou het niet weten.' De professor zweeg even. 'Eva, me dunkt dat het tijd is om uit te leggen wat er aan de hand is.'

'Ik zou jullie alleen maar in groter gevaar brengen.'

'Als we hieruit komen,' stelde Judd hem gerust, 'brengt Bash jullie naar een dokter die zijn mond kan houden. Als Roberto behandeld is, zal hij een schuilplaats voor jullie zoeken. Ga niet naar huis voordat je hoort dat het veilig is. Hij heeft zijn eigen werk op te knappen, dus zeg niemand iets over hem... of ons.'

De professor dacht na. 'Wie zíjn jullie, Judd? Jij en Bash?'

'Je hoeft alleen maar te weten dat we Eva helpen. Ik heb Bash en nog een paar mensen meegebracht om ons te helpen.'

Yitzhaks stem werd harder. 'Angelo zei in de keuken dat hij misschien "steun" gaf aan de Gouden Bibliotheek. Als lid van de boekenclub. Wat betekent dat?'

'Ook dat is iets wat je beter kunt vergeten,' zei Eva.

De professor aarzelde. 'Je vraagt veel, maar ik zal doen wat je zegt.'

Ze liepen door en hun zaklampen onthulden het oude Rome, ingebed in de lemen muren: potscherven, speerpunten, stukken van marmeren tegels en brokken baksteen. Ze stopten opnieuw om Roberto te laten rusten en hervatten toen hun verraderlijke tocht.

Toen ze het schuifelen van ratten hoorden, zei Bash: 'Iemand heeft me eens verteld dat de ratten onder Rome zo groot als een kat zijn.' Met zijn ene arm drukte hij zijn skateboard laag tegen zijn borst.

Yitzhak grinnikte. 'Je hebt gedronken met ongure mensen.'

'Ik heb een hekel aan ratten,' gaf Bash toe. 'Zijn er, behalve geschifte laboranten, mensen die van ratten houden?'

'Ik maak me meer zorgen over de albino's,' zei de professor plagend.

'Albinoratten?' Roberto zocht met zijn hand steun aan de muur. Toen staarde hij naar zijn bemodderde handpalm.

'Ja, maar niet hier – ze zijn in de Cloaca Maxima,' zei Yitzhak. 'Hoe dan ook, zo ver hoeven we niet te gaan. Voor degenen die het niet weten: de Cloaca is geen gewone rioolgang, maar een snelstromende rivier van stront. Vijfentwintighonderd jaar geleden aangelegd, maar Rome gebruikt hem nog steeds. Je kunt er niet veilig komen zonder elke centimeter van je lichaam te bedekken met laarzen, handschoenen, overalls met capuchon en maskers.'

'Als ik dat had geweten,' zei Eva, 'had ik mijn wetsuit meegebracht.'

'Doet me denken aan een wortelkanaalbehandeling die ik eens heb gehad,' zei Bash. 'Slecht afgelopen.'

'De stank is overweldigend,' ging Yitzhak verder. 'Een bouquet van modder, dieselolie, fecaliën en rottende karkassen. Ráttenkarkassen.'

Bash kreunde.

Judd lachte. 'Je krijgt een tien voor studenten pesten, professor.'

De professor keek over zijn schouder, een grijns op zijn ronde gezicht.

Ze zwegen toen de onderaardse gang steil afdaalde en de lucht koud en klam werd. Spookachtige stalactieten, als gevolg van omlaag sijpelend kalkrijk grondwater, hingen aan rotsen boven hun hoofd. Toen maakte de tunnel een scherpe bocht en het geluid van het stromende water werd verviervoudigd... en een stank van verrotting walmde hun tegemoet, duizelingwekkend intens en beladen met alle afschuwelijke geuren die Yitzhak had beschreven.

Judds neus brandde. 'De Cloaca kan niet ver weg zijn.'

'We kunnen niet de Cloaca in gaan,' zei Roberto zenuwachtig. 'Laten we omdraaien.'

'Nog niet...'

Maar voordat hij zijn zin kon afmaken, slaakte de professor een kreet. Hij hief zijn armen boven zijn hoofd en zijn benen werden onder hem uit geslagen. Hij kronkelde, zijn handen klauwden over de ruwe lemen wand en zochten houvast toen zijn benen in het water verdwenen. Als de stroom snel en diep genoeg was, zou hij worden meegevoerd naar het hoofdriool.

Voordat Judd hem te hulp kon schieten, pakte Eva de professor bij een arm. 'Ik heb je.'

De stroom greep de benen van de professor. Hij werd meegetrokken.

'Met je gezicht naar de oever, Yitzhak,' riep Judd. Hij boog zich om Bash en Roberto heen. 'Probeer of je knieën een helling kunnen vinden.'

'Je kunt het.' Eva's handen waren bleek van spanning. Ook haar kaakspieren spanden zich terwijl ze hem vasthield.

Zweet bedekte Yitzhaks kale hoofd terwijl hij zich langzaam wegdraaide van de stroom, tot hij Eva kon aankijken. Zijn vrije hand pakte haar arm en hij welfde zijn rug en draaide met zijn heupen.

'Kom op. Kom op.' Ze boog bijna dubbel, met gespannen gezicht, terwijl ze hem met beide handen vasthield.

Yitzhak gromde en tilde een knie uit het water. Toen de andere. Nu er minder water aan hem trok, hielp ze hem centimeter voor centimeter naar boven. Eindelijk was hij eruit. Rillend plantte hij zijn voeten tussen Eva en Roberto op de smalle richel.

'Ben je ongedeerd, Yitzhak?' vroeg Roberto, hem op zijn schouder en zijn rug kloppend.

Hij keek omlaag naar zijn broek, die aan zijn benen plakte. Water stroomde uit zijn schoenen.

'Pico bello.' Hij glimlachte even. 'Bedankt, Eva.'

'Waar ben je over uitgegleden, Yitzhak?' vroeg Judd. 'Kijk eens rondom je voeten. Zie je iets?'

Het bleef even stil. 'Je hebt gelijk; er ligt een schedeldak. Ik had het niet eerder gezien. Het moet onder de modder hebben gelegen.'

'Zijn er nog meer?' Eva liet haar voet over de richel glijden en schoof de smurrie weg.

'Ik heb er nog een gevonden,' verkondigde de professor.

'Ik ook,' zei Eva.

De professor richtte zijn zaklamp op de rotswand boven hen en bewoog de straal toen heen en weer, steeds lager, tot aan het punt waar de wand de oever raakte.

'Hier is een kleine opening.' Hij ging op zijn hurken zitten en richtte zijn zaklamp erop.

'Wat zit erin?' Eva hurkte naast hem.

'Dat kan ik niet zien. Help me graven, Eva.'

'Laat ons maar,' zei Judd. 'Kom, Bash.'

De anderen liepen door en Bash ging op zijn hielen voor het gat zitten. Hij wrikte de punt van het skateboard in de natte troep en schepte die op de richel, waar Judd hem in het water schoof. Ze werkten een halfuur door, om beurten, tot het gat bijna een meter in doorsnede was en een vijftig centimeter diepe tunnel vormde. Ze roken een muffe geur van ouderdom.

Judd richtte zijn zaklamp in de kleine doorgang en kroop erdoorheen. Hij stond op en zuchtte diep terwijl hij zijn bundel liet ronddwalen. Hij had een grijze wereld van de doden betreden. Door de eeuwen verbleekte, op elkaar gestapelde schedels bedekten de wanden van de grond tot het gewelfde plafond.

Hij liep naar het midden van de grote crypte, draaide zich om en liet zijn zaklamp over het naargeestige schouwspel glijden. Het was als een macaber carnaval. Schedels slingerden zich om hoeken, omlijstten stenen muren waarop verbleekte kruisen en religieuze symbolen waren geschilderd. Complete geraamtes in vergane bruine monnikspijen lagen languit op stenen banken alsof ze wachtten op de gebedsoproep.

'Mijn god.' Eva haalde diep adem terwijl ze naar hem toe kwam. 'De enige keer dat ik zo'n ossuarium heb gezien, was in een historisch tijdschrift.'

'Het is onmogelijk te zeggen wat het ondergrondse Rome in petto heeft.' De professor voegde zich bij hen; hij ondersteunde Roberto. 'Ingestorte gangen, latrines, aquaducten, catacomben, brandweerposten, tunnels... en dat is pas het begin. Het lijkt me dat dit een crypte van de kapucijnen was. Dat betekent dat sommige gebeenten vijf eeuwen oud kunnen zijn.'

'Het moeten er duizenden zijn,' concludeerde Bash. 'Maar hoe komen we hier verdorie weg?' Zijn knieën onder zijn korte broek zaten onder de modder, maar ja, ze waren allemaal smerig.

'Die kant, hoop ik.' Judd richtte zijn zaklamp op het eind van het vertrek, waar een hoge, uit schedels bestaande boog een stenen trap omlijstte die naar boven leidde. 'Roberto, moet Bash je naar boven dragen?'

Roberto liet Yitzhak los. 'Ik doe het zelf.'

Judd knikte en ging hun langs bergen botten voor naar een stenen trap met nog meer kruisen en religieuze symbolen. Toen ze de hoek naar een overloop om sloegen, zagen ze op de muur boven hun hoofd bekkenbeenderen die geschikt waren in de vorm van engelenvleugels.

Hij bleef staan en luisterde naar Roberto's hijgende ademhaling achter zich. Hij draaide zich om. 'Draag hem, Bash.'

Voordat Roberto kon tegenstribbelen gaf Bash zijn skateboard aan Eva en tilde de kleine man op. 'Oorlogsslachtoffers krijgen een speciale behandeling. Het is gratis, hoor.'

Roberto keek op naar het gezicht van de gespierde jongeman. 'Dit is geen onaangenaam lot. Bedankt.'

Eindelijk kwamen ze boven, waar de weg werd versperd door een bewerkte ijzeren deur. Judd keek tussen de tralies door. Aan de andere kant was eveneens een trap, ditmaal van modern cement.

'Ik hoor verkeer,' zei Eva opgewonden.

Judd probeerde de deur. 'Op slot natuurlijk.' Ze zwegen en hij kon hun vermoeidheid voelen. 'Ik schiet de laatste dagen nogal wat sloten kapot.'

Hij schroefde een demper op zijn Beretta en schoot. Metaalsplinters spatten op in de roerloze lucht. Het ploffende geluid kaatste tegen de stenen muren.

Hij duwde de deur open en keek naar boven. 'Blauwe lucht.'

'Alleluja,' zei Eva.

Ze klommen weer, Judd nog altijd voorop. Eenmaal boven ging hij op zijn tenen staan om te kijken. Ze waren uitgekomen in een ruïne van omgevallen pilaren, stukken travertijn en brokken graniet te midden van afval en onkruid tussen twee oude gebouwen. Iets verderop stond nog een oud gebouw. Een gazen hek scheidde de ruïne van het trottoir en de straat.

Hij draaide zich om. Ze keken vol verwachting naar hem omhoog vanaf de trap. 'Ik weet niet precies waar we zijn. We zijn allemaal vies, maar het is het bloed dat ongewenste aandacht zal trekken. Ik bedoel jullie, Eva en Roberto.'

In een oogwenk had Eva haar jack uitgetrokken. Haar groene sweater was schoon. Ze draaide het jack binnenstebuiten en knoopte de mouwen rond haar middel terwijl Bash Roberto neerzette. Judd bestudeerde hem. Hij stond rechtop, maar zijn huid was enigszins roze, koortsig misschien. De zakdoek die om zijn schouder had gezeten, was hij onderweg blijkbaar kwijtgeraakt. Zijn witte overhemd zat onder het bloed. Hij knoopte het voorzichtig open.

'Bash, geef Roberto jouw T-shirt,' besloot Judd.

Judd inspecteerde Roberto's schotwond, een onregelmatige snee in de bovenkant van zijn schouder.

'Het komt wel in orde,' zei hij. 'Maar het moet verschrikkelijk veel pijn doen.'

'De pijn stelt niets voor. We zijn vrij.' Roberto bleef onbeweeglijk staan terwijl Yitzhak het T-shirt over zijn hoofd trok.

'Neem de professor en Roberto mee,' zei Judd tegen Bash. 'Eva en ik wachten tot jullie weg zijn. Jullie zullen het hek open moeten breken om hier weg te komen.'

Bash grinnikte. 'Na dit alles... een fluitje van een cent.'

'Dan nemen we nu afscheid.' De professor glimlachte naar Eva. Hij was nat en verfomfaaid, maar zijn optimisme schemerde erdoorheen. 'Hou je haaks, en al snap ik niets van wat er gebeurd is, hartelijk bedankt.' Hij omhelsde haar en gaf Judd een hand. 'We hebben een avontuur meegemaakt. Ik hoop dat het de volgende keer saai zal zijn.'

Roberto kuste Eva op beide wangen. 'We moeten contact houden.'

'Dat zal ik doen,' beloofde ze.

Ten slotte keken Judd en Bash elkaar aan. 'De Charboniers kunnen onmogelijk hebben geweten dat we naar Yitzhaks huis zouden gaan,' zei Judd, zijn woorden zorgvuldig kiezend. 'Ik zal onze wederzijdse vriend bellen en hem bijpraten. We hebben ergens een lek.'

De jonge spion knikte kort en ze gaven elkaar een hand. Daarna ging hij Roberto en Yitzhak voor de trap op naar de ruïne.

Eva voegde zich bij Judd en ze klommen naar boven en zagen het drietal naar het hek lopen. Bash keek om zich heen. Toen er niemand te zien was, gebruikte hij zijn skateboard om het hangslot open te slaan. Even later waren ze op straat en liepen ze weg, de lange jongeman en zijn twee oudere beschermelingen.

'We moeten ervan uitgaan dat de mensen van de Gouden Bibliotheek nu ook weten wie je bent,' zei Eva. 'Dus kunnen we jouw creditcards niet gebruiken en de mijne uiteraard ook niet. Het is een heel eind liften naar Istanbul.'

'Ik heb een extra set identiteitsbewijzen. Ik zal de tickets kopen. Wat me zorgen baart, is of ze ons naar Istanbul zullen volgen.'

33

Terwijl auto's voorbijraasden en rode achterlichten een rood spoor trokken, wachtte Preston ongeduldig buiten de terminal van Ciampino International Airport, de tweede luchthaven van Rome. Hij had ervoor gekozen omdat deze dichter bij het centrum lag en dus efficiënter was. Efficiency was nu uitermate belangrijk; het verslag van zijn man in Rome was slecht geweest. Angelo en Odile Charbonier waren doodgeschoten, Judd Ryder, Eva Blake, Yitzhak Law en Roberto Cavaletti waren verdwenen. Slechtgehumeurd keek hij op zijn horloge: acht uur 's avonds.

Er stopte een lange zwarte bus en hij trok de zijdeur open en stapte in. De auto voegde zich in het verkeer en hij hurkte achterin naast de lijken. Hij tilde de deken op: het dode gezicht van Angelo Charbonier keek woedend. Het hoofd van Odile was bedekt met bloed en versplinterd bot.

Hij kroop naar voren naar de halve stoel achter de bestuurder. 'Je hebt er lang over gedaan om hier te komen.'

Nico Bustamante, nog steeds gekleed in zijn grijze joggingpak, zat achter het stuur. 'Wat had je dan verwacht? Ik zei toch dat we een puinhoop moesten opruimen.'

Vittorio, op de stoel naast hem, knikte. Hij was slank en pezig en had zijn driekleurige joggingkleren verwisseld voor een spijkerbroek en een denim overhemd.

'Vertel me nog eens precies wat jullie hebben aangetroffen,' beval Preston.

'Signore en signora Charbonier, alle twee vermoord in de keuken,' zei Nico. 'We hebben het huis doorzocht. Er was niemand en we hebben geen verborgen uitgangen gevonden. De doelwitten zijn niet door de voordeur weggegaan, dat weet ik zeker, want ik had mannen aan beide zijden van de straat opgesteld. En ook niet door de achterdeur: daar stonden wij.'

'Alsof ze in rook waren opgegaan.' Vittorio sloeg een kruisteken.

Ze stopten voor een verkeerslicht en Preston zei: 'En toen jullie de keuken schoonmaakten?'

'Alleen het gebruikelijke afval in de vuilnisbak; ik zeg het maar vast, want ik weet dat je het zult vragen. Het enige vreemde waren bloedspatten te ver van de signore en de signora om van hen te kunnen zijn.'

'Dus er is iemand anders gewond geraakt. Zeg tegen je mensen dat ze navraag doen bij de buren, de ziekenhuizen en de politie.'

Nico pakte zijn mobiele telefoon en stuurde de bus de verstopte Via Appia Nuova op.

Terwijl Nico belde, zei Preston tegen Vittorio: 'En de Charboniers?'

'Het is allemaal geregeld. Een op hun naam gehuurd jacht ligt te wachten in Ostia Antica.'

Ostia Antica was de oude zeehaven van Rome, waar de Tiber uitmondt in de Tyrreense Zee. Het stadje was tegenwoordig niet veel meer dan een boekhandel, een café, een klein museum en ruïnes vol mozaïeken, maar het was toepasselijk voor de Charboniers: Ovidius' toneelstuk *Medea* was zo'n tweeduizend jaar geleden in het amfitheater in première gegaan en was nu verloren – behalve voor de Gouden Bibliotheek.

'En daarna?' drong Preston aan.

'We brengen de signore en de signora aan boord, varen ver de Middellandse Zee op, stelen alles en laten hen achter. Het zal lijken alsof piraten hen hebben aangevallen en beroofd.'

'Je hebt hun koffers?'

'Uiteraard. We hebben ze opgehaald in het hotel en de rekening betaald.'

Preston knikte tevreden. Nu had hij een groter probleem: waar waren Blake, Ryder, Law en Cavaletti naartoe gegaan?

Terwijl de bus afsloeg naar het zuiden en Ostia Antica, overdacht hij alles wat hij wist. Het leek erop dat minstens een van de vier gewond was, maar niet zo ernstig dat hij of zij niet had kunnen ontsnappen. Hij had de mensen in Rome nodig om hen allemaal te vinden. Hij dacht aan Charles' tatoeage; de bewaking had zijn kantoor, dat van Robin Miller en het huis dat ze deelden overhoopgehaald, maar er niets over gevonden, of over de locatie van de bibliotheek. De tatoeage herinnerde hem aan de directeur, die inmiddels met Robin Miller aan boord van het vliegtuig was. Als de directeur iets van haar te weten kwam, zou hij bellen.

Terwijl hij dit dacht ging zijn telefoon over. 'Ja?'

Het was zijn contactpersoon bij de NSA. 'De persoon die je belangstelling heeft, heeft haar telefoon ingeschakeld en drie keer gebeld vanuit Rome.

'Waarvandaan precies?' Preston kreeg opeens hoop. Het was de telefoon van Eva Blake; hij had haar nummer in de telefoon van Peggy Doty gevonden nadat hij haar in Londen had uitgeschakeld.

'Luchthaven Fiumicino.'

Preston vloekte. Het was de andere luchthaven, te ver weg om snel te bereiken. 'Met wie heeft ze gebeld?'

'Adem Abdullah, Direnc Pator en Andrew Yakimovich. Ik kan je de nummers geven. Alle drie in Istanbul. Van twee van hen heb ik een adres.'

'Heb je de gesprekken gehoord?'

'Je weet wel beter, Preston. Zo ver kan ik niet gaan, zelfs niet voor jou.'

'Wie heeft ze als eerste gebeld?'

'Yakimovich. Kort, minder dan een minuut... een afgesloten nummer. De twee andere gesprekken duurden vijf en acht minuten.'

'Wat zijn de nummers en de adressen?' Hij schreef het op in een notitieboekje dat hij altijd bij zich had. Als hij een aantekening niet meer nodig had, scheurde hij de bladzijde eruit en vernietigde die. Er waren nog enkele pagina's over. 'Bedankt, Irene. Ze zal haar telefoon uit moeten zetten tijdens de vlucht. Als ze hem weer aanzet, bel me dan, of ze nu wel of niet belt. Ik moet precies weten waar ze is.' NSA kon locaties haarfijn achterhalen, afhankelijk van welke satelliet er overkwam. Hij verbrak de verbinding en keek Nico aan. 'Keer om. Breng me terug naar Ciampino.' Hij zou een vliegtuig charteren en eerder dan zij in Istanbul zijn.

34

Washington, D.C.
Het was laat in de middag, de schaduwen lengden op Capitol Hill, toen Tucker Andersen bij de voordeur van het Catapult-hoofdkantoor stond en verlangend naar buiten keek. Hij was het beu opgesloten te zitten. Een jonge agent van OTS in Langley stond op de stoep met een in bruin papier gewikkeld pakje. Hij keek alsof hij gepast onder de indruk was van zijn ontmoeting met de befaamde meesterspion.

Tucker nam het pakje aan, stopte het onder zijn arm en tekende ervoor. Toen liep hij naar het bureau van Gloria. Ze was nergens te bekennen; nog steeds koffiepauze. Hij legde het pakje naast haar computer en liep door de gang naar zijn kantoor. Hij ging achter zijn bureau zitten, schoof het rapport waarin hij had zitten lezen opzij en checkte zijn e-mail.

Gloria had een mailbericht van het kantoor van de patholoog in L.A. doorgestuurd, waarin stond dat het lichaam in het graf van Charles Sherback was opgegraven, dat ze vaart zetten achter de autopsie en het DNA-onderzoek, maar dat het enkele dagen zou duren. Een tweede e-mail bevestigde dat Christopher Heath – de naam op Sherbacks rijbewijs – een kamer in Le Méridien in Londen had geboekt. Een van de receptionisten herinnerde zich dat hij hem met een blonde vrouw had gezien, maar meer ook niet.

Tucker voelde zich rusteloos en hij wilde net weggaan, toen er een nieuw mailbericht binnenkwam van MI-5. Hij las het snel: er was de afgelopen nacht in Londen geen lijk van een volwassen man met een geschoren en getatoeëerde schedel gevonden. Dientengevolge waren er in verband daarmee geen arrestaties verricht. Hij staarde naar het bericht, leunde achterover en probeerde te doorgronden wat het betekende. Judd had hem verteld dat hij zorgvuldig had gemikt, om Preston niet te doden. Ten slotte concludeerde hij dat Preston waarschijnlijk bij kennis was gekomen voordat de politie arriveerde en Sherbacks lijk had meegenomen.

Zorgelijk rekte Tucker zich uit, stond op en liep door de gang naar het kleine communicatiecentrum van Catapult, dat gegevensonderzoek en IT – informatietechnologie – omvatte. Bij de deur werd hij begroet door een geroezemoes van stemmen, klikkende toetsenborden en een sfeer van urgentie. Op in keurige rijen geplaatste werkbladen stond een tiental computers en telefoons. Hoog aan de muren hingen grote tv's die waren afgestemd op CNN, MSNBC, Fox, BBC en Al-Jazeera, maar de computerschermen konden ook geclassificeerde beelden vertonen. De vloer was bezaaid met de gebruikelijke blikjes frisdrank, gekreukte lunchpakketten en lege pizzadozen, dit alles doordrenkt met de zilte, vette geur van fastfood.

Tucker bleef staan en liet zijn blik over de medewerkers glijden, van wie de meesten over hun toetsenbord gebogen zaten. Ze waren allemaal onder de dertig. Sinds elf september was het aantal kandidaten voor Langley de pan uit gerezen en de helft van het personeel bestond nu uit nieuwelingen. Hij maakte zich zorgen over het verlies van ervaring en institutioneel geheugen, maar zo ging het als goede agenten en analisten met jarenlange ervaring ontslag namen of kregen, wat in de jaren negentig was gebeurd en opnieuw in het decennium daarna tijdens het bewind van een D/CIA die dodelijk was voor het moreel. Niettemin, deze nieuwe jonge groep was toegewijd en enthousiast.

Hij liep door het vertrek naar Brandon Ohr en Michael Hawthorne, die bij Debi Watson aan haar werkblad stonden. Debi was het hoofd van IT. De drie zagen eruit alsof ze gemiddeld vijfentwintig waren, hoewel ze rond de dertig waren. Ze waren gretig, talentvol en intelligent.

'Hard aan het werk, zie ik,' zei hij met een uitgestreken gezicht. Niet origineel, maar het zou werken.

Michael en Brandon waren weer thuis na lange buitenlandse detacheringen en wachtten op hernieuwde aanstelling. In feite hadden ze hier niets te maken, maar ja, Debi was single, een knappe brunette met grote bruine ogen en een zuidelijk accent. Hij was benieuwd naar hun smoesjes.

'Ik heb pauze,' zei Brandon snel. Hij had een knap, vierkant gezicht met een zweem van een filmsterrenbaard.

'Ik had een vraag waarmee Debi me hopelijk kon helpen,' legde Michael uit. Hij was lang en slank en had puistjes op zijn zwarte gezicht.

'Dat klopt, meneer,' verzekerde Debi Tucker met een vet zuidelijk accent.

Hij keek de mannen kalm aan en zei niets. 'De blik', zoals Gloria het noemde.

Brandon begreep het als eerste. 'Ik kan geloof ik beter teruggaan naar de paperassen op mijn bureau.' Hij slenterde weg en griste in het voorbijgaan een blikje Diet Pepsi uit een sixpack achter in het vertrek.

'Bedankt, Debi,' zei Michael. 'Ik informeer morgen bij je naar de vluchteling uit Tripoli die ik op het oog heb.'

Het beviel Tucker wel dat ze geen van beiden volledig geïntimideerd waren door hem. Het gaf blijk van de soort innerlijke kracht die nodig was voor het werk.

Debi ging aan het werkblad zitten en trok haar korte rok naar beneden. 'Ik wilde je net een e-mail sturen.'

'Heb je antwoorden voor me?' Hij had haar gevraagd Charles Sherbacks veranderde gezicht op te sporen en de twee anonieme telefoonnummers in zijn mobiel.

'Niet wat je wilt horen. Niets in de federale gegevensbestanden komt overeen met het gezicht van jouw man. En evenmin in die van de staat. En geen sluitende match met Interpol of een van je buitenlandse vrienden. Hij is Amerikaan, dus je zou verwachten dat hij minstens een foto voor een rijbewijs zou hebben. Het is bijna alsof hij niet bestaat.'

'En die twee telefoonnummers?'

'Van prepaidtelefoons, maar dat vermoedde je al. Ze zijn nog niet geactiveerd. NSA laat het me meteen weten.'

Teleurgesteld keerde Tucker terug naar zijn kantoor. Toen hij binnenkwam, ging de telefoon op zijn bureau. Hij plofte in zijn stoel en luisterde.

Judd vertelde wat hij en Eva bij Yitzhak Law te weten waren gekomen en beschreef de aanval door de Charboniers. 'De Charboniers kunnen onmogelijk hebben geweten dat we hierheen gingen,' voegde hij er zorgelijk aan toe. 'Er moet een lek zijn.'

Onthutst dacht Tucker snel na. 'Er is buiten mijzelf maar één persoon bij Catapult die iets meer weet: de baas, Cathy Doyle. En aan jouw kant?'

'Alleen Eva en ik, en zij is de hele tijd bij me geweest. Als ik contact met je opneem, gebruik ik altijd mijn beveiligde mobiel. Voor zowel bellen als mailen.' De codeertechnologie van de mobiele telefoon versleutelde niet alleen spraak en data, maar ook de golflengte van de berichten, zodat niemand ze kon ontcijferen.

Tucker vloekte. 'Er moet ergens een lek zijn. Ik zal met Cathy overleggen.'

'Zoek uit wat je over de Charboniers te weten kunt komen, over hun relatie met de Gouden Bibliotheek en of ze bij mogelijke terroristische activiteiten betrokken zijn geweest. Angelo zei dat hij lid was van de boekenclub. Toen ik hem vroeg of mijn vader dat ook was, gaf hij geen antwoord.'

Judds stem klonk vlak, professioneel, maar Tucker proefde tegenstrijdige emoties toen hij het over zijn vader en de boekenclub had. 'Natuurlijk. Ga je naar Istanbul?'

'Ja. We nemen een lijnvlucht. Dat lijkt me gezien de omstandigheden het veiligst. Eva heeft al gebeld, maar Yakimovich' telefoon is afgesloten. Hij is waarschijnlijk weer verhuisd. Ze heeft twee van zijn oude vrienden in Istanbul kunnen bereiken, maar ze weten niet waar hij is. Als jij hem kunt opsporen, zou dat enorm helpen. Het duurt een paar uur voor we er zijn.'

'Ik zal zien wat ik kan doen.' Tucker hing op en belde onmiddellijk een collega met wie hij tijdens de Koude Oorlog had samengewerkt, Faisal Tarig, die nu bij de politie in Istanbul zat.

'Ik ken Andy Yakimovich,' zei Faisal. 'Een gladakker. Maar ja, hij is dan ook half Russisch en half Turks. Misschien kan ik hem vinden. Rook je nog steeds die stoere Marlboro's?'

'Nee, ik heb ze verruild voor flesjes water.'

'Ik hoop dat je niet saai bent geworden, oude vriend. Maar als je me zulke vragen stelt, misschien ook niet. Ik neem contact op.'

'Zeg tegen niemand dat ik gebeld heb of wat voor informatie ik wil.'

Het bleef even stil. 'Ik snap het.'

Tucker dacht even na, stond toen op en liep naar Cathy's kantoor, een groot vertrek vlak achter de receptiebalie. Als baas had ze het beste kantoor. Het lag aan de straatkant en had speciaal glas in de ramen, zodat niemand naar binnen kon kijken of een demodulator kon gebruiken om gesprekken af te luisteren.

De deur stond open. Hij keek naar binnen. Gezinsfoto's hingen aan de muur naast eervolle vermeldingen van de CIA. Nog meer foto's op haar bureau. In een pot een soort groene klimop. Ze zat te typen, haar blik op het scherm gericht, haar korte blonde haren in de war.

'Ik weet dat je er bent, Tucker. Wat heb je op je lever?' Ze had niet opgekeken.

Hij ging naar binnen en deed de deur dicht. 'Wie is op de hoogte van mijn Gouden Bibliotheek-operatie?'

Hij ging zitten en ze keek hem fronsend aan. 'Waarom vraag je dat?'

Hij vertelde over het lek. 'Het is onmogelijk dat de Charboniers mijn mensen bij Yitzhak Law hebben opgewacht.'

Ze draaide zich naar haar bureau en keek hem aan. 'Ik heb maar één persoon over Yitzhak Law verteld... de adjunct-directeur, in mijn standaardverslag een kwartier geleden. Het lek kan dus niet bij ons zitten.'

'Ik zal met onze IT-mensen praten. Er zijn elke dag duizenden amateur- en professionele hackers die proberen in te breken in overheidscomputers. Langley is tot dusver geen belangrijke gegevens kwijtgeraakt en net als andere speciale eenheden gebruikt Catapult hetzelfde sterk beveiligde systeem.'

Ze knikte. 'Nog nieuws over de Gouden Bibliotheek?'

'Ryder en Blake zijn onderweg naar Istanbul, een goed spoor achterna. Wat mij betreft, ik zal blij zijn als ik naar huis kan.' Gelukkig kreeg hij een heleboel gedaan met de operaties die hij leidde.

Ze knikte opnieuw en glimlachte toen begrijpend. 'We moeten allemaal soms offers brengen.'

Hij nam afscheid en keerde terug naar het communicatiecentrum. Debi zat nog achter haar computer. Hij vertelde haar wat hij nodig had.

'Er is voor zover ik weet niemand in ons systeem geweest, meneer.' Ze fronste haar wenkbrauwen. 'Ik begin er meteen aan.'

Bezorgd keerde hij terug naar zijn kantoor.

35

Athene, Griekenland

De Learjet van de Gouden Bibliotheek cirkelde langzaam omlaag. Diep beneden glansden de lichten van de eeuwenoude Griekse hoofdstad. Nerveus plannen makend wendde Robin zich af van het panorama en keek naar Martin Chapman aan de andere kant van de cabine, rechtop in zijn stoel. Hij praatte in zijn mobiele telefoon en zijn kaak bewoog boos.

Toen het vliegtuig landde op de internationale luchthaven van Athene, bestudeerde ze haar telefoon en de batterij en dacht terug aan Prestons afschuwelijke telefoontje toen ze in Londen in het vliegtuig op hem en Charles zat te wachten. Hij had haar gezegd het toestel uit elkaar te halen en haar vervolgens verteld dat Charles dood was. Verdriet welde op in haar keel. Ze dwong zichzelf het te onderdrukken.

Preston had haar niet verteld waarom ze het niet opnieuw mocht activeren. Het deed er niet toe; ze had een telefoon nodig. Ze liet de onderdelen in haar zak glijden, stond op en liep naar de achterkant van het toestel.

Chapman keek op toen ze de rugzak omdeed. De blik in zijn ogen beviel haar niet, maar hij zei op neutrale toon: 'De helikopter staat klaar.'

Ze knikte. 'Goed.' Maar ze wist dat het niet goed was. Als ze eenmaal in de helikopter zat, zou ze op weg gaan naar de Gouden Bibliotheek, waar de beveiliging zo streng was dat niemand er kon ontsnappen – maar af en toe verdwenen er mensen. Mensen zoals zij. 'Gaat u met ons mee, meneer Chapman?' vroeg ze, hoewel hij geen aanstalten maakte om op te staan.

'Ik heb andere dingen te doen. Magus zal voor je zorgen.'

Magus, voor in het toestel, knikte instemmend. 'Goed, meneer Chapman.'

Ze liep achter Magus aan de Learjet uit en de donkere nacht in. Haar geschoren hoofd voelde in de koude lucht nog kwetsbaarder aan. Ze dwong zichzelf kalm te blijven. De luchthaven strekte zich rondom hen uit, een grote betonnen vlakte met toestellen die van en naar de lange armen van de terminal taxieden. Het leek ver weg, een onmogelijke afstand.

Een kleine bagagewagen was bij de staart van het toestel gestopt en de bestuurder laadde tassen en andere dingen uit. Het was een kleine, al wat oudere man met pezige armen onder de korte mouwen van zijn uniformhemd. Ze kreeg even hoop: misschien zou ze hem aankunnen. Ze draaide zich om toen hij Charles' in zeildoek gewikkelde lichaam op de laadbak legde.

'We gaan.' Magus' gezicht was een masker. 'Ik wed dat je popelt om naar huis te gaan.'

'Je hebt gelijk,' loog Robin. 'Het zal fijn zijn om weer thuis te zijn.'

Ze liepen naar het wachtende voertuig dat hen naar de helikopter zou brengen. Het was ruim twee meter lang en smal, met voorin plaats voor slechts twee personen, de bestuurder en een passagier. De achterkant was een open bak met daarop hun grote rolkoffer tegen de cabine aan, het lichaam van Charles en enkele kisten die Preston in Londen had opgehaald.

'Ik help je instappen.' Magus bleef staan bij de laadbak, waar zij als minst belangrijke persoon normaliter zou zitten.

Ze keek hem aan en liet een gevoel van hulpeloosheid doorklinken in haar stem. 'Ik ben zo moe. En ik moet deze rugzak te allen tijde bij me houden. Opdracht van meneer Chapman. Vind je het erg als ik voorin bij de bestuurder ga zitten?'

Ze keken naar de laadbak. Er was geen klep aan de achterkant en de zijkanten waren zo'n dertig centimeter hoog. De vloer was van hard staal.

'Natuurlijk,' zei hij. 'Waarom ook niet?' Maar hij raakte zijn heup aan, waar zijn wapen vermoedelijk onder zijn jack zat. Het kon een onwillekeurig gebaar zijn, maar het voelde als een bedreiging.

Robin glimlachte hem stralend toe. 'Bedankt.'

Hij liep met haar mee naar de passagierskant. De cabine had geen portieren. Ze deed haar rugzak af en stapte in. Toen liep hij om naar de bestuurderskant, die eveneens open was. Hij liet de oudere man uitstappen en de moed zonk haar in de schoenen. Nu zou Magus naast haar zitten, gewapend, jong en sterk.

Toen de bestuurder achterop klom, bestudeerde Magus de automatische transmissie en zette de lichte truck in de versnelling. Ze reden weg.

Ze zette de rugzak op haar schoot en sloeg haar armen eromheen in het besef dat ze één voordeel had: hij was een onzekere bestuurder en keek naar het stuur, de kleine achteruitkijkspiegel, de versnellingspook. Dat hielp misschien – dat, en als ze hem verraste.

Ze draaide zich om en keek naar de wegtaxiënde Learjet. Weer recht vooruitkijkend vroeg ze onschuldig: 'Wil je niet zien wat er in de rugzak zit, Magus?'

'Nee.' Hij concentreerde zich op het rijden.

Maar ze begon hem open te ritsen, een snerpend geluid.

Hij keek haar aan. 'Dichtdoen.' Hij stak zijn hand ernaar uit.

Ze beet erin en proefde bloed. Vloekend rukte hij zich los en ze ramde de zware rugzak tegen de zijkant van zijn hoofd. Verdoofd zwaaide hij met zijn arm, maar raakte alleen de rugzak. Met de spitse neus van haar schoen schopte ze tegen de kuit van het been waarvan de voet op het gaspedaal rustte en tegelijkertijd sloeg ze hem nogmaals met de rugzak tegen zijn hoofd.

Zijn voet viel van het gaspedaal, de kleine truck slingerde en achter hen klonk een kreet toen de bestuurder weggleed.

Magus trapte op de rem en reikte naar het wapen onder zijn jack. In een waas van bewegingen trapte ze op het gaspedaal en beet in zijn oor. De truck schoot naar voren. Toen het wapen in zijn hand verscheen, zette ze haar nagels in zijn gezicht en ogen en krabde.

Hij gilde en sloeg naar haar met het wapen, maar hij was nu uit zijn evenwicht gebracht en de truck sprong naar voren, afwisselend remmend en versnellend. Zijn wapen was op haar gericht.

In razernij ramde ze de rugzak in zijn gezicht en draaide haar heupen naar hem toe. Met één hand tegen de rugleuning van haar stoel en de andere om het handvat op het dashboard ramde ze haar schoenen tegen zijn heup en duwde hem weg over de vinyl bekleding.

Zijn wapen ging met een oorverdovende knal af en de kogel drong door het dak. Bloed droop in zijn ogen toen hij probeerde te kijken. Hij schoot nogmaals in het wilde weg en ze schoof hem naar buiten en trapte het gaspedaal helemaal in. De truck schoot naar voren.

Haar hart bonsde als een keteltrom toen ze achter het stuur gleed en begon te sturen. Meer kogels floten door de cabine en misten op een haar na *Het boek der spionnen* op de zitting naast haar. Ze dook in elkaar, haar ogen net boven het dashboard, dankbaar voor de uitgestrekte betonnen vlakte. Een kogel vloog over haar hoofd, een dodelijke fluistering. En toen hield het schieten op.

Ze richtte zich op en keek in de spiegel. Magus rende achter haar aan, steeds verder achteroprakend, terwijl hij met zijn hand het bloed van zijn gezicht veegde. Achter hem lag een spoor van gekantelde kisten en het lijk van Charles. Een ogenblik lang was ze woedend op Charles, woedend dat hij haar in deze positie had gebracht, en toen verdween de emotie. Ze was nu net als vroeger op zichzelf aangewezen. Je weet hoe het moet, hield ze zichzelf voor.

Vastberaden draaide ze aan het stuur en reed in de richting van een gazen hek. Ten slotte zag ze een poort naast een donker bijgebouw. Het was ver weg, wat goed was. Meer afstand tussen haar en Magus. De nachtlucht verkoelde haar gezicht terwijl ze plankgas bleef geven.

Bij de poort bracht ze de truck met gillende banden tot stilstand en sprong eruit. Ze gooide haar rugzak om en keek achterom. Magus was ver weg en hij sjokte steeds langzamer. Hij hield zijn hand tegen zijn oor, riep natuurlijk om hulp. Maar zolang ze *Het boek der spionnen* had, had ze iets om mee te onderhandelen. Martin Chapman zou voor niets terugdeinzen om haar weer in handen te krijgen, zou haar desnoods tot het uiteinde van de wereld opjagen, maar met het geïllustreerde manuscript kon ze misschien permanente vrijheid kopen.

Ze sleurde haar rolkoffer van de achterbak. Hij had tegen de cabine gestaan en had het lot van de overige bagage gemist. Met de koffer achter zich aan rende ze door de poort naar een groot parkeerterrein.

Ze rende snel tussen de auto's, busjes en SUV's door en tuurde naar binnen. Ten slotte vond ze een oude Peugeot, gehavend en roestig, met een sleutel in het contactslot. Ze keek om zich heen en haalde haar tas uit de rolkoffer. Ze had nog Engelse ponden; ze zou ze inwisselen voor euro's. Eindelijk vond ze de strohoed die ze in Londen had gekocht. Ze zette hem op haar kale hoofd en bond het lint vast onder haar kin.

Ze zette de rolkoffer en de rugzak achterin. Vechtend tegen haar angst reed ze door het maanlicht naar de uitgang en haar blik gleed onophoudelijk naar de achteruitkijkspiegel.

36

Het sultanaat Oman
Muscat International Airport lag op een zandvlakte aan de Golf van Oman. In de verte glinsterden de lichten van enkele booreilanden, waarvan de poten diep in het zwarte water van de golf waren verzonken. De nacht geurde naar de woestijn toen Martin Chapman uit zijn Learjet stapte. Hij hijgde van woede. Robin Miller had *Het boek der spionnen* gestolen en was ontsnapt. Magus en een team waren naar haar op zoek in Athene, maar het was weer een probleem meer en dat kon hij niet gebruiken.

Het gevaar dat hem de meeste zorgen baarde, was Judd Ryder, die van de CIA was, en in dat ene woord lagen alle zorgen van de wereld: Langley had de middelen, de kennis, de deskundigheid en het lef om veel meer te doen dan het grote publiek ooit zou weten. Je dwarsboomde de CIA niet lichtvaardig, maar als het eenmaal gebeurd was, had je geen andere keus dan er zo snel mogelijk een eind aan te maken, wat de reden was waarom Chapman zich nu in Oman bevond.

Het was druk bij de balie van Oman Air in de hypermoderne passagiersterminal. Hij passeerde tegeltableaus, potpalmen en oud-Arabische muurdecoraties zonder ze te zien. Hij sloeg een brede aankomst- en vertrekgang in en liep, zijn instructies volgend, naar de taxfreeshop. Bij de deur naar de toiletten stond een luchthavenmedewerker in een zandkleurig uniform en een geruite hoofddoek voorovergebogen de vloer te dweilen.

Toen Chapman hem passeerde, hoorde hij een stem opklinken: 'Achter de vierde deur links is een voorraadkamer. Wacht binnen. Doe het licht niet aan.'

Chapman hield bijna zijn pas in. Snel herstelde hij zich en liep naar de deur. Binnen deed hij het licht aan. Tegen de muren van het kleine vertrek stonden rekken met schoonmaakmiddelen, papieren handdoeken en toiletpapier. Hij deed het licht uit en ging in het donker tegen de achterwand staan, een kleine zaklamp in zijn ene hand en de andere onder zijn jasje op de kolf van zijn pistool.

De deur ging geruisloos open en dicht.

'Jack zei dat je hulp nodig hebt.' De stem klonk zacht. De man stond blijkbaar vlak bij de deur. 'Ik ben duur en ik heb regels. Dat weet je. Jack zei dat je met mijn voorwaarden hebt ingestemd. Dat wil ik van je horen voordat we verdergaan.'

'Ben jij Alex Bosa?' Chapman nam aan dat het schuilnaam was.

'Zo noemen sommigen me.'

'De Carnivoor.'

Geen uitdrukking in de stem. 'Zo word ik ook wel genoemd.'

Chapman ademde in. Hij was in de aanwezigheid van een legendarische, onafhankelijke huurmoordenaar, een man die tijdens de Koude Oorlog voor alle partijen had gewerkt. Maar niet lang. Nu werkte hij slechts af en toe, maar altijd voor astronomische bedragen. Er bestonden geen foto's van hem, niemand wist waar hij woonde, wat zijn echte naam was en zelfs niet in welk land hij geboren was. Hij faalde nooit en niemand ontdekte ooit wie hem had ingehuurd.

De stem van de moordenaar was kalm. 'Stem je in met mijn voorwaarden?'

Chapman zette zijn stekels op. Híj was de baas, niet die schimmige man die verborgen achter pseudoniemen moest leven. 'Ik heb een cheque bij me.' Er moest in twee termijnen betaald worden – de helft nu, de helft na voltooiing, in totaal twee miljoen dollar. Zich van het CIA-probleem ontdoen was elke cent waard. 'Wil je de klus of niet?'

Stilte. Toen: 'Ik werk alleen als het zover is. Dat betekent dat jouw mensen weg moeten zijn. Je mag onze relatie nooit bekendmaken. Je mag nooit proberen te achterhalen hoe ik eruitzie of wie ik ben. Als je het ooit probeert, kom ik achter je aan. Uit respect voor onze zakelijke relatie en het bedrag dat je me zult hebben betaald, zal ik je een dienst bewijzen en het keurig afwerken. Je zult na vanavond niet proberen me opnieuw te ontmoeten. Als het karwei geklaard is, zal ik contact opnemen en je laten weten hoe ik de laatste termijn wil ontvangen. Als je me niet betaalt, zal ik ook daarvoor achter je aan komen. Ik dood alleen mensen die sowieso geen adem zouden mogen halen. Ik ben degene die die beslissing neemt – niet jij. Ik zal je een nieuw telefoonnummer geven, waarop je me kunt bereiken wanneer je de aanvullende informatie over de verblijfplaats van de doelwitten hebt. Stem je daarmee in?'

De dreigende kracht in de kalme stem was adembenemend. Chapman merkte dat hij knikte, hoewel de man hem in het donker onmogelijk kon zien.

Hij zei: 'Ik stem ermee in.' De Carnivoor had zich gespecialiseerd in het camoufleren van moorden als ongelukken en daar ging het om: hij wilde dat Langley niets zou hebben wat naar hem of naar de Gouden Bibliotheek zou wijzen.

'Vertel me waarom Judd Ryder en Eva Blake geliquideerd moeten worden,' zei de Carnivoor.

Toen Chapman besloten had er talent van buiten de boekenclub bij te halen, had hij zich tot een bron gewend, een bemiddelaar die alleen Jack werd genoemd. Via versleutelde e-mails hadden hij en Jack een akkoord gesloten. Nu herhaalde hij het verhaal voor de Carnivoor: 'Ryder is een oud-medewerker van de militaire inlichtingendienst en uiterst bekwaam. Blake is een crimineel: ze heeft haar man gedood toen ze dronken achter het stuur zat. Ik ben ervan overtuigd dat je dat hebt nagetrokken. Ze hebben gehoord over een nieuwe, geheime zakelijke transactie waar ik mee bezig ben en die ze voor zichzelf willen. Ik heb geprobeerd met ze te praten, maar daar bereikte ik niets mee. Als ze dit stelen, zal het me miljarden kosten. En belangrijker nog: nu proberen ze me te doden. Ze zijn onderweg naar Istanbul. Ik moet binnenkort horen waarheen precies.'

'Ik begrijp het. Ik ga nu. Leg de envelop in het rek naast je. Open de deur en ga onmiddellijk terug naar je vliegtuig.' Hij gaf Chapman zijn nieuwe mobiele telefoonnummer.

Er was beweging in de lucht, de deur ging snel open en dicht en Chapman werd weer omhuld door duisternis. Hij realiseerde zich dat hij transpireerde. Hij legde de envelop met de cheque van een miljoen dollar naast hem in het rek en vertrok.

Terwijl hij door de gang liep, zocht hij overal naar de schoonmaker in het bruine uniform en de hoofddoek. Hij was verdwenen.

37

Istanbul, Turkije
Judd keek door het vliegtuigraam naar de fonkelende lichten van de legendarische stad Istanbul. Hij laafde zich aan de aanblik van wat ooit het machtige Constantinopel was geweest, de kroon van het Byzantijnse Rijk... en de geboorteplaats van de Gouden Bibliotheek.

Eva werd wakker. 'Hoe laat is het?' Ze leek nerveus.

'Middernacht.'

Terwijl het toestel landde en naar de terminal van Atatürk International Airport taxiede, checkte hij zijn telefoon.

'Nog nieuws van Tucker over waar Yakimovich is?' vroeg ze.

Hij schudde zijn hoofd. 'Geen e-mail. Geen sms.'

'Als Tucker hem niet kan vinden, zou het ons dagen kunnen kosten.'

Hoewel het uitgesloten leek dat ze gevolgd werden, waren ze in Rome onderweg naar het vliegveld niet alleen gestopt om voorraad in te slaan, maar ook om zich te vermommen. Nu ze van boord gingen, hielp Judd Eva in een rolstoel. Ze zat diep gebogen en haar hoofd hing naar voren alsof ze sliep. Er lag een deken over haar heen en haar haren gingen schuil onder een shawl. Hij legde haar schoudertas en een grote nieuwe weekendtas met andere aankopen op haar schoot. Hij was gekleed als een particulier verpleger, in witte broek, een witte kiel en een witte pet. Hij had een rolletje watten achter zijn onderlip gestopt, zodat die naar voren stak en zijn kaak smaller leek.

Hij hield zijn wangen slap en zijn blik sloom en stelde zijn inwendige monitor bij tot hij eruitzag als een niet al te slimme bediende van de aardige dame in de rolstoel. Steels om zich heen kijkend duwde hij haar naar de internationale terminal en liet zijn valse en haar echte paspoort zien. Ze kregen visumstempels en gingen door de douane. Hoewel het in de terminal minder druk was dan tijdens de spitsuren, waren er volop mensen. Achter de beveiligingsbalie stonden er nog meer, velen met een bordje met de naam van een passagier.

Terwijl hij de rolstoel door de lange gang naar de uitgang duwde, bleef Judd op zijn hoede. Toen zag hij nou net degene die hij niet wilde zien: Preston. Hoe kon die verdomme weten dat hij naar Istanbul moest gaan? Gespannen bestudeerde Judd hem vanuit zijn ooghoeken. Lang en breedgeschouderd leunde de moordenaar tegen de buitenmuur van een krantenkiosk en deed alsof hij de *International Herald Tribune* las. Hij was gekleed zoals in Londen: in spijkerbroek en een zwartleren jack en waarschijnlijk met een pistool.

Omdat hij geen vergunning had om tijdens een commerciële vlucht een wapen te dragen, had Judd zijn Beretta in Rome achtergelaten. Hij dacht na. Het leek onwaarschijnlijk dat Preston in Londen zijn gezicht had kunnen zien vanuit de steeg. Anderzijds was het mogelijk dat hij er op de een of andere manier achter was gekomen wie hij was en nu een foto had.

'Preston.' Het bezorgde fluisteren van Eva zweefde omhoog.

'Ik zie hem,' zei Judd zacht. 'Denk eraan, je slaapt.'

Ze zweeg weer terwijl hij de rolstoel in bezadigd tempo bleef voortduwen.

Over de rand van de krant heen bestudeerde Preston de menigte. Zijn ogen bewogen terwijl zijn lichaam de schijn van ongeïnteresseerde ontspanning wekte. Zijn blik bleef rusten op niet alleen vrouwen, maar ook mannen van de juiste leeftijd, de juiste haarkleur, de juiste lengte, waaruit Judd opmaakte dat hij op de een of andere manier wist hoe hij eruitzag. Preston bekeek zowel stellen als afzonderlijke mensen en zag niemand over het hoofd, vond niets vanzelfsprekend. Hij pakte een walkietalkie die aan zijn riem hing en praatte erin. Dat betekende dat er nog minstens één bewaker in de buurt was.

Toen Preston het toestel weer aan zijn riem hing, zag hij Judd en Eva. En concentreerde zich op hen.

Zijn blik voelde aan als een gloeiende pook. Judd keek hem niet aan en versnelde zijn pas niet; het zou Preston alleen maar nieuwsgieriger maken. Toen zag hij een lange vrouw langskomen die een kleine rolkoffer trok. Hoewel het al laat was, droeg ze een grote zonnebril en haar haren waren lang en rood, zoals die van Eva.

Judd zag zijn kans schoon, manoeuvreerde de rolstoel naast haar en liet zijn schouders afhangen om er nog kleurlozer uit te zien in zijn verplegersuniform. Prestons ogen bewogen, aangetrokken door de vrouw. Hij liep weg van de kiosk en volgde haar toen ze zich voor Judd en Eva uit naar een parkeerplaats voor huurauto's haastte.

Judd ademde uit. Hij duwde Eva door de glazen deuren naar de rij wachtende taxi's.

Zodra de taxi de terminal verliet, deed Judd de ruit tussen de voorbank en de achterbank dicht. Het was een oud brik, met kale bekleding, maar het glas was dik en de chauffeur zou hun gesprek niet kunnen verstaan.

'Hoe kan Preston ons hebben gevonden?' vroeg Eva opnieuw. 'De Charboniers wisten van Yakimovich en Istanbul, maar ze stierven voordat ze het iemand konden vertellen.'

'Het is moeilijk te geloven dat Tucker nóg een lek heeft. IT zal het hoofdkantoor volledig uitkammen. Misschien zijn we het zelf. Kan Charles in Londen een zendertje in je kleren hebben verstopt?' Terwijl ze praatten zocht hij achter hen naar sporen van Preston.

'Áls hij dat gedaan heeft, zijn die kleren nu weg. Maar waarom zou hij? Hij dacht dat hij me had. Heb je ooit gezien dat iemand ons volgde?'

Hij schudde zijn hoofd. Ze zwegen.

'Oké, laten we vooraan beginnen,' zei hij. 'Het is geen zendertje en het is geen cyberlek bij Catapult.'

'Als Charles nog had geleefd,' zei ze, 'zou hij geweten hebben dat we naar Andy Yakimovich zouden gaan.'

'Peggy is de enige die ik kan bedenken. Maar die wist niets over

Yakimovich of Istanbul, dus Preston kan de informatie onmogelijk van haar hebben gekregen.'

Eva vloekte. 'Natuurlijk... Peggy's mobiele telefoon. Degene die Peggy heeft vermoord, kan mijn nummer erin hebben gevonden.' Ze haalde haar toestel uit haar tas. 'De enige keer dat ik gebeld heb, was op het vliegveld in Athene, toen ik op zoek was naar Andy. Ik heb met Istanbul gebeld.'

'Geef op.' Hij schakelde hem in en keek op het scherm of hij verbonden was met het netwerk. Hij draaide zijn raampje open en gooide hem op de laadbak van een passerende pick-up.

'Dat zal Preston iets te zoeken geven.' Ze glimlachte.

Hij glimlachte terug. Op de smalle achterbank van de taxi keken ze elkaar onopzettelijk diep in de ogen. Een ogenblik lang wisselden ze een warme intimiteit uit. Zijn hartslag versnelde.

Zwijgend wendde ze haar blik af en hij keek uit het zijraam. Dat was het probleem met gedeeld gevaar. Het leidde onvermijdelijk tot een soort band, en die 'soort' kon seksueel zijn. Hij voelde haar onbehagen, haar plotselinge afstandelijkheid, maar hij wilde er niet op ingaan en uitleggen wat er zojuist was gebeurd. Of dat hij het fijn had gevonden.

Hij vermande zich. Ze hadden de rand van de stad bereikt. Hij koos een druk kruispunt uit en vroeg de chauffeur te stoppen. De kans bestond dat Preston het kenteken van hun taxi had.

Hij hielp Eva in de rolstoel en betaalde de chauffeur. De achterlichten verdwenen in het verkeer en hij draaide haar om en liep in tegengestelde richting. Hij keek voorzichtig om zich heen.

'Recht vooruit is een steeg,' spoorde Eva hem aan.

'Ik zie het.' Hij duwde haar erin.

Ze stond op, ontdeed zich van haar deken en de shawl en stopte ze onder de zitting van de rolstoel. Ze haalde een nachtblauw jack uit de weekendtas. Terwijl hij de watten uit zijn mond haalde, zijn verplegerskiel en zijn witte broek uittrok, trok ze haar jack aan, pakte zonder hem aan te kijken haar tas en rende weg om op de uitkijk te gaan staan.

Hij trok een spijkerbroek, een bruin poloshirt en een bruin sportjasje aan. Hij klapte de rolstoel in, zette die met hun afgedankte spullen tegen de muur en draaide zich toen naar haar om, een slanke gestalte die klein leek in de hoge opening van de steeg, zelfverzekerder en onbevreesder dan hij had gedacht.

Met de weekendtas liep hij naar haar toe. 'Zie je iets?'

'Geen spoor van Preston. Welke kant op?'

Ze liepen zes blokken, sloegen een hoek om en hij hield een taxi aan. Twintig minuten later waren ze in de wijk Sultanahmet in het hart van de historische binnenstad, niet ver van het Topkapi-paleis, de Hagia Sofia en het Hippodrome. De taxi stopte en ze stapten uit.

Ze liepen nog tien minuten en staken toen over naar een smalle straat, hoogstens anderhalve rijbaan breed. Er waren geen auto's, maar er lagen tramrails. Hoge natuurstenen gebouwen uit vroeger eeuwen waren tegen elkaar aan gebouwd, met op de begane grond en de eerste verdieping winkels en magazijnen. Hij haalde diep adem. De exotische geuren van komijn en tabak met appelaroma zweefden door de lucht.

'Dit is Istiklal Caddesi,' zei hij. 'De hoofdstraat van Caddesi. Ons hotel is vier blokken verderop.'

Ze liepen door en ze zei: 'Je weet blijkbaar veel over Istanbul. Ben je er wel eens eerder geweest?'

'Nee. Ik heb het gegoogeld.'

Het hotel was een gestuukt gebouw met een eenvoudige houten deur en rechts daarvan twee ramen met luiken. Het was stil op straat: de winkels waren gesloten en er waren geen restaurants, cafés of bars die klanten trokken.

Hij vertraagde zijn pas. 'We hebben een probleempje. Je hebt alleen je echte paspoort, dus je zult het hotel je echte naam moeten geven. Daarom ga ik alleen naar binnen en schrijf me in onder een van mijn valse namen. Daarna kom ik je halen.'

Hij gebaarde en ze ging in de portiek van een snuisterijenwinkel staan. Haar donkere jack en spijkerbroek versmolten met de schaduwen.

Ze leert snel, dacht hij terwijl hij haar achterliet en het hotel binnenging. Het was smal en diep, met oud, ongeverfd hout en verschoten bekleding. De receptionist gaf hem zoals verwacht een onbedrukte kartonnen doos met de juiste schuilnaam erop. In gedachten bedankte hij Tucker. Hij bestelde iets bij roomservice, liep in de richting van de lift achterin en door de achterdeur naar buiten.

Toen hij in de ingang van de steeg verscheen, zag hij haar niet, zo goed was ze in de portiek verborgen.

Ze haastte zich naar hem toe, een vraag in haar ogen.

'Het gaat goed,' zei hij terwijl ze terugkeerden door de steeg. 'Ik heb ze verteld dat mijn broer over een paar dagen komt.'

'Ik dacht dat je alleen maar neven had.'

Hij grinnikte. 'Nu heb ik een broer.'

Ze klommen via de achtertrap naar de zevende verdieping. Ze was het met hem eens dat het veiliger was als ze bij elkaar bleven. Hun kamer had twee smalle bedden en was spaarzaam ingericht met sierlijk meubilair in oud-Turkse stijl.

Ze ging naar de badkamer en hij zette de weekendtas op het bed bij de deur en opende de doos. Er zat een compact halfautomatisch Beretta-pistool in, identiek aan het pistool dat hij in Rome had moeten achterlaten. Hij controleerde het, laadde het uit de munitiedoos, paste de canvas holster en stelde hem bij. Tevredengesteld liep hij naar het raam. De lichten van de stad spreidden zich als een wenkend panorama voor hem uit.

'Kom eens kijken.' Hij duwde de twee ramen open en leunde naar buiten.

Ze kwam uit de badkamer, haar markante trekken eindelijk weer kalm. Ze begon zich weer veilig te voelen, concludeerde hij. Ze rook fris, naar zeep en rozenwater.

Ze leunde eveneens naar buiten. 'Wat een schitterend uitzicht.'

'Istanbul is de enige grote stad ter wereld die op twee werelddelen ligt,' zei hij. 'Het is net als Rome op zeven heuvels gebouwd. Waar wij nu zijn – de wijk Sultanahmet – is op de top van de eerste heuvel, aan de zuidkant. Het is het historische hart van de stad. Zie je dat?' Kleurrijk vuurwerk spreidde zich uit boven het donkere water van de Zee van Marmara. 'Dat komt van een huwelijksboot. Kijk naar de verlichte moskeeën. De koepels en minaretten. De tempels en kerken. De doolhof van kronkelende straten.' De nacht gaf de eeuwenoude stad iets spectaculairs, alsof ze stiekem nieuwe krachten opdeed terwijl de inwoners sliepen. 'Zo moet het er ongeveer uit hebben gezien in de Byzantijnse tijd, toen de keizers de wereld veroverden en de beste boeken verzamelden.'

'Het is schitterend. Heb je dat allemaal van Google?'

'Van mijn vader. We zijn altijd van plan geweest samen naar het oude Constantinopel te gaan. Zo weet ik dat Istanbul de Stad van het Verlangen van de Wereld werd genoemd. Hij was vooral gek op dit hotel. Er is een heleboel historie aan verbonden.' Gespannen keerde hij zich naar haar toe. 'Als mijn vader lid was van de boekenclub toen jouw man bij de bibliotheek ging werken, is hij misschien op de een of andere manier verantwoordelijk voor de dode man in het graf van je man en voor jouw gevangenisstraf. Ik wil zeggen dat het me spijt.'

'Charles zei dat ze me wilden doden, maar dat hij ze het uit hun hoofd heeft gepraat.' Ze zuchtte diep en hij voelde de afstand tussen hen groter worden. 'Ik weet dat je van je vader hebt gehouden. Wat hij ook heeft gedaan of nagelaten, het heeft niets te maken met wie jij bent. Het is niet jouw schuld.'

Maar hij voelde dat hij in haar gedachten bezoedeld was. Hij liep de kamer in en dacht terug. Toen hij opgroeide, was zijn vader soms lange tijd weg geweest. Hij had hen van het ene huis naar het andere gebracht, telkens groter, duurder. Zijn moeders eenzaamheid. De prachtige cadeaus die hij van elke reis meebracht. Kunstwerken, sieraden, meubels, boeken. Zijn vader was niet alleen rijker geworden, maar ook slanker en sterker. Toen hij grijs werd, concentreerden hun gesprekken zich steeds vaker op lessen die hij wilde doorgeven. Denk zelf na. Je kunt nooit genoeg leren. Alleen jijzelf kan jou beschermen. Geld lost bijna elk probleem op.

'Je zei dat je contractmedewerker van de CIA bent,' zei ze. 'Wat deed je voor die tijd?'

'Militaire inlichtingendienst. Het leger. Ik heb een maand voordat mijn vader stierf ontslag genomen.'

'Je bent rijk en de hele wereld ligt voor je open. Ik wed dat je vader graag zou hebben gezien dat je de snelweg naar de directiesuite van Bucknell had genomen.'

'Inderdaad.' Het was zijn vaders droom geweest.

'Maar je nam dienst in het leger. Waarom?'

'Het leek me de juiste beslissing. En nee, het was vóór elf september.'

'Dus je rebelleerde door een degelijk man te worden. Maar dat is niet alles, is het wel? Wie ben je écht, Judd Ryder?'

Daar had hij geen antwoord op. Hij werd gered door een klop op de deur. Hij trok zijn wapen, sloop ernaartoe en gluurde door het kijkgat. Het diner was gearriveerd.

Ze aten aan een kleine tafel in de hoek – lamsgehakt met citroensaus, pittige geroosterde-auberginesalade met gemalen walnoten en zoete rode paprika's. Ze praatten rustig en toen ze klaar waren, schonk hij raki in, een melkachtig aperitief met anijsaroma, een Turkse drank waarvan hij samen met zijn vader thuis had genoten. Toen hij haar een glas aanreikte, ging zijn beveiligde telefoon.

Ze keek naar het bed, waar zijn toestel lag. 'Tucker met goed nieuws, hoop ik.'

Hij pakte hem al op. Toen hij op de spreektoets drukte, bevestigde hij dat door 'Hallo, Tucker' te zeggen.

Ze zette haar glas neer en luisterde toen hij de telefoon op de luid-spreker zette.

'Zijn jullie aangekomen?' wilde Tucker weten.

'Ja, we zijn in het hotel,' zei Judd. 'Je pakje lag te wachten. Bedankt. Je moet weten dat Preston op de luchthaven was. We hebben hem af-geschud. Het was dit keer geen lek – ze hebben ons opgespoord via Eva's telefoon.'

'Jezus.' De meesterspion klonk gefrustreerd.

'Ben je iets over Yakimovich te weten gekomen?' vroeg Judd.

'Ja, een goed spoor van een bron in Istanbul. Een handelaar in ou-de kalligrafie in de Grote Bazaar zou weten waar Yakimovich is. Hij heet Okan Biçer en hij komt rond drie uur 's middags naar zijn werk. Ik zal je een foto van hem mailen en een routebeschrijving naar zijn winkel.'

Toen ze de routebeschrijving vanbuiten hadden geleerd en de foto bekeken, verbrak Judd de verbinding en gooide de telefoon weer op zijn bed. Toen hief hij zijn glas en zij hief het hare. Ze toostten met een zacht tinkelen. Ze dronken en meden de intimiteit van elkaars ogen, de pijn van het gedeelde verleden en de zorg om wat de dag van morgen zou brengen.

38

Fairfax County, Virginia

Cathy Doyle was bekaf. Het was bijna één uur 's nachts en de dag was gevuld geweest met werk en de gebruikelijke druk om succes te boeken met de uiteenlopende opdrachten waar Catapult mee bezig was. Terwijl ze de Potomac overstak naar Virginia en naar huis, zette ze de radio aan. Het was een verslag over nieuwe terreuraanslagen in het oosten van Afghanistan en ze had er al zoveel feiten over, dat een herhaling van het sombere nieuws het laatste was wat ze wilde. Ze zette de radio uit.

Virginia was een staat van stedelijke verstopping te midden van uitgestrekte bossen en landerijen. Ze hield ervan; het deed haar altijd denken aan Ohio, waar ze was opgegroeid. Ze sloeg af bij een tweebaansweg, overspoeld door maanlicht, langs de rivier ten noorden van het District. Het was niet druk op dit tijdstip en in de meeste van de verspreide huizen brandde geen licht.

Ze dacht verlangend aan haar tweelingdochters, thuis van een voorjaarsvakantie aan Columbia, en aan haar man, jurist op het Department of Labor, net terug van een congres in Chicago. Ze zouden slapen, net als zij zo meteen.

Voor zich uit neuriënd keek ze naar de weg. Er was bijna geen verkeer en ze voelde dat ze zich ontspande. Ze dacht weer aan thuis en bed, toen ze zich realiseerde dat er een auto achter haar reed. Ze keek op haar snelheidsmeter. Ze reed constant zestig kilometer per uur, precies wat ze wilde, en dat deed de achterligger ook. Nog iemand die naar huis reed voor een goede nachtrust.

Rechts van haar was een opening in het bos en ze kon de rivier zien, met zijn rimpelende, door het maanlicht zilvergekleurde oppervlak. Ook daar hield ze van. De natuur in al haar schoonheid. Ze draaide haar raampje open. De lucht floot naar binnen, de koele nachtlucht, vochtig van de rivier. Ze zette de radio weer aan en vond ditmaal een blueszender. Ah, ja!

Ze leunde achterover en keek in de binnenspiegel. En bleef kijken. De koplampen van het andere voertuig kwamen dichterbij, bestookten haar auto met licht. Ze trapte op het gaspedaal en schoot naar voren. Toen ze ruim negentig reed, keek ze opnieuw in de spiegel. Haar achtervolger was nog dichterbij gekomen. Er was nog steeds geen ander verkeer toen ze begon aan de lange, hoge klim die uiteindelijk weer afdaalde naar het dal, waar haar huis slechts enkele kilometers verder stond.

Ze keek opnieuw in de spiegel. De andere auto had de rechterbaan verlaten en reed nu links. Het was een grote pick-up. Hij had geen richting aangegeven en ook niet afgeremd. Maar opeens kwamen de koplampen snel dichterbij. Terwijl ze plankgas gaf, zwenkte hij naar de andere baan en haalde haar in. Haar mond werd droog toen ze samen de helling op raceten.

Ze remde om achter hem te komen. Te laat. De pick-up ramde de zijkant van haar auto. Furieus probeerde ze de controle over het stuur te houden. De pick-up raakte haar opnieuw, duwde haar naar de rand. Ditmaal werd het stuur uit haar handen gerukt.

Ze werd overspoeld door angst en pakte het stuur beet terwijl de auto door de vangrail ging, over de rand schoot en tussen jonge dennenbomen door omlaag tuimelde en tegen rotsblokken sloeg. De ene klap na de andere gooide haar heen en weer. Toen de sedan in de laatste afgrond viel en naar de donkere rivier dook, voelde ze een verblindende klap en toen niets meer.

Washington, D.C.
Om acht uur 's morgens heerste er een plechtige stilte in het hoofdkantoor van Catapult, hoewel al het ochtendpersoneel er was. Het gebouw was doordrenkt van een sfeer van geschokt verdriet. Het nieuws over het dodelijke ongeluk van Catherine Doyle had zich verspreid. Tucker had het uren geleden gehoord, gewekt door zijn oude vriend Matthew Kelley, de directeur van Clandestine Service. Cathy's man had gebeld toen ze niet thuis was gekomen. Later had de Virginia State Police haar auto in de rivier gevonden, met alleen een stukje van het dak zichtbaar. Het voertuig was lelijk toegetakeld, wat klopte met het terrein waardoorheen het omlaag was gestort, en ze was blijkbaar verdronken. Over een paar dagen zouden ze het verslag van de patholoog krijgen en de resultaten van het forensisch onderzoek.

Tucker dwaalde door het oude bakstenen gebouw, praatte met hun mensen, troostte hen en daarmee ook zichzelf. Cathy was een goede baas geweest, hard en eerlijk, en ze was gezien geweest. Hij spoorde hen aan weer aan het werk te gaan. Hun agenten in het buitenland rekenden op hen. Bovendien zou ze het zo gewild hebben en dat wisten ze.

Tegen de middag was het tempo versneld, stemmen bespraken kwesties, telefoons rinkelden, toetsenborden rammelden. Hij keerde terug naar zijn kantoor en probeerde zich te concentreren. Ten slotte keerden de levenslange gewoonten terug en hij boog zich over zijn werk.

'Hallo, Tucker.' Hudson Canon stond in de deuropening, bezorgd kijkend. Hij was adjunct-directeur van Clandestine Service, was lange tijd veldagent geweest en door Langley naar huis gehaald als supervisor van een groep mensen die op hun beurt missies creëerden en leidden. Hij was klein, waardig en gespierd en wekte de indruk van een buldog met een stamboom, met zijn stompe neus, zijn ronde zwarte ogen en bolle wangen. 'Hoe gaat het?'

'Het is natuurlijk vreselijk nieuws. Cathy zal erg gemist worden.'

'Volgens Gloria is iedereen hard aan het werk, maar ik moet zeggen dat het bijna een mausoleum lijkt. Verdomme. Ik mocht Cathy heel graag. Een geweldige vrouw.'

'Ga zitten. Wat kan ik voor je doen?'

Canon lachte even en ging tegenover het bureau zitten. 'Matt Kelley stuurt me om Cathy te vervangen tot er een nieuw hoofd is benoemd. Heb jij belangstelling voor de baan?'

'Dat is snel.'

'Zeg dat wel. Heb je belangstelling?'

Tucker had het er moeilijk mee. 'Laat me erover nadenken.' De baan was hem aangeboden voordat Cathy was benoemd, maar hij had het aanbod afgeslagen.

'Ik ben nog niet in Cathy's kantoor geweest,' ging Canon verder. 'Ik heb Gloria gevraagd al haar privéspullen in te pakken voordat ik er intrek. Intussen kun je me bijpraten. Begin met de meest dringende zaken.'

Canon sloeg zijn benen over elkaar en ze praatten. Tucker vertelde hem over Berlijn, Bratislava, Kiev, Teheran en andere operaties. Canon was in grote lijnen op de hoogte door Cathy's wekelijkse rapporten.

'Ik heb gehoord dat er mogelijk is ingebroken in jullie e-mail- of internetsysteem.'

'Debi zit erbovenop,' zei Tucker. 'Er is ingebroken door iemand die circa drie minuten toegang heeft gehad tot Cathy's mail.'

Canon trok een gezicht. 'Lang genoeg om meer te stelen dan ons lief is.'

'Mee eens. Maar we weten niet wat ze hebben gevonden. Misschien niets. Hoe dan ook, dat spoor loopt nu dood en Debi's team is in staat van alarm en zoekt naar de minste sporen van pogingen tot inbraak. Er is sindsdien niet meer met succes ingebroken. Het probleem was dat het 's nachts is gebeurd, toen we minder mensen hadden. Ze hebben de indringer gemist; hij was blijkbaar verdomd goed.'

'Juist ja. Wat heb je nog meer voor me?'

Tucker beschreef de Gouden Bibliotheek-operatie. Toen hij klaar was, leunde Canon nadenkend achterover. 'Is dat een verstandig gebruik van Catapult-middelen? Je hebt nog steeds geen bewijs van een verband met terrorisme. Wat kan die Gouden Bibliotheek nou verdommen? Wat dondert het dat het een schitterend oud ding is? Dat is het terrein van historici en antropologen. Het is verspilling van tijd die beter aan belangrijker missies kan worden besteed.'

Tucker verstrakte. 'Ik begrijp je punt, maar we zitten er al tot over onze oren in. Ik heb een contractmedewerker en een burger die op de vlucht zijn, opgejaagd worden. En een dode die nog leefde en zei dat hij de hoofdbibliothecaris was. Hij is nu ook dood, en ditmaal is het echt zo. Er zijn nog meer lijken, mensen zoals Jonathan Ryder en de Charboniers.'

'Heb je van Ryder of de Charboniers iets gehoord over de locatie van de bibliotheek?'

'Nog niet. Jonathans leven is veel makkelijker na te gaan. We hebben zijn reisroutes, maar hij was een internationaal zakenman die de hele wereld over vloog. Een heleboel grote en kleinere steden. Wat de Charboniers betreft: we moeten bij de Fransen bedelen om informatie en dat is moeilijk. Je weet hoe geheimzinnig ze kunnen doen.'

'Dat spoor zal ook doodlopen.'

'Misschien, maar mijn twee mensen in Istanbul hebben een goed aanknopingspunt. We moeten het nagaan.'

'Een goed aanknopingspunt? Wat dan?'

'De man heet Okan Biçer. Hij verkoopt kalligrafie in de Grote Bazaar.' Tucker keek op zijn horloge. 'Hij zou weten waar een oude bekende van de man van Eva Blake is, een antiquair die Andrew Yakimovich heet. Ze hopen dat Yakimovich iets heeft voor Blake waaruit blijkt waar de Gouden Bibliotheek is.'

Hudson Canon leek erover na te denken. Ten slotte knikte hij. 'Ik had Cathy al verteld over mijn bedenkingen, of deze operatie de moeite waard is, maar ze haalde me over om het wat tijd te gunnen. Jouw argument voor meer tijd is ook goed. Maar ik heb het aan mijn baas voorgelegd. Zeker nu Cathy dood is en we Catapult moeten reorganiseren, zullen we ons terughoudend moeten opstellen. Je hebt zesendertig uur om de Gouden Bibliotheek te vinden. Als je dan nog niet weet waar die is, zegt de baas dat we de stekker eruit moeten trekken en de operatie moeten beëindigen.'

39

Pesjawar, Pakistan
Dikke stormwolken kolkten zwart en dreigend boven zijn hoofd en de temperatuur daalde vijf graden toen Martin Chapman de vervuilde en paranoïde stad Pesjawar binnenreed. Hij was gekleed in een traditionele *salwar kameez* – het lange hemd en de wijde broek die door de meeste Pakistaanse en Afghaanse mannen wordt gedragen – en kon doorgaan voor een Oezbeek, een Tsjetsjeniër of een Pathaan met een lichte huid.

In deze stad, een broeinest van de taliban en Al Qaida, zou hij de krijgsheer ontmoeten die hem een veilige doortocht had beloofd. Maar Chapman geloofde niet in beloften. Zijn pistool hing aan zijn riem, met geopende holstersluiting, en zijn hand lag op de kolf van het wapen. Naast hem lag de volledig geladen AK-47 van de vrachtwagenchauffeur.

Pesjawar was een gewapend garnizoen. Mannen en jongens niet ouder dan vijf droegen een keur aan wapens in hun handen of aan hun schouder. Maar ja, Pesjawar was dan ook de hoofdstad van de politiek instabiele North-West Frontier Province, slechts tien kilometer verwijderd van de wetteloze stamgebieden. Jihadstrijders stroomden de stad binnen om zich te hergroeperen, te vechten, wapens en proviand te kopen en te verhandelen en deel te hebben aan de beschaving. Het was altijd al een smokkelaarsnest geweest en het centrum van de binnenlandse wapenfabricage, maar nu meer dan ooit. Particuliere woningen waren functionerende wapenfabrieken. Hele families fabriceerden met de meest primitieve gereedschappen kwaliteitskopieën van belangrijke kleine en middelgrote wapens.

Toen de truck door de stad reed, schrok Chapman van de armoede en de verwoestingen. Lege hulzen van gebouwen, sommige verscheidene wankele verdiepingen hoog, stonden langs de straten, het resultaat van zelfmoordaanslagen, persoonlijke vetes, politiegeweld en af en toe een bombardement vanuit Afghanistan, aan de andere kant van de bergen.

Ondanks dit alles ging het leven zijn gewone gang. Vrouwen in spookachtige boerka's en met stoffen boodschappentassen zwermden als schaduwen tussen de winkels door. Mannen met tribale hoofddoeken of *pakoel*-petten – de traditionele platte, ronde wollen petten – poseerden voor een portret voor oude boxcamera's op gammele houten statieven.

'Wij gauw zijn,' zei de chauffeur. Hij was een Afghaanse Pathaan en werkte rechtstreeks voor de krijgsheer. Gelukkig verstond hij Engels beter dan hij het sprak.

De chauffeur draaide de grote vrachtwagen Lahore Road in. Hobbelend door kuilen sloeg hij nogmaals af en stopte. Stof dwarrelde als een verstikkende wolk om hen heen op. Ze stonden voor een wapenhandel.

'Is het hier?' vroeg Chapman.

De chauffeur knikte enthousiast.

'Wacht hier,' commandeerde Chapman.

De man knikte, zette de motor af en tuurde door de voorruit naar de stormachtige, schemerige lucht. Hij schudde wanhopig zijn hoofd, stapte uit en stak een sigaret op.

Ook Chapman stapte uit en hij vervloekte in stilte Syed Ullah omdat hij erop had gestaan dat ze elkaar in Pesjawar zouden treffen. Maar ja, zo was Ullah. Hij behoorde tot een oud geslacht van Pathaanse stamhoofden in de Afghaanse grensprovincie Khost. De krijgsheer was eigen baas en trok zich niets aan van bevelen vanuit Kabul.

Toen Chapman naar de winkel liep, verscheen Ullah in de deuropening, die hij volledig afsloot. Reusachtig en machtig gebouwd, met handen die eruitzagen alsof je er een bowlingbal in kon verbergen. Zijn jukbeenderen waren hoog, de kille, intelligente bruine ogen stonden ver uit elkaar en de dichte snor boven zijn brede mond was keurig geknipt. Hij droeg een blauwe wollen trui, een salwar kameez en zware zwarte laarzen. Twee pistolen met een met parelmoer ingelegde kolf hingen in holsters aan zijn heupen.

Hij zag er op zijn gemak en zelfvoldaan uit. 'U bent er, Chapman. Kom binnen. *Pe kher ragle.*' Welkom.

Chapman ging naar binnen en bleef staan, zo nonchalant mogelijk. Wapens variërend van kleine tweeschotspistolen tot opgevoerde raketwerpers lagen vier en vijf lagen diep tegen de muren, op schappen die tot aan het plafond reikten of als korenschoven tegen elkaar gezet in de hoeken. Het stonk er naar goedkoop vet. Achter in de winkel stonden zes van Ullahs soldaten, die zwijgend een deur blokkeerden. Ze waren gewapend en hadden op Pathaanse wijze bloemen achter hun gordel gestoken. Twee patroongordels kruisten elkaar op hun borstkas, met niet alleen kogels, maar ook handgranaten.

Trots glimlachend keek de krijgsheer de winkel rond en toen naar Chapman.

'Indrukwekkend,' gaf Chapman toe.

Op een wenk van Ullah liepen zijn mannen naar de openstaande voordeur. 'Ze zullen de kratten binnenbrengen. Hebt u wat we afgesproken hebben in de laadbak staan?'

'Alles.'

'Mooi, mooi.' Ullah gebaarde weids naar de twee lage krukken naast een bureau.

Ze gingen zitten. Op het bureau lag een wit, met kant afgezet zijden tafellaken met daarop een witte met klaprozen versierde porseleinen theepot. De krijgsheer schonk thee in twee goudgerande glazen op decoratieve gouden voet en met een gouden oor.

Zonder melk of suiker aan te bieden gaf hij Chapman een glas. 'Dit is verfijnde zwarte Indische thee met kardemom en honing, die ik alleen bij de belangrijkste gelegenheden schenk, voor mijn belangrijkste gasten. Volgens onze Pathaanse traditie is het mijn plicht uw gastheer te zijn, u in ere te houden en te beschermen.' Ullah hief zijn glas.

Chapman hief eveneens zijn glas en knikte waarderend. Ze dronken en Chapman zweeg over de traditie; hij wist maar al te goed dat de gastvrijheid van de krijgsheer in rook zou opgaan en dat Chapmans leven gevaar zou lopen als hij zijn verplichtingen niet nakwam. Pathanen voelden zich gebonden door trotse culturele, emotionele en sociale banden, de Pashtunwali-traditie. Tegelijkertijd vochten ze zoals ze ademhaalden. Een oud Pathaans gezegde luidde: 'Ik tegen mijn broer, ik en mijn broer tegen onze neven, en wij en onze neven tegen de vijand, elke vijand.' Op die manier bevestigden ze hun eer en het leek er niet toe te doen of ze slaagden of stierven.

Het eerste krat kwam binnen, op een karretje voortgerold door een van Ullahs mannen, gevolgd door een tweede en een derde, die allemaal achterin verdwenen. De kratten waren vanuit Karachi naar Islamabad verscheept en van daaruit met vrachtwagens naar Madari gebracht, waar Chapman vanuit Oman was aangekomen en Ullahs chauffeur had ontmoet.

In de verte rommelde onweer in de heuvels.

'Mijn jongens zullen zich nu haasten,' zei Ullah geamuseerd.

Hij blafte in het Pathaans een bevel tegen een soldaat, die het tempo had opgevoerd en nu langsrende met een nieuw krat. De man draaide zich om, bracht het naar Ullah en wrikte het deksel open met een koevoet.

Ullah en Chapman stonden op en keken in het krat. Ullah boog zijn grote lichaam en betastte een nieuw camouflagepak van het Amerikaanse leger. 'Mooi, mooi.'

'In de andere kratten zitten nog meer uniformen,' zei Chapman. 'Kevlar-helmen met nachtkijkers, granaatgordels, gps-systemen, beveiligde telefoon, fakkels, M4-karabijnen met telescoopvizier en kogelvrije vesten. Alles wat we hebben afgesproken, en meer, allemaal regulier, authentiek legermateriaal.'

'Ik zal elk krat controleren voordat u vertrekt.' De krijgsheer ging weer op zijn kruk zitten en zijn nuffige theeglas verdween in zijn grote hand toen hij een slok nam.

Een ogenblik lang was Ullah geen meedogenloze vechter, niet de Mike Tyson van de tribale gebieden, maar een heer met een verfijnde smaak. Hij was in de jaren negentig door de Taliban naar Pakistan verdreven en was na elf september naar Afghanistan teruggekeerd om antitaliban-strijders aan te voeren, bondgenootschappen te sluiten en te verbreken en zich verre te houden van de nationale regering en de coalitiestrijdkrachten. Zijn huidige thuisbasis was een uitgestrekt gebied in de oostelijke provincie Khost, grotendeels achtergebleven platteland. Zijn foto hing in elk kantoor, elke winkel en elke school en hij heerste met harde hand en een privéleger van meer dan vijfduizend manschappen.

Maar het belangrijkste voor Chapman was dat hij de eigenaar was van vijfentwintig vierkante kilometer grond die hij nodig had.

Een bliksemschicht spleet de donkere wolken en zette de winkel een ogenblik lang in verblindend wit licht. De donder rolde en de sluizen van de hemel gingen open. De regen gutste naar beneden toen de laatste kratten werden binnengebracht.

Ullah keek over zijn theeglas heen. 'Wat mijn geld betreft: ik zou het graag terug hebben.'

'U krijgt het. Binnenkort.'

'Nu.'

Toen Chapman had ontdekt dat Ullah de eigenaar van de grond was, had hij opdracht gegeven de man grondig na te trekken. Via het hoofd Beveiliging van boekenclublid Carl Lindström – een ervaren hacker – vonden ze een geheime buitenlandse bankrekening waarop zo'n twintig miljoen dollar stond, afkomstig van drugs- en wapensmokkel. Als Chapman dat aan de regering in Kabul vertelde, zou de minister van Financiën beslag leggen op de rekening en de president zou onaangename manieren vinden om Ullah te straffen.

Chapman had de bank door zijn bedrijf laten opkopen en de rekening geblokkeerd. Met die stok achter de deur had Ullah ingestemd met een ontmoeting in een resort aan de Kaspische Zee, waar Chapman hem had aangeboden de blokkering op te heffen en hem een klein percentage geboden had van een overeenkomst die de inhalige smeerlap niet kon afslaan. Hij zou tientallen jaren lang enorme winsten binnenhalen via een eerlijke zakelijke overeenkomst, via welke hij zijn heroïne- en opiumwinst kon witwassen. Maar dat was afhankelijk van de vraag of Chapman de grond kon kopen, die de krijgsheer niet kon verkopen, omdat hij haar aan de Verenigde Staten verhuurde als vooruitgeschoven geheime basis.

'Als het karwei geklaard is, krijgt u uw geld,' zei Chapman.

Ullah keek hem strak aan.

'Zoals afgesproken,' herinnerde Chapman hem aan de Pathaanse traditie.

Het bleef even stil. Toen grinnikte Ullah en begon over iets anders. 'Waarom wilt u mijn grond hebben?' Hij had het al meer dan eens gevraagd.

'Dat merkt u vanzelf als de overdracht is getekend.'

Ullah knikte. 'Goed dat u op schema bent aangekomen. We zullen de kratten morgen per vrachtwagen naar Khost kunnen brengen.'

'En dan?' vroeg Chapman.

'De avond daarna zullen tweehonderdvijftig van mijn mannen uw uniformen aantrekken en uw wapens gebruiken om zo'n honderd dorpsbewoners aan te vallen. Heel veel geweervuur en doden. Veel bloed. Ik zal zorgen dat er een Pakistaanse verslaggever en een cameraman aanwezig zijn. Ze zullen veel opnamen maken. Het zal een schitterende vertoning zijn, waarbij de hele wereld kan zien hoe "Amerikaanse" soldaten onschuldige burgers afslachten.' Hij lachte luid en zijn grote witte tanden blonken.

Met het oog op de veranderde – en gespannen – politieke atmosfeer in Afghanistan stond de regering in Kabul erop dat haar medewerking aan de vooruitgeschoven Amerikaanse basis geheim zou blijven. Maar als het schelle licht van de internationale verontwaardiging op het bloedbad viel, zou Kabul geen andere keus hebben dan de basis te sluiten. Uiteraard zou Ullah vóór die tijd alle Amerikaanse uniformen en materiaal laten verdwijnen, en degenen die de ware toedracht kenden, zouden door de Pathaanse traditie tot zwijgen verplicht zijn. Het resultaat zou zijn dat de krijgsheer de grond eindelijk aan Chapman kon verkopen.

Terwijl de regen neer roffelde, pochte Ullah op zijn eerdere successen in de strijd, huiveringwekkende verhalen om Chapman te herinneren aan zijn macht. Maar Chapman had iets wat Ullah niet had: de kennis van wat die grond bevatte en de technische expertise om dat te exploiteren. Afghanistan beschikte over vele natuurlijke rijkdommen, maar het door oorlog verscheurde land was instabiel, ongeletterd, ongetraind, en nu noch de eerstkomende tientallen jaren in staat ze te gebruiken.

Toen ze hun thee ophadden, kondigde de krijgsheer aan: 'We zullen de kratten nu inspecteren.'

'Ga uw gang. Ik moet bellen. Ik kom zodra ik klaar ben.'

Ullah ging naar de achterkamer en Chapman liep naar de voorkant van de winkel en ging alleen bij het raam staan. Het onweer was even plotseling gestopt als het was begonnen en de lucht klaarde op. Onder dat gunstige voorteken belde hij de iPhone van zijn vrouw. Ze hadden elkaar in geen dagen gesproken en een maand niet gezien. Hij verlangde naar het horen van haar stem.

Maar het was haar assistent, Mahaira. 'Ze staat onder de douche. Het spijt me.'

Hij hield zijn stem in bedwang. 'Waar ben je?'

'In Athene, zoals u gevraagd had.'

Hij zuchtte opgelucht. Hij zou zijn vrouw over enkele uren zien. 'Hoe was het feest in Sankt Moritz?' Het had een gala-aangelegenheid moeten zijn, de jetset in al zijn roofzuchtige glorie.

'Ze droeg tijdens het bal het diamanten collier, de oorbellen en de tiara,' zei Mahaira trots. 'Ze zag er geweldig uit. Fonkelend als een ster.'

Het collier en de oorbellen waren van haar moeder en haar grootmoeder geweest. Hij had ze twintig jaar geleden gekocht, toen haar familie haar geld was kwijtgeraakt. De tiara was nieuw, pas vorig jaar gekocht. Hij herinnerde zich de opwinding in haar ogen, hoe ze in haar handen had geklapt en door de kamer had gedanst, naakt, mooi.

'Mist ze me?'

Mahaira antwoordde te snel. 'Natuurlijk. Heel erg.'

Hij hing op, haalde de foto uit zijn portefeuille en keek ernaar, liet het verleden herleven, het geluk, de hoop en de dromen van de jeugd. Het was een kopie van de foto die altijd op zijn bureau stond op zijn arabierenstoeterij in Maryland, zijn thuisbasis. Daar was ze, een glorieuze jonge Gemma in haar strakke lange japon, met de familiediamanten die fonkelden in haar oren en rondom haar hals, en hij in zijn gehuurde smoking. Lang geleden, toen ze begin twintig waren en dolverliefd.

Zijn telefoon ging over. Hij borg de foto op en nam op.

Het was Preston en hij klonk juichend. 'Catherine Doyle is dood en ik weet waar Ryder en Blake in Istanbul naartoe gaan.'

'Geef me de details.'

'De contactpersoon is Okan Biçer, een handelaar in kalligrafie op de Grote Bazaar. Ik heb mensen ter plaatse aangenomen en ik ben onderweg.'

'Mooi zo. Laat het me weten.'

Zodra hij had opgehangen, belde Chapman de Carnivoor en herhaalde de informatie. Er mocht niets zijn wat de aanval van de krijgsheer in Khost zou dwarsbomen, en zeker geen CIA-belangstelling.

'Preston zal het zoals afgesproken alleen maar voorbereiden,' besloot hij.

De stem van de Carnivoor klonk neutraal. 'Dat is acceptabel. Ik ben in Istanbul. Je twee doelwitten zijn zo goed als dood.'

40

Istanbul, Turkije
Een wereldatlas aan talen vulde de lucht toen de menigte door de
Poort van het Licht van de Ottomanen de Grote Bazaar binnen-
stroomde. Eva keek om zich heen terwijl zij en Judd zich door de
massa lieten meevoeren. Vele vrouwen droegen boven de knie eindi-
gende zomerjurken met schouderbandjes, andere daarentegen verborgen hun haren onder traditionele *khimars* en hun lichaam onder
lange gewaden. Sommige mannen pronkten met fezzen en grote snor-
ren, andere waren gladgeschoren en gekleed in zakelijk pak of hemd
en korte broek.

Ze hadden uitgekeken naar Preston of een teken dat ze werden gevolgd. Om de kans op ontdekking zo klein mogelijk te maken, hadden ze hun uiterlijk in het hotel veranderd voordat ze zich uitschre-
ven. Nu was haar haar zwart, strak achterovergebonden in een knot,
en Judds kastanjebruine haren waren gebleekt en heel kort geknipt.
Hij had een bril met gewoon glas op en zag eruit als een gebruinde
Scandinavische toerist.

Ze had slecht geslapen en zich afgevraagd hoe ze zich zo op
Charles had kunnen verkijken en of ook Judd haar op de een of andere manier zou verraden. Ze hield hem niet verantwoordelijk voor
wat zijn vader had gedaan, maar er was iets wat haar onbehaaglijk
stemde. Ze hoopte dat ze hem kon blijven vertrouwen.

Het was druk op de markt. Het compleet overdekte, van een koe-
peldak voorziene plein met zijn dikke buitenmuren, poorten en
deuren kon bogen op zo'n vierduizend winkels, kilometers lanen en
paden en verborgen hoeken die alleen de plaatselijke bevolking kende.

Judd gaf haar een rondleiding. 'Het is het grootste overdekte winkelcentrum ter wereld en de beroemdste soek. Deze straat is de Kalpakçilarbaşi Cadessi, de hoofdstraat. Kijk eens naar al die goudwin-
kels; daar staat hij bekend om.'

Kalpakçilarbaşi was een tunnel van licht, met een hoog, gewelfd
plafond, hoge ramen en lichte wanden, versierd met exquise blauwe
tegels, die zich schijnbaar eindeloos leek uit te strekken en smaak en
rijkdom uitstraalde met gouden sieraden, gouden borden en gouden

siervoorwerpen die glansden achter de etalageruiten.

Judd leidde haar naar een reusachtige doolhof van straatjes en stegen, waar het krioelde van de winkelende mensen. Het uitzicht veranderde telkens weer. Ze passeerden moskeeën, banken, koffiehuizen en restaurants. Kooplieden in de deuropening van hun *han*, hun winkel, prezen hun waren in allerlei talen aan: de sterkste Turkse viagra, het beste aardewerk, de mooiste horloges, het prachtigste antiek, de vroomste iconen.

Plotseling klonk er een kreet. Een vrouw draaide zich om en sloeg haar handen in wanhoop voor haar gezicht. 'Mijn tas! Hij heeft mijn tas gestolen!' riep ze in het Duits.

Een tasjesdief rende weg, zijn lange haren wapperden toen hij om een hoek verdween. Het was zo snel gegaan dat niemand tijd had om te reageren. Terwijl iemand de vrouw de weg naar het politiebureau wees, sloegen Eva en Judd een andere straat in en bereikten eindelijk hun bestemming.

Het was een schilderachtig overblijfsel van het oude Istanbul, een klein, doodlopend winkelcentrum rondom een betegelde binnenplaats. De muren waren versierd met foto's van wervelende, extatisch dansende derwisjen. Koopwaar puilde uit de deuropeningen. Aan houten tafels op de binnenplaats werd triktrak gespeeld en de spelers dronken uit tulpvormige theeglazen. Eva zag een groepje zakkenrollers, een moeder met twee kinderen, maar geen beroving.

'Ik zie de winkel,' zei ze tegen Judd.

De ramen van de han vormden een vitrine vol oude gekalligrafeerde pagina's. Ze gingen naar binnen en een stevig gebouwde middelbare man in een geborduurde kaftan grijnsde hen toe.

'*Merhaba.*' Hallo. Hij nam hen snel in zich op en ging over op het Engels. 'Brits en Zweeds, nietwaar? U bent blijkbaar geïnteresseerd in ons prachtige oude geschrift. U moet veel bladzijden mee naar huis nemen. Hang ze aan de muren. Imponeer al uw familieleden.'

Eva herinnerde zich de foto van Okan Biçer die Tucker had gemaild. Deze koopman was iemand anders.

'We zoeken meneer Biçer – Okan Biçer,' zei ze. 'Een vriend heeft ons over hem verteld.'

'Aha, u hebt wederzijdse vrienden. Hij heeft u vast gestuurd om kalligrafie te kopen. We hebben de beste van heel Istanbul. Van heel Europa en Azië.'

'Ik ben Eva Blake,' probeerde ze het opnieuw. 'Andrew Yakimovich is een persoonlijke vriend. Men heeft ons verteld dat meneer Biçer zou weten waar Andy is.'

Zijn kleine zwarte ogen namen haar schrander op en toen Judd. 'Geen kalligrafie? Wat jammer. Laat uw telefoonnummer en adres achter, dan zal ik zien.'

Het kralengordijn tussen de winkel en de achterkant ruiste, alsof iemand had willen binnenkomen en zich had bedacht – of hen had afgeluisterd. Toen de winkelier nerveus omkeek, stapte Judd langs hem heen.

De man rende achter Judd aan. '*Hayir, hayir.*' Nee, nee. 'Okan is er niet. Hij is niet hier.'

Met een blik op de andere klanten, die nieuwsgierig toekeken, volgde Eva Judd, die de koopman opzijschoof, door het gordijn liep en een houten deur opende. Een zoete, weeë lucht vulde de smalle gang.

Ze liepen de gang in, op de voet gevolgd door de handenwringende, lamenterende winkelier. Toen ze ten slotte langs een gewelfde stenen opening kwamen, bleven Eva en Judd staan en staarden voor zich uit.

'Wel verdomme,' zei ze.

Mannen met ontbloot bovenlijf lagen op verschoten banken tegen stenen muren, hun ogen halfgesloten en een fez scheef op hun dronken hoofd. Sommigen kwamen op hun ellebogen overeind, met een lange pijp in hun hand, waarvan de ketel boven olielampen werd verhit. In de ketels lagen wasachtige bruine pillen – opium. In het schijnsel van de zwakke lampen draaiden de mannen zich om naar het bezoek, met dromerige blik en bolle wangen terwijl ze de bedwelmende dampen naar binnen zogen.

Okan Biçer stond midden tussen hen in en wreef nerveus met zijn handen over zijn ellebogen. Zijn lange, magere gezicht was bezweet en zijn ogen keken zenuwachtig om zich heen. Hij knikte kort naar de winkelier, die zijn schouders ophaalde en naar de winkel terugkeerde.

Biçer herstelde zich, kwam naar voren en boog. 'Dit is geen plek voor u. U moet vertrekken. Dan kunt u me alles vertellen wat ik voor u kan doen. Hierheen.' Hij wees naar de verdwijnende gestalte van de winkelier.

Maar Eva stapte al naar een man toe die op zijn zijde op een bank lag te slapen. Zijn grote fez stond over zijn oor en een mollige hand hing omlaag. Hij was in de vijftig jaar, had een groot hoofd, dicht grijs haar, dikke bolle wangen en vreemd gevoelige lippen. De wallen onder zijn ogen waren groot en donker, bijna blauw, maar dat was nu eenmaal het effect van opium. Hij was slechts gekleed in een ruimvallende broek en tennisschoenen zonder veters en snurkte luid.

Ze schudde aan zijn schouder. 'Andy, wakker worden. Andy Yakimovich. Wakker worden.'

Yakimovich, de antiquair, draaide zich op zijn rug en zijn dikke, witte buik zakte uit. Hij snurkte harder.

Judd pakte Yakimovich beet en zette hem rechtop tegen de stenen muur. 'Wakker worden, Yakimovich. *Polis.*' Politie.

Zijn ogen gingen open en het vertrek stroomde leeg. Biçer rende weg door een andere deur, een zijdeur, en de andere mannen kwamen overeind en strompelden achter hem aan. De opiumpapaver was een van de belangrijkste Turkse gewassen en de Verenigde Staten kochten volgens internationale afspraken een groot deel van de legale opium. Maar net als in de vs was het roesmiddel in Turkije illegaal voor eigen gebruik.

'Polis?' mompelde Yakimovich bezorgd. Hij keek Judd aan. 'Bent u van de politie? U ziet er niet uit als een politieman. Van wat voor politie bent u?'

Eva tikte op Judds arm en hij stapte opzij. 'Hallo, Andy. Ik ben Eva Blake, de weduwe van Charles Sherback. Ik geloof dat Charles je iets voor me in bewaring heeft gegeven.'

Zijn blik dwaalde af. 'U bent niet van de politie. Ga weg.'

Ze pakte zijn stoppelige kin beet. 'Kijk me aan, Andy.' Toen hij zijn blik scherpstelde, herhaalde ze: 'Mijn naam is Eva Blake. Ik ben de weduwe van Charles Sherback. Ik wil wat hij voor me heeft achtergelaten. Judd, pak de skytale eens.'

Judd haalde de taps toelopende cilinder uit de tas en gaf hem aan haar. Zelfs in het zwakke licht blonk hij, gegraveerd en mooi. Ze liet hem aan Yakimovich zien.

Er verscheen een vertederde blik in zijn ogen. Hij griste de cilinder uit haar handen en drukte hem met beide handen tegen zijn hart. 'Ik heb je gemist,' mompelde hij.

'Ik denk dat Charles een boodschap voor me heeft achtergelaten die om de skytale heen past. Ik heb hem nodig... nu meteen.'

Zijn ogen werden kleiner. '*Absque argento omnia vana.*' Toen schonk hij haar een in zijn ogen blijkbaar triomfantelijke glimlach.

'Wat wil hij?' vroeg Judd.

'Het is een Latijns gezegde: "Zonder geld zijn alle inspanningen vruchteloos." Hij wil geld hebben.' Ze rukte de skytale uit Yakimovich' handen.

Zijn blik volgde hem begerig.

'Wil je hem terug?' vroeg ze.

Hij knikte. 'Ja. Alsjeblieft.'

'Geef ons Charles' boodschap, dan mag je de skytale houden.'

Yakimovich' blik paste zich aan. Het was alsof hij Judd en haar voor het eerst echt zag. Zijn lichaam huiverde door een zucht. 'Goed. In mijn kantoor.'

41

Andrew Yakimovich trok een wit katoenen hemd aan en ging hun door een zijdeur voor naar een kronkelende stenen gang. Het rook er naar stof en de muren waren ruw. Boven hun hoofden knipperden kale lichtperen. Hij zette zijn fez zorgvuldig op zijn grijze haren en liep langzaam, een gewonde leeuw, oud maar trots.

'De fundering is Byzantijns, het grondplan Ottomaans,' vertelde hij. 'Dit is een van de verborgen werelden van de Grote Bazaar. Hieraan liggen vertrekken die al eeuwenlang werkplaatsen zijn.'

Hij wees naar deuren en Eva keek. Op slechts enkele ervan hing een bord. De meeste stonden open en toonden antiek dat gerepareerd werd, stenen die in zilver en goud werden gezet en t-shirts die voor toeristen werden genaaid. De moeder met drie kinderen die Eva eerder had gezien, stond met een stuk of vijf anderen in een vertrek. Ze haalde portemonnees uit haar tas en gaf ze aan een man achter een bureau.

'Hoe ver loopt dit door?' wilde Judd weten.

Yakimovich wuifde. 'Het kronkelt. Zo'n vierhonderd meter.'

Hij haalde een grote, oude sleutel tevoorschijn en bleef staan. Hij opende een deur, stapte naar binnen en draaide een schakelaar om. Elektrische leidingen liepen over de muur en het plafond. Zwakke lampen kwamen tot leven.

Eva en Judd volgden hem naar binnen. Het leek erop dat hij, vroeger een prominent antiquair, zijn hele leven in deze spelonkachtige ruimte had opgeslagen. Stapels kratten tot aan het plafond, de meeste zonder etiket, vervaagden in donkere hoeken. In één hoek stonden prachtige maar stoffige oude meubelstukken. Lange rollen handgeknoopte tapijten leunden tegen de muren.

Met een bezitterige blik liep hij naar een tafel met een marmeren blad en ging zitten. 'De skytale graag.' Zijn stem klonk zakelijk.

Eva legde hem op het lege tafelblad. Er waren geen archiefboeken, geen rekeningen, geen brieven van mensen die Yakimovich' schatten wilden kopen. Geen stoelen waarop klanten konden zitten.

Ze probeerde te bedenken hoe ze haar vraag moest formuleren zonder hem te beledigen. 'Ben je met pensioen gegaan, Andy?'

Hij slaakte een luide kreet en keek haar opgewekt aan zoals ze het zich herinnerde. 'Je bent te aardig. Ik koester geen illusies over wat er van me is geworden.' Hij keek haar met scherpe blik aan. 'Vroeger was ik beroemd, net als Charles. Hij kon een klootzak zijn, maar hij begreep het. We hebben onze eigen code, wij klootzakken. Vooral als we dezelfde passie hebben.'

Hij opende een kleine lade en haalde er een lange reep gelooid leer uit, waarop aan de ene kant letters in zwarte inkt stonden. Eva haalde diep adem en opwinding stroomde door haar heen. Misschien zouden ze nu eindelijk te weten komen waar de bibliotheek was. Toen hij de reep wilde neerleggen, griste Eva hem naar zich toe. Het leer was stug maar plooibaar. Ze pakte de skytale.

'Begin bij het dikke uiteinde,' adviseerde Yakimovich.

Ze deed wat hij zei en draaide langzaam. Het was een lastig karwei, nog verder bemoeilijkt door de stugheid van het leer. Ze kon Judds gespannenheid voelen. Ten slotte pakte ze de skytale aan beide uiteinden beet, hield de reep met haar duimen op zijn plaats en draaide de cilinder om de woorden te lezen.

Ze werd vervuld van teleurstelling. 'Ik zie alleen maar wartaal.'

'Laat mij het doen,' zei Yakimovich. 'Je moet de letters helpen om woorden te vormen.'

Met een zwierig gebaar trok de antiquair het droge leer wat strakker en hij drukte het met zijn duim plat op de skytale terwijl hij die ronddraaide en de reep opnieuw wikkelde. Het ging langzaam. Toen hij eindelijk klaar was, knikte hij tevreden. Hij hield de staaf aan beide uiteinden vast zoals Eva dat had gedaan, om te voorkomen dat hij wegleed, draaide de skytale en bestudeerde het schrift.

'Het is Latijn en het is van Charles, maar dat was misschien te verwachten, aangezien hij het hier heeft achtergelaten.' Zwijgend las hij even door. Toen kwam zijn hoofd met een ruk omhoog en zijn ogen glinsterden van opwinding. 'Mijn god, Charles heeft het geflikt. Hij heeft het geflikt. Hij heeft de bibliotheek opgespoord. Luister hiernaar: "Je kunt de locatie van de Gouden Bibliotheek vinden in *Het boek der spionnen*".'

Het was stil in de kalligrafiewinkel. De klanten waren weggestuurd en de deur op slot gedaan. Er verscheen een grote blauwe plek op de wang van de winkelier, waar Preston hem met zijn vuist had geraakt. Hij kromp ineen toen Preston hem ruw bij zijn arm pakte.

'Laat me precies zien waar ze naartoe zijn gegaan,' beval Preston, en hij duwde hem door het kralengordijn naar achter.

De man rende door de schemerige gang naar een gewelfde opening. Preston volgde hem, pakte zijn s&w-pistool en schroefde de demper erop. Achter hem liepen zijn twee mannen, wapen in de hand. Een derde man voegde zich bij hen.

Judd boog zich naar voren. 'Lees verder, Andy,' beval hij.

'Schiet op!' zei Eva opgewonden.

'Er staat dat Charles' voorganger het in het boek heeft geschreven en het toen naar buiten heeft gesmokkeld...' Yakimovich zweeg, de skytale zweefde roerloos in de lucht.

Bonkende voetstappen in de gang weerkaatsten luid tegen de stenen muren. De stappen kwamen in hun richting.

Judd trok zijn Beretta en rende naar de deur, de enige in het vertrek.

Eva trok de skytale en de leren reep uit Yakimovich' handen.

'Nee!' riep hij terwijl hij ernaar greep.

'Je krijgt hem terug.' Eva sprintte weg.

Judd had zich plat tegen de deur gedrukt. Hij gebaarde haar naast hem te komen staan.

De antiquair, aan zijn bureau, scheen zich niet te kunnen verroeren.

'Verstop je!' commandeerde Judd.

Yakimovich verbleekte. Hij schuifelde tussen de kratten door en verdween.

Plotseling stormde de winkelier van de kalligrafiewinkel naar binnen alsof hij was gegooid. Zijn ogen keken verwilderd en zweet stroomde over zijn gehavende gezicht.

'Help me! Help me!' Hij stond tussen het oude meubilair.

Zwakke geluiden van een worsteling galmden in de stenen gang. Voeten schuifelden en stampten op de grond. Er klonk een luid gekreun, toen nogmaals. Het doffe geluid van iets wat vlees raakte. Een kort kraken, toen nogmaals. Van de vloer?

Het was alsof ze naar een radio luisterden, met als enige aanwijzing dat er gevochten werd. Eva keek naar Judd; zijn afstandelijke, kille blik bezorgde haar kippenvel. Ten slotte werd het griezelig stil.

Judd hief een hand op en beduidde haar zwijgend te wachten terwijl hij naar de deuropening liep. Met geheven pistool gluurde hij voorzichtig naar buiten. Toen verdween hij in de gang.

Eva negeerde zijn bevel en volgde hem.

Er lagen vier mannen, twee van hen een meter of vijf verderop, met bloedende uitschotopeningen in hun voorhoofd. De twee anderen – Preston en nog iemand – lagen naast Yakimovich' deur, op het eerste gezicht geen van beiden gewond.

Judd schopte Prestons pistool uit zijn krachteloze hand en raapte het op.

'Verdomme, Preston heeft ons weer gevonden,' fluisterde ze.

Hij knikte. 'We hebben het er later wel over.' Hij keek de kronkelende gang op en neer en hurkte naast de huurmoordenaar. 'Doorzoek de zakken van die andere vent, Eva. Snel. We kunnen hier niet lang blijven.'

Ze knielde neer. De man had grijze haren en een lange, grijze snor. Zijn gezicht had de kleur van een geroosterde amandel, met diepe rimpels en een grote neus. Zijn fez lag ondersteboven naast hem. Ze zocht in de kaftan en vond alleen een portefeuille. Er zat een in Istanbul uitgegeven rijbewijs in op naam van Salih Serin, een creditcard op dezelfde naam en enkele Turkse lira's. De foto op het rijbewijs kwam overeen met het gezicht van de man die naast haar lag.

'Geen wapen,' zei ze. 'Hij heet Salih Serin. Hij woont in Istanbul.'
'Preston heeft een pistool en contant geld, geen identiteitsbewijs en een notitieboekje. Hij heeft de meeste pagina's er uitgescheurd, op één na. Hier staat: "Robin Miller. *Boek der spionnen*. Alles wat we weten is Athene – tot dusver."'

Ze voelde een vlaag van opwinding. 'Dan moeten we naar Athene.'

'Ja.' Hij gaf haar Prestons wapen. 'Als hij zelfs maar beweegt, schiet hem neer. We weten nog niets over Serin, dus kijk ook uit voor hem.' Hij stopte het briefje en het geld in zijn binnenzak en rende Yakimovich' kantoor binnen.

Serin kreunde en mompelde iets in het Turks. Hij opende zijn ogen, draaide zijn hoofd in paniek heen en weer tot hij zag dat Preston bewusteloos op de grond lag.

Hij keek haar aan en glimlachte. 'U bent mooi.'

Judd kwam terug met touw en hun tas. 'Aan de winkelier had ik niets. Hij bazelt, doodsbang.' Terwijl hij Prestons handen op zijn rug bond, keek hij opzij naar Serin. 'Wat is er gebeurd?'

De Turk ging rechtop zitten. 'Ik ken die twee.' Hij wees met zijn duim naar de liggende mannen. 'Ze zijn slecht. Ik was ginds in een werkplaats, op bezoek bij een vriend, en ik zag ze voorbijrennen. Ik heb lang geleden bij MIT gewerkt.' Hij keek hen aan en legde uit: 'Onze Militi Istibahrat Teskaliti, de nationale veiligheidsdienst. Dus ik wilde kijken wat voor kwaad ze in de zin hadden. Toen ik hier aankwam, lagen die twee met kogelwonden op de grond en die daar...' hij wees naar Preston '... had Mustafa net door de deur gegooid. We vochten hevig.' Hij grijnsde samenzweerderig. 'Maar ik ben een oude straatvechter en hij dacht dat hij me wel aankon. Hij wist me wel een stevige dreun te geven voordat ik hem te grazen nam en ik viel en sloeg met mijn hoofd tegen de grond.' Hij wreef over zijn achterhoofd. 'Vroeger, ach, vroeger had ik hem rauw gelust.' Hij zuchtte vermoeid.

'Gaat het, meneer Serin?' Eva ondersteunde hem terwijl hij overeind krabbelde.

Judd was achterdochtig. 'Preston heeft geen buil op zijn hoofd. Hoe hebt u hem knock-out geslagen?' Hij had Prestons voeten bij elkaar gebonden.

'Druk.' Serin legde zijn handen om zijn keel, duwde met zijn duimen en liet toen snel weer los. 'We leren nuttige dingen bij de geheime dienst.'

Judd knikte. 'Bedankt voor uw hulp. U bent niet gewapend, dus wie heeft die ander neergeschoten?'

'Hij misschien.' Serin wees naar Preston. 'Ik heb verder niemand gezien. Ik ken die mannen. Ze hadden kunnen wachten tot hij geen keus meer had en meer geld kunnen eisen... of iets anders wat hij niet kon of wilde geven.' Hij haalde zijn schouders op en bekeek hen toen nader. 'U zit in de nesten, is het niet? Ik denk dat ze u wilden doden. Maar u lijkt me zulke aardige toeristen.'

Judd keek hem alleen maar aan. 'Kom, Eva.'

'Ik meen dat ik iemand over Athene hoorde praten,' ging Serin verder. 'Wilt u naar Athene? Ik ken een botenverhuurbedrijf waar weinig vragen worden gesteld. Ik kan u per boot naar een klein vliegveld ten zuiden van hier brengen; ik ben bevriend met de eigenaar. Misschien doet u er goed aan uit Istanbul te verdwijnen voordat die daar...' hij wees naar Preston, die als een rollade op de stenen vloer lag '... vrijkomt of er iemand anders wordt gestuurd om zijn plaats in te nemen. Ik ben een arm man. U zou me goed kunnen betalen. Misschien bent u blij met de hulp van iemand die de omgeving kent.'

Zich bezorgd afvragend hoe Preston hen opnieuw had gevonden, keek Eva Judd aan. Ze was geneigd het aanbod aan te nemen.

Judd nam een besluit. 'U vindt het vast niet erg als ik u op wapens controleer.'

Serin stak zijn handen in de lucht, zodat de mouwen van zijn kaftan langs zijn armen omlaag vielen. 'Ik sta erop.'

Judd beklopte hem van zijn nek tot zijn voetzolen, met speciale aandacht voor zijn oksels, onderrug, dijen, kuiten en enkels.

Ten slotte zei hij: 'Oké. Laten we gaan.'

Serin rende voorop en voelde aan deurklinken tot hij een kast had gevonden. Judd vond er lappen in. Hij stopte er een in Prestons mond, bond er een tweede omheen en liet de bewusteloze man stevig geboeid achter.

'Je hebt Preston niet gedood,' fluisterde Eva terwijl ze achter Serin aan renden.

'Ik heb het overwogen, maar hij is niet gewapend. Hij weet blijkbaar niet waar in Athene *Het boek der spionnen* is en hij is trouwens lang genoeg uit de roulatie om ons de kans te geven weg te komen.'

Hij aarzelde en bekende toen: 'En ik heb al genoeg bloed aan mijn handen.'

42

Het aprillicht vervaagde en de lavendelkleuren van de zonsondergang verspreidden zich zacht over de indigoblauwe Zee van Marmara. In de grote jachthaven waar Salih Serin Judd en Eva naartoe had gebracht, klotsten de golven tegen scheepsrompen en touwen klapperden tegen de masten.

Judd bleef op een meter of vijftien afstand van Eva en Serin staan en keek toe terwijl Serin in het Turks met een voorovergebogen jongeman onderhandelde over de boot die ze hadden gekozen, een slank Chris Craft-jacht dat sterk genoeg was om de reis makkelijk te maken en andere kleine vaartuigen voor te blijven.

Judd had Tucker aan de telefoon. Het was rond elf uur in de ochtend in Washington, zes uur 's avonds in Istanbul.

'Verdomme. Wat gebeurt er allemaal? Het is onmogelijk dat iemand de informatie van mijn kant heeft gekregen...' Het bleef even stil. Tucker klonk bezorgd toen hij vervolgde: 'Ik zal erover nadenken. Vooruit, wat ben je nog meer te weten gekomen?'

Hij herhaalde de informatie in Prestons notitieboekje. 'Probeer te achterhalen wie "Robin Miller" is. Ik vraag me af of het de blonde vrouw is die Eva met Sherback in Londen heeft gezien. Misschien zat *Het boek der spionnen* in de rugzak die hij bij haar had achtergelaten.'

'NSA luistert de twee nummers in Sherbacks telefoon af. Ik laat het je meteen weten als we een treffer hebben.'

'Goed. Eva vertaalt de rest van het bericht op de leren reep zodra we alleen zijn. Het zou exact moeten zeggen waar de locatie van de bibliotheek in *Het boek der spionnen* vermeld wordt.'

'Langley heeft dat boek drie jaar in handen gehad.' Tucker zuchtte gefrustreerd. 'Ik neem aan dat jullie naar Athene gaan?'

'Zo meteen. Ik ga je niet precies vertellen hoe we er willen komen.'

Hij keek toe terwijl Serin met een duim naar het jacht wees, naar de donker wordende lucht en de botenverkoper en ten slotte beide handen met de palmen naar boven uitstrekte om te gebaren dat hij probeerde redelijk te zijn. Serin had hem verteld dat hij erop zou staan dat ze een hoge korting zouden krijgen, aangezien weinig mensen 's avonds een boot wilden huren. Zijn levendige gezicht toonde intens plezier in het gesjacher.

'Een verdomd goed idee,' zei Tucker. 'Hou je haaks.'

De Zee van Marmara

Met Serin aan het roer koerste het jacht door de nacht, in zuidwestelijke richting over de Zee van Marmara. Er was een noordelijke wind opgestoken vanuit de Bosporus, die de zee opzweepte en voor een woelige overtocht zorgde. Ze hadden zo'n vijftien kilometer afgelegd, in de haven gekochte vissandwiches gegeten en zich aan het ruwe ritme van de boot aangepast.

Judd was ervan overtuigd dat ze niet naar de jachthaven waren gevolgd, maar hij betrapte zichzelf erop dat hij omkeek naar de lichten van de stad aan de horizon. Hij bestudeerde het scheepvaartverkeer: vissersboten, vrachtschepen en gigantische olietankers en containerschepen, allemaal verlicht. De grote binnenzee was een druk bevaren waterweg die de Zwarte Zee in het noorden via de Dardanellen verbond met de Egeïsche en de Middellandse Zee in het zuiden. Geen van de andere boten leek hen te volgen.

'Waar gaan we precies naartoe?' Eva verhief haar stem om boven het geluid van de wind, de zee en de motoren uit te komen.

Hoewel er vlak achter hen een bank was, stond Serin aan het roer, met Eva naast hem, gedeeltelijk beschut achter een laag windscherm. Judd stond achter de bank, met beide handen om de rugleuning. Eva's nachtblauwe jack was tot haar kin dichtgeknoopt en slierten van haar lange zwarte haren hadden losgelaten uit haar knot. Verwaaid en met blozende wangen zag ze er kalm en gelukkig uit. Toen ze zich omdraaide om naar Serin te luisteren, bedacht Judd opeens hoe aardig hij haar vond, hoe graag hij bij haar was. Toen herinnerde hij zich de rol die zijn vader waarschijnlijk had gespeeld in haar gevangenisstraf wegens doodslag. Hij wendde zijn blik af.

'Ten zuiden van een grote stad, Tekirdagg,' riep Serin, 'en ten noorden van een dorp, Barbados. We gaan naar het Thracische deel van Turkije, de Europese kant natuurlijk.'

Serin hield het roer zelfverzekerd in zijn bruine handen. Hij was wat kleiner dan Judd, maar breder en heel gespierd. Hij zag er zorgeloos en zelfvoldaan uit. Tegelijkertijd vertoonde hij sporen van zijn verleden: de atletische manier waarop hij zich over de boot bewoog en de flitsen van intense scherpte in zijn blik. Als hij niet al eerder had gezegd dat hij bij de MIT had gewerkt, zou Judd een soortgelijke achtergrond hebben vermoed.

'Een oude vriend van me heeft een particulier vliegveld,' vervolgde Serin. 'Over een uur of drie zijn we er.'

Judd zag dat ze ondanks de golven een goede dertig knopen deden. De Chris Craft, snel, met twee krachtige motoren, was een juweeltje. Benedendeks waren twee volledig ingerichte hutten, een salon en een kombuis.

'Gaat u niet via de Dardanellen?' vroeg ze. 'Dan zouden we de ruïnes van Troje passeren en we zouden veel dichter bij Athene zijn.'

'Te riskant. De zeestraat is smal en druk. Hij slingert alle kanten op en de stroming is ongewoon sterk.'

'Wat doet u als u geen mensen in gehuurde boten overzet?' vroeg Judd.

'Ah, dat is een lang verhaal. Om het kort te maken: ik ben wat je noemt een manusje-van-alles. Ik word aangenomen als gids, bewaker en om belangrijke dingen te vervoeren. Ik heb een reputatie, ziet u. Ik ben betrouwbaar. En jullie tweeën zijn heel belangrijke dingen en jullie weten nu ook dat ik betrouwbaar ben. En u, meneer Ryder? U hebt me niets verteld.'

'We zijn toeristen, precies zoals u dacht.'

'U probeert een oude hond voor de gek te houden, maar ik ken alle slimme trucs. Ik ben nieuwsgierig. Wat is er verkeerd aan nieuwsgierigheid, vraag ik u.' Zijn luide stem klonk beledigd. 'Vertel minstens wat *Het boek der spionnen is*. Amuseer me terwijl ik zo hard werk.'

Eva lachte. 'Het is een geïllustreerd manuscript uit de zestiende eeuw. Een uniek boek en heel kostbaar. Het is verloren gegaan. We proberen het op te sporen.' Ze keek achterom naar Judd. 'Ik word moe van dat roepen.'

'Dus dat boek is in Athene en jullie willen het vinden. Gaat het om een grote deal?' vroeg de Turk.

'Waarom denkt u dat we bij een deal betrokken zijn?' vroeg Judd.

'Ik hoopte dat u veel geld zou verdienen en later weer naar Istanbul zou komen om me opnieuw in dienst te nemen. Loopt uw leven gevaar vanwege dat boek?'

'In feite wel, ja.' Het leek onschuldige informatie, dacht Judd.

Serin keek hem over zijn schouder aan en fronste zijn wenkbrauwen. En toen hij zich weer omdraaide, veegde hij zijn gezicht af. Het stuurrad draaide uit zijn andere hand. Hij pakte het weer met beide handen beet, maar te laat. De boot slingerde heen en weer, de golven beukten, de wind gierde. Het jacht smakte in een golftrog en werd steil opgetild door de kam van de volgende. Ze werden doorweekt.

Eva wankelde terwijl Serin vocht om het jacht onder controle te krijgen, maar het danste en draaide heftig. Een van haar handen gleed van de greep op het stuurpaneel. De boot kantelde naar stuurboord en ze werden heen en weer gesmeten. Eva gleed uit en ze viel op haar knieën.

Judd pakte onmiddellijk haar arm, sloot zijn andere hand om de rugleuning van de bank en probeerde niet eveneens zijn evenwicht te verliezen.

Terwijl de boot heen en weer en op en neer bleef slingeren, gleed het natte stuurrad door Serins hand.

De boot stampte weer hevig, slingerde en zwalkte. Judd verloor zijn houvast. Zijn hand gleed over de natte rugleuning en hij struikelde. Eva viel halverwege over het dolboord en trok hem mee omdat hij haar niet los wilde laten. Nog één slingering en ze zouden in het kolkende zwarte water worden gegooid.

Met bonzend hart keek Judd om, zoekend naar een manier om hen te redden. In plaats daarvan zag hij iets anders: Serin was niet in paniek, zelfs niet bezorgd toen hij onbewogen hun levensbedreigende situatie bekeek. De koele intelligentie in zijn blik maakte Judd duidelijk dat hij hen zonder problemen overboord zou laten vallen en in de steek zou laten. Was hij dat al die tijd al van plan geweest?

'Klootzak!' schreeuwde Judd. 'Waarom doe je dit?'

Serin knipperde met zijn ogen. Hij keek in de verte en toen weer naar hen. Hij leek een besluit te nemen. Hij knikte even en stak zijn handen tussen de spaken van het stuurrad. De mouwen van zijn kaftan gleden omlaag en zijn spierbundels werden zichtbaar. Met gekromde schouders legde hij al zijn kracht in het bedwingen van het jacht.

Langzaam werd het slingeren minder. Judd rukte Eva terug aan boord en trok haar tegen zich aan. Verkild en woedend sloeg hij zijn armen om haar heen. Ze verzette zich slechts even en klampte zich toen aan hem vast. Hij kuste haar haren. Ze kroop dichter tegen hem aan. Toen stak hij zijn hand onder zijn jack en trok zijn Beretta.

Hij rolde weg en richtte het pistool op Serin.

43

Eva keek onthutst toe. 'Judd, stop!' Haar zwarte haren wapperden om haar gezicht heen toen ze naar Serin toe kroop.

'Nee, Eva. Kom hier!' beval Judd op de bank achter Serin en hij schoof opzij om beter zicht te hebben op het profiel van de man en op veiliger afstand te zijn. Hij hield de Beretta strak op hem gericht.

Met grote ogen pakte ze de armleuning van de bank en trok zichzelf het deinende jacht rond.

'Wat heb ik gemist?' Ze liet zich naast hem vallen.

Serins fez was verdwenen, zijn amandelkleurige gezicht was veranderd en onthulde nu een diepte van iets wat Judd niet precies kon benoemen, maar in zichzelf voelde en niet prettig vond. Iets roofzuchtigs. Ook de huid van Serins gezicht was anders en hij besefte opeens dat de man zich vermomd had. Verdomd goed vermomd, met huidkleurstof en enkele van de nieuwe materialen die op de huid werden aangebracht en na droging rimpels en diepe kloven vormden. Ook de grote neus kon vals zijn.

'Dit was wat we binnen de inlichtingendiensten een "film" noemen,' legde Judd Eva grimmig uit. 'Een valstrik die volmaakt echt lijkt.' Hij gebaarde met zijn pistool naar Serin. 'Zeg op,' commandeerde hij.

Serin aarzelde niet. 'Ik heb regels,' zei hij boven het geluid van de motoren en de wind uit. 'Ze zijn onschendbaar. Mijn werkgever heeft ermee ingestemd. Eén ervan is dat ik alleen mensen liquideer die sowieso niet zouden mogen ademen, en ik ben degene die daarover beslist. Mijn werkgever was heel overtuigend over jullie alle twee, dus nam ik het werk aan. Hij gaf Preston opdracht een film te maken waarin jullie zouden denken dat ik nuttig zou zijn om jullie te helpen ontsnappen. Toen Preston zich realiseerde dat jullie in Yakimovich' kantoor waren, doodde hij twee van zijn mensen en riep mij.' Hij aarzelde.

'Ga door,' zei Judd.

'Op dat moment nam ik het over. Maar toen jullie aankwamen, begon ik mezelf vragen te stellen. De mensen die ik liquideer, zijn niet bezorgd over een oude man. Ze informeren niet naar zijn welzijn. Je was bereid Preston te doden als hij zich bewoog omdat hij eerder met jou hetzelfde had geprobeerd – maar je was ook bereid te wachten om erachter te komen of ik een bedreiging was. Slechte mensen doden eerst en maken zich niet druk om vragen. Dat alles betekende dat ik meer moest weten. Probeerde je mijn werkgever te vermoorden en hem een grote deal afhandig te maken, zoals hij beweerde? Ten slotte beweerden jullie dat jullie schatzoekers zijn die een hersenschim najagen, een oud manuscript dat *Het boek der spionnen* wordt genoemd. Dat klopte niet met wat mijn opdrachtgever had verteld. Toen keek ik naar je om, Judd, en verloor de controle over het roer. Mijn specialiteit is dat ik een liquidatie op een ongeluk laat lijken, dus ik was van plan jullie hier te doden. De controle over de boot verliezen leek me een mooie gelegenheid. En die zijn zeldzaam.'

'Waarom ben je van gedachten veranderd?' zei Eva.

'Omdat, God helpe me, ik de menselijke natuur ken – die in mijn wereld lelijk, verdorven en gemeen is. Dat zijn jullie niet en ik moest jullie uiteindelijk wel geloven. Ik verzeker jullie dat ik blij ben.' Hij keek Eva aan. 'Je doet me aan mijn dochter denken. Jullie zijn ongeveer even oud en op soortgelijke manier heel mooi. Volgens de foto die ik kreeg, is je echte haarkleur rood. Die van haar is kastanjebruin.'

Het jacht voer door, op en neer deinend op de golven. De wind floot om hen heen.

'Ik kan je niet vertrouwen,' concludeerde Judd.

'Dat begrijp ik. Toch zal ik jullie naar mijn vriend en zijn vliegveld brengen.'

'Wie heeft je ingehuurd?'

'Dat vertel ik je niet.'

'Je regels?'

Hij knikte kort. 'Ik heb jarenlang overleefd in een bedrijfstak waarin de meeste van mijn collega's zijn gedood. We sterven zelden van ouderdom. Regels zijn niet voor bange of zorgeloze mensen. Ze vergen discipline. King Lear kwam in opstand tegen het universum nadat hij was gestraft voor het overtreden van de regels. Ik wil niet dat-zelfde lot ondergaan. Bovendien, hoe langer ik leef, hoe groter de kans dat ik mijn dochter weer zie.'

'Hoe heet je?' vroeg Judd.

De zwarte ogen van de huurmoordenaar boorden zich in de zijne. 'De Carnivoor.' Toen glimlachte hij.

Thracië, Turkije

De Carnivoor schakelde de motoren van het jacht uit in kalm water bij een strook onbewoond land ten noorden van het dorp Barbados. Judd liet het anker vallen, ze zochten zaklampen en trokken hun schoenen uit. De Carnivoor trok zijn kaftan uit. Eronder droeg hij een zwarte spijkerbroek en een zwart T-shirt. Zijn spieren waren perfect, maar zijn huid verraadde zijn gevorderde leeftijd. Judd schatte hem in de vijftig.

Ze rolden hun pijpen op en waadden naar het strand. Judd droeg de weekendtas en Eva haar handtas, met de riem over haar borst. Het waaide hier minder. Ze staken het strand over en de Carnivoor ging hun voor een oude stenen trap op die uit de rotsen was gehakt.

Boven bleven ze staan. De maan was opgekomen en wierp een naar-geestig schijnsel over hectaren wijnstokken die keurig waren opgebonden aan draden tussen knoestige palen. De wijnstokken begonnen juist in blad te komen. Het rook er naar vers geploegde aarde.

Ze volgden een smal zandpad tussen de wijnstokken door.

'Wil je me vertellen waar dit allemaal over gaat, Judd?' vroeg de Carnivoor.

'Voor wat hoort wat?'

'Zit wel wat in, vind je niet?'

'Inderdaad,' zei Judd. 'Maar nee, ik handel dit zelf af.'

Het pad werd breder en ze gingen naast elkaar lopen.

De Carnivoor keek Judd aan en zei peinzend: 'Ja, ik denk het ook... áls het al kan worden afgehandeld. Maar wat die wederkerigheid betreft: ik vind dat we quitte staan als ik jullie een veilige route naar Athene geef.'

'Is Preston alweer vrij?' vroeg Eva bezorgd.

'Vast wel,' zei de Carnivoor. 'Hij had ruggensteun.'

'Stel dat ik hem in de Grote Bazaar had gedood,' zei Judd. 'Dan zou je film verbrand zijn.'

'Dat zou evengoed hebben gewerkt,' vertelde de Carnivoor. 'Hij zou zijn "bijgekomen" en je hebben aangevallen. Ik zou de boel hebben gered door jou te helpen ontsnappen, hem in leven te houden en de film te vervolgen.'

Judd veranderde van onderwerp. 'Hoe zit het met die aantekening, waarin Athene werd genoemd? Was die echt of een valstrik?'

'Echt. Een aantekening voor hemzelf. Het maakte het authentieker en gaf jou een reden om te denken dat het echt was wat je zag. En misschien nog belangrijker: we verwachtten niet dat je lang genoeg zou leven om er gebruik van te maken, of van iets anders wat je daar had opgestoken.'

'Weet je iets over *Het boek der spionnen* en Robin Miller?' vroeg Eva.

'Dat waren mijn zaken niet.'

'En de Gouden Bibliotheek?'

De Carnivoor fronste zijn wenkbrauwen. 'Ik heb erover horen praten. Gaat het daarom?'

'Ja.' Daar liet Judd het bij. Gifslangen zoals de Carnivoor vervelden af en toe, maar hun beet bleef even onvoorspelbaar – en giftig. 'Wat vertel je je opdrachtgever?'

'Niets.'

Judd voelde de woede achter dat ene woord. De Carnivoor zou het zijn opdrachtgever betaald zetten dat hij tegen hem had gelogen. Het betekende tevens dat die zou denken dat hij en Eva dood waren – in elk geval voorlopig.

'Het geeft jullie tijd,' zei de Carnivoor, 'maar het is ook gunstig voor mij. Als je in dood handelt, moet je ervoor zorgen dat de regels duidelijk zijn... en dat er kosten aan verbonden zijn als ze worden gebroken.' Hij keek Judd aan. 'Het betekent ook dat je niet hoeft te overwegen of je me zult doden en dat ik geen maatregelen hoef te nemen om te voorkomen dat je het probeert.'

Hij zei het kalm, zakelijk, maar Judd kreeg er kippenvel van.

'Hij zal je niet betalen,' zei hij.

'Ik heb de helft. Die hou ik.'

'Waar kom je vandaan?' vroeg Eva aan de Carnivoor. 'Waar woon je nu? Hoe ben je in dit werk verzeild geraakt? Je klinkt bijna Amerikaans.'

'Sorry, Eva. Het is echt beter dat je het niet weet. Een KGB-moordenaar uit de tijd van de Koude Oorlog ging ooit achter mijn dochter aan, in de veronderstelling dat ik dood was en dat hij zich op me kon wreken door haar te doden. Gelukkig kon ze zichzelf redden. Als iemand erachter zou komen dat je iets over me weet, zou jullie leven gevaar lopen en het is niet zeker dat jullie evenveel geluk zouden hebben als zij.'

Boven op de flauwe helling zagen ze een huis, groot en uitgestrekt, van verweerde natuursteen en met een Ottomaans blauw pannendak. Er brandde licht binnen en toen ze dichterbij kwamen, gingen er buitenlampen aan die bloembedden, gazons en een natuurstenen tuinhuis verlichtten. Tegen schuren stonden stapels lege wijnvaten. Verder naar achteren stond een groot houten bouwsel, waar de wijn waarschijnlijk werd gemaakt en opgeslagen.

De deur van het huis ging open en er verscheen een man van eind vijftig, met een jachtgeweer op een arm.

'Wie is daar?' riep hij in het Turks en het Engels.

'Een oude vriend van lang geleden, Hugo Shah,' antwoordde de Carnivoor. 'Je kent me nog wel: Alex Bosa.'

'Alex, je komt mijn wijn weer proeven. Ik voel me vereerd.' En toen ze dichterbij kwamen, staarde Shah hem aan. 'Alex? Ja, je bent het echt. Wat een schitterende vermomming. Wat voer je nu weer uit?'

'Niet veel goeds, zoals altijd.'

Shah lachte. Ze gaven elkaar een hand en gingen een woonkamer met smaakvol behang en dikke tapijten binnen. Er stonden mooie oude meubels en een moderne bank, en fauteuils stonden tegenover een schitterende open haard.

'Wie zijn je vrienden, Alex?' vroeg Shah.

'Dat doet er niet toe. Ze hebben je hulp nodig, wat wil zeggen dat ik je hulp nodig heb. Is dat lichte vliegtuig van je beschikbaar?'

'Op dit tijdstip?' Hij kneep zijn ogen half dicht terwijl hij de Carnivoor bestudeerde. 'Ik snap het. Het is een noodgeval. Oké, ik zal zelf vliegen. Wil je ons gezelschap houden?'

'Ik wacht hier wel met de wijn.'

Shah glimlachte breed. 'Uitstekend. Een moment, alsjeblieft.' Even later keerde hij terug, gekleed in een jack en met een kleine koffer.

Terwijl ze naar buiten liepen, vertelde Shah over zijn wijngaard. 'Ik kweek gamay-, cabernet- en papazkarasi-druiven. Ik heb twee uitstekende rode wijnen in gedachten om voor ons open te trekken, Alex –

het zal weer Alex en Hugo zijn.'

Zo'n zevenhonderd meter van het huis gingen ze een grote hangar binnen, waar een eenmotorige Cirrus SR20 stond te wachten. Ze hielpen Shah om het toestel naar buiten te rijden. Hij keek naar de windwijzer en snoof de lucht op.

'Ik neem nu afscheid.' De Carnivoor trok zich terug.

Ze klommen aan boord, Judd ging naast Shah zitten en Eva achterin. Eva keek uit het raam terwijl de motor warmdraaide. De Carnivoor glimlachte. Hij hief zijn hand op en bracht twee vingers naar zijn slaap bij wijze van groet.

Judd merkte dat hij de glimlach beantwoordde. Hij groette met twee vingers terug.

'Waar gaan we naartoe?' vroeg Shah toen de propellers begonnen te draaien.

Judd keek achterom. Eva keek hem aan. Ze hoorde de kracht in zijn stem, en de dringende toon. 'Athene.'

Deel 3

De veldslag

'Toen de gevierde Griekse generaal Aristides van een van zijn mannen vernam dat zijn legerkamp was geïnfiltreerd door een Perzische spion, liet hij elke soldaat, schildenmaker, dokter en kok rekenschap geven voor een ander. Zo werd de spion ontmaskerd. Een maand later versloegen de Grieken het binnenvallende Perzische leger tijdens de Slag om Marathon, in 490 v. Chr.'
– vertaald uit *Het boek der spionnen*

'Strategische informatievergaring is het vermogen om de bedoelingen van je vijand te kennen.'
– *The New York Times*, 14 mei 2006

44

Washington, D.C.
Terwijl hij een late lunch gebruikte aan zijn bureau in het hoofdkantoor van Catapult, bestudeerde Tucker Andersen de foto van de blonde vrouw die de Robin Miller zou kunnen zijn die in Prestons aantekening werd genoemd.

Zijn mensen hadden duizenden vrouwen gevonden die zo heetten, van kinderen tot bejaarden, in de Verenigde Staten en elders. Schiftend op leeftijd en beroep was hij bij deze vrouw terechtgekomen als de meest waarschijnlijke, nu vijfendertig jaar oud. Ze was geboren in Schotland, had klassieke kunst en bibliotheekwetenschappen gestudeerd aan de Sorbonne en in Cambridge en had in Boston en Parijs gewerkt met zeldzame boeken en manuscripten. Een paar jaar geleden had ze haar baan bij de Bibliothèque opgezegd. Er was niets bekend van een latere baan bij andere bibliotheken of musea. Geen nieuw adres: ze had haar appartement verlaten toen ze ontslag had genomen. Geen overlijdensakte. Geen enkel spoor.

Hij mailde de informatie en de foto naar Judd, leunde achterover en dacht na.

Toen pakte hij zijn telefoon en belde Debi Watson, het hoofd IT van Catapult. 'Nog nieuws van NSA over die telefoonnummers die ik je heb gegeven?' Ze trok de nummers in Charles Sherbacks prepaidtelefoon na, waarvan er een van Robin Miller kon zijn.

'Nee, m'neer. Ik bel als er iets bekend is. Het hangt er helemaal van af waar de satellieten zijn en er zijn uiteraard miljoenen databits die we moeten doorpluizen. NSA houdt het voor ons in de gaten. Ze weten dat het belangrijk is.'

'Het is cruciaal,' corrigeerde hij. 'Neem contact op met Interpol en de Atheense politie en zeg dat we ze dankbaar zouden zijn als ze het ons onmiddellijk zouden laten weten als ze een zekere Robin Miller tegenkwamen. We denken dat ze in Athene kan zijn. Ik mail je de details.' Hij hing op.

Er werd geklopt. Toen hij antwoordde, kwam Gloria Feit, algemeen factotum en receptioniste, binnen en deed de deur achter zich dicht.

Haar kleine gestalte was stram. 'Hij is terug. In haar kantoor.'

'Je bedoelt Hudson Canon?'

'Je vroeg me het je te laten weten. Ik laat je weten dat hij terug is.'

'Je bent boos.'

'Ik? Hoe weet je dat?' Er verscheen een glimlach op haar gezicht en de rimpeltjes rond haar ogen werden dieper.

'Niemand zal Cathy's plaats innemen. Maar we moeten een nieuw hoofd hebben. Hudson is tijdelijk.'

'Ja, nou ja, tijdelijk in de zin van "invaller" lijkt me prima.'

'Je mag hem niet?'

Ze plofte in een stoel en sloeg haar benen over elkaar. 'Eigenlijk juist wel. Ik had gewoon zin om kattig te doen.'

Hij grinnikte. 'Waarom ben je dan boos?'

'Omdat je me niet vertelt wat er gaande is. Je denkt toch niet dat ik iets over de Gouden Bibliotheek-operatie heb laten uitlekken?'

Dat zat haar dus dwars. 'Het is niet eens in me opgekomen.' Eigenlijk wel, maar hij wilde niet dat ze dat wist. Hij moest iedereen die toegang tot de informatie kon hebben gehad in overweging nemen.

'Mooi,' zei ze. 'Vertel me dan hoe het staat met de missie.'

'Gloria...'

Ze zuchtte en stond op. 'O, goed dan. Jij je zin. Maar je weet dat je op me kunt rekenen, Tucker. Ik meen het. Voor alles.' Ze liep naar de deur en draaide zich om. 'Als ze je de baan als hoofd van Catapult willen geven – en we weten allebei dat dat zal gebeuren – neem hem deze keer dan aan. Alsjeblieft. Ik heb je al afgericht.'

Hij keek haar na terwijl de deur dichtging en schudde glimlachend zijn hoofd. Toen verdween de glimlach. Hij stond op en ging. Het was tijd om met Canon te praten.

Hudson Canon keek in de spiegel en schikte zijn stropdas in het voormalige kantoor van Cathy Doyle. Zijn uiterlijk beviel hem niet. Zijn stompe neus, ronde zwarte ogen en bolle wangen leken hem niet solide meer, niet echt. Er lag iets bovennatuurlijks in, iets onstoffelijks, hoewel hij verdomd goed wist dat hij in alle opzichten een stoffelijk man was.

Hij draaide zich om naar het kantoor, blij dat Cathy's foto's, planten en persoonlijke spullen waren weggehaald. Het was een schok geweest toen hij hoorde dat ze dood was, en toen een nog grotere schok toen hij werd gebeld door Reinhardt Gruen in Berlijn, die hem zei wat hij moest doen, wilde hij niet al zijn spaargeld kwijtraken. Hij had het in zijn geheel in de Parsifal Group belegd, op uitnodiging van Gruen, en er veel meer aan overgehouden dan hij voor mogelijk had gehouden.

Zijn mobiele telefoon trilde tegen zijn borst. Hij sloot de deur en nam aan terwijl hij om zijn bureau heen liep. Mobiele telefoons, pda's of wat voor persoonlijke draadloze apparaten dan ook waren verboden in Langley en Catapult, maar hij was de baas hier en niemand hoefde te weten dat hij zijn prepaidtelefoon nu te allen tijde bij zich moest hebben.

'We hebben een probleem met Judd Ryder en Eva Blake. Onze man heeft zich niet gemeld en we vermoeden dat ze weer op vrije voeten zijn. Waar zijn ze?' vroeg Reinhardt met een vriendelijk Duits accent.

'Ik weet het niet.'

'Je zou erbovenop blijven zitten.'

'Ik weet niet of ik de informatie kan krijgen.'

'Ach, echt niet?' De toon werd onvriendelijker. 'Je bent een belangrijk man. Je bent hoofd van Catapult. Ze kunnen niets voor je achterhouden.'

Canon vermande zich en zette alle gedachten aan het kwijtraken van zijn huis van zich af. Hij had veel invloed en was van plan geweest de rente van zijn Parsifal-rekening de komende zes maanden op te nemen. Hij had zijn geliefde Corvette al verkocht en een tweedehands Ford aangeschaft. De alimentatie voor zijn twee exen en zijn kinderen wurgde hem.

'Daar gaat het niet om,' zei hij. 'Luister, Reinhardt, dit is al ver genoeg gegaan. Het is blijkbaar geen makkelijke klus. Catapult zal je kostbare Gouden Bibliotheek trouwens nooit vinden. De hele missie is een ramp.'

'Zet Tucker Andersen aan de kant. Doe het zelf.'

'Ik kan hem niet aan de kant zetten. Daar is geen enkele legitieme reden voor. Ik zou mijn vingers branden als ik het probeerde, zeker nu Cathy dood is. Bovendien wil mijn baas een ervaren medewerker hier als nummer twee om me te steunen.'

Gruen vloekte in het Duits. 'We denken dat, als Ryder en Blake op vrije voeten zijn, ze naar Athene zullen gaan. We weten niet precies waar in Athene. Heb je wel eens gehoord van een vrouw die Robin Miller heet?'

'Nee,' antwoordde Canon naar waarheid. 'Wie is dat?'

Er viel een koele stilte. 'Laten we duidelijk zijn. Denk je echt dat de dood van Catherine Doyle een ongeluk was?'

Canon voelde het zweet in zijn oksels.

'We hebben de informatie nodig,' zei Gruen. 'Zorg ervoor.'

'Dat is niet echt nodig,' probeerde Canon. 'Ik kan de hele operatie trouwens over een paar uur afblazen. Ik heb toestemming van de baas.'

'Je weet heel goed dat het veel langer duurt dan een paar uur voordat dat kan, en er kan te veel gebeuren.' Het bleef even stil. 'Zorg ervoor dat Tucker Andersen het Catapult-terrein verlaat. Bel me meteen als het zover is. Begrijp je wat er met je zal gebeuren als je dat niet doet?'

Tucker klopte op de deur van Hudson Canon. Verbaasd hoorde hij het slot open klikken. Waarom had Hudson de deur op slot gedaan? Maar ja, Hudson was vroeger een uiterst succesvolle undercoveragent geweest en geheimzinnigheid was een moeilijk af te leren gewoonte.

De deur ging open en de nieuwe chef begroette hem met een korte glimlach. 'Kom binnen, Tucker. Ik was al van plan naar jou toe te komen.'

Tucker ging naar binnen en Hudson liep naar zijn bureau.

'Praat me bij over hoe het gaat.' Hudson leunde achterover en legde zijn handen achter zijn hoofd.

'Er is weinig nieuws.' Tucker nam een stoel en bracht verslag uit van de weinige wijzigingen in de verschillende operaties. Canon wilde vaker verslag hebben dan Cathy. Dat was prima; elke manager had zijn eigen stijl.

'En de Gouden Bibliotheek?' vroeg Canon.

'Goed dat je erover begint. Ik vroeg me of af je toevallig tegen iemand hebt verteld dat mijn mensen naar de Grote Bazaar in Istanbul gingen.'

Het antwoord kwam onmiddellijk. 'Natuurlijk niet.' Zijn gezicht veranderde niet.

'Ze hebben de bibliotheek nog niet gevonden,' ging Tucker verder, 'en de laatste keer dat ik ze sprak, gingen ze net weg uit Istanbul. Preston – de huurmoordenaar die achter hen aan zat – was achtergelaten in de Grote Bazaar, levend maar vastgebonden. Het zal even duren voordat hij vrijkomt.'

'Waar gaan ze nu heen?'

Dit was het moment dat Tucker had verwacht en het maakte hem misselijk. Hij had diep in zijn geheugen getast en wist nu zeker dat hij niemand had geschreven, niemand had gebeld, niemand had gemaild, geen memo's voor zichzelf had gemaakt en slechts één persoon de cruciale details had verteld, dat Ryder en Blake niet zomaar naar Istanbul waren gegaan, maar naar de Grote Bazaar om Okan Biçer te zoeken en via hem Andrew Yakimovich.

En dus loog hij: 'Naar Thessaloniki.' Een grote stad ten noorden van Athene, makkelijk bereikbaar voor Robin Miller – als ze in Athene was. Hij loog verder en zei: 'Een zekere Robin Miller, een vrouw, heeft contact met hen opgenomen. In ruil voor hun hulp zal ze hen daar ontmoeten en hun vertellen waar de bibliotheek is.'

'Dat zal een heleboel problemen oplossen – als ze het voor elkaar krijgen.' Canon haalde diep adem en rekte zich uit. 'Maar Thessaloniki klinkt vreemd. Athene zou meer voor de hand liggen, vind je ook niet?'

Waarom noemde hij Athene? Er steeg een zure smaak op naar Tuckers keel. 'Dat vind ik niet. Deze hele operatie is onvoorspelbaar geweest. Thessaloniki is een grote, historische stad. Ik vind het heel aannemelijk.'

'Wie is Robin Miller?'

'Ze heeft iets met de bibliotheek te maken. Ik heb nog geen details.'

Canon knikte. 'Allemaal goed nieuws dus. Je mensen hebben opnieuw een goed aanknopingspunt. Hoe gaan ze naar Thessaloniki?'

'Judd had geen tijd om me dat te vertellen.'

'Juist, ja. Nou goed, misschien haal je het spreekwoordelijke konijn alsnog uit de hoed en vind je de bibliotheek.' Canon keek hem met een bezorgd gezicht aan. 'Heb je enig idee hoe belabberd je eruitziet? Je bent bleek. Je kleren zijn een puinhoop. Nu alle actie in Europa plaatsvindt, hoef je niet bang te zijn dat iemand je hier nog achternazit. Het is een mooie middag. Ga naar buiten en haal een frisse neus. Wandel wat. Neem mijn auto als je liever rijdt dan loopt. Dit is een dienstbevel, Tucker: maak dat je wegkomt uit Catapult.'

45

Tucker Andersen ijsbeerde door zijn kantoor terwijl hij zich afvroeg of hij zijn oude vriend Matt Kelley moest bellen, het hoofd van de Clandestine Service. Maar hij had slechts één bewijs dat Hudson Canon het lek was. Het was mogelijk dat Judd en Eva op een andere manier naar de Grote Bazaar waren gevolgd. Je rapporteerde je collega's niet als je er niet verdomd zeker van was.

Hij bleef voor zijn boekenkast staan. Lang niet zo indrukwekkend als de enorme bibliotheek van Jonathan Ryder, maar hij had elk boek zorgvuldig uitgekozen. Zijn blik gleed over de titels, voornamelijk over politiek, inlichtingen, en spionagethrillers, en hij dacht terug aan de reizen die hij erin had ondernomen, lerend en zichzelf amuserend met andermans leven, ideeën en kennis. Hij dacht aan wat Philip K. Dick had geschreven: 'Soms is krankzinnig worden de meest gepaste reactie op de realiteit.'

Hij schudde zijn hoofd en schonk zichzelf een whiskey in. Hij kon waarschijnlijk maar beter hier weggaan. Een blokje om zou hem misschien goeddoen. Maar het was Hudson Canon die het had voorgesteld en dat maakte dat hij wilde blijven. Hij nam een slok whiskey, keek uit het raam en zag dat de nacht was gevallen. Verdomme, hij was de koude logeerkamer boven waar hij de laatste tijd sliep goed zat.

Hij nam een besluit, pakte zijn sportjasje en stak zijn armen in de mouwen. Hij liep naar de communicatieruimte. Debi Watson was er nog steeds.

Ze zag er walgelijk alert en jong uit.

'Heb je nog nieuws voor me?'

'Nee, m'neer.'

'Bel je contactpersoon bij NSA,' zei hij. 'Geef hem mijn mobiele nummer. Ik wil dat hij me meteen belt als een van die prepaidnummers boven water komt. Als je iets hoort over Robin Miller, bel me dan op mijn mobiel.' Hij draaide zich om zijn as en vertrok, gevolgd door haar instemmende geluid.

Bij Gloria's bureau bleef hij staan. 'Geef me mijn mobiel. Ik ga de deur uit.'

Ze keek hem over het regenboogkleurige montuur van haar leesbril heen aan. 'Dat werd tijd. Je kijkt als een gekooid dier.'

'Bedankt. Dat montert me aardig op.'

'Behagen is mijn doel.' Ze gaf hem de beveiligde telefoon.

Hij had een idee, een dat hem niet beviel. 'Is Hudson er nog?'

'Reken maar. Hij werkt erop los alsof hij het hoofd van Catapult is.'

'Moet je het hem laten weten als ik wegga?'

Ze knipperde met haar ogen. 'Ja, hij maakt zich ook zorgen over je.'

'Vertel het hem niet.'

'Waarom niet, Tucker?'

'Doe verdomme gewoon wat ik zeg.'

Haar wenkbrauwen gingen omhoog. 'We zijn niet getrouwd... nog niet. Karen zal jaloers zijn.'

Hij zuchtte. Ze had gelijk: hij was niet te genieten. 'Sorry. Zeg het alsjeblieft niet tegen de baas.'

'Oké,' zei ze opgewekt.

Maar toen hij zich omdraaide, zag hij iets bewegen. Canons deur moest open hebben gestaan, want hij ging nu dicht. Tucker keerde terug naar zijn kantoor en haalde zijn browning met holster uit zijn afgesloten bureaulade. Hij trok zijn jasje uit, deed de holster om en stopte de browning erin. Na een korte aarzeling pakte hij het stapeltje bankbiljetten dat hij in de lade bewaarde, de twee portefeuilles met valse identiteitspapieren en andere dingen.

Hij vertrok opnieuw.

'Ben je nog niet weg?' vroeg Gloria toen hij haar bureau passeerde.

'Ik was mijn lolly's vergeten.'

'Domme ik. Ik had je eraan moeten herinneren. Als er iemand naar je vraagt, wanneer kan ik zeggen dat je terug bent?'

'Och, een halfuur. Misschien nooit.' Hij zweeg. 'Dat heb ik niet gezegd.'

Haar wenkbrauwen gingen weer omhoog, maar ze knikte slechts.

Hij ging door de zijdeur naar de parkeerplaats van Catapult. De aprilavond was koel en er stond geen zuchtje wind toen hij zichzelf dwong tot een normale pas. Hij liep langs de dienstauto's naar het trottoir. Het was een zoele lenteavond. Hij snoof de geur van pas gemaaid gras van het aangrenzende pand op.

Toen hij de straat insloeg, noteerde hij wie er nog meer op het trottoir liepen en hield zijn hoofd enigszins gedraaid, zodat hij in zijn ooghoek de naderende auto's kon zien. Mensen liepen vanaf de metro van school of werk naar huis, met boodschappen en aktetassen of achter kinderwagens. Het was druk op straat, veel voertuigen die vaart minderden op zoek naar een parkeerplek. Er waren in deze buurt van voornamelijk rijtjeshuizen weinig garages of carports.

Een getraind brein is een soort computer en dat van Tucker zocht automatisch de kaartenbak van de mensheid af. Ten slotte concentreerde hij zich op een man in een los grijs jack dat tot halverwege was dicht geritst, donkere spijkerbroek en zwarte tennisschoenen, een meter of tien achter hem. Hij zag er heel onschuldig uit in het licht van de straatlantaarns, maar er was iets met de manier waarop hij bewoog, losjes, zijn voeten soepel afwikkelend, alert. Hij had een bestemming in gedachten die niets te maken had met de ontspanning van thuis.

Tucker sloeg een hoek om en toen nog een. De man bleef achter hem, zigzagde tussen de overige voetgangers door en hield er voortdurend enkele tussen hen in. Tucker liep nogmaals een blok om en sloeg op Massachusetts Avenue af in noordelijke richting. De man liep nog steeds achter hem, maar dichterbij, waarschijnlijk in afwachting van het goede moment. Hij kon heel goed een wapen onder zijn grijze jack verborgen hebben.

Tucker liep Capitol Hill Market binnen, een favoriet in deze buurt, klein, vol en druk op dit tijdstip. Hij liep door naar achteren en bleef bij de koelvitrine staan om naar het frisdrankenaanbod te kijken, maar in werkelijkheid om om de schappen heen te lopen naar een plek waar hij uitzicht had op de voordeur.

De man kwam binnen, knikte naar het joch achter de kassa en keek nonchalant om zich heen terwijl hij naar de vleesafdeling liep. Er werd verbouwd in de winkel. Tucker zag achter in de gang enkele balken die schuin tegen de muur stonden. Hij stak zijn hoofd net ver genoeg uit om er zeker van te zijn dat de man hem zag en slenterde de schemerige gang in. Voordat hij de hoek om sloeg keek hij om. De man kwam met een opgewekt gezicht in zijn richting.

Tucker pakte een balk en rende door de glazen draaideur de koele avondlucht in. Hoge bomen wierpen donkere schaduwen op de kleine parkeerplaats. Met de balk in zijn hand drukte hij zich razendsnel tegen de muur van de winkel. De deur begon langzamer te draaien. Toen hij weer versnelde, ramde hij de balk tussen de bewegende ruiten. En trok zijn browning.

Toen de deur tegen de balk sloeg, stapte hij naar voren en keek naar binnen.

Gevangen, niet in staat om de balk vast te pakken, duwde de man tegen de deur om weer naar binnen te gaan. Zijn schouders kromden zich, maar de deur gaf niet mee, draaide alleen maar de andere kant op. Met een van woede vertrokken gezicht keerde de man zich om. Tucker schatte hem eind twintig. Hij had een stoppelbaard, kort bruin haar, een heel gewoon gezicht. Een gezicht dat je vergat, afgezien van de kuiltjes in zijn wangen. Toen hij Tuckers wapen door het glas heen zag, gleed zijn hand onmiddellijk onder zijn jack.

Tucker schudde zijn hoofd. 'Niet doen.'

De hand schoof verder.

'We weten alle twee dat je me wilde opruimen,' zei Tucker. 'Mijn oplossing is dat ik jou eerst neerschiet. Ik zal beginnen met je maag en al je organen doorzeven.' Een maagwond was het pijnlijkst en vaak dodelijk als er organen werden getroffen.

De man kneep zijn ogen tot spleetjes, maar hij hield zijn hand stil.

'Mooi,' zei Tucker. 'Haal je wapen tevoorschijn. Leg het naast je voeten. Niet laten vallen. We willen niet dat het afgaat.'

Langzaam pakte de man zijn wapen en legde het neer.

'Ik haal nu de balk weg. Daarna kom je naar buiten en maken we een praatje.' Tucker hield zijn wapen op hem gericht en trok de balk weg. De draaideur bewoog en hij raapte het wapen op. Zodra de man buiten was, zei hij: 'Hierheen.'

Ze liepen naar de zwarte schaduw van een boom.

'Geef me je portefeuille,' beval Tucker.

'Ik heb hem niet bij me.'

Dat verbaasde Tucker niet. Als een ervaren huurmoordenaar op karwei ging, ging hij anoniem. 'Wie ben je?'

'Dat kan je niet echt iets schelen, is het wel, ouwe?'

'Haal je zakken leeg,' zei Tucker. 'Voorzichtig.'

De man haalde zijn autosleutels uit zijn broekzak.

'Laat vallen.'

Hij liet ze uit zijn hand vallen en trok toen de voering van zijn broekzakken naar buiten om te laten zien dat er niets meer in zat. Hij deed hetzelfde met de buitenzakken van zijn jack. Met slechts twee vingers van elke hand opende hij zijn jack en liet zien dat er geen binnenzakken in zaten. Hij droeg een poloshirt zonder zakken.

'Waar is je geld?' vroeg Tucker.

'In mijn auto. Geparkeerd op de plek waar ik je oppikte.'

Met andere woorden: geparkeerd bij Catapult. Tucker dacht na. 'Wie heeft je ingehuurd?'

'Luister, het was gewoon een klus. Niks persoonlijks.'

'Voor mij wel. Wie heeft je verdomme ingehuurd?'

De doodse klank deed het hem. Zijn pupillen werden groter.

'Jongen, ik weet hoe ik moet doden zonder sporen achter te laten,' zei Tucker grimmig. 'Het is even geleden. Vanavond lijkt me een goed moment om de sport weer op te pakken. Zin in een demonstratie?'

De huurmoordenaar schuifelde met zijn voeten. 'Preston. Hij zei dat hij Preston heette. Hij heeft geld overgemaakt naar mijn bankrekening.'

Tucker knikte. 'Wanneer belde hij je?'

'Vandaag. Eind van de middag.'

Met een plotselinge beweging stapte Tucker naar voren en ramde zijn browning tegen de slaap van de moordenaar. Hij wankelde en Tucker sloeg nogmaals. De man viel op zijn knieën op het plaveisel, bleef even zitten en viel toen om, bewusteloos.

Tucker haalde de munitie uit het wapen van de man en stopte die in zijn zak – 9mm. Kon nog van pas komen. Hij haalde plastic handboeien tevoorschijn en bond de handen van de man achter zijn rug en zijn enkels bij elkaar. Hij rolde hem tegen de stam van de boom, waar de schaduw het diepst was.

Hij activeerde zijn mobiele telefoon en toetste het nummer van Gloria in. Zodra ze opnam, zei hij: 'Noem mijn naam niet. Zet me in de wacht, ga naar mijn kantoor en doe de deur op slot. Neem dan weer op.'

Er viel een verbaasde stilte. 'Natuurlijk, Ted. Ik heb tijd voor een kort privégesprek.' Ted was haar man.

Toen ze weer aan de lijn kwam, zei Tucker: 'Ik sta buiten achter de Capitol Hill Market. Ik laat een huurmoordenaar achter die me probeerde te liquideren. Hij is geboeid en ik heb zijn munitie. Kom hem halen.'

'Wat! O, verdomme, wat heb je nu weer uitgevreten?'

'Hudson Canon is corrupt.'

'Is die huurmoordenaar de reden waarom Hudson wilde dat je wegging?'

'Ja.'

Ze vloekte. 'Ik wist dat er iets mis was. Wat wil je dat ik met die vent doe?'

'Hij zal nog wel buiten westen zijn. Hij is geboeid. Sleur hem in je auto en parkeer dan in het souterrain van Catapult. Ik wil uiteraard niet dat Canon hier iets van weet. Zeg het ook niet tegen Matt Kelley. Misschien is er nog een mol in Langley en het zou naar de mensen van de Gouden Bibliotheek gelekt kunnen worden. Dit blijft geheim, begrepen?'

'Begrepen.'

'Zijn auto staat in de buurt van Catapult. Ik zal zijn sleutels op de richel boven de achterdeur van de winkel leggen. Zoek die auto en laat hem verdwijnen. Bel me als je iets vindt.'

'Ik neem aan dat je niet terugkomt.'

'Niet voordat de Gouden Bibliotheek-operatie achter de rug is. Ik geniet zogenaamd van een korte, welverdiende vakantie.'

46

Rome, Italië

De eenvoudige flat stond in een vergeten hoek van Rome, weggestopt in een van de smalle straten op de Janiculum-heuvel, even ten zuiden van de Sint-Pieter. Op de Tiber klonk het schorre loeien van een scheepshoorn toen Yitzhak Law naar het openstaande raam liep. Hij streek met beide handen over zijn kale schedel en keek uit over de onbekende omgeving.

'Je bent van streek, amore mio,' klonk de stem van Roberto Cavaletti achter hem.

Yitzhak draaide zich om. Roberto bestudeerde hem vanaf de tafel naast het aanrecht, de enige tafel. De flat bestond uit één kamer, zo klein dat de geopende ovendeur de weg naar de kleine badkamer versperde. Het deed hem denken aan zijn studententijd aan de University of Chicago, maar dat was dan ook de enige charme. Plus dat het er veilig was. Bash Badawi had hen gisteren hierheen gebracht nadat een dokter Roberto's schouderwond had behandeld.

'Ik moet vanavond een college geven,' zei Yitzhak. 'En later op de avond heb ik een vergadering. Als ik niet verschijn, gaan ze zich zorgen maken.' Gisteren, toen hij geen colleges of vergaderingen had gehad, was dat geen punt geweest. Hij was hoogleraar aan het Dipartimento di Studi Storico-Religiosi van de Romeinse universiteit La Sapienza en hij nam zijn werk serieus.

Roberto wreef door zijn korte bruine baard en dacht na. 'Misschien is het nog erger. Ze zullen naar huis bellen en een bericht inspreken, en als er niet terug wordt gebeld, zullen ze je gaan zoeken.'

'Daar heb ik ook aan gedacht. Er zal opschudding ontstaan. Maar ik maak me het drukst over de studenten – er zal niemand zijn om college te geven.'

'Wil je het de faculteit laten weten? We hebben de mobiele telefoon die Bash ons heeft gegeven. Hij zei dat we niet de deur uit mogen en dat niemand mag weten waar we zijn. Telefoneren is niet de deur uit gaan. En je hoeft geen details te geven.' Hij hield de telefoon op.

'Ja, natuurlijk. Je hebt gelijk.'

Opgelucht nam hij de telefoon over. Hij toetste een nummer in en ging tegenover Roberto in de stoel zitten. Hij had het verband om Roberto's wond eerder ververst. Gelukkig genas de wond goed en Roberto had prima geslapen.

Gina, de secretaresse van de faculteit, nam op. Ze herkende zijn stem onmiddellijk. '*Come sta, professore?*'

In het Italiaans legde hij uit dat hij over een uur weg moest voor een dringende aangelegenheid. 'Ik heb een vervanger nodig voor mijn college, Gina. En geef aan professor Ocie Stafford door dat ik niet bij de vergadering kan zijn, met mijn excuses.'

'Dat zal ik doen. Maar wat doe ik met uw pakje?'

'Pakje... ik begrijp het niet.'

'Het ziet eruit en voelt aan als een boek, maar ik weet het natuurlijk niet zeker. Het is een gevoerde envelop, vanmorgen afgegeven door een priester van monseigneur Jerry McGahagin van de Vaticaanse Bibliotheek. Hij zei dat het uiterst belangrijk is. De bisschop wil uw advies.' Monseigneur Jerry McGahagin was de directeur van wat niet alleen een van de oudste bibliotheken ter wereld was, maar ook een die een onschatbare verzameling historische teksten bevatte, waarvan vele nooit door buitenstaanders waren gezien.

Hij dacht snel na. 'Stuur iemand met het pakje naar de Trattoria Sor'Eva op de Piazza della Rovere. Ik ben daar toevallig in de buurt.' Bash had het aangewezen als een goed restaurant dat uitstekende eigengemaakte pasta serveerde.

'Dat zal ik doen. Een halfuur, hooguit.'

Yitzhak verbrak de verbinding en herhaalde het gesprek.

Roberto schudde zijn hoofd. 'Je bent ondeugend. Het is de bedoeling dat we hier blijven.'

'Jij blijft. Dan gehoorzaamt de helft van ons.'

Roberto haalde veelzeggend zijn schouders op. 'Wat moet ik met je? Je bent altijd de hond die nóg een lekker bot zoekt.'

'Ik ben zo terug.' Yitzhak klopte op Roberto's hand en vertrok.

De schemering viel over de stad, de schaduwen lengden. Yitzhak had zich voorgenomen niet aan Eva en Judd te denken, maar terwijl hij liep, gebouwen en winkels passeerde, voelde hij zich vreemd kwetsbaar, waardoor hij zich zorgen maakte over hen. Hij zou zich pas goed voelen als hij van Bash hoorde dat het gevaar voor hen geweken was en dat ze veilig waren.

Toen hij de piazza bereikte, bleef hij tegenover de trattoria staan. Alles leek normaal, maar ja, herrie was normaal in Rome: de straten waren een cycloon van verkeer, de trottoirs krioelden van winkelende mensen, buurtbewoners, zakenlieden, auto's die twee en drie rijen dik geparkeerd stonden. Door de ramen van de trattoria zag hij etende en drinkende klanten.

Toen zag hij Leoni Vincenza, een van zijn betere studenten, die zich met een gevoerde envelop naar het restaurant haastte. Een lichtgele envelop, een vreemde kleur voor het Vaticaan. Misschien maakte de bisschop een oude, geschonken voorraad op.

Yitzhak dwong zichzelf te rennen en hij stak het kruispunt over. 'Leoni! Leoni!'

De jongeman keek op, zijn lange zwarte haren wapperden rond zijn gezicht. 'Professore, hebt u op me gewacht?'

Yitzhak zei niets, vertraagde zijn pas en kwam weer op adem. Toen Leoni bij hem was, zei hij: 'Goed je te zien, jongen. Is dat mijn pakje?'

'Ja, professor.' Hij overhandigde het.

'*Grazie.* Mijn auto staat om de hoek. Ik zie je over een paar dagen op de universiteit.'

Leoni knikte. '*Ciao.*' Hij ging terug zoals hij gekomen was.

Yitzhak ging de andere kant op; hij vond het slim van zichzelf dat hij eraan had gedacht de student te misleiden. Hij klom de Janiculum op en stopte. Zijn hart ging tekeer. Hij moest al jaren afvallen. Nu werd duidelijk dat hij er maar beter haast mee kon maken.

Hij liep verder, langzaam ditmaal, en bereikte ten slotte het flatgebouw. Hij opende de voordeur en keek op naar de lange trap. Hij moest twee trappen op en de tweede was even lang als de eerste. Hij wikte het pakje; het was zwaar, het gewicht van een boek. Hij zou even rust nemen en hij was nieuwsgierig.

Hij rukte de nietjes los en haalde het boek tevoorschijn. En keek verbaasd. Het was een dikke bundel Sherlock Holmes-verhalen, zo gehavend dat hij in een tweedehandsboekenzaak gekocht leek. Beslist geen eerste druk. Waarom zou de bisschop dit sturen? Hij zocht naar een briefje, maar vond niets.

Hoofdschuddend stopte hij het boek weer in de envelop en begon te klimmen. Achter zich hoorde hij de voordeur open- en weer dichtgaan. Toen hij op zijn verdieping aankwam, hoorde hij voetstappen op de trap die snel naar boven kwamen. Om de een of andere reden rende hij de gang door. Toen hij de sleutel in het slot stak, keek hij om en bevroor.

Twee mannen renden op hem af, met getrokken wapen.

'Wie zijn jullie?' vroeg Yitzhak, maar zijn stem klonk zelfs hemzelf zwak in de oren. 'Wat willen jullie?'

Er kwam geen antwoord. De ene man was lang, fors, en zag er woest uit, de andere was klein en pezig en keek vals. De kleinste van de twee pakte de sleutel uit zijn hand en opende de deur, de grote man duwde hem naar binnen. Met een onheilspellende klik viel de deur achter hem dicht.

47

Athene, Griekenland

De vriend van de Carnivoor vloog Eva en Judd naar Athene Internationaal, waar ze de stedelijke Proastiakos-trein naar het noordwesten namen en overstapten op metrolijn drie, die hen naar de stad zou brengen. Ze hadden zorgvuldig uitgekeken naar mensen met iets te veel belangstelling voor hen. Het metrorijtuig was tjokvol slapende of zacht pratende mensen. Eva popelde om naar een hotel te gaan, zodat ze alleen zouden zijn en ze de reep leer om de skytale kon wikkelen om de rest van Charles' boodschap te ontcijferen.

Ze keek naar buiten terwijl de metro voortsnelde langs huizen en flatgebouwen in de alomtegenwoordige modern-Griekse betondoosstijl. Af en toe zag ze oude ruïnes, verlicht tijdens de nacht. De combinatie van oud en nieuw was op de een of andere manier geruststellend: het verleden ontmoette het heden, waardoor een toekomst mogelijk leek. Ze klampte zich vast aan haar hoop voor de toekomst terwijl ze naast Judd zat, zich scherp bewust van hem. Hij had veel dingen die haar bevielen – en iets wat ze vreesde.

Ze keek naar zijn handen die op zijn dijen lagen en dacht aan Michelangelo's beeld van David, zijn grote meesterwerk, in Florence. Michelangelo had gezegd dat toen hij het marmer weghakte, de handen van een moordenaar tevoorschijn waren gekomen. Judds handen leken op die van David, groot en sterk, met in het oog vallende aderen. Maar toen Michelangelo het gezicht van David hakte, had hij een subtiele zoetheid en onschuld blootgelegd. Ze keek naar Judds verweerde gezicht, vierkant en ruig onder zijn gebleekte haren, de gewelfde neus, de krachtige kaak. Geen spoor van zoetheid of onschuld, alleen vastberadenheid.

'Hoe oud ben je, Judd?' vroeg ze.

Hij zag er ontspannen uit, ondanks zijn voortdurende waakzaamheid. Ze konden onmogelijk weten hoe lang Preston ervoor nodig zou hebben om te ontdekken dat de Carnivoor hen niet had geëlimineerd. Preston kon hen op dit moment achtervolgen.

'Tweeëndertig,' zei hij. 'Hoezo?'

'Ik ook. Ik wed dat je dat al wist.'

'Het stond in het dossier dat ik van Tucker heb gekregen. Is mijn leeftijd belangrijk?'

'Nee, maar ik dacht dat je misschien ouder was. Je hebt heel wat meegemaakt, is het niet?'

Hij staarde haar aan. 'Waarom zeg je dat?'

'Er waren in de gevangenis vrouwen die iets over zich hadden van... Het is moeilijk te beschrijven. Ik denk dat ik het een uitdagend verleden moet noemen. Jij hebt ook zoiets.'

Wat ze niet zei, was dat die vrouwen een gewelddadig verleden hadden en dat velen van hen waren veroordeeld wegens moord of doodslag. Ze leken te hunkeren naar gevechten, hoewel de gevolgen, of ze nu wonnen of verloren, ernstig zouden zijn. Maar ze had Judd nooit een gevecht zien beginnen of zelfs maar uitlokken. Toen, met een huivering, herinnerde ze zich zijn woorden dat hij niet nog meer bloed aan zijn handen wilde.

'Ik heb undercover gewerkt in Irak en later in Pakistan,' legde hij uit. 'Militaire inlichtingendienst. Dat was uiteraard "uitdagend". Maar er waren ook goede dingen. In Irak heb ik kunnen helpen met de wederopbouw van een paar scholen. De Irakezen herstelden zich en onderwijs stond hoog op hun prioriteitenlijstje. Mijn vader stuurde hele vrachten boeken voor hun bibliotheken.'

'Dat lijkt niet erg op militaire inlichtingen.'

'Ik had wat vrije tijd. Dat is wat ik ermee deed, vooral tegen het eind.'

Ze hoorde iets anders in zijn stem. 'En daarvoor?'

Hij glimlachte en zei: 'Stellen alle wijsneuzen zoveel vragen?'

'Ben ik een wijsneus?'

'Je doctorstitel kwalificeert je als zodanig.'

Ze keek naar de andere passagiers. 'Ga maar eens na wat jij allemaal over mij weet, inclusief mijn duistere verleden. Ik weet haast niets over jou.'

Hij grinnikte. 'Ik weet in elk geval zeker dat je geen doodslag hebt gepleegd.' Hij keek naar haar gezicht. 'Sorry. Dat was lomp van me.' Hij keek weer recht voor zich uit.

Eva zei niets, bleef stilzitten.

Ten slotte ging hij verder: 'Ik vond wat informatie over een Al Qaida-agent in Irak en kon hem uiteindelijk oppakken en meenemen voor verhoor. God mag weten hoe hij aan touw kon komen, maar hij had het. Hing zichzelf op in zijn cel. Zijn broer was ook lid van Al Qaida en toen hij het hoorde, kwam hij achter me aan. Het duurde weken.

Het ondermijnde mijn vermogen om de rest van mijn werk te doen en ik kon hem maar niet opsporen. Toen sloeg het om. Het was alsof hij geen belangstelling meer had. Ik snapte er niets van... tot ik een boodschap kreeg dat hij me zou straffen door mijn vriendin te liquideren.'

Zijn vingers werden bleek toen hij in zijn handen kneep. 'Ze werkte ook bij MI. Een verdomd goede analist. Ik hoorde het op het moment dat ze bij haar bewakingspost aankwam. Een moslimvrouw struikelde en viel bij het controlepunt en haar tas gleed onder de Jeep van mijn vriendin. Het leek een ongeluk, maar de bewakers zaten er meteen bovenop. De vrouw wist zich los te rukken en zette het op een rennen net toen de tas ontplofte. Het was uiteraard een zelfgemaakte bom. "Ze" droeg een boerka, maar een van de soldaten zag benen in een spijkerbroek en grote voeten in gevechtslaarzen.' Hij haalde diep adem. 'Vier mensen werden gedood, onder wie mijn vriendin. Later kreeg ik nog een boodschap; de vertaling luidde: "Wat een mens zaait, zal hij ook oogsten." Het Nieuwe Testament natuurlijk. De apostel Paulus. De smeerlap was een islamitische jihadstrijder die uit de Bijbel citeerde om de moord op haar te rechtvaardigen.'

'Je hebt niet gezegd hoe ze heette,' zei ze zacht.

Hij schraapte zijn keel. 'Amanda. Amanda Waterman.'

'Het spijt me. Wat verschrikkelijk. Je voelde je verantwoordelijk voor haar dood.'

'Ze zou nog geleefd hebben. Haar werk was niet zo gevaarlijk.'

'Ik wed dat je hem wilde vermoorden voor wat hij gedaan had.'

Hij verstrakte. 'Ik heb hem nooit kunnen vinden.'

'Wil je hem nog steeds vermoorden?'

Hij keek haar scherp aan. 'Zou je het me kwalijk nemen?'

'Toen ik dacht dat het mogelijk was dat ik achter het stuur zat en Charles had gedood, duurde het lang voordat ik me ermee had verzoend. Iedereen die naar Irak ging, besefte de risico's.' Ze zweeg even. 'Jullie hadden geluk dat jullie liefde hadden gevonden.' Ze hoorde de droefheid in haar stem en zette het van af. 'Veel mensen vinden die nooit.'

Hij knikte, met een gezicht als graniet.

Toch vroeg ze zich af of dit het enige verhaal was achter de kille blikken die ze in zijn ogen had gezien. Een van zijn handen schoof naar de hare om die vast te pakken. Ze herinnerde zich hoe hij haar tegen zich aan had getrokken nadat ze bijna overboord was gevallen, hoe hij zijn armen om haar heen had geslagen en haar stevig had vastgehouden, hoe hij haar haren had gekust. Het heerlijke geluid van zijn kloppende hart. Zijn muskusachtige, natte geur. Hij had haar gered met gevaar voor eigen leven. Op dat moment had ze niets liever gewild dan zich verstoppen en de moeilijke tijd vergeten. Denken dat zijn bescherming het begin van liefde was. Maar in werkelijkheid wist ze niet wat ze van hem moest denken, laat staan wat ze voelde, en of iemand met intens verdriet en een gewelddadig verleden ooit stabiel genoeg kon zijn voor standvastige liefde. Kon ze het zelf wel?

Ze kneep even in zijn hand en liet hem los. 'Je mobiel gaat over.'

Judd haalde hem uit zijn zak. 'Mail van Tucker. Goed nieuws: hij denkt dat hij Robin Miller misschien heeft gevonden.' Hij gaf haar het toestel. 'Wat denk je?'

Ze analyseerde de foto van de vrouw op het scherm van de mobiel: groene ogen, dik, asblond haar, maar geen pony. De mond was vol en rond. Leeftijd, lengte en gewicht van de vrouw waren bijgesloten.

'De gegevens komen overeen met die van Robin Miller,' zei ze, 'maar als ik niet beter wist, zou ik zeggen dat ze het niet is. Anderzijds, Charles had plastische chirurgie ondergaan toen hij lid werd van de bibliotheek, dus zij misschien ook. In dat geval zou haar neus kleiner gemaakt kunnen zijn en kan er een implantaat in haar kin zijn aangebracht. De ogen, de kleur van haar haren en de rest van het gezicht zijn hetzelfde.'

'Met plastische chirurgie zouden ze identiek kunnen zijn?'

'Absoluut.' Ze dacht nog aan de dood van zijn vriendin. 'Merkwaardig, die jihadstrijder van Al Qaida en zijn laatste bericht aan jou. Het Oude Testament bevat een soortgelijke passage. Job zei: "Die ondeugd ploegen en moeite zaaien, die maaien het." En duizenden jaren later schreef Cicero: "Wat ge gezaaid hebt, zult ge maaien." Hoe dan ook, het is frappant dat het ook in de Koran staat, die zo'n zeven eeuwen na Cicero werd geschreven: "Hebt ge nagedacht over wat ge gezaaid hebt?" Die jihadstrijder moet enige opleiding hebben gehad, anders zou hij zijn teruggevallen op wat hij kende: de Koran.'

'Daar heb ik ook aan gedacht. Maar ik laat het zo, en God mag weten waar hij is en of hij zelfs nog leeft. Trouwens, jij en ik hebben een veel dringender probleem: hoe vinden we Robin Miller en de Gouden Bibliotheek?'

En hoe overleven we het, dacht ze.

48

Eva en Judd stapten uit op het Platia Syntagma – het Plein van de Grondwet – het centrum van het hedendaagse Athene. Het weidse, witmarmeren plein strekte zich uit voor het parlementsgebouw, sereen glanzend in het lantaarnlicht. Eromheen waren elegante cafés met terrastafels waaraan mensen zaten te eten, te drinken en te praten.

Terwijl ze naar de taxistandplaats liepen, vroeg Eva zich af of ze kon blijven meewerken aan de operatie. Toen ze om zich heen keek, leek het verkeer in Athene ongewoon druk, de schaduwen waren te donker en te gevaarlijk. Ze maakte zich zorgen, was in verwarring.

Ze bleven staan toen de ruïne van het Parthenon opdoemde, majestueus oprijzend op de hoge Akropolis. De glanzende witte zuilen en timpanen waren overal in de stad zichtbaar, tussen gebouwen door en op de kruispunten van straten.

'Het Parthenon is geweldig,' concludeerde Judd. 'En voordat je het vraagt: nee, ik ben nooit in Athene geweest. Dit is de eerste keer.'

Ze glimlachte geforceerd.

Ze namen een taxi naar de wijk Exarchia, vlak bij de universiteit, een grillige bohemiensbuurt waar ze eens was geweest voordat ze Charles kende. Ze stapten uit aan het eind van de Stournaristraat en liepen naar het Platia Exarchia, het zenuwcentrum van de wijk, waar Atheners hun liefde voor politieke discussies uitleefden en intellectuelen hun nieuwste theorieën spuiden. Het echte nachtleven begon in Athene na middernacht. Door de ramen zagen ze dat het druk was in de bars.

'Laten we wat gaan eten,' zei Judd.

Ze gingen een *taverna* binnen die Pans Wraak heette. Een muzikant tokkelde op een bouzouki en zong een Grieks lied van verlangen naar een verre geliefde. Ze stopten bij de bar en Eva vertaalde toen Judd een fles rode Katogi Averoff uit 1999 koos, negentig procent cabernet, tien procent merlot. Zij bestelde de specialiteit van het huis: moussaka en courgette gevuld met wilde rijst, om mee te nemen.

Met hun aankopen in de hand sloegen ze de hoek om. Ze voelde Judds spanning terwijl hij bleef uitkijken naar achtervolgers, en haar eigen spanning terwijl ze probeerde te beslissen wat ze moest doen.

'Je bent zo stil,' zei hij.

'Ik weet het. Ik denk na.'

Even later zagen ze het hotel dat ze zich herinnerde – roze stenen met lijstwerk van witte stenen en witte luiken – waar ze jaren geleden had gelogeerd.

'Hotel Hekate,' las Judd. 'Een Griekse god of godin?'

'De godin van de tovenarij.'

'Misschien een goed voorteken.' Hij keek haar even aan, alsof hij haar gedachten probeerde te lezen. 'Is alles goed met je?'

Veel mensen liepen de diverse gelegenheden in en uit. De deur van een bar ging open en golven gelach rolden naar buiten. Ze zag geen tekenen van dreiging.

'Ja hoor,' zei ze. 'Ik wacht wel terwijl jij ons inschrijft.'

'Loop niet weg.'

Ze fronste verrast haar wenkbrauwen. Had hij geraden dat ze erover had gedacht? Voordat ze kon antwoorden, haastte hij zich het hotel binnen.

Ze liep door de straat en bestudeerde de andere voetgangers terwijl ze haar gedachten probeerde te ordenen. Ze had een heleboel fouten gemaakt en was bang dat aan de operatie blijven meedoen de zoveelste was. Wat voor man was Judd in werkelijkheid, dat hij zulk gewelddadig werk deed? Kon hij het geweld afzweren? Zou hij het ooit tegen haar gebruiken?

Op de hoek keerde ze terug naar het hotel. Ze voelde zich verantwoordelijk voor het gevaar waarin Yitzhak en Roberto verkeerden en voor de moord op Peggy. Maar toen ze eenmaal had ontdekt dat Charles nog leefde en een boodschap voor haar had achtergelaten, had ze het spoor blindelings gevolgd om meer te weten over wat hij echt voor haar had gevoeld. Terwijl ze daarover nadacht, werd ze gepasseerd door een oude man en een vrouw, hand in hand, met elkaar pratend alsof niemand anders ertoe deed. Ze voelde een steek van verdriet.

Judd verscheen in de oprit naast het hotel. Hij inspecteerde de omgeving en knikte toen terloops.

'Alles goed?' vroeg hij toen ze zich bij hem voegde.

Haar blik gleed naar de donkere schaduw in de oprit en ze werd zich opeens ervan bewust dat het in het donker moeilijk was het verschil tussen een hond en een wolf te zien. Ze zuchtte. 'Bedankt voor alles, Judd. Ik zal Charles' boodschap vanavond voor je vertalen, maar morgen neem ik het vliegtuig naar huis.'

Hij probeerde niet haar op andere gedachten te brengen. 'Ik ben blij dat je zo lang bent gebleven. Je hebt me enorm geholpen, Eva.'

Ze gingen via de achteringang naar binnen en liepen de trap op. De kamer was groter dan die in Istanbul en had eveneens twee bedden. Deze bood uitzicht op het aangrenzende hotel en de oprit diep beneden. In de verte glansde het Parthenon.

Terwijl Judd de deur op slot deed, zette zij hun maaltijd op een tafel naast de radiator en legde haar schoudertas af om de skytale en de reep leer te pakken.

Vol verwachting toekijkend liet hij de tas op het bed bij de deur vallen en legde zijn Beretta en het s&w 9mm met demper dat hij Preston had afgenomen af.

Ze opende het zijvak van haar tas en stak haar hand erin. Onmiddellijk voelde ze iets nats. Ze haalde de skytale en de reep tevoorschijn.

'O nee,' fluisterde ze. 'Nee.'

'Wat?'

'De inkt is uitgelopen.' Ze hield de lange reep doorweekt leer op; de letters waren in elkaar overgelopen. 'Het moet op het jacht zijn gebeurd, toen we drijfnat waren.'

'Is het bericht leesbaar?'

'Dat weet ik nog niet.'

Ze pakte een doos tissues van het bureau, ging op het andere bed zitten en hield de reep onder het heldere schijnsel van de lamp. Terwijl ze hem droog depte, ging hij tegenover haar zitten, boog zich met zijn onderarmen op zijn dijen naar voren en keek gespannen toe.

'De letters zijn vaag,' zei ze. 'Maar misschien kan ik er iets van maken.'

Ze stelde zich voor hoe Andy Yakimovich het had gedaan en wikkelde de reep zorgvuldig rondom de skytale, duwde en drukte hem voorzichtig op zijn plaats en zorgde ervoor dat de gevlekte letters rijen vormden. Ze werkte lange tijd geconcentreerd in de stille kamer.

Ten slotte pakte ze de uiteinden van de skytale beet en hield het leer met haar duimen op zijn plaats.

'Ik kan uit een paar woorden wijs worden,' zei ze. 'Ik kan het gedeelte lezen waar staat dat het geheim is verborgen in *Spionnen*, maar de volgende zin niet.' Ze hield haar adem in bij de daaropvolgende woorden, de ondertekening aan het eind. '*Amo te*, Eva, 3-8-08.'

'Wat is er?' Judd boog zich naar voren.

Ze vertaalde. 'Ik hou van je, Eva.'

Hij zag waar ze keek. 'Het is gedateerd op acht maart, een maand voordat Charles verdween. Dat beantwoordt een van de vragen. Een belangrijke, lijkt me.'

Ze aarzelde toen ze de stortvloed van emoties voelde. 'Ik heb Charles altijd beschouwd als mijn kracht, mijn anker. Als ik twijfelde of afdwaalde, zette hij me weer op het spoor. Nu denk ik dat hij geloofde dat dat liefde was. Maar in feite was het geen bezorgdheid om of belangstelling voor mij. Hij kon gewoon niet verdragen dat ik niet even geconcentreerd, even geobsedeerd was als hij.' Ze keek hem aan. 'We weten nog steeds niet waar de locatie in *Het boek der spionnen* vermeld wordt.'

Er viel een lange stilte van diepe teleurstelling.

Judd ging rechtop zitten. 'Dan zal ik het zelf in *Spionnen* moeten zoeken.'

Maar het was een enorm boek. Het was bijna onmogelijk de boodschap te vinden zonder aanwijzing of hulp van deskundigen. En er was een nog groter probleem: hij wist niet eens waar het boek was.

'Maak je geen zorgen, Eva. Ga morgen gewoon naar huis.' Zijn blik was vast. 'Ik meende het toen ik zei dat je goed werk hebt gedaan. Je was zelfs van onschatbare waarde. Zonder jou zou ik waarschijnlijk geen succes hebben gehad in Rome en Istanbul.'

Zijn mobiel ging over en hij griste hem van het bed.

Ze keek op haar horloge. Het was al na vieren.

'Ja, Tucker.' Zijn kaak verstrakte terwijl hij luisterde. Hij vertelde Tucker over de poging van de Carnivoor om hen te liquideren en dat hij zich had bedacht, en daarna de ontdekking dat de reep leer beschadigd was. 'We zijn in hotel Hekate. Ik snap het. Wees voorzichtig.'

Eva keek terwijl hij op de UIT-toets drukte.

Hij keek grimmig toen hij zich naar haar omdraaide. 'Cathy

Doyle – de baas van Tucker – is omgekomen bij een auto-ongeluk, en de man die haar vervangt, blijkt het lek te zijn. Een andere huurmoordenaar heeft zojuist geprobeerd Tucker te liquideren.'

'O god! Hoe is het met Tucker?'

'Boos. Bezorgd. Gewoon. Met andere woorden: hij maakt het goed. Hij is op de luchthaven van Baltimore. Hij vliegt hierheen om te helpen.'

'Had hij geen nieuwe informatie over *Spionnen* of de Gouden Bibliotheek?'

'Nee, maar hij heeft NSA mijn mobiele nummer gegeven, dus als een van de nummers in Charles' telefoon wordt geactiveerd, horen we het alle twee. En nog iets. Preston huurde de man die Tucker moest omleggen in nádat we hem geboeid in de Grote Bazaar hadden achtergelaten.'

'Dus Preston is weer in actie, precies zoals de Carnivoor had gezegd. Wist Tucker iets over de Carnivoor?'

'Hij zei dat de Carnivoor een van de duistere geheimen van de onderwereld is. Te nuttig voor veel partijen om hem te doden, en sowieso te ongrijpbaar. Blijkbaar heeft Langley tijdens de Koude Oorlog wel eens zaken met hem gedaan. Tucker zei dat hij had gehoord dat de Carnivoor onwrikbare regels heeft, maar hij heeft nooit een reden gehad om jacht op hem te maken.'

'Denk je niet dat de dood van Cathy Doyle meer was dan een ongeluk?'

'Ja. De smeerlappen.'

Ze keek terwijl hij op zijn dijen sloeg, opstond en door de kamer ijsbeerde.

'Waarom vraag je me niet of ik wil blijven?' zei ze. 'Je kunt mijn expertise gebruiken.'

Hij draaide zich om; zijn krachtige gezicht stond ernstig. 'Mensen hóúden van dit werk of ze verdragen het omdat ze een soort roeping hebben, betrokkenheid bij iets groters, iets voor het nut van het algemeen. Het is ze het risico dat ze doodgaan waard. Ik kan je niet vragen te blijven. Het zou je dood kunnen zijn.'

'Hou je van je werk?'

'Nooit gedaan. Zodra dit achter de rug is, word ik echt weer burger. Ik vind dat ik genoeg heb bijgedragen. Een ander is aan de beurt.'

'Zul je rustig kunnen leven?'

'Als je vraagt of ik flashbacks heb of kandidaat ben om een geweer te pakken en iedereen die ik zie om te leggen, is het antwoord nee. De meesten van ons zijn er niet op die manier door beïnvloed. We gaan zelfs niet in bars op de vuist. We zijn gewone mensen die moeilijk werk hebben gedaan en enkele nare herinneringen hebben.'

Ze werd overspoeld door opluchting. Met plotselinge helderheid besefte ze dat ze haar eigen angst had laten spreken. 'Charles en de boekenclub zwoeren samen in iets wat goed had moeten zijn en veranderden het in iets slechts, en in een onmetelijk verlies voor de beschaving. De Gouden Bibliotheek behoort toe aan de wereld. Ik heb de kennis om je te helpen haar en de afschuwelijke mensen die erachter zitten te vinden. Met wat geluk tijdig genoeg om datgene te voorkomen waar je vader zo bang voor was.' Ze haalde diep adem. 'Ik wil mijn eigen bijdrage leveren. De opdracht ook de mijne maken en proberen dapperder te zijn dan ik ooit was tijdens de jaren met Charles en in de gevangenis. Ik heb me bedacht. Ik ga ermee door.'

Hij ging tegenover haar op het bed zitten. 'Weet je het zeker?' Zijn grijze ogen keken haar ernstig aan.

'Heel zeker.' En ze meende het.

'Dan ben ik blij. Ik heb het gevoel dat je altijd dapper bent geweest. Maar doe me een plezier: ga niet te veel van het werk houden.'

'Weinig kans.' Ze legde de skytale weg, draaide zich naar hem toe en kruiste haar benen. Ze had een idee. 'We moeten een andere aanpak zien te vinden. Ik zal beginnen met Charles' tatoeage. Die moet de boekenclub rillingen hebben bezorgd. Zelfs het vermoeden dat iemand de locatie van de bibliotheek zou kunnen onthullen, zou een bedreiging voor ze zijn. Dat is mijn eerste punt. Ten tweede: toen ik Charles en Robin samen zag, voelde ik dat er iets meer tussen hen was. Ik weet niet of ze goede vrienden waren, goede collega's of misschien minnaars. Maar als ik gelijk heb, heeft ze met Charles te maken, wat betekent dat zijn tatoeage haar verdacht kan hebben gemaakt. Ík zou in elk geval achterdochtig worden. Lees Prestons notitie nog eens.'

Hij pakte de uit het notitieboek gescheurde pagina. 'Robin Miller. *Boek der spionnen.* Alles wat we weten is Athene – tot dusver.'

'Het begin is een soort lijst. "Robin Miller. *Boek der spionnen.* Een. Twee. Daarna de kern van de zaak – "Alles wat we weten is Athene – tot dusver." Dat geeft me het idee dat ze niet weten waar *Het boek der spionnen* – of Robin Miller – is, behalve dat ze in Athene zijn en gevonden moeten worden.'

'Je denkt dat ze niet alleen het boek heeft, maar ermee op de vlucht is,' zei hij.

'Dat is heel goed mogelijk.'

Hij pakte zijn mobiel. 'Ik bel haar.' Hij toetste een van de nummers uit Charles Sherbacks telefoon in. 'Ik krijg een antwoordapparaat,' zei hij. Toen: 'Mevrouw Miller, mijn naam is Judd Ryder. Ik ben in Athene en ik beschik over de middelen om u tegen Preston te beschermen. Ik zou *Het boek der spionnen* willen kopen. Bel me zodra u kunt. Ik laat mijn mobiel aanstaan.' Toen toetste hij het andere nummer in en liet hetzelfde bericht achter.

'Duimen,' zei hij.

Hij ging naar de badkamer en kwam terug met twee drinkglazen. Hij opende de fles om de wijn te laten ademen. 'Ik ga douchen. Daarna gaan we eten.'

Hij haalde een schoon T-shirt en een korte broek uit de tas en verdween in de badkamer. Ze luisterde naar de muziek van het stromende water en liep de kamer rond, haar armen gekruist, zichzelf vasthoudend, opgelucht dat ze had besloten te blijven en hopend dat Robin snel zou bellen. Toen maakte ze het zijvak van haar tas leeg en spreidde de inhoud uit om te drogen.

Judd kwam uit de badkamer; druppels glinsterden in zijn korte gebleekte haren en zijn gezicht was nat en ontspannen. Het T-shirt was vochtig en plakte aan zijn slanke middel. Zijn buikspieren waren verbazingwekkend, als betonijzer, en hij had mooie benen, recht, met krullende goudblonde haartjes, heel lief. Ze draaide zich om en leidde zichzelf af door haar shirt en korte broek te pakken. Daarna liep ze zonder hem aan te kijken naar de badkamer.

'Drink je wijn,' zei ze over haar schouder. 'Gedraag je.'

'Ik zal de helft voor jou bewaren.'

Het warme water was kalmerend. Ze waste haar haren en keek verrast naar de zwarte kleur toen ze voor haar ogen vielen. Ze had haar haren nooit eerder geverfd. Ze droogde zich af, bevestigde het apparaatje aan haar enkel, knoopte haar shirt dicht en stapte in haar korte broek.

Hij zat aan tafel in Charles' notitieboek te lezen.

'Iets gevonden?' Ze ging op de stoel tegenover hem zitten.

'Niets.'

'Geen telefoon van Robin?'

Hij schudde zijn hoofd. 'Vertel me over je familie.'

'Staat dat niet in mijn dossier?'

'Heel beknopt. Moeder, vader, broer, zus en jij. Van Los Angeles naar Iowa verhuisd. Jij niet. Ik zou willen weten waarom niet.'

Ze aarzelde. 'Er valt niet veel over te zeggen. Mijn vader werkte in de bouw. Mijn moeder was schoonmaakster. Vader dronk... veel. Dan begon hij te tieren en sloeg mijn moeder als ze probeerde hem over te halen om ermee te stoppen. Uiteindelijk raakte zij ook aan de drank. Toen konden ze beter met elkaar door één deur, maar het bleef ellendig. We konden nooit vriendinnetjes mee naar huis nemen, omdat we nooit wisten wat we zouden aantreffen.'

'Jij was de oudste, nietwaar?'

'Ja, en waarschijnlijk de fortuinlijkste. Bij de AA leer je over de gezinsbemiddelaar, de vredestichter... dat was ik. En het hield me ook van de drank af, omdat ik altijd probeerde alles glad te strijken om mijn broertje en zusje te beschermen. Toen raakte mijn vader de ene baan na de andere kwijt en zijn oom bood hem werk aan bij zijn houtzagerij in Council Bluffs. Ik was inmiddels al eens in aanraking gekomen met de wet. Ze waren aardig voor me en stonden achter me. Maar toen iedereen verhuisde, bleef ik in L.A. om te studeren.' Haar schouders waren gespannen. Ze stak haar armen omhoog en rekte zich uit.

'Je wilde niet eindigen zoals zij.'

'Nee, maar ik bleef van ze houden. Ze hebben me meer dan eens bezocht in de gevangenis. Ik weet niet hoe ze het geld ervoor bij elkaar schraapten, maar ze kwamen.' Ze beet op haar lip. 'Liefde is een rare emotie, niet dan?'

Hij keek haar met zachtmoedige blik aan. 'Laten we iets eten.'

Hij schonk wijn in terwijl zij het eten op tafel zette. De moussaka was warm en pittig, de courgette met wilde rijst knapperig. Het was een eenvoudige maar smakelijke maaltijd en de door lampen verlichte hotelkamer deed knus en veilig aan.

'En jij en je familie?' vroeg ze terwijl ze aten.

'Een deel ervan weet je. Mijn vader was ambitieus, maar hoe meer hij bereikte, hoe groter de druk werd en hoe meer hij moest reizen. Toen ik naar school ging, ging mijn moeder weer aan het werk, op de kleuterschool. Een paar jaar later stopte ze om vrij te zijn als hij thuis was. Het was geweldig voor me. De deur stond altijd open voor mijn vrienden. Dan maakte ze chocoladepudding en haverkoekjes en we mochten buiten spelen en ons vies maken.' Hij staarde in zijn wijn. 'We hadden het er moeilijk mee als hij er niet was. Maar áls hij thuis was, vulde hij het huis met zijn persoonlijkheid en bracht hij elk moment met ons door. Nu ik erop terugkijk, is het duidelijk dat hij probeerde te compenseren.'

'Ik wed dat hij ook van jou genoot.'

'Ik hoop het.' Hij boog zijn hoofd. 'Je moet weten dat mijn vader me al toen ik jong was verhalen begon te vertellen over de Gouden Bibliotheek. Hij moet er toen al van hebben geweten. Daarom denk ik dat hij lid van de boekenclub was toen besloten werd Charles aan te nemen. Wetend hoe bestuurlijk hij was ingesteld, moet ik geloven dat, zelfs als hij niet de uiteindelijke beslissing nam, hij er minstens van moet hebben geweten.'

De adem stokte haar in de keel. Toen zette ze haar woede van zich af. 'Je bent hem niet. Je hebt je eigen keuzes gemaakt en het lijkt me dat die haaks op de zijne staan. Ik denk dat je zijn beste eigenschappen hebt geërfd.'

Hij schonk de laatste granaatrode wijn in hun glazen en hief het zijne.

'Op onze samenwerking.' Hij grijnsde.

Ze tikte met haar glas tegen dat van hem en glimlachte. 'Op het vinden van de Gouden Bibliotheek.'

49

De middag was helder en het zonlicht weerkaatste in de autovoorruiten toen Martin Chapmans luxueuze limousine stopte voor het Grande Bretagne-hotel op het Plein van de Grondwet. Het was een van de beste hotels ter wereld, zag eruit als een paleis en had een lang verleden als zetel van macht, wat Chapman wel kon waarderen: het had gefungeerd als hoofdkwartier van de nazi's toen ze Griekenland tijdens de Tweede Wereldoorlog hadden bezet en later had het Britse expeditieleger het overgenomen. Hier waren oorlogen voorbereid en verdragen gesloten. Voor koningen en bedrijfsleiders, voor jetsetters en diplomaten was het de aangewezen plek om te logeren en het was het enige hotel in Athene waar Chapman ooit kwam.

De chauffeur rende om de auto heen en hield het portier open. Chapman stapte uit; zijn golvende zilvergrijze haren glansden, zijn blauwe ogen fonkelden, zijn gebruinde gezicht was beheerst en zijn tred verend. Bedienden schoten toe. De enorme deuren van het hotel gingen open en hij schreed naar binnen.

De gérant wachtte naast een hoge Ionische zuil in de lobby, volmaakt gepositioneerd voor maximaal effect te midden van de negentiende-eeuwse kunstschatten en het antiek van het hotel. Hij boog en leidde Chapman, met voorbijgaan van de inschrijfbalie, na enkele passende welkomstwoorden over de marmeren mozaïekvloer naar de privélift.

Ze stegen in stilte op naar de Royal Suite op de vierde verdieping. De gérant boog nogmaals, opende de deur en Chapman betrad de rijke wereld van damast, zijde en antiek meubilair van Sotheby's, verlangend naar het weerzien met zijn vrouw. Maar er was geen spoor van haar. In plaats daarvan stond Doug Preston midden in de majestueuze driedubbele woonkamer, met een kistje in zijn hand. Hij boog zijn hoofd enigszins, ten teken dat het kistje bevatte wat Chapman wilde hebben. Hij was gekleed in een driedelig pak, zodanig gemaakt dat zijn holster met pistool onzichtbaar was, en keek ernstig.

Chapmans bagage werd binnengereden en de gérant liep buigend de deur uit.

'Waar is mijn vrouw?' vroeg Chapman.

'Winkelen, meneer. Mahaira is met haar meegegaan.'

Chapman knikte en wenkte. Ze gingen naar de privé-eetkamer met zijn elegante tafel, in gereedheid gebracht voor een zakelijke bijeenkomst van slechts acht personen; Jonathan Ryder en Angelo Charbonier waren immers dood. Het komende jaar zou de boekenclub over hun opvolgers beslissen. Het tafelstuk was een weelderig boeket orchideeën. Op elke plaats lagen notitieblokken en dure Mont Blanc-vulpennen met het hotellogo te wachten.

Preston deed de deur dicht. 'De butler zal drank serveren. Kan ik verder nog iets voor u bestellen?'

Chapman koos een Partagas-sigaar uit de gevlamd houten humidor. Hij rolde hem naast zijn oor heen en weer tussen zijn vingers en hoorde het zachte knisperen van fijne tabak. Hij knipte het uiteinde in en snoof. Bevredigend. Hij stak hem aan met de gouden aansteker van het hotel en liep naar een van de hoge ramen, dat uitzicht bood op de historische monumenten van de stad.

'Hoe ver ben je met het vinden van de Carnivoor?' Chapman nam een trek en bedwong zijn woede.

Toen de Carnivoor na vier uur Chapman nog steeds geen bevestiging had gegeven, had hij het nummer gedraaid dat de Carnivoor hem had gegeven. Het was afgesloten. Daarna had hij zijn contactpersoon, Jack, een e-mail gestuurd. Die was geretourneerd.

Preston voegde zich bij Chapman aan het raam en zei: 'Het is een probleem. Zoals u al zei: de Carnivoor schermt zichzelf goed af. De e-mail is via verscheidene landen gestuurd. Jan heeft de oorsprong nog niet kunnen achterhalen, maar ze is ermee bezig.' Jan Mardis was het hoofd Computerbeveiliging van Carl Lindström. 'Wat dat afgesloten nummer betreft, daar kunnen we niets mee. Ik heb navraag gedaan bij de man die de Carnivoor bij u heeft aanbevolen, maar hij zegt dat hij hem op geen enkele andere manier kan bereiken en u zult hem nu nooit vinden. Hij snapt niet wat er gebeurd is, maar wat het ook was, hij vermoedt dat hij eveneens bedrogen is. Als de Carnivoor het geld van een cliënt aanneemt, is het een vertrouwenskwestie voor hem. Hij levert altijd. En hij vergeet nooit.'

Chapman kreeg kippenvel toen hij zich de koele litanie van regels van de Carnivoor herinnerde. Hij zette het van zich af. De klootzak was hem een voorschot van één miljoen dollar schuldig.

'Vind hem. Ik wil mijn geld terug en ik wil hem geliquideerd hebben.'

Preston boog zijn hoofd. 'Goed, meneer. Zodra Jan iets heeft, zal het me een genoegen zijn hem op te ruimen.'

'Hoe zit het met Judd Ryder en Eva Blake? Volgens onze man in Washington waren ze op weg naar Thessaloniki en hadden ze contact gezocht met Robin Miller.'

'Het móét Athene zijn. Ze hebben een memo dat ik voor mezelf had gemaakt en de Carnivoor wist dat het echt was. Ik heb mannen op de uitkijk gezet op de luchthaven, de treinstations en de haven om naar hen uit te kijken. Ik zie niet hoe ze Robin zouden kunnen bereiken, maar misschien is het gebeurd. Dat zou in ons voordeel kunnen zijn.' Hij zweeg even. 'Ik weet hoe ik haar kan vinden.'

Chapman stopte, zijn sigaar bleef op weg naar zijn mond zweven. Hij bestudeerde Preston, die kalm naast hem stond, het kistje nog in beide handen. Hij was niet van zijn stuk gebracht, excuseerde zich niet. Hij had zelfs iets dodelijk kalms over zich. Zijn blauwe ogen leken ijspegels. Hij was vernederd en wilde zich wreken. Mooi zo.

'Zeg op.'

'Ik heb de Learjet laten checken door de piloot,' zei Preston. 'Robin had haar mobiele telefoon niet achtergelaten. Als ze van plan was geweest te ontsnappen, zou ze hem hebben meegenomen, want het was de enige die ze had. Ze weet niet dat ze via haar telefoon kan worden opgespoord. Mijn contactpersoon bij NSA wacht tot ze hem activeert en zodra ze dat doet, hebben we haar. Maar er is een ander probleem: Tucker Andersen is ontkomen en de man in Washington die ik had ingehuurd om hem te elimineren, is spoorloos. Net als Andersen. Ik laat ze zoeken.'

Chapman vloekte luid. 'Verder nog iets?'

'Mijn mensen in Rome hebben Yitzhak Law en Roberto Cavaletti te pakken gekregen.'

'Zijn ze dood?' vroeg Chapman onmiddellijk, verheugd.

Preston schudde zijn hoofd. 'Nog niet. Ryder en Blake blijken veel meer problemen op te leveren dan wie ook had gedacht. Met Law en Cavaletti hebben we een wapen in handen, voor het geval dat.'

Chapman dacht na. 'Mee eens. We kunnen ze elimineren wanneer we maar willen.'

'Er is nog iets. Nadat ik in de Grote Bazaar weer vrijgekomen was, heb ik Yakimovich gesproken. Hij zei dat Charles een reep leer met een boodschap had achtergelaten... de locatie van de Gouden Bibliotheek is verborgen in *Het boek der spionnen*.'

'Jezus! De vorige bibliothecaris had dat boek naar buiten gesmokkeld. Wist hij het?'

'Hij is degene die het gedaan heeft. Charles moet een boodschap hebben gevonden die hij had achtergelaten. Hoe dan ook, het is geen probleem. We krijgen het boek wel terug. Ryder en Blake zullen er nooit in de buurt komen.'

Chapman legde zijn sigaar in een asbak en wreef in zijn handen. 'Geef me het kistje.'

Maar toen Preston het hem overhandigde, werd er op de deur geklopt. Op een knikje van Chapman deed Preston open.

Daar stond Mahaira in een beige linnen pakje, haar grijzende haren perfect gekapt in een lijst rondom haar zachte gezicht. 'Madame vroeg me u te vertellen dat ze is opgehouden, meneer. Ze kwam vrienden tegen en die stonden erop dat ze thee met hen zou drinken. Het spijt haar ten zeerste.'

Geprikkeld door het nieuws draaide Chapman haar de rug toe. Terwijl hij luisterde hoe ze wegtrippelde, viel zijn blik op het kistje. Haastig maakte hij het open. Met een zucht van genoegen pakte hij een geïllustreerd manuscript van de fluwelen bekleding dat niet alleen spectaculair was vanwege zijn schoonheid, maar ook om wat het zou betekenen voor zijn vrouw en het enorme nieuwe fortuin dat hij zou bezitten.

50

De leden van de boekenclub hadden zich in de loop van de ochtend ingeschreven in het Grande Bretagne-hotel. De vergadering begon om stipt twee uur en hun komst laadde de kamer met elektrische energie. Ze waren allemaal minstens een meter tachtig of langer en ondanks het onderlinge leeftijdsverschil van in totaal bijna dertig jaar bewogen ze zich allemaal met de gratie van atleten, in conditie en fit.

Ze waren geselecteerd in hun jeugd, toen ze vochten om geld en macht en grote beloften inhielden, en ze waren gekoesterd, begeleid en gefinancierd, net als Martin Chapman. Desondanks was voor slechts weinigen van degenen die zoveel aandacht ontvingen het lidmaatschap van de geheime boekenclub weggelegd. Degenen die het wel haalden, waren levende voorbeelden van het antieke Griekse ideaal van de volmaakte man.

Terwijl hij hen bestudeerde zoals ze rondom de tafel stonden te praten, voelde Chapman iets van trots. Hij was nu vijf jaar directeur. Ze konden lastig zijn, maar dat was begrijpelijk. Pittige assertiviteit was een noodzakelijke voorwaarde om iets te presteren en ze waren zowel privé als zakelijk krijgers – ook een essentiële karaktertrek van het Griekse ideaal. Tegelijkertijd echter maakte hij zich zorgen om hun ongewoon hoge energie en de zijdelingse blikken in zijn richting. Er was iets gebeurd en hij was bang dat hij wist wat het was.

Hij keek naar de butler, die drank serveerde. Ze zouden wachten met de besprekingen tot ze alleen waren.

'Je bent gek, Petr,' zei iemand geamuseerd.

'Je zit verdorie te veel in de bibliotheek,' lachte een ander.

Petr Klok koos een cocktail van het zilveren blad van de butler en verkondigde: 'Dit is een georganiseerd universum, gebaseerd op getallen. De ouden wisten dat. De markten – de prijzen en de tijdstippen – bewegen in harmonische ritmen.' Klok had een baard en stijlvol geknipt haar, was vijftig jaar oud en de eerste Tsjechische miljardair. Hij had geprofiteerd van de privatiseringen in zijn land en was klein begonnen, met het opkopen van een verzekeringsmaatschappij met garantstellingen en leningen van de Gouden Bibliotheek, en had die uitgebouwd tot een imperium dat zich over Europa en Amerika uitstrekte.

Brian Collum vond zijn glas barolo op het dienblad. 'Wil je zeggen dat financiële mee- en tegenvallers geen toeval zijn? Je bent niet goed wijs.' Collum, afkomstig uit Los Angeles, grijzend en met een lang, knap gezicht, was het jongste lid, net achtenveertig. Hij was de juridisch adviseur van de bibliotheek.

'Bestudeer de verborgen wiskundige codes in Plato's *Timaeus*,' hield Klok vol. 'Verbind die met de architectuur van hindoetempels, Pascals rekenkundige driehoeken, het Egyptische schrift, de bewegingen van de planeten en de harmonieuze patronen in de gebrandschilderde ramen van middeleeuwse kathedralen. Het geeft je een voorsprong op de markten.'

'Ik ben in elk geval geïnteresseerd. Petr heeft tenslotte de wereldwijde crisis van 2008 voorspeld,' bracht Maurice Dresser hun in herinnering. Hij was een Canadees en had uit regionale proefboringen een olie-imperium van triljoenen dollars opgebouwd. Hij had dunnend zilvergrijs haar en een krachtig gezicht. Met zijn vitale vijfenzeventig jaar was hij de oudste.

'Misschien is Petr zijn tijd vooruit. Het zou niet de eerste keer zijn,' zei Chapman met uitdagende stem. Hij zweeg tot hij hun volledige aandacht had. Hij zag zijn kans schoon en hoopte hen met een kleine wedstrijd tot bedaren te brengen. 'Laat eens zien wat jullie weten. Dit is het onderwerp: in 350 voor Christus was Heraklides zijn tijd zo ver vooruit, dat hij ontdekte dat de aarde om zijn as draait.'

Collum stak onmiddellijk zijn sigaar in de lucht en zei: 'Een eeuw later rekende Aristarchos van Samos uit dat de aarde om de zon draait. Eveneens zijn tijd ver vooruit.'

'Maar in diezelfde tijd hield Aristoteles vol dat we stilstaan en het middelpunt van de hemel vormen.' Dresser schudde zijn hoofd. 'Een kanjer van een fout en niets voor hem.'

Er viel een stilte en Chapman profiteerde ervan. 'Reinhardt.'

Reinhardt Gruen knikte. 'In de zestiende eeuw geloofden de meeste geleerden weer dat de aarde plat was. Mis. Ten slotte ontdekte Copernicus dat ze om haar as en om de zon heen draait. Het had verdomd lang geduurd voordat de feiten weer boven water kwamen.' Gruen kwam uit Berlijn, was achtenzestig jaar oud en eigenaar van een wereldwijd mediaconglomeraat.

'Maar hij durfde zijn bevindingen niet te publiceren,' herinnerde Klok zich. 'Te controversieel en te gevaarlijk. Onwetende christelijke kerken bestreden het idee nog drie eeuwen lang.'

'Carl?' zei Chapman.

'Ze beweerden dat het in strijd was met de leer van de Bijbel.' Carl Lindström, vorstelijk, met grijzend blond haar, was vijfenzestig en de oprichter van het machtige softwarebedrijf Lindström Strategies, gevestigd in Stockholm.

'Niet genoeg,' riep Collum strijdlustig.

Als directeur was Martin Chapman tevens scheidsrechter.

'Ik dacht dat jullie idioten de Bijbel inmiddels kenden,' zei Lindström goedgehumeurd. 'Het staat in Psalmen: "Vast staat nu de wereld, zij wankelt niet."'

'Heel goed. Wie volgt?'

Thomas Randklev hief zijn longdrinkglas. 'Op Galilei. Hij ontdekte dat Copernicus gelijk had en schreef er vervolgens zelf over. Dus nam de inquisitie hem gevangen wegens ketterij.' Randklev, afkomstig uit Johannesburg, was drieënzestig en leidde drie mijnbouwondernemingen op drie continenten.

'Grandon. Jij bent de laatste,' zei Chapman.

Grandon Holmes, een Londenaar van achtenvijftig, was presidentdirecteur van de telecomgigant Holmes International Services. 'Het duurde tot de renaissance voordat de westerse wereld accepteerde dat de aarde om haar as en om de zon draait – zo ongeveer tweeduizend jaar nadat Heraklides het als eerste had ontdekt.'

Iedereen nam glimlachend een slok. Het toernooi was geëindigd zonder historische fouten en iedereen had zijn steentje bijgedragen. De kamer werd vervuld van een gevoel van vriendschappelijke warmte en een gezamenlijk doel. Een doorslaand succes, dacht Chapman opgelucht.

'Goed gedaan,' complimenteerde hij hen.

'Maar dat Copernicus en de anderen gerehabiliteerd werden, betekent nog niet dat Petr gelijk heeft met al zijn financiële nonsens,' hield Collum vol.

'De woorden van een jurist,' grinnikte Petr. 'Je bent een neanderthaler, Brian.'

'En jij denkt dat je een verrekte waarzegger bent.' Collum grijnsde en nam een slok.

Iedereen was voorzien en Chapman stuurde de butler weg. Terwijl de deur zich sloot, nam de groep plaats aan de tafel. Chapman merkte dat de stemming was omgeslagen, gespannen was geworden.

Onbehaaglijk nam hij plaats aan het hoofdeinde, waar het kistje wachtte. 'Maurice, jij hebt deze vergadering uitgeschreven. Begin.'

Maurice Dresser verlegde zijn pen en keek op. 'Als oudste lid is het af en toe mijn taak grieven onder jullie aandacht te brengen. Je hebt iets voor ons achtergehouden, Marty.'

Martin Chapman hield zijn stem neutraal. 'Ga door, alsjeblieft.'

Dresser boog zich naar voren en vouwde zijn handen. 'Jonathan Ryder, Angelo Charbonier en onze uitstekende bibliothecaris Charles Sherback zijn dood, vermoord. We vermoeden dat jij daar iets mee te maken hebt. Je hebt Thom, Carl en Reinhardt gevraagd informatie in te winnen. Het ging om het chanteren van een Amerikaanse senator, het inbreken in de computer van een geheime CIA-afdeling en de moord op een CIA-beambte, een zekere Catherine Doyle. We realiseerden ons pas hoe ver je acties gingen toen we elkaar spraken. Wat is er verdomme aan de hand?'

'Geheimhouding berust op indammen.' Reinhardt Gruen trommelde met zijn vingers op het tafelblad. 'Dit is veel groter dan ik dacht.'

'Je hebt ons blootgesteld aan ontdekking,' zei Carl Lindström beschuldigend.

'Als de Parsifal Group onder de loep wordt genomen, kan dat naar ons leiden.' Thom Randklev keek dreigend.

De kamer leek te zinderen van spanning.

Chapman keek rond naar de koele gezichten. In stilte vervloekte hij Jonathan Ryder opnieuw om het starten van de reeks rampen die hem naar deze afgrond hadden geleid.

Hij schraapte zijn keel. 'De Parsifal Group is veilig doordat zóveel belangrijke mensen er zóveel aan hebben verdiend dat ze niet zullen toestaan dat er iets over bekend wordt. De publiciteit zou rampzalig moeten zijn om iets te veranderen, en dit is geen ramp.'

De oorspronkelijke financiële middelen voor de Gouden Bibliotheek waren bescheiden maar toereikend geweest, door de eeuwen heen doorgegeven om ervoor te zorgen dat de bibliotheek veilig was. Maar in de tweede helft van de twintigste eeuw, toen de internationale handel opbloeide en de selecte groep donateurs was geformaliseerd in de boekenclub, had het gezond verstand de overhand gekregen. Er werd een procedure in het leven geroepen om leden te kiezen. Hun successen openden kansen en er werden investeringen gedaan, indien nodig gesteund door de leden van Parsifal 'over te halen' om mee te werken.

Nu was het fonds van de groep, zo'n zes miljard dollar, geregistreerd, gereguleerd en eigendom van een reeks mantelondernemingen. Ze hadden veel om trots op te zijn: de Gouden Bibliotheek had een permanent tehuis, voldeed aan de strengste normen en zou nooit worden bedreigd zolang ze in hun handen was. En omdat ze daarvoor zorgden, werden zij op hun beurt beloond.

'Dat doet er verdomme niet toe,' zei Holmes. 'Risico's mogen nooit lichtvaardig worden genomen. Je hebt gegokt op manieren die voor elk van ons gevolgen kunnen hebben. We willen weten waarom en wat je eraan gaat doen.'

Chapman zei niets, maar opende het kistje en haalde er een klein, geïllustreerd manuscript uit, vijftien bij twintig centimeter groot. Hij hield het rechtop, zodat de boekenclub het kon zien. Er werd gezucht. Het omslag was bezet met oogverblindende diamanten in elkaar overlappende cirkels, driehoeken en rechthoeken, elk volledig gevuld met nog meer diamanten van de beste kwaliteit, fonkelend als vuur.

'Ik ken dat boek,' zei Randklev, de mijnmagnaat. Hij vertaalde de titel: '*Edelstenen en mineralen van de wereld*. Geschreven eind veertiende eeuw. Afkomstig uit de Gouden Bibliotheek.'

'Precies,' zei Chapman. Toen richtte hij zich tot de groep. 'Ik was nieuwsgierig naar de diamanten op het voorplat en vroeg een vertaler het boek te onderzoeken, en hij vond het verhaal erachter. Jullie herinneren je misschien Mahmoed, een Pers die tegen het eind van de tiende eeuw Afghanistan binnenviel. Hij riep Ghazni uit tot hoofdstad en verhief het land tot de hoogste macht, met een imperium dat zich uitstrekte tot in Iran, Pakistan en India.' Hij knikte naar het kostbare boek. 'Diamanten waren een van de bronnen van zijn rijkdom – diamanten uit een gigantische mijn in de huidige provincie Khost, bij Ghazni. Zo'n tweehonderd jaar later trok Dzjengis Khan door Afghanistan en slachtte de inwoners af. Hij liet Ghazni en andere steden in puin achter. De verwoesting was zo compleet, dat zelfs irrigatiekanalen nooit werden hersteld. De diamantmijn werd gesloten. Toen Timoer Lenk er in de veertiende eeuw doorheen trok, verwoestte hij wat er nog van over was. De mijn werd vergeten en raakte in feite verloren.'

'De provincie Khost is een gevaarlijke plek om zaken te doen, Marty,' waarschuwde Reinhardt Gruen, de mediamagnaat. Hij keek de groep rond en legde uit: 'De Afghaanse regering heeft de beveiliging van het land overgenomen, maar het leger is niet groot genoeg en de lokale politiekorpsen liggen ver uit elkaar en zijn veelal corrupt. Dus moeten de gouverneurs van de provincie het opknappen, maar dat is een lachertje. In Khost, weet ik nog, hebben enkele krijgsheren het territorium verdeeld. Die krijgsheren zweren mogelijk samen met de taliban en Al Qaida.'

'Stik, Marty.' Grandon Holmes, de telecomkoning, staarde hem aan. 'Geen enkele mijn kan draaien in zo'n atmosfeer. En erger nog, je zou de jihad helpen.'

'Precies andersom,' vertelde Chapman hun kalm. Tot die conclusie was Jonathan Ryder ook gekomen. 'Syed Ullah is de krijgsheer die de dienst uitmaakt in de streek waar de mijn ligt, en hij haat de taliban en dus ook Al Qaida. Toen de taliban in de jaren negentig aan de macht waren, vernietigden ze de drugshandel. Heroïne en opium waren – en zijn nu weer – zijn grootste bron van inkomsten. Dus je snapt wel dat de taliban en Al Qaida zijn vijanden zijn. Hij heeft een leger van meer dan vijfduizend man. Hij zal nooit toestaan dat de jihadstrijders zijn territorium binnendringen en overnemen.'

Hoofden knikten langzaam rondom de tafel.

Thom Randklevs ogen begonnen te schitteren. 'Weet je waar die mijn precies ligt?'

'Ja. Ik wilde jullie er allemaal bij betrekken,' loog Chapman. 'Het gaat alleen wat sneller dan ik had verwacht. En jij, Thom, krijgt uiteraard het mijncontract, boven op je aandeel.'

Randklev wreef in zijn handen. 'Wanneer begin ik?'

'Dat is het probleem,' vertelde Chapman. 'Het contract kan nog niet ondertekend worden.' Op kalme toon, en er waar hij maar kon een positieve draai aan gevend, beschreef hij de gebeurtenissen, vanaf het moment waarop Jonathan Ryder had ontdekt dat Syed Ullah een geheime rekening had bij de internationale bank die Chapman had gekocht, tot de ontsnapping van Robin Miller uit de Learjet in Athene. Vervolgens zette hij uiteen wat er in Khost nog moest gebeuren en dat Judd Ryder, Eva Blake en Robin Miller nog op vrije voeten waren, maar binnenkort gevonden zouden worden.

Toen hij klaar was, viel er een lange stilte.

'Jezus, Marty,' zei iemand.

'Wat een puinhoop,' zei een ander.

'Niet zó'n puinhoop,' zei Chapman, 'en denk aan het fortuin dat er kan worden verdiend.'

'Als die mijn zo groot is als je zegt,' besloot Holmes, 'zouden we gek zijn als we het contract verbraken.'

'Hoeveel denk je dat hij waard is?' vroeg Klok.

'Uit wat ik gelezen heb, maak ik op dat de mensen van Mahmoed nauwelijks hebben gegraven,' zei Chapman. 'En ze hadden natuurlijk het nadeel dat ze met primitieve middelen werkten. Ik zou zeggen dat hij minstens honderd biljoen moet opleveren. In de loop der jaren natuurlijk.'

Er werd geglimlacht rondom de tafel. Toen gelachen. De toekomst was rooskleurig.

Dresser sloot de discussie. 'Ik zou zeggen dat je onze volledige medewerking hebt, Marty.' En toen met een dreigende blik: 'Maar zorg er verdomme voor dat je de situatie in de hand houdt. Doe wat je moet doen. Verpest het niet, anders zal het niet zonder gevolgen blijven.' Hij keek rond naar de ijzige gezichten. De mannen knikten instemmend. 'Ze zullen je niet bevallen.'

51

Ergens aan de Middellandse Zee

Boven de turkooizen zee stond een kleine, natuurstenen villa op ongeveer driekwart van de weg door een lang, groen dal. Hij was bijna vierhonderd jaar oud. Ernaast stonden vier stenen huisjes, twee aan elke kant, meer dan een eeuw geleden gebouwd voor de grote familie van een edelman. De witte muren van de gebouwen waren begroeid met klimop, en rode geraniums bloeiden in bloembakken.

Het was een mooie middag, de lucht geurde naar kamperfoelie. Don Alessandro Firenze zat buiten onder zijn lommerrijke druivenprieel naast de villa. Hier stonden de lange houten tafel en de rechte houten stoelen waar hij en zijn *compadres* zich verzamelden om wijn te drinken en verhalen uit de goeie ouwe tijd te vertellen. De don, een man van in de zestig, zat in zijn gebruikelijke stoel aan het hoofdeind van de tafel, een strohoed achter op zijn hoofd. Hij was alleen, afgezien van zijn boek en een 9mm Walther, die naast een groot glas ijsthee op de tafel lag.

Hij keek op van Plato's *De republiek*. Een van de voordelen van semipensionering was dat hij zichzelf kon verwennen. Als dwaze jongeman had hij zijn opleiding verwaarloosd. De afgelopen tien jaar had hij een groot deel van zijn vrije tijd doorgebracht met lezen en de rest met het verzorgen van zijn moestuin, zijn wijnstokken en zijn honingbijen.

Hij keek om zich heen en genoot van dit stukje hemel op aarde dat zoveel voor hem betekende. Hij zag de gezondheid van de struiken en bloeiende planten rondom het met gras begroeide voorerf. Zijn grote moestuin strekte zich uit aan de achterkant, omringd door een wit hek, en ernaast stonden een enorme satellietschotel en een generator in een bom- en brandbestendige behuizing. Veel verder was een bijenkolonie in witte kasten. De hellingen aan de voet van de gebouwen waren begroeid met goed verzorgde wijnstokken en knoestige olijfbomen. Zijn bezit besloeg zo'n dertienhonderd hectare, dus hij had geen last van buren.

Door het raam van een van de huisjes zag hij Elaine Russell in haar keuken. Haar man, George, was naar het dorp om voorraden in te slaan. Naast hun huis stond een tweede, waar Randi en Doug Kennedy buiten in een hangmat lagen te slapen. Aan de andere kant van de villa zat Jack O'Keefe – vroeger bekend als Red Jack O'Keefe – achter zijn computer, zichtbaar door het raam van zijn woonkamer. In het andere huis woonden nog enkele compadres, twee broers. Inlichtingenwerk was even belangrijk voor hun gestel als aderen en spieren, dus ook zij waren slechts semigepensioneerd. Ze genoten van zijn opdrachten en fungeerden als zijn morele kompas als hij raad nodig had.

Hij wilde zich juist weer verdiepen in zijn boek, toen Jack op een drafje naar buiten kwam. Hij observeerde zijn soepele tred en dacht terug aan de tijd dat de oudere man de halve mijl sneller liep dan de meeste mensen op aarde. Hij was een meter vijfenzeventig lang en had nog steeds een katachtige sierlijkheid. Maar hij keek bezorgd en zijn verweerde gezicht stond gespannen.

De don zei niets.

'Verdomme,.we hebben een probleem.' Jack liet zich naast hem op een stoel vallen. 'Iemand heeft geprobeerd de e-mails tussen Martin Chapman en mij te traceren. De klootzak had geen succes, maar het scheelde verdomd weinig. Ik heb de twee internetproviders in Somalië en op de Antillen beveiligd en uit de lucht gehaald. Nu zullen ze ons met geen mogelijkheid kunnen vinden.'

De don voelde hete woede exploderen in zijn schedel. Hij zei niets en wachtte tot de storm ging liggen. Zijn opvliegendheid had hem en degenen van wie hij hield al genoeg narigheid bezorgd.

'Je hebt Chapman de regels uitgelegd,' zei de don. 'Ik ook. Hij ging ermee akkoord. Nu heeft hij ze twee keer overtreden.'

'Ik heb hem en Douglas Preston nagetrokken. Preston is een voormalig CIA-agent, de smeerlap. Je zou denken dat hij een betere manier had gevonden om aan de kost te komen. Maar goed, volgens Chapmans bedrijf is Chapman momenteel in Athene. Daar leid ik uit af dat Preston bij hem is, op zoek naar Eva Blake en Judd Ryder. Je zei dat het over de Gouden Bibliotheek gaat, dus heb ik onze contactpersonen geraadpleegd en een paar interessante dingen gehoord.'

Op zoek naar de rijken en machtigen dachten de meeste mensen er niet aan de minder voor de hand liggende bronnen te onderzoeken: beveiligingsdiensten, freelancelijfwachten, huurlingen, feestorganisatoren, koks, uitzendbureaus voor dienstmeisjes en kindermeisjes, scheepsbemanningen, piloten, iedereen die de rijken diende.

'Heb je een aanwijzing?' vroeg de don.

'Reken maar. Eerder wilde ik niet met je praten. Het probleem is dat het riskant is.'

Terwijl Jack de mogelijkheden uiteenzette, zette de don zijn hoed af en wreef met zijn onderarm door zijn korte grijze haren. Zijn vingerafdrukken had hij jaren geleden laten wegbranden en zijn gezicht was vele keren veranderd door plastische chirurgie. Hij had het lichaam van een veertiger, hoewel zijn huid verouderd was: hormonen, vitaminen en lichaamsbeweging konden niet alles bereiken. Hij luisterde en knikte. Ja, dat moest lukken.

'Het zal niet makkelijk zijn,' waarschuwde Jack nogmaals.

'Ik zat net Plato te lezen.' De Carnivoor sloot het boek en legde het naast de Walther. Hij keek uit over zijn vredige landgoed en wou dat zijn dochter er was. Maar ze keurde niet goed wat hij deed. 'Het is een interessant boek. Ik ben het niet met alles eens, maar één ding lijkt toepasselijk: "Alleen de doden hebben het einde van de oorlog meegemaakt."' Hij stond op. 'Roep de compadres bijeen. We gaan naar de villa en treffen voorbereidingen.'

52

Athene, Griekenland

Er klonk een nieuwsbericht in het Grieks in de gang van het hotel toen Judd hun brunchblad buiten de deur op de grond zette. Hij luisterde, keek naar links en naar rechts en ging toen weer naar binnen. Eva zat aan tafel en ze keek gespannen, haar ellebogen op het tafelblad en een hand onder haar kin terwijl ze Charles' aantekeningen herlas. Gisteravond had hij gedacht dat hij haar kwijt zou raken. Hij was blij dat ze besloten had te blijven, maar nu voelde hij zich nog meer verantwoordelijk voor haar.

Hij schoof de knip op de deur en haalde Prestons s&w onder zijn kussen vandaan. Hij ging zitten en verwijderde de patronen, ook die in de kamer.

'Kom erbij zitten.' Hij klopte naast zich op het bed.

Ze keek op en zag het wapen. 'Ga je me neerschieten of lesgeven?'

'Lesgeven. Dan kun je iemand neerschieten – mij hopelijk niet.'

'We zien wel.' Ze glimlachte even en ging naast hem zitten.

'Dit is de veiligheidspal. Beweeg hem heen en weer, zodat je weet hoe het werkt.' Ze deed het en hij legde de werking van het wapen uit. 'Sta op.'

'Oké.' Ze stond op, lang en slank, en haar zwarte haren vielen rondom haar gezicht.

'Balanceer op beide voeten.'

Ze nam een *heiko-dachi*-karatehouding aan, met haar voeten een schouderbreedte uit elkaar en evenwijdig. Haar knieën waren gebogen, precies zoals hij het wilde.

Hij gaf haar het wapen. 'Hou het met beide handen vast, kies een punt op de muur, strek je armen enigszins, maar niet zoveel dat het moeite kost. Mik... Je schouders niet buigen. Ontspan je botten; je spieren moeten het werk doen.' Haar greep leek geschikt, maar niet zelfverzekerd. 'Je handen willen automatisch coördineren met je ogen; laat ze hun gang gaan. Goed. Haal nu de trekker over.' Hij keek toe. 'Langzaam. Stel je voor dat de trekker de enkel van een baby is. Je wilt hem geen pijn doen, maar je moet hem stevig vasthouden, of het joch gaat ervandoor.'

'Heb je als jongen vaak op kinderen gepast?'

'Ik heb een levendige fantasie.'

'Heb je in je fantasie baby's opgevoed?'

'Nee, maar ik kan me weleens als een baby gedragen.'

Ze lachte, concentreerde zich en probeerde de trekker nogmaals.

'Veel beter,' zei hij. 'Je weet pas hoe goed je mikt als je schiet, maar dit is beter dan niets. Oefen honderd keer – langzaam. Neem dan even pauze en doe het nog eens honderd keer. Je zult gevoel voor het wapen krijgen en hoe het is om ermee te schieten. Als je echt moet schieten, zul je een stevige klap krijgen. Dit helpt je om ook daarop voorbereid te zijn.'

Luisterend naar het klikken pakte hij zijn mobiel, downloadde de telefoonnummers van alle hotels in Athene en begon te bellen. Bij elk hotel vroeg hij Robin Miller te spreken. Er waren een paar Millers, maar geen Robin. Hij sprak met degenen die hij kon bereiken. Ze kenden niemand die Robin Miller heette.

Ten slotte zei Eva: 'Dat zijn er weer honderd.' Ze keek niet verveeld, maar leek het behoorlijk beu. 'Hoe laad ik dat ding?'

Ze gingen weer op het bed zitten en hij stopte patronen in het magazijn van de s&w. Hij haalde ze eruit en gaf haar het magazijn. Ze frunnikte even, kreeg de slag toen te pakken en stopte de kogels erin. Ten slotte, rond twee uur, stopte ze het wapen in haar tas. Hij beëindigde een gesprek met een zoveelste hotel en ze hield haar hand op.

'*Pame gia kafe*,' zei ze. 'Dat betekent: laten we koffie gaan drinken, wat in Athene eigenlijk betekent: laten we uitgaan. Het is genoeg. Je hebt niets van nsa gehoord. Robin heeft niet gebeld. Tucker arriveert straks pas. Preston heeft onze vermomming niet gezien, dus we zijn redelijk veilig. En als ik een telefoon heb, kan ik ook hotels afbellen.'

Ze had een punt. Meer dan één zelfs. Ze vertrokken.

Het was een warme dag. Athene had een zweem van zomer in april. Door een dunne laag bruine smog glazuurde het zonlicht de betonnen gebouwen en trottoirs. Ze namen de metro naar Plaka, de gonzende markt en geliefd trefpunt van de stad.

'Hier kunnen we opgaan in de menigte,' legde ze uit.

Ze had gelijk. Plaka wemelde van de toeristen en inwoners; de meeste straten waren autovrij. Ze liepen door kronkelende lanen en stegen vol winkeltjes die snuisterijen verkochten, souvenirs, religieuze iconen en Grieks fastfood. Hij rook warme shish kebab en de koele geur van verse bloemen. Veel straten waren zo smal dat het zonlicht vocht om een plek om in te vallen.

'Je moet een paar dingen weten voordat je in Athene zaken probeert te doen,' vertelde ze hem. 'Steek nooit je hand op, met de palm omhoog en naar voren, als je iemand groet. Dat is hier een vijandig gebaar. Geef in plaats daarvan gewoon een hand. En als een Griek knikt – zeker als hij met zijn tong klakt en vaag glimlacht – is dat een uitdrukking van ongenoegen. Met andere woorden: nee.'

'Goed om te weten. Bedankt.'

Hij kocht zonder problemen een prepaidtelefoon voor haar en ze gingen op een terras zitten om weer aan het werk te gaan. Hij had tot dusver geen spoor van achtervolgers gezien.

Toen de serveerster kwam, wilde hij Griekse koffie bestellen, maar Eva zei: 'Twee Nescafé-sorbets, *parakaló*.' De serveerster glimlachte veelzeggend en ging naar binnen.

'Oploskoffie?' vroeg hij bezorgd.

'Wat? Ben je een koffiesnob?'

'Ik heb te lang woestijnzand ingeademd om geen waardering te hebben voor een lekkere bak.'

'Mijn medeleven. Maar je moet hem echt minstens één keer proberen. Het is een plaatselijke lekkernij, die past bij het klimaat en het buitenleven. Bovendien is het duur, wat betekent dat we hier een paar uur kunnen zitten zonder iets anders te bestellen.'

Hij twijfelde, maar zei niets meer. Terwijl hij een lijstje met telefoonnummers van hotels voor haar opstelde, werden er twee glazen water en twee hoge glazen met een donkere drank met een laag schuim geserveerd, met rietjes.

Hij keek naar het water en staarde naar de sorbets.

Ze grinnikte. 'Ik begin bang te worden dat je geen gevoel voor avontuur hebt.'

Hij zuchtte. 'Wat zit erin?'

'Twee ijsblokjes, twee grote theelepels Nescafé, suiker, melk en koud water. Ik weet dat het afschuwelijk klinkt, maar het is echt hemels op een warme middag zoals deze. Het is de bedoeling dat je eerst het water drinkt, om je gehemelte schoon te maken.'

'Moet ik mijn gehemelte schoonmaken? Dat meen je niet.' Maar hij dronk van het water.

Ze zoog haar sorbet door het rietje op en lachte naar hem.

Hij proefde. Het was bijna chocolade en de koffiesmaak was vol en troostend. 'Je hebt gelijk. Het is lekker. Maar de volgende keer wil ik echte Griekse koffie. Ik kauw graag als ik drink.'

'Van mij mag het.' Ze keek om zich heen. 'Ik heb nagedacht over de knipsels van je vader. Ik weet dat je zei dat de analisten niets bijzonders konden vinden, maar ik zou graag nog eens horen wat erin stond.'

'Er werden internationale banken genoemd en onze analisten hebben hun transacties scherp in de gaten gehouden. Niets over de Gouden Bibliotheek. Er stond veel in over sympathiserende jihadgroepen in Pakistan en Afghanistan en over het gevaar dat ze vormen, maar onze mensen zitten daar al zo scherp bovenop, dat iedereen er huiduitslag van heeft.'

'Denk eraan,' zei ze, 'ik ben uit de roulatie geweest – een paar jaar in de gevangenis. Is Al Qaida nog altijd zo gevaarlijk? Zijn we nu niet veiliger?'

'Ja en nee. Het zal helpen als je de structuur van Al Qaida kent. Jaren geleden zagen Osama bin Laden en zijn mensen wat er gebeurde met Palestijnse jihadgroepen die nieuwe leden toelieten tot de leiding: inlichtingendiensten konden ze infiltreren, in kaart brengen en ze veel schade toebrengen. Dat maakte de Al Qaida-leiding afkerig van uitbreiding en na elf september gooiden ze de deur helemaal dicht, waardoor ze hun verliezen zelfs niet konden vervangen. Nu kunnen ze op het fysieke slagveld niet meer concurreren, maar dat hoeven ze ook niet. Hun kracht – en een ernstige bedreiging voor ons – is de Al Qaida-beweging, die zich tijdens Irak als een bosbrand heeft verspreid. De nieuwe jihadstrijders vereren de centrale leiding van Al Qaida en vragen ze om raad en hun zegen voor operaties omdat ze in de bloedige theologie van de leiders geloven. Het is een doeltreffend rekruteringsmiddel gebleken en het zorgt ervoor dat Bin Laden en trawanten belangrijk blijven – en machtig.'

De serveerster kwam voorbij en hij bestelde echte koffie. 'Wat ons zorgen baart in de knipsels van mijn vader, is de focus op Pakistan en Afghanistan, waar de taliban sterk zijn. De twee landen hebben een gemeenschappelijke grens in de bergen, maar het is een kunstmatige grens, in de negentiende eeuw door de Britten getrokken. De bewoners aan beide kanten – voornamelijk Pathanen – hebben hem nooit erkend. In hun ogen is de hele regio altijd van hen geweest. Wat Pakistan betreft, dat verkeert in een crisis en heeft zijn troepen teruggetrokken uit de noordwestelijke grensprovincie. Als die in handen van de jihadstrijders valt, kan het hele land instorten. Tegelijkertijd heeft Afghanistan de verdediging in eigen hand genomen, dus de vs en de NATO zijn er nauwelijks aanwezig. De grensstreken worden beheerst door krijgsheren en men vraagt zich af of ze wel de belangen van het land voor ogen hebben, omdat velen van hen connecties met de jihad hebben.'

Eva zuchtte bezorgd. 'En daar ergens meende je vader te zien dat er iets verschrikkelijks werd bekokstoofd.'

Ze belden nog twee uur lang, zonder Robin Miller te vinden. Eva bestelde nog een sorbet en Judd nog een kop traditionele Griekse koffie. De zon was ondergegaan en wierp een violette mantel over het plaveisel.

'Om moedeloos van te worden.' Ze legde haar telefoon neer, leunde achterover en rekte zich uit. 'Waar zit dat mens?'

'God mag het weten.' Hij leunde eveneens achterover. Juist toen hij zijn toestel weer wilde pakken om het zoveelste hotel te bellen, ging het over. Haastig drukte hij de op de AAN-toets.

Het was de NSA. 'Een van de prepaidtelefoons is even ingeschakeld geweest, maar hij staat nu weer uit. Ik laat het je weten als hij weer wordt geactiveerd.' Hij noemde een adres. Judd noteerde het en draaide het papier zó dat Eva het kon zien.

'Dat is vlakbij,' zei ze opgewonden. 'Iets zuidelijker, maar nog in Plaka.'

53

Toen de vergadering van de boekenclub afgelopen was, opende Chapman de deur. Mahaira zat in de foyer, haar handen keurig in haar schoot gevouwen. Toen de leden van de club voorbij dromden voor een avondje uit in de stad, stond ze glimlachend op.

'Ze zit in bad,' fluisterde ze.

Verlangend liep hij over het tapijt, haalde een lang geleden genomen foto van zijn mooie blonde Gemma uit zijn zak en brandde haar beeld in zijn geest.

Blozend van opwinding borg hij hem weer op en opende de badkamerdeur naar het weelderige heiligdom van het bad met zijn ruime glazen douchecabine, barokke passpiegel en marmeren vloer, wanden en plafond. De lucht was doordrenkt van de geur van met kamille geparfumeerde badolie. Onder de zacht gloeiende kristallen luchter stond het enorme bad op een sokkel in het midden van de kamer. Er steeg schuim uit op en daarboven verrees zijn prachtige vrouw.

Ze had haar haren opgestoken, een weelde van goudblonde krullen, haar gladde schouders fragiel en zoet. Ze draaide zich om en keek hem aan; violetkleurige ogen die sprankelden van jeugd, arendsneus en sterke kin.

'Daar ben je dan eindelijk, Martin. Heerlijk dat ik je zie.' Haar stem klonk als muziek. 'Geef me eens een handdoek aan.'

'Straks.' Hij trok zijn kleren uit en liep naar haar toe.

Haar lach zong. Ze frommelde een washandje op en gooide het naar hem toe.

Hij ontweek het, klom naakt op het voetstuk en liet zich in het warme water glijden.

Ze schoof door het water naar hem toe en het schuim week uiteen. 'Ik heb je gemist. O, ik heb je zo gemist.'

'Ik jou ook.' Hij trok haar naar zich toe en liet zijn handen begerig over haar borsten glijden, haar dijen.

'Hmm,' spinde ze. 'Hmm. Hmm.'

Hij boog haar naar achter en beet in haar schouder. Kuste de holte van haar hals. Ze lachte blij en de trillingen zonden huiveringen door hem heen. Hij voelde haar hand om zijn pik, strelend, draaiend, trekkend.

Koorts zette zijn hersens in brand, hij schoof zijn handen onder haar billen en tilde haar op, zijn vingers grepen in haar spieren. Ze likte zijn oren, het puntje van zijn neus en kuste zijn mond. Haar smaak zond een gigantische golf door hem heen. Met haar benen schrijlings om zich heen liet hij haar langzaam zakken, trok haar toen verhit omlaag en nam haar. Zijn Gemma.

Ze kleedden zich aan in de grote slaapkamer; uit de hoge kast klonk Beethoven. De lange stralen van de ondergaande zon gleden over het tapijt en raakten hun blote voeten.

Gekleed in een lange witte rok met een strakke taille en een rood zijden topje zonder schouderbandjes ging ze op een met brokaat beklede stoel zitten, trok hooggehakte, met glittersteentjes bezette schoenen aan en gespte de dunne bandjes rond haar slanke enkels.

'Wat jammer nou.' Ze kwam giechelend overeind en wees naar het strak opgemaakte bed. 'Ik was van plan daar naakt op je te wachten.'

'Hoe is het met Gemma?' vroeg hij terloops terwijl hij zijn das schikte in de spiegel. Hij keek naar haar spiegelbeeld. Ze had zich opgemaakt en haar lippen waren als robijnen. Ze leek zoveel op Gemma dat zijn hart pijn deed.

'Moeder maakt het prima. Ze is in Monte Carlo met haar nieuwe vriend. Ik zou willen dat ze eens rust vond. Ze kost je een fortuin.'

Gemma was vijf keer getrouwd geweest, maar nooit met hem. De zomer na hun afstuderen had haar familie haar voor de keus gesteld: de relatie beëindigen of onterfd worden. Om haar de pijn van het kiezen te besparen, was hij uit Californië weggegaan en dwars door het land naar New York City gelift, waar hij zich had ondergedompeld in de van piranha's wemelende zee van de financiële wereld, vastbesloten het fortuin te verdienen dat hem acceptabel zou maken. Toen het zover was, was ze al getrouwd met haar tweede man, die dronk, gokte en al haar geld erdoorheen joeg. Die man was de vader van Shelly.

'Ze zag er prachtig uit op het feest in Sankt Moritz,' zei Shelly. 'Maar ze heeft niets gezegd over de familiejuwelen. Of over de nieuwe tiara die je voor me hebt gekocht. Ik droeg ze allemaal, zie je.'

'Mahaira vertelde het. Ik ben blij dat je er zo van geniet.'

'Moeder houdt ook van diamanten. Ze mist ze vast ontzettend. Ik bood aan haar het collier en de oorbellen terug te geven, maar ze wilde ze niet aannemen. Ik geloof dat ze je al zo lang als ik weet haat. Waarom? Ze wil het me niet vertellen.'

'Ik denk dat het meer de houding van haar ouders is dan de hare.' Dat zei hij altijd, want hij had nooit begrepen waarom Gemma zo boos op hem was geweest omdat hij uit Californië was weggegaan. Het was iets absurds, over haar recht om over zoiets belangrijks mee te beslissen. Nu omzeilde hij de vraag van zijn vrouw door zich te richten op wat ze kon begrijpen: 'Ik denk niet dat ze me ooit echt gehaat heeft, maar ik ben het ermee eens dat ze niet bepaald gelukkig is met het leeftijdsverschil tussen jou en mij.' En, hoopte hij, jaloers.

Shelly schudde haar hoofd, zodat haar goudblonde haren over haar blote schouders zwierden, en keek naar haar vierkaraats diamanten verlovingsring en de met diamanten bezette trouwring. 'Ik dacht dat ze eroverheen was toen je de familiejuwelen kocht om haar te helpen.'

Hij zei niets.

'Ben je morgen hier?' vroeg ze verlangend.

'Ik heb zakelijke afspraken,' zei hij zachtmoedig.

Er gleed een koele blik over haar gezicht. 'Oké. Dan vlieg ik naar Cabo. Vrienden hebben me uitgenodigd.'

'Waar is je stola, lieverd? We komen nog te laat voor de cocktails.' Als ze niet bij elkaar waren, hunkerde hij naar haar. Maar als ze samen waren... Uiteindelijk was ze Gemma niet.

Toen ze door de kamer liepen, trilde zijn mobiele telefoon tegen zijn borst.

Hij keek haar aan en haalde hem tevoorschijn. 'Sorry, lieverd.'

Ze knikte met een strak gezicht. Albast.

Hij ging naar de eetkamer en deed de deur dicht.

Het was Preston en hij klonk jubelend. 'Ik ben net gebeld door mijn contactpersoon bij NSA. Robin Miller heeft haar telefoon aan- en weer uitgezet. Ik heb mensen van de bibliotheek laten overkomen voor ruggensteun en om spullen te brengen, en we zijn in Plaka... Daar was ze. We zullen haar en *Het boek der spionnen* nu heel gauw vinden.'

54

Robin Miller had twee drukke dagen gehad in Athene en ze begon zich eindelijk voorbereid te voelen toen ze in de schemering verder Plaka in liep. Behalve een heel grote zonnebril droeg ze een pruik, een eenvoudig bruin haarstukje dat tot vlak onder haar oren reikte. Een lange pony viel tot op haar zwart geverfde wenkbrauwen. Bruine contactlenzen kleurden haar blauwe ogen en ze had geen eyeliner, mascara of lippenstift opgedaan.

Haar kleren waren twee maten te groot: een katoenen slobberbroek en een los vallend katoenen overhemd. Alleen haar versleten tennisschoenen, gekocht op de vlooienmarkt van Monastiraki, pasten. Ze droeg een boodschappentas die ze op een vuilnisbak had gevonden. Hij zat vol verfrommelde kranten; haar portefeuille en andere bezittingen had ze in haar zakken. De eerste keer dat ze zichzelf in een etalageruit had gezien, had ze de slonzige, te dikke vrouw niet herkend. Ze had tevreden geglimlacht.

Nu had ze geld nodig. Het was zoals gewoonlijk druk op de markt van Plaka. Verkopers prezen in de deuropening van kleine winkels hun waren aan. Er passeerde een stoet in zwarte togen geklede orthodoxe monniken, met zwarte mobiele telefoons aan hun oor. Ze ging de kleine bank binnen die ze had uitgekozen en liep naar een kassier. Voordat ze was verdwenen om bij de Gouden Bibliotheek te gaan werken, had ze haar spaargeld op een Zwitserse bankrekening gezet. Een halfuur geleden had ze het telefoonnummer gebeld dat ze zich lang geleden had ingeprent en het geld overgemaakt naar deze bank.

De bediende leidde haar naar een bureau, waar een bankbediende wachtte met formulieren. Ze vulde de rekeningnummers en andere vereiste informatie in en gaf hem mondeling haar wachtwoord.

'Hoe wilt u het geld hebben?' vroeg de man.

'Vierduizend in euro's. Een kascheque voor nog eens tweeduizend. De rest als een tweede kascheque. Laat de naam van degene aan wie de cheques worden uitbetaald open.'

'Dat is veel geld. Wilt u geen rekening openen? Het zou hier veilig zijn.'

'Nee, dank u.'

Hij knikte en ging weg. Ze draaide zich om in haar stoel en keek naar de mensen die kwamen en gingen.

Toen hij terugkwam, overhandigde hij haar plechtig een dikke witte envelop. 'Zeg het gerust als ik nog iets kan doen om u te helpen met uw financiële kwesties.'

Ze bedankte hem nogmaals en vertrok. Ze had in totaal zo'n veertigduizend dollar. Niet genoeg om haar veiligheid lang te kunnen garanderen. Maar ze had in elk geval contant geld op zak.

De zon was ondergegaan en de schaduwen in de drukke straten van Plaka waren donker. Ze hield van het dramatische vallen van de nacht en het zou haar helpen zich te verstoppen. Ze stopte de envelop achter haar broeksband. Haar voeten voelden licht aan en haar hart was vervuld van hoop toen ze over de markt naar het zuiden liep. Ze wilde zo dicht mogelijk bij de plek zijn waar ze haar rolkoffer en *Het boek der spionnen* had achtergelaten.

Terwijl ze liep, pakte ze haar mobiele telefoon en toetste een nummer. Soms lachte het geluk je toe. Ze had ertegen opgezien om met Martin Chapman over haar vrijheid te onderhandelen, maar nu had ze een alternatief.

Toen de mannenstem antwoordde, vroeg ze: 'Spreek ik met Judd Ryder?'

'Daar spreekt u mee. Bent u Robin Miller?' Hij had een krachtige stem. Daar hield ze van.

'Ja,' zei ze. 'Wie bent u?'

'Ik werk voor de Amerikaanse overheid. Kent u de locatie van de Gouden Bibliotheek?'

Dat wilde hij dus. Ze negeerde de vraag. 'Hoe hebt u over me gehoord?'

'Ik ben op zoek naar de bibliotheek. Ik had een aanwijzing die me naar Istanbul leidde, maar daar vond Preston me en hij probeerde me te liquideren. Er zat een briefje in zijn zak met uw naam, "Athene" en *"Het boek der spionnen"*. Eerder, in Londen, had ik twee telefoonnummers gevonden in de mobiel van Charles Sherback, maar ik wist niet zeker van wie ze waren. Ik heb bij alle twee hetzelfde bericht ingesproken, in de hoop dat een ervan het uwe was.'

Ze beet op haar lip. 'Weet u wie Charles vermoord heeft?'

'Daar hebben we het over als we elkaar ontmoeten.'

Ze had geprobeerd Charles te vergeten. Telkens als ze aan hem dacht, werd ze vervuld van een bodemloze pijn. Het verlies was zo groot, zo vers, haar wereld zo volledig ingestort, dat ze moeite had om na te denken. Ze haalde enkele keren diep adem en nam haar situatie in ogenschouw. Ryder was ontsnapt aan Preston, en dat was een sterke aanwijzing dat hij haar inderdaad zou kunnen beschermen. En ze begreep zijn verlangen om de bibliotheek te vinden.

'Ik weet zeker dat Preston naar me op zoek is,' zei ze. 'U hebt geluk dat u bent ontkomen.'

'Geluk had er niets mee te maken. Leg uit waarom ik zaken met u zou moeten doen.' De stem was harder geworden.

'Ik heb bij de Gouden Bibliotheek gewerkt, maar ik ben er nooit precies achter gekomen waar we waren. Ik kan u vertellen dat de bibliotheek op een eiland is, maar ik weet niet welk eiland. We werden er altijd naartoe gevlogen met een kap over ons hoofd, meestal vanuit Athene. Er is een heliplatform, een haven en drie gebouwen die eruitzien als een vakantiepark, met een zwembad en drie tennisbanen. Zo'n twintig man personeel, voornamelijk bewakers. Morgenavond is het jaarlijkse banket, dus met ingang van vandaag heeft Preston nog meer bewakers neergezet.'

Haar antwoorden leken hem te bevallen. 'Zijn er andere eilanden te zien?'

'Eén, ver weg. Op bijzonder heldere dagen kun je de punt ervan zien.'

'Hebt u *Het boek der spionnen?*'

'Ik heb het in Athene verborgen en ik ben bereid het aan u te verkopen.'

'Goed. Laten we afspreken.'

'Ik wil er vijf miljoen dollar voor,' zei ze vastberaden. 'En voordat u bezwaar maakt: het Getty betaalde enkele jaren geleden vijf komma acht miljoen dollar voor *The Northumberland Bestiary*.' Het bestiarium was een zeldzaam gotisch geïllustreerd manuscript uit de dertiende eeuw. 'Dit is het enige exemplaar dat ooit van *Het boek der spionnen* is gemaakt en het zou veel meer waard moeten zijn, dus ik bied u een koopje.'

'U hebt gelijk, het is van u uit gezien een goede deal. Anderzijds bied ik iets van nog meer waarde: ik haal u veilig uit Athene. Wat is uw leven waard?'

Ze voelde een koude rilling. 'Ik neem genoegen met drie miljoen dollar.'

'Veel beter. Ik zal bellen om het geld over te maken, maar het zal een paar uur duren voordat het op uw rekening staat. U kunt het ook als kascheque krijgen of in elke andere vorm. U zult uw geld morgenochtend hebben.'

'Een kascheque is prima.'

Blozend van opwinding keek ze om zich heen. Ze had Plaka verlaten en liep nu de wijk Makrigianni binnen. Ze was op de Dionysiou Areopagitou, een brede voetgangersboulevard. Links van haar stond een reeks stijlvolle art-deco- en neoklassieke huizen, maar rechts was de grote Akropolis, het eeuwenoude spirituele centrum van de stad. Met een huivering keek ze langs de helling naar boven. Ze zag slechts een witte punt van de verlichte ruïne hoog op de top. Toen merkte ze dat er mensen langs haar heen stroomden, naar de ingang van het Akropolis-park, dat verderop lag en waar de overblijfselen stonden van wat ooit het intellectuele en culturele hart van het oude Athene was geweest. Ze zag heldere lichten in het Dionysostheater. Er was natuurlijk een of ander concert of voorstelling aan de gang, concludeerde ze. De menigte zou van pas komen.

Ze legde uit waar ze op hem zou wachten. 'Hoe ziet u eruit?'

Toen hij het haar verteld had, beschreef ze haar eigen vermomming. 'Ik ben er over een paar minuten,' verzekerde hij haar.

Zijn frustratie bedwingend stond Preston met zijn telefoon in zijn hand terwijl twee van zijn mannen uitkeken naar Robin. Ze stonden in een portiek in Adrianou, de hoofdstraat van Plaka, vol toeristenwinkels. Ze had gebeld vanaf een terras aan de overkant. Ze hadden de omgeving afgezocht en geen spoor van haar gevonden, wat hem vertelde dat ze hem had gezien en zich verstopt had, of dat ze was doorgelopen.

Zijn telefoon ging over en hij nam haastig aan. Het was Irene, zijn contactpersoon bij NSA.

'De persoon voor wie je belangstelling hebt, heeft haar telefoon weer gebruikt.' Irene klonk nerveus. 'Het gesprek is ongeveer een kwartier geleden beëindigd. Ze liep naar het zuiden. Ik kan je niet meer helpen, Preston. Er is hier iets aan de hand. Iedereen wordt in de gaten gehouden. Ik moest de auto nemen en het terrein verlaten om je te bellen. Ik ben bang dat ze mijn NRO-vragen en -zoektochten zullen onderzoeken.' NRO was het National Reconnaisance Office, dat de Amerikaanse spionagesatellieten ontwierp, bouwde en beheerde en de gegevens ervan verzamelde.

Hij vloekte inwendig. 'Geef me de exacte informatie. Alles wat je te weten bent gekomen. Ik neem het over.'

55

De lucht was warm en de sterren fonkelden toen Judd en Eva zich over de grote marmeren tegels naar de ingang van het Akropolis-architectuurpark haastten. Met hun grote tas in de hand kocht hij kaartjes en ze liepen door de ingang en over een breed pad de flauwe helling op. Hoge cipressen en olijfbomen bewogen in een zachte bries, spookachtig in de nacht. Op een open stuk zag hij een antiek amfitheater, een schitterend gezicht. De rijen afgebrokkelde witte stenen banken klommen in een halve cirkel tegen de helling op en hij stelde zich een ogenblik lang voor hoe het er tweeduizend jaar geleden moest hebben uitgezien, de grote menigte, de opwinding in de lucht.

Het grondvlak van het theater – het podium – werd fel verlicht door *Klieg*-lampen. Een vrouw in klassiek Grieks gewaad stond voor het grote publiek, dat op dekens en kussens op de restanten van de terrasvormige rijen zat. Ze sprak in een microfoon en een groepje mannen en vrouwen in witte jurken en tunieken met gekleurde tressen wachtte naast het podium. Een kleine cameraploeg maakte opnamen.

'Hier onder de Akropolis,' vertelde ze haar gehoor, 'zijn de ruïnes van het eerste gebouwencomplex ter wereld dat gewijd is aan de uitvoerende kunsten. Dit nobele oude theater dateert uit de tijd vóór Alexander de Grote. Op ditzelfde podium gingen onsterfelijke meesterwerken in première en werden drama en komedie geboren.'

'Heb ik gelijk dat we naar het Dionysostheater kijken?' vroeg Judd aan Eva toen ze er dichterbij kwamen.

'Ja. Prachtig, nietwaar? Toen het nieuw was, waren de muren, de stenen banken en de tronen bedekt met marmer en gegraveerd met saters, leeuwenklauwen en goden en godinnen.'

Ze klemde haar tas tegen zich aan en glipte in de schaduw van een groot blok marmer aan de overkant van het pad vanaf de achterkant van het open podium, en Judd beklom de treden aan de westkant. De stem van de spreker ging door, afwisselend in het Grieks en in het Engels.

Twintig terrassen hoger zat een vrouw alleen aan de rand, een boodschappentas aan haar voeten. Ze zag er stijf, gespannen uit. Een echtpaar met vier kinderen en nog enkele mensen zaten op dezelfde rij, maar meer naar het midden. De podiumverlichting reikte niet zo ver en alleen het schijnsel van de maan en de sterren verlichtte het bruine haar en de dikke gestalte van de vrouw. Als hij niet geweten had dat het Robin Miller was, had hij haar niet herkend.

Ze schoof opzij om plaats voor hem te maken. 'Judd Ryder.' Ze klonk gespannen.

Hij ging zitten. 'Hallo, Robin. Klaar om uit Athene te vertrekken?'

Ze keek langs de helling omlaag. 'Wie is er bij je?'

Nu wist hij één ding: Robin was slim. Ze was met opzet hoog en in het donker gaan zitten, om ongezien te kunnen kijken wie er kwamen. Hij had haar doelbewust niet eerder over Eva verteld, omdat ze niet wisten hoe ze op de vrouw van Charles zou reageren – of op het feit dat hij Charles had gedood.

'Mijn partner,' zei hij. 'Ik stel je aan haar voor. Ze houdt de wacht.'

Ze knikte. 'Goed. Laten we gaan.'

Hij ging haar voor naar beneden en over het pad naar de plek waar Eva wachtte, haar zwarte haren en donkerblauwe jack en spijkerbroek verborgen in de schaduw naast het grote marmeren blok.

'Is *Het boek der spionnen* in de buurt?' vroeg hij Robin.

'Ja. In een metrostation.'

Eva kwam hun met een verwelkomende glimlach tegemoet.

Robin fronste haar wenkbrauwen en deed een stap naar achter. 'Jij bent Eva Blake. De vrouw van Charles. Preston zei dat je iets met de dood van Charles te maken had.' Ze keek Judd boos aan. 'Je zei dat ze je partner is.'

'Dat is ze ook,' zei Judd. 'Ik leg het onderweg wel uit. Denk eraan, we helpen je te ontsnappen. Daar gaat het om.'

Robins gezicht werd rood toen ze hen boos aankeek. Toen schoten haar ogen heen en weer en ze leek haar spieren te spannen. Plotseling draaide ze zich om, gooide haar boodschappentas weg en rende naar de ingang van het park.

'Laat mij maar.' Eva rende achter haar aan.

Judd haalde hen in. Robin liep snel, twee rode vlekken van woede op haar wangen, kin in de lucht. Hij zag dat ze haar haren niet geverfd had, maar een pruik droeg... die was weggegleden, zodat hij de achterkant van haar kale schedel zag. Hij bleef aan de andere kant naast Robin lopen.

'Ik vind het ook verschrikkelijk van Charles,' zei Eva sussend. 'Niemand wilde hem dood. Hield je van hem?'

'Wat is er gebeurd?' snauwde Robin zonder haar pas in te houden. 'Heb jíj hem gedood?'

'Het was een ongeluk,' legde Eva uit. 'Er brak een gevecht uit en zijn wapen ging af. Ik heb Charles nooit een wapen zien dragen, dus dat moet begonnen zijn nadat hij me had verlaten. Maar hij vertelde me iets belangrijks, iets wat je moet horen: hij wilde dat de bibliotheek zou worden gevonden als hem iets overkwam. Hij had een bericht op zijn hoofd laten tatoeëren en daarom gingen we naar Rome en later naar Istanbul. Ik wil niet dat Charles' nalatenschap verloren gaat, en jij evenmin, wed ik.'

Tranen rolden over Robins wangen. 'Je hebt hem vermoord.' Woedend versnelde ze haar pas.

Toen ze door de poort het park verlieten, zei Judd: 'Ze verdenken je, is het niet, Robin? Moest je je hoofd kaalscheren om te laten zien of jij ook een tatoeage had?'

'Dat heeft Magus gedaan,' flapte ze eruit.

'Wie is Magus?' vroeg Judd onmiddellijk.

Ze schudde haar hoofd en schoof de pruik weer op zijn plaats.

'Waar is *Het boek der spionnen* precies?' vroeg Judd. 'Met het geld dat we je betalen, kun je verdwijnen. Een nieuw leven beginnen. Weer geluk vinden. Zeg ons waar het boek is en we halen je hier weg.'

'Je hebt me voorgelogen! Ik ben het zat dat mensen tegen me liegen. Het was stom van me te geloven dat je het geld zou hebben of het me zou geven. Laat me met rust. Ik help je niet. Charles heeft nooit van je gehouden, Eva. Nooit.'

Steeds sneller liepen ze gedrieën door. Robins lichaam was star, haar gezicht onverzoenlijk. Judd begon te denken dat ze niets konden zeggen om haar over te halen hun *Het boek der spionnen* te geven.

'Misschien heb je gelijk wat Charles betreft.' Eva schoof naar haar toe toen ze de brede voetgangersboulevard Dionysiou Areopagitou bereikten.

'Natuurlijk heb ik gelijk! Ik wed dat jij ook nooit van hem hebt gehouden. En toen heb je hem gedood. Ik werk niet meer met leugenaars en moordenaars.'

Op dat moment bleef de neus van Eva's tennisschoen achter een steen haken. Ze struikelde tegen Robin aan en haar handen gleden over haar heen toen ze haar evenwicht probeerde te bewaren.

Robin duwde haar weg. 'Ik haat jullie.' Ze rende door.

Ze keken haar na terwijl ze voetgangers ontweek en in de menigte verdween.

'Wat heb je?' vroeg Judd, in de wetenschap dat Eva haar zakkenrollerskunsten had vertoond.

'Een portefeuille, een mobiele telefoon en een sleutel. Ze zei dat *Het boek der spionnen* in een metrostation ligt, waarschijnlijk dus in een kluis. Dit lijkt me de sleutel van een kluis.' Ze liet hem zien.

Hij pakte hem aan en las het nummer. 'Inderdaad. Maar welk station?'

Ze liep haastig door en hij voegde zich bij haar.

'Je zei dat het in de buurt was,' legde ze uit, 'en ze sprak je niet tegen. Het moet het Akropolisstation zijn – slechts een paar straten hiervandaan.'

56

Preston herkende de manier van lopen van Robin Miller, het aspect dat de meeste mensen vergeten te veranderen. Hij had haar opgemerkt toen ze zich over Dionysiou Areopagitou haastte, een half blok van de plek waar ze haar laatste telefoongesprek had beëindigd, maar haar haren en kleding hadden hem bijna misleid. Maar toen ze passeerde, had hij haar tred duidelijk gezien, het ritmische bewegen van haar lichaam, de korte pas, de manier waarop ze haar gewicht op de buitenkant van haar voet bracht.

Hij gaf Magus en Jerome een teken en ze renden achter haar aan.

Preston pakte haar bij een arm. 'We hebben je gemist, Robin.'

Angst vulde haar ogen. 'Laat me los.' Ze probeerde zich los te rukken.

'Magus,' zei Preston.

Magus pakte haar andere arm en ze loodsten haar naar de zijkant van de voetgangersboulevard. Ze begon te worstelen.

'Hou op,' beval hij. 'We willen alleen *Het boek der spionnen*. Dat is toch niet zo moeilijk, wel?'

'En daarna vermoord je me.'

'Waarom zou ik? Je kunt ons niets maken. Je weet niet waar de bibliotheek is. Sterker nog, je weet heel weinig, hè?'

Ze trok haar wenkbrauwen op. Ze leek te begrijpen wat hij eigenlijk bedoelde. 'Je hebt gelijk. Ik weet niets over de bibliotheek. Wie er werkt, wie de eigenaar is.'

'Brave meid.'

Hij gaf Jerome opdracht op de uitkijk te gaan staan aan het begin van een oprit tussen twee flatgebouwen.

'Waarom moeten we daarnaartoe?' Ze keek bang achterom toen ze met haar over de oprit liepen.

Voor hen was een parkeerplaats, goed verlicht maar verlaten. Er stond niemand achter de ramen erboven.

'Je wilt niet met ons gezien worden,' zei hij. 'Op deze manier zullen er geen vragen worden gesteld. Je bent nu op jezelf aangewezen. Geen bagage meer uit het verleden, ja?'

Ze keek hem aan, blijkbaar in verwarring gebracht door zijn begrip.

'Waar is het boek?' Hij legde warmte in zijn stem. 'Zeg het en we laten je hier achter. Je hoeft verder maar één ding te doen: ons vijf minuten voorsprong geven en die kant op te gaan.' Hij knikte naar een pad langs de achterkant van de gebouwen.

'Je bent echt niet van plan me dood te schieten?'

'Je zult er inmiddels wel achter zijn dat ik praktisch ben ingesteld. We zijn midden in Athene. Dode mensen betekenen politievragen. Je hebt vast wel gezien dat ik mijn wapen niet heb getrokken.'

'Je komt later achter me aan.'

'Waarom zou ik, als ik het boek heb?'

Ze keek hem lange tijd aan en knikte toen instemmend. 'In het metrostation Akropolis. Ik heb de sleutel van de kluis.' Ze schudde haar arm en hij liet haar los. Ze stak haar hand in het zakje van haar shirt. Er verscheen een geschrokken uitdrukking op haar gezicht.

Hij beheerste zijn ongeduld en zei: 'Misschien heb je hem in een andere zak gestopt.'

Magus liet haar andere arm los en ze zocht koortsachtig in haar broekzakken en daarna in de andere zak van haar shirt.

'Hij is weg,' zei ze. 'Mijn portefeuille en mijn telefoon ook. Ik snap niet hoe ze er allemaal uit gevallen kunnen zijn.'

'Wat is er nog meer gebeurd?' vroeg hij onmiddellijk.

'Misschien heeft Eva Blake of Judd Ryder ze op de een of andere manier gepikt.' Ze wendde haar blik af. 'Ik heb ze gesproken. Maar ik heb ze niets verteld. Ze weten niet dat het boek in een kluis in het Akropolis-station ligt.'

Met moeite hield hij zijn stem kalm, geruststellend. 'Mooi. Je hebt een fout gemaakt en die hersteld door niet meer informatie te geven. Waar logeren ze en waar gaan ze daarna heen?'

'Dat weet ik niet. Ik ben van ze weggerend.'

'Dat was slim, maar ja, ik heb je intelligentie altijd bewonderd. Ik wed dat je het nummer van de kluis hebt onthouden.'

'Natuurlijk.' Ze noemde het.

'Weet je zeker dat het klopt?'

'Natuurlijk.'

'Als beloning heb ik een cadeautje voor je.' Hij haalde een blauw busje tevoorschijn, trok de dop los, drukte op de verstuiver en sproeide recht in haar gezicht.

Ze hapte naar adem en deinsde terug. Te laat. Hij liet haar lopen en keek toe hoe ze vertraagde en door haar knieën zakte. Hij keek de parkeerplaats rond en naar de ramen boven. Niemand te zien.

Een stomp tegen haar borst en ze zakte op de grond, zodat haar te grote shirt opbolde. Haar benen verkrampten. Een stille, onopvallende dood was een van de grote voordelen van het slangenwortelderivaat.

Hij keek over de oprit naar Jerome, die knikte dat alles goed was. Hij knielde naast haar en doorzocht haar zakken. Hij vond een dikke envelop achter haar tailleband, die hij aan Magus gaf.

'Kijk eens wat erin zit.' Hij zocht verder, maar vond niets meer.

Magus floot zacht. 'Ze hééft me toch een pak euro's.'

Preston stond op en pakte de envelop. 'We moeten snel zijn. Kijk uit naar Judd Ryder en Eva Blake.'

Metrostation Akropolis was in de Makrigiannistraat, tegenover levendige cafés en snackbars en naast het Akropolis-studiecentrum. Om zich heen kijkend renden Preston en zijn mannen het station binnen en de roltrap af. Beneden renden ze langs afgietsels van de friezen van het Parthenon en stopten bij de elektronische kaartautomaten. Nog twee roltrappen naar beneden en ze vonden de kluisjes.

Terwijl er een metrotrein gierend tot stilstand kwam, rende Preston langs de kluisjes, afwisselend de instappende reizigers bekijkend en kluisnummers lezend, tot hij het goede vond. Zijn mannen stelden zich aan weerszijden van hem op, zodat niemand kon zien dat hij zijn mes pakte en haastig de hoge deur forceerde.

En naar binnen staarde. Geen zwarte rugzak. Geen *Boek der spionnen*. Op de bodem lag Robins rolkoffer en op het schap daarboven haar mobiele telefoon... opengeklapt, ingeschakeld. Woedend realiseerde hij zich dat Ryder moest hebben begrepen dat ze de telefoon zouden gebruiken om hen te lokaliseren. Ryder had *Het boek der spionnen* en dreef de spot met hem.

Preston pakte de telefoon, smeet de kluis dicht en draaide zich om. Er rinkelde een bel, ten teken dat de treindeuren dicht zouden gaan.

'Rennen,' beval hij.

Hij en zijn mannen renden naar verschillende deuren en sprongen naar binnen. Omdat ze onder de grond waren, kon hij niet bellen met de andere mannen die hij had meegebracht, om te zeggen dat ze de volgende haltes in de gaten moesten houden. Toen de trein wegreed, zag hij dat zijn rijtuig iets meer dan halfvol was. Hij liep snel door het gangpad, maar zag geen Ryder of Blake. Hij zag twee rugzakken, een bruine en een groene.

Hij checkte Robins telefoon, in de hoop dat Ryders telefoonnummer erin zou staan. En vloekte. Ryder had alles gewist. Zijn hart bonsde van woede toen hij de deur opende en naar het volgende rijtuig liep, vastbesloten ze te vinden.

57

Vechtend tegen de spanning zat Judd vier rijen achter Eva en aan de andere kant van het pad terwijl de trein door de ondergrondse tunnel naar het noorden snelde. Hij zat alleen op een bank en Eva zat naast een jongen van een jaar of dertien in een rood en wit gestreept Olympiakos-voetbalshirt.

Ze hadden gezien hoe Preston met twee mannen bij de kluisjes aankwam. Een van de twee mannen, donkerharig en gespierd, was twee keer heen en weer gelopen langs hun rijtuig, de passagiers bekijkend alsof hij precies wist wie hij zocht. Maar Eva had nu zwarte haren en haar gezicht en handen waren donkerder gemaakt met make-up. Haar ogen waren kleiner en een dun reepje watten maakte haar bovenlip iets dikker. Kleinigheden konden voor een gedaanteverandering zorgen en ze leek nauwelijks meer op de verfijnde intellectueel die hij in het British Museum voor het eerst had gezien. Judd zelf had zijn haren gebleekt en een bril opgezet, had watten tegen zijn bovenste kiezen gedrukt en een timide houding aangenomen.

Eindelijk stapte de man uit en Preston kwam binnen, lang en gespierd en met een ondoorgrondelijk gezicht. Hij keek alle reizigers aandachtig aan en liep langzaam verder.

Een dikke vrouw in een zwarte jurk, haar tas stevig in beide handen op haar schoot, zei vinnig iets tegen hem in het Grieks. Hij negeerde haar, liep door en bleef bij de rij van Eva staan.

'Wie zoekt u?' vroeg de jongen nieuwsgierig in Engels met een Grieks accent.

Preston gaf geen antwoord. Hij keek naar de tas onder de benen van de jongen en draaide zich toen om naar een ouder echtpaar in trenchcoats. Toen hij bij Judd aankwam, had deze zijn hoofd tegen de koele ruit gelegd en staarde doezelig voor zich uit naar de eentonige tunnel. Eindelijk beende Preston weer verder.

De mannen bleven door het rijtuig heen en weer lopen, telkens langzamer, maar ze schenen Eva of hem niet te herkennen. Tien minuten later reed de metro het station onder het Syntagmaplein binnen en Judd zag dat Eva zich naar de jongen toe boog en iets fluisterde. Hij glimlachte en knikte. Toen de trein stopte, stonden ze op en ze stapte vóór hem uit. Hij droeg de tas.

Judd liet het oudere echtpaar en een andere reiziger voorgaan, stond toen ook op en liep met de stroom mee.

Preston en zijn twee mannen stonden bij de uitgang en bekeken iedereen opnieuw aandachtig. Terwijl de trein het station verliet, praatten Eva en de jongen geanimeerd in het Grieks. Prestons blik gleed langs hen heen en vestigde zich toen lange tijd op Eva terwijl ze passeerden. Judd merkte dat hij zijn adem inhield.

Maar opnieuw draaide Preston zich om en hij bekeek het oudere echtpaar in hun verhullende jassen. Ten slotte richtte hij zijn blik op Judd. Judd keek hem niet aan – dat zou alleen maar zijn aandacht trekken. Met een strak gezicht keek Preston langs hem heen en opgelucht stapte Judd op de roltrap.

Het station was even glanzend en modern als dat bij de Akropolis. Het was ook een museum, met antieke kruiken, parfumflesjes en klokken in verlichte glazen vitrines. Judd liep er haastig aan voorbij en volgde Eva en de jongen nogmaals twee roltrappen op en de koeler wordende avond in.

Eva keek hem vanaf de rand van het trottoir door de menigte heen aan. Hij keek zorgvuldig om zich heen en knikte. Ze zei opnieuw iets tegen de jongen en pakte de tas. Hij liep weg.

Judd bleef even kijken om er zeker van te zijn dat de jongen veilig was, voegde zich toen bij haar bij de taxistandplaats en nam de tas over.

'Mijn god.' Ze straalde. 'Dat was opwindend.'

Haar blauwe ogen schitterden en ze giechelde. Ze zag er heel levendig uit, alsof ze het winnende doelpunt had gemaakt tijdens de WK-finale. Hij realiseerde zich opeens hoe goed ze het er deze avond af had gebracht, door ongevraagd in de schaduw van het marmeren blok bij het Dionysostheater te verdwijnen, Robin niet nog bozer te maken door te zeggen dat hij degene was die Charles had neergeschoten en op het idee te komen de Griekse jongen in de metro te vragen haar te helpen met de tas omdat ze zogenaamd pijn in haar rug had.

Maar ja, Eva had dan ook twee jaar bij een bende zakkenrollers gezeten. Ze wist wat het was om dingen in scène te zetten en te acteren en hoe het was om onder de constante dreiging van ontdekking te leven. De twee jaren in de gevangenis hadden haar nog meer geleerd: hoe ze diep in zichzelf moest gaan om te overleven en ondanks de omstandigheden risico's te nemen. Nu had ze haar gewetenscrisis achter de rug en zich volledig aan de opdracht gewijd. Hij wist niet of hij het wel zo prettig vond.

'Dat meen je toch zeker niet?' vroeg hij hoopvol.

Er verscheen een glimlach op haar gezicht en ze lachte hardop.

Hij had om zich heen gekeken terwijl ze in de rij stonden, naast het dreunen van het razende verkeer in Athene, drie banen breed. Eva trok aan zijn mouw juist toen hij zag dat Preston en zijn twee mannen vanaf het metrostation op hen af kwamen. Ze aarzelden niet: de mannen hadden hen gevonden. Ze trokken hun pistool.

'Kom mee.' Judd drong zich langs de twee mensen voor hen.

Er stopte een taxi. Hij rukte het achterportier open en Eva sprong naar binnen. Hij gooide de tas naar binnen en liet zich naast haar vallen terwijl zij de chauffeur in het Grieks vroeg snel te vertrekken. Het was een straat met eenrichtingsverkeer, dus ze konden niet keren. Ze zouden langs Preston moeten rijden.

'Bukken,' snauwde Judd terwijl de taxi wegscheurde.

Ze bukten zich diep. Er klonken schoten en kogels boorden zich door de portieren en het dak. Metaal en plastic sneden door de lucht. De chauffeur vloekte luid en de auto reed sneller. Nog meer kogels vlogen door de taxi en toen verdween het gevoel van versnelling. Judd keek net op tijd op om te zien dat de chauffeur zonder één kik in elkaar zakte en languit op de voorbank viel.

'Jezus.'

'Wat is er gebeurd?' vroeg Eva snel.

De taxi minderde vaart, slingerde heen en weer. Claxons toeterden en bestuurders riepen terwijl ze hun taxi probeerden te ontwijken. De auto's achter hen knipperden met hun lichten en probeerden te passeren.

'De chauffeur is neergeschoten. Blijf liggen,' beval hij.

Preston rende over het trottoir achter hen aan, op de voet gevolgd door zijn twee mannen. Ze zouden de taxi maar al te gauw inhalen.

Judd trok zijn Beretta. 'Hou mijn portier open tot ik achter het stuur zit.'

Eva knikte met grote ogen.

Hij opende het portier en sprintte voorovergebogen met de taxi mee. Kogels drongen door het portier, sloegen in het wegdek rondom zijn voeten en wierpen vlijmscherpe scherven op. Een hete pijn sneed door zijn zij en vlamde op naar zijn hersens. Hij vocht tegen de duizeligheid.

Terwijl hij om de motorkap heen rende, zag hij door de voorruit dat Preston zijn wapen door het geopende raam van een hoge suv had gestoken, vier auto's achter hen, allemaal langzaam rijdend en niet in staat in het snelle verkeer op de andere rijbaan te passeren.

Terwijl de drie mannen het zware voertuig kaapten, rukte Judd het linkerportier open en Eva trok het achterportier dicht. Nog steeds rennend schoof hij de taxichauffeur opzij, wat een verzengende pijn in zijn zij veroorzaakte. Hij schudde heftig met zijn hoofd en sprong naar binnen. De weg vóór hen was vrij. Hij gaf plankgas en zijn portier knalde uit zichzelf dicht. Hij drukte zijn onderarm tegen de schotwond in zijn zij en probeerde het bloeden te stelpen.

'Leeft hij nog?' Eva boog zich over de voorbank heen.

'Ga liggen, verdomme.'

Achter hen had een van Prestons mannen zijn pistool door het raam gestoken en mikte over de daken van de auto's tussen hen. Op de andere baan reed een groentetruck. Judd gaf gas en bleef ernaast rijden. Hij toeterde. De truck vervolgde zijn weg. Hij gaf een ruk aan het stuur en dwong de neus van de taxi in de baan voor de truck. De claxon van de truck loeide. Hij hoorde een luide vloek, maar de truck remde af en hij stuurde de taxi in de opening juist toen het licht op rood sprong. Er reden auto's tussen hem en het verkeerslicht, dus hij kon niet door rood rijden, en Prestons suv kwam snel dichterbij aan de rechterkant.

'Pak de tas. We moeten hier weg. Mijn kant van de taxi.'

Ze stapten uit de nog altijd rijdende taxi en renden door het verkeer. Auto's weken uit. Nog meer claxons loeiden. Toen ze het trottoir bereikten, probeerde Judd de tas over te nemen.

Maar Eva hield hem vast en staarde naar zijn bebloede jack. 'Je bent gewond.' Ze keek snel om zich heen. 'Ik weet waar we zijn. Die kant op.'

Hij stopte zijn Beretta in de holster, drukte zijn arm weer tegen zijn zij en volgde haar terwijl ze snel tussen voetgangers door zigzagde. Het geluid van stationair draaiende motoren vulde zijn hoofd. Winkels waren verlicht, klanten zichtbaar achter de ramen.

'Preston komt eraan,' zei hij.

Ze rende een grote winkel voor vrijetijdskleding binnen. Rekken en stapels damesjeans, shirts en jurken liepen tot ver achter in de winkel. Een verkoopster begroette hen in het Engels. Eva zei hallo en liep door. Hij voelde de blikken van de bedienden die hen nakeken.

Terwijl de voordeur opnieuw werd geopend en Preston en zijn mannen binnenkwamen, leidde Eva hem naar een gang achterin. Ze renden langs paskamers. Ze draaide een deurknop om en ze stonden weer buiten, ditmaal in een beklinkerde steeg waar vuilnisbakken en lege dozen tegen de muren opgestapeld waren.

Ze renden langs deuren.

'Doe deze open,' zei ze. 'Ik pak de volgende.' Ze bukte zich en raapte twee stukken van een kapotte klinker op. 'Zet de deur vast.

Zijn deur kwam uit in een soort restaurant; de pittige geur van pruttelende knoflook walmde naar buiten. Hij liet de steen vallen en de deur op een kier staan. En ontmoette haar terwijl zij haar steen op zijn plaats legde. Zonder een woord te zeggen rende ze door en opende een derde deur. Ze renden door een gang met toiletten. Het geluid van stemmen en rinkelend glaswerk sloeg hun tegemoet. Ze waren in een bar.

Ze deed de deur op slot en haalde diep adem. 'Hoe ernstig ben je gewond?' Ze keek hem met een bezorgd gezicht aan.

'Ik denk dat het oppervlakkig is.'

'Ik hoop vurig dat je gelijk hebt.'

Ze liepen snel de lange, drukke bar in en hij grijnsde. 'Waar heb je afleidingsmanoeuvres zoals met die deuren geleerd?'

Ze glimlachte in het voorbijgaan naar de barkeeper. 'Lang geleden, in een stad hier heel ver vandaan, om *Star Trek* te parafraseren.'

'Met andere woorden: in L.A. We moeten controleren of een van die moordenaars soms op het trottoir staat.'

Met zijn hand onder zijn jack op de kolf van zijn pistool stapte hij als eerste naar buiten en keek tussen de voetgangers door. Ze stond achter hem in de deuropening.

'Ziet er goed uit.' Hij voelde dat zijn hartslag afnam.

'Ik roep een taxi,' zei ze.

Hij liet haar begaan.

58

Tucker Andersen ijsbeerde door de kamer in het Hekate-hotel. Judd had bij de receptie een envelop met een magneetkaart voor hem achtergelaten. Nadat hij een kamer voor zichzelf had genomen, was hij naar die van hen gegaan. Hij had twee uur gewacht en intussen Charles Sherbacks aantekeningen gelezen. Toen hij het klikken van een magneetkaart in het slot hoorde, pakte hij zijn browning, glipte de badkamer in en ging achter de deur staan.

Door de kier zag hij de deur langzaam opengaan en het hoofd van een gebleekt blonde man verschijnen, wiens grijze ogen de kamer opnamen.

Tucker stapte naar buiten. 'Waar zijn jullie verdomme geweest?'

'Bezienswaardigheden bekijken.' Judd kwam binnen, met soepele tred en een papieren zak van een apotheek in zijn hand. Maar de zijkant van zijn jack was doorweekt met bloed.

Eva glipte achter hem naar binnen en deed de deur dicht en op slot. 'Blij dat je er bent, Tucker. We hebben wat problemen gehad. Preston heeft Judd geraakt, maar we hebben *Het boek der spionnen*. Robin Miller had het opgeborgen in een metrokluis.'

Ze zette een grote zwarte weekendtas op tafel, pakte toen de zak van Judd en schudde er verband en andere dingen uit. De doosjes aspirine en vrij verkrijgbare pijnstillers waren geopend.

'Heel goed,' zei Tucker. 'Gefeliciteerd. Ga niet liggen, Judd. Laat me je zij eens bekijken.'

Terwijl Judd zijn jasje en zijn poloshirt uittrok, nam Tucker Eva's zwarte haren en donker gemaakt huid in zich op en keek van de een naar de ander, proefde de sfeer. Ze straalden vermoeidheid en ongeduld uit... en ze waren een hecht team geworden.

Zodra Judd zijn bovenlichaam had ontbloot, kwamen Tucker en Eva samen. De wond was een rauwe, rode snee door het vlezige deel van zijn middel, lang, ruim een centimeter diep en hevig bloedend. 'Je hebt geluk gehad, Judd.' Hij zag dat Eva naar de verbandspullen op de tafel liep. 'Heb je ooit een wond schoongemaakt en gehecht?' vroeg hij haar.

Ze draaide zich om. 'Nee.'

'Oké. Judd, trek je broek uit en ga mee naar de badkamer. Laten we beginnen.' Hij vroeg zich af of Eva tegen bloed kon.

Hij pakte steriele latex handschoenen, steriele watten, verdovingsspray en antibiotische zeep. In de badkamer vroeg hij Judd schrijlings op de rand van het bad te gaan zitten. Terwijl Eva toekeek, trok hij de handschoenen aan, sproeide het verdovende middel op de wond, wachtte even en spoot toen de zeep in en rondom de wond, zacht deppend en wrijvend. Judd gaf geen kik, maar ze wist dat het vreselijk veel pijn moest doen. Tucker schonk glazen water over de wond en waste hem drie minuten lang schoon. Toen droogde hij Judds zij met watten en de rest van zijn lichaam met een handdoek af. Hij keek Eva aan. Ze keek aandachtig toe.

Weer in de kamer ging Judd in een stoel zitten en slikte nog een paar pijnstillers. Zijn gezicht was bleek. Tucker sproeide opnieuw wat verdovend middel op de wond, zocht de juiste maat naald en hield die boven een lucifervlam. Hij reeg hechtdraad door de naald, smeerde die in met antibiotische crème en bracht een dikke laag crème aan in de wond.

'Tijd voor meer pijn,' waarschuwde hij.

Judd knikte. 'Doe je slechtst.'

'De regel is dat je even ver van de wond hecht als de snee diep is,' zei hij tegen Eva. 'Dan knip je de draad door en legt om de halve centimeter een knoop.'

Hij hoorde zachte geluiden in Judds keel terwijl hij bezig was, maar Judd verroerde zich niet. Toen hij klaar was, droop het gezicht van de jongere spion van het zweet.

Judd zuchtte diep en keek Eva aan. Ze glimlachte naar hem.

Tucker bracht een dik steriel verband aan. 'Ga liggen,' commandeerde hij.

Judd ging liggen, strekte zich uit en ondersteunde zijn hoofd met kussens. Eva haalde het dekbed van haar bed en dekte hem toe.

'Je ziet er goed uit,' zei ze.

'Ik heb de grootste lol.' Hij grinnikte, maar zijn bezwete huid was bleek.

'Mooi,' zei Tucker. 'Ter zake. Verslag.'

Eva pakte de weekendtas en beschreef Robins telefoontje, haar ontmoeting met Judd bij het Dionysostheater en hoe ze was weggerend.

'Eva ontfutselde Robin de sleutel van de metrokluis.' Judd keek Eva trots aan. 'Ze deed het zo handig dat Robin helemaal niets merkte.'

'Wat is er met Robin gebeurd?'

'Dat weten we niet.' Eva opende de tas. 'Ze was niet bij Preston toen die met drie mannen in de metro stapte.'

'Ik denk dat hij, toen hij eenmaal van haar had gehoord waar ze *Spionnen* had verstopt, haar vermoord heeft,' zei Judd.

Ze zwegen een ogenblik.

'Een aardige Griekse jongen hielp me in de metro met de tas,' zei Eva, 'dus Judd en ik waren niet samen en de kust leek veilig. Daarna volgden de mannen ons naar buiten. We waren op de vlucht toen Judd werd neergeschoten. Ik weet niet hoe ze wisten wie we waren.'

'Niet elektronisch, denk ik,' zei Judd.

'Hij heeft gelijk. Mijn telefoon is verdwenen en Preston kan ons onmogelijk een peilbaken hebben meegegeven. Hij is nooit dicht genoeg bij ons geweest.'

'Kwestie van training,' concludeerde Tucker.

Eva opende de tas en haalde er met beide handen een in piepschuim verpakte bundel uit. 'Dit is *Het boek der spionnen*.' Ze legde het op het bed en verwijderde de lagen piepschuim. 'Robin vertelde ons dat de bibliotheek op een privé-eiland staat, vanwaaruit in de verte slechts één ander eiland te zien is. Drie gebouwen, tennisbanen, een zwembad en een heliplatform. Ze werd er vanuit Athene naartoe gevlogen, met een kap op, maar dat geeft ons in elk geval een radius. Het probleem is dat het een grote radius is. Het eiland kan overal zijn, van de Zwarte Zee tot de Egeïsche, de Ionische of de Middellandse Zee. En het barst er van de eilanden; Griekenland heeft er meer dan tweeduizend en een heleboel daarvan zijn particulier bezit. Het andere wat je moet weten, is dat morgenavond het jaarlijkse banket van de bibliotheek plaatsvindt, dus het eiland, waar het ook is, zal streng bewaakt worden.'

Judd ging langzaam op de rand van het bed zitten en keek toe terwijl Eva een doorschijnende laag plastic verwijderde. Zijn kleur begon terug te keren en de kamer werd vervuld van een gevoel van hoop. Tucker ging naast hem zitten, boog zich naar voren en klemde zijn knieën om zijn handen. Ten slotte was alleen het archiefpolyester nog over. De gouden kaft van het geïllustreerde manuscript schemerde erdoorheen.

Ze verwijderde het folie. 'Ah,' zuchtte ze.

Ze staarden ernaar, met stomheid geslagen door de dramatische schoonheid van het zacht glanzende goud, de met parels ingelegde dolk, de robijnrode bloeddruppel, de rand van smaragd. Toen Tucker het boek voor het eerst had gezien, was hij van zijn stuk geweest. Hij was nog steeds onder de indruk.

'Niet te geloven dat je een van de smaragden hebt verwijderd om door een peilbaken te vervangen, Tucker,' zei Eva verwijtend.

'Ik heb hem nog. We kunnen hem er weer op lijmen.'

'Het is heiligschennis. Als het ons niet had geholpen om het boek te vinden, zou ik echt pissig zijn.' Maar ze glimlachte.

Hij merkte dat hij terug glimlachte. 'Voor dit werk moet je een barbaar zijn.'

Eva zat met gekruiste benen voor de mannen op de grond, met haar rug naar hen toe, haar gezicht naar het boek. 'Zeg me, o *Boek der spionnen*, waar in jou bevindt zich het geheim van de Gouden Bibliotheek?' Langzaam sloeg ze de bladzijden om.

Ze bestudeerden de opeenvolgende extravagante afbeeldingen, het Cyrillische schrift, de adembenemende kantlijnen. De tijd verstreek en Tucker stond op, rekte zich uit en ging weer zitten om zich te concentreren. Pagina na pagina werd omgeslagen, tot ze het einde van het boek bereikten – vierhonderd vellen perkament. Ze vonden niets ongewoons, geen hedendaagse aantekeningen, geen teken dat er met het boek was geknoeid.

Tucker ijsbeerde heen en weer. 'Ik heb Charles' aantekeningen gelezen voordat jullie kwamen, in de hoop dat hij het antwoord daarin had achtergelaten.'

'Ik weet het, wij hebben ze ook bestudeerd.' Ze stond op, pakte Judds spijkerbroek en haalde er een portefeuille uit. 'Deze is van Robin. Misschien loog ze toen ze zei dat ze niet wist waar de bibliotheek is.'

'Ik bel NSA,' zei Judd. 'Geef me mijn telefoon eens, Eva.'

Eva zocht in zijn jaszak en bracht de telefoon en de portefeuille naar het bed. Terwijl Judd belde en een beschrijving van het eiland doorgaf, spreidde ze de inhoud van de portefeuille uit: euro's, een foto van Charles en een foto van Edinburgh. Tucker en zij bekeken alles nauwkeurig, maar vonden niets nuttigs.

Judd beëindigde het gesprek. 'Ze bellen terug zodra ze informatie hebben.'

'Hoe voel je je, Judd?' vroeg Eva.

'Beter. Absoluut beter,' zei hij. 'Wat denk je van nog een stoot pijnstillers?'

Hoofdschuddend om Judds leugen ging Tucker ze voor hem halen. 'Ik bestel iets te eten. We moeten iets eten. Dan kunnen we beter nadenken.'

'Ik heb ook trek. Ik zou er graag een fles retsina bij hebben. Nu ga ik douchen.' Ze keek Judd even aan, ging toen de badkamer binnen en deed de deur dicht.

Tucker pakte de telefoon. 'Wat wil je eten?'

'Maakt niet uit. Bestel maar wat.'

Terwijl Tucker dat deed, klapte Judd het boek dicht en onderzocht de band en de rug. Ten slotte schudde hij zijn hoofd en legde het weer neer. Hij ging weer op het bed liggen en trok het dekbed over zich heen.

'Goed dat Eva er is,' zei hij. 'Ze weet waar ze naar moet zoeken.'

'Hoe gaat het tussen jullie?'

'Prima.'

'Je vindt haar leuk.'

'Niet zoals jij bedoelt. Maak je geen zorgen. Er wordt niet gewipt.'

Tucker dacht aan hoe hijzelf zijn vrouw had leren kennen. 'Zo bedoel ik het niet.'

'Het belemmert me niet in mijn werk.' Zijn gezicht werd harder. 'Ze hebben mijn vader vermoord.'

'Ik weet het. Ik weet ook dat je in Irak een vrouw hebt verloren die veel voor je betekende. Je werd bijna uit het leger geschopt omdat je achter haar moordenaar aan ging.'

Judd staarde hem strak aan. 'Dat is lang geleden.'

'O ja?'

De badkamerdeur werd geopend en Eva kwam naar buiten, zo schoon dat ze blonk. Haar kobaltblauwe ogen leken helderder en haar slungelige lichaam weelderiger. Ze straalde sensualiteit uit, maar scheen het niet te beseffen.

'Is het eten er al? Ik rammel.' Ze keek de beide mannen opgewekt aan.

Judd wendde zijn blik af.

Later, aan de tafel naast de radiator, aten ze gesmoorde inktvis, vers uit de haven van Piraeus, de havenplaats van Athene, enkele kilometers verder, met paddenstoelenpilav, gegrilde rode en groene paprika's en hete *kopanistopita*, filodeeg gevuld met pittige kaas. De wijn was retsina, zoals Eva had gevraagd.

'Smaakt naar hars.' Tucker draaide het glas rond en inspecteerde de dieprode kleur.

'Het is de wijn van Griekenland,' zei ze. 'Ik heb in geen jaren zo'n lekkere gedronken. De oorsprong van de naam en de smaak is dat de Grieken wisten dat lucht funest is voor wijn, dus ze gebruikten hars om de amfora's af te sluiten en voegden zelfs hars toe aan de wijn.'

'Ik vind hem ook lekker.' Maar Judd had de zijne nauwelijks aangeraakt. Hij wendde zich tot Tucker. 'Hoe is de situatie in Washington?'

Tucker legde zijn vork neer. 'Ik heb Gloria gesproken voordat ik uit Baltimore vertrok. De knaap die me wilde liquideren zit in de kelder van Catapult. Ze heeft hem ongemerkt beneden weten te krijgen. Ze is de enige die weet wat er gaande is.'

'Goddank hebben we Gloria,' zei Judd. 'Eva, laten we het over Charles hebben, over wat hij je in Londen vertelde. Misschien gaf hij je een aanwijzing voor de locatie van de Gouden Bibliotheek, zonder dat je het op dat moment besefte.'

Ze herhaalde hun gesprek en de twee mannen luisterden aandachtig. Ten slotte leunden ze achterover.

Tucker schudde zijn hoofd. 'Niets.'

Onafgebroken analyserend beëindigden ze de maaltijd. Na afloop ging Eva op haar bed zitten en bladerde opnieuw door *Het boek der spionnen*. NSA belde Judd en gaf hem een lijst van vier eilanden in de Ionische, de Egeïsche en de Middellandse Zee die aan Robins beschrijving beantwoordden. Maar welk van de vier?

Terwijl ze zaten te puzzelen over de lijst, ging Judds mobiel over. Ze keken toe terwijl hij opnam.

'Hallo, Bash. Wat is er gebeurd?' Judds vierkante gezicht werd grimmig terwijl hij naar de Catapult-medewerker in Rome luisterde. Toen: 'Ga ermee door. Laat me het weten zodra je iets hoort.'

Tucker en Eva zwegen. Het was duidelijk slecht nieuws.

Judd verbrak de verbinding en vertelde het hun. 'Yitzhak en Roberto worden vermist. Bash belt ze elke ochtend voor het geval ze iets nodig hadden, maar vandaag namen ze niet op. Hij is naar hun flat gegaan. Was overhoopgehaald, doorzocht. Er was gelukkig geen bloed. Hij heeft met de buren gesproken. Een van hen had Yitzhak en Roberto weg zien gaan met twee mannen die beantwoorden aan het signalement van de twee huurmoordenaars die bij Yitzhaks huis waren toen de Charboniers ons aanvielen. Bash heeft navraag gedaan bij de universiteit waar Yitzhak hoogleraar is. De faculteitssecretaresse vertelde hem dat hij gisteren had gebeld dat ze een vervanger moest zoeken omdat hij de stad uit ging. Ze had een pakje voor hem van de Vaticaanse bibliotheek, dat ze aan een student meegaf. Yitzhak trof hem voor een trattoria. Dat was de laatste keer dat iemand van de universiteit hem heeft gezien.'

'O nee,' zei Eva.

'Jezus.' Tucker leunde achterover. 'De mensen van de Gouden Bibliotheek hebben ze.'

59

De avond was nog maar net begonnen. Het was pas tien uur, maar Alexander's zat al vol klanten. Alle leren barkrukken waren bezet, erachter stonden mensen te drinken. Alexander's, door *Forbes* uitgeroepen tot de beste hotelbar ter wereld, kon bogen op marmeren tafels, palmen als strandparasols en een achttiende-eeuws tapijt van de zegevierende Alexander de Grote dat aan de muur achter de lange bar hing. De clientèle bestond vanzelfsprekend uit de crème de la crème van de stad en uit het buitenland. Het aroma van rijke likeuren en dure parfums zweefde door de lucht.

Martin Chapman dronk Loch Dhu, de enige zwarte whisky met een vage nasmaak van houtskool. Hij genoot van de volle smaak, voelde de warmte. Na het diner bij Churchill's met Keith en Cecilia Dunbar – beleggers in winkelcentra die Chapman & Associates bouwde in Moskou – waren de vier naar een centrale plek in de bar gegaan, waar ze gezien konden worden. Chapman schatte dat er aan hun tafel alleen al voor zo'n dertig miljard dollar zat.

'O, nee,' zei Keith. 'De Kaaimaneilanden zijn misschien goed voor onnozele halzen, maar ik geef verre de voorkeur aan Liechtenstein voor mijn geld.'

'En de Britse Kanaaleilanden?' vroeg Shelly met een blik op Chapman, om te laten merken dat ze zelf ook een en ander wist.

Maar juist toen Keith aan een uitleg begon, trilde Chapmans telefoon. Hij keek op het scherm en zag dat het Preston was die belde. Hij excuseerde zich en liep weg door de menigte, Shelly's sombere blik in zijn rug voelend.

'Ja?' antwoordde hij, hopend op goed nieuws.

'Ik sta voor het hotel, meneer. Ik wacht.'

De verbinding werd verbroken. Chapmans longen knapten bijna en hij beende door de lobby. De zware deuren gingen open en hij haastte zich naar buiten en de trap af. De donkere avond omhulde hem. Preston stond aan de overkant van het plein.

'Hoe ernstig is het?' vroeg Chapman toen hij hem bereikte.

Preston vertoonde geen sporen van een gevecht, zijn kleren zaten keurig, zijn haren waren gekamd, en gezicht en handen schoon, maar hij straalde afkeer uit zoals hij tussen de plassen lantaarnlicht stond. Ze liepen samen op.

'Het is geen regelrechte ramp,' zei Preston. 'Ik heb Robin Miller geliquideerd met de slangenwortelspray. Ik dacht dat u dat wel leuk zou vinden.'

Het middel was een derivaat van *Rauwolfia serpentina*, dat onder leiding van Jonathan Ryder was ontwikkeld door Bucknell Technologies. Het onderdrukte het centraal zenuwstelsel, doodde in enkele seconden en verdween in enkele minuten uit het lichaam. Het was genoemd naar Leonhard Rauwolf, de zestiende-eeuwse Duitse botanicus wiens aantekeningen Jonathan Ryder had gevonden in een van de geïllustreerde manuscripten in de Gouden Bibliotheek over bomen, planten en kruiden. Preston had gelijk: het was heel toepasselijk dat een van Jonathans scheppingen een rol had gespeeld in een succesvolle stap in een zakelijke overeenkomst die hij had willen tegenhouden.

'Het probleem is dat we *Het boek der spionnen* niet te pakken hebben gekregen.' Prestons lippen werden dunner terwijl hij de gebeurtenissen beschreef. 'Ik heb Judd Ryder kunnen verwonden.'

'Hoe wist je wie Eva Blake was?' vroeg Chapman.

'Dat wist ik aanvankelijk niet, maar toen de metro stopte, passeerde ze me bij de ingang en ik meende haar te herkennen aan haar manier van lopen, die ik in L.A. had bestudeerd. Ik keek door het raam toe terwijl ze naar buiten liep. Ze nam een weekendtas die groot genoeg was om *Het boek der spionnen* te bevatten over van de jongen die naast haar had gezeten... en toen sprak ze met een man die de juiste lengte en leeftijd had om Ryder te kunnen zijn.' Hij vulde nog enkele details in.

Chapmans hersens draaide op volle toeren. 'In Istanbul heb je van Yakimovich gehoord dat de vorige bibliothecaris de locatie van de bibliotheek in het boek had vastgelegd. Zolang het boek in de circulatie blijft, hebben we een probleem. En God mag weten of er ergens nog meer aanwijzingen zijn. We kunnen niet het risico lopen dat Ryder, Blake of iemand anders de bibliotheek vindt. Bel Carolyn Magura dat ze zich gereedmaakt. Hoe lang duurt het om de bibliotheek te verhuizen?'

Tien jaar geleden was de boekenclub tot de conclusie gekomen dat elektronische afluisterapparatuur en internationale communicatiemiddelen zich zo razendsnel ontwikkelden, dat het eiland ooit ontdekt zou kunnen worden. Het was tijd om een reserveonderkomen te vinden. Een afgelegen gebied in de Zwitserse Alpen in een gletsjermeer ten noorden van Gimmelwald was perfect gebleken. Het gebouw, beheerd door een kleine ploeg medewerkers, was er al jaren klaar voor.

'Goed, meneer. Ik zal alles in gereedheid brengen,' zei Preston. 'Anderhalve dag, schat ik.'

'Het banket van morgenavond zal ons laatste op het eiland zijn. Een passend eind van een lange periode. Maak plannen om de volgende ochtend te vertrekken.' Hij werd heel even overvallen door weemoed. Toen keerde zijn bezorgdheid terug. 'En de Carnivoor? Heb je hem gevonden?'

'De computerchef van meneer Lindström heeft hem niet kunnen traceren.'

'Jezus. Heeft je man in Washington Tucker Andersen al geëlimineerd?'

Preston zweeg even. 'Ze zijn allebei verdwenen. We zijn naar ze op zoek.'

Chapman beheerste zijn woede. 'Doe dat. Ik neem maatregelen tegen Catapult. We kunnen niet toestaan dat de situatie in Washington nog erger wordt dan ze al is.'

60

Washington, D.C.

Het was een lange dag geweest bij Catapult en Gloria Feit ruimde haar bureau op om te vertrekken. In de gangen klonk het gebruikelijke geroezemoes. Terwijl ze haar leesbril opvouwde, hoorde ze een zacht geluid toen de deur achter haar werd geopend. Ze draaide zich om.

'Ik moet je spreken, Gloria.' Hudson Canons buldoggezicht verdween weer in zijn kantoor.

Met een rilling van onbehagen liep ze achter hem aan.

'Doe de deur dicht en ga zitten.' Hij zat al achter zijn bureau, zijn grote handen uitgespreid op het blad.

Ze dacht even aan de man in het souterrain die geprobeerd had Tucker te elimineren, maar ze had de reservesleutels uit de kluis gehaald en ze zaten allemaal veilig in haar tas. Canon of wie ook kon onmogelijk weten dat hij daarbeneden was. De man wilde niets zeggen, maar hij at als een wolf.

Ze nam plaats op een van de stoelen tegenover het bureau, sloeg haar benen over elkaar en toverde een opgewekte glimlach tevoorschijn.

'Wat kan ik voor je doen, baas?'

'Waar is Tucker?' vroeg hij abrupt en op autoritaire toon.

Ze fronste even haar wenkbrauwen. 'Hij is niet teruggekomen. Dat is alles wat ik weet.'

'Wat zei hij toen hij belde?'

Het overviel haar. Hoe wist Canon dat Tucker vanuit de kruidenierswinkel had gebeld om zijn aanvaller te laten oppikken, en later vanaf de luchthaven van Baltimore? Toen realiseerde ze zich dat hij het geautomatiseerde telefoonlogboek van Catapult had kunnen checken.

'Hij vroeg of ik trek had in een sandwich van de Capitol Hill Market,' loog ze. 'Ik heb nee gezegd. Hij heeft nog een keer gebeld, maar ik weet niet waarvandaan. Hij vroeg of er belangrijke boodschappen voor hem waren. Die waren er niet. Dat was het laatste wat ik van hem heb gehoord. Ben je bang dat hem iets is overkomen? Ik denk niet dat dat nodig is. Hij zou het me verteld hebben als hij problemen had en hulp nodig had.'

Hij boog zich naar voren. 'Wat voert hij uit?'

'Ik zou het niet weten.'

'Nog steeds die onzin over de Gouden Bibliotheek?'

'Tja,' zei ze voorzichtig, 'dat is wel de operatie waarop hij zich concentreert, maar het is natuurlijk niet de enige.'

'Die operatie is voorbij. We weten alle twee dat hij daarmee bezig is. Hij negeert een dienstopdracht.'

Ze schrok van zijn heftige toon. 'Ik heb er niets meer over gehoord.'

'Tucker heeft je dus niet verteld dat hij ermee moest stoppen. Nu weet je het. Het is je plicht hem te helpen vinden. De subcommissie voor de inlichtingendiensten van de Senaat doet onderzoek naar verspilling binnen de CIA. Ze vergaderen morgen. Ik heb Matt over Tucker moeten vertellen. Het stelt in sommige opzichten niets voor, maar het is het soort dingen waar ze op letten. Het zal niet gunstig zijn voor Tucker. Hij moet zich melden.'

Matt Kelley, het hoofd van Clandestine Service, was een oude vriend van Tucker. Het leek uitgesloten dat hij Tucker voor zoiets onbenulligs zou rapporteren of berispen.

'Het stelt nog minder dan niets voor,' zei ze. 'Mijn god, als we bij elk incident zoals dit met een van onze agenten onze adem zouden inhouden, zouden we de verstikkingsdood sterven. We moeten ervan opaan kunnen dat ze initiatieven nemen, ondernemend zijn.'

Hij schudde zijn grote hoofd. 'Een van de senatoren is op de hoogte. Ze zit in de subcommissie. Ze heeft een bot tussen haar tanden en zal het niet loslaten. Ze wil Tucker.'

'Hoe weet ze het?' vroeg ze geschokt.

'God mag het weten,' snauwde hij. 'Maar zo ligt het. We willen niet dat Tucker wordt geslachtofferd. Waar is hij? Waar is hij mee bezig?'

Ze zweeg en herinnerde zich haar langdurige samenwerking met de meesterspion. Ze had hem altijd vertrouwd, en hij had haar altijd vertrouwd. En alles wees erop dat Hudson Canon corrupt was. Toch klonk hij niet corrupt.

Ze haalde diep adem. 'Sorry, Hudson. Als ik wist waar Tucker was, zou ik het zeggen.'

Hij staarde haar aan. 'Je doet er goed aan het me te vertellen als je iets weet. Ga naar huis en denk na. Denk diep na. We moeten Tucker vinden.'

Hudson Canon ging voor de spiegel in zijn kantoor staan en schikte zijn das. Zijn gezicht was bleek. Hij mepte op beide wangen. Toen de kleur terugkeerde, opende hij zijn deur op een kier. Gloria was weg. Mooi zo. Hij liep de gang door en enkele kantoren binnen met de vraag of iemand contact had gehad met Tucker en wist waar hij was. Iedereen beweerde van niets te weten. Ten slotte ging hij naar Tuckers kantoor en deed de deur dicht. Hij doorzocht het bureau en de dossierkasten. In de onderste la vond hij een fles whiskey. Hij opende hem en nam een grote slok. Hij had in elk geval iets nuttigs ontdekt.

Hij veegde zijn mond af en liep de andere gang op, waar hij zijn vragen herhaalde en opnieuw geen antwoord kreeg. Toen stapte hij het communicatiecentrum binnen en bleef aan elk bureau staan tot hij bij Debi Watson was.

'Waar is Tucker?' vroeg hij haar.

Ze keek hem met haar grote ogen aan. 'Ik weet het niet, m'neer.'

'Wanneer heb je hem voor het laatst gesproken?'

'Gisteren. Voor de gebruikelijke instructies.'

Hij vocht tegen zijn ongeduld. 'Hoe luidden die?'

'Ik moest een telefoonnummer traceren. Ik heb het overgedragen aan NSA.'

'Bel NSA.'

Haastig pakte ze haar telefoon en toetste een nummer in.

'Geef mij maar.' Hij rukte de telefoon uit haar handen. 'Met Hudson Canon. Vertel me precies wat jullie voor Tucker Andersen hebben gedaan.'

'Een ogenblik. Ik pak het dossier erbij.' De man aan de andere kant van de lijn zweeg even. 'Oké, hier is het. We hebben een mobiele telefoon voor hem getraceerd. Die werd voor het laatst geactiveerd in het metrostation Akropolis in Athene. Ik heb de informatie doorgegeven aan Judd Ryder. Daarna werd ik gebeld om een eiland voor ze te lokaliseren. Ik vond er vier.'

Een eiland? Daar wist Canon niets van. Desondanks voelde hij zich even opgelucht. Hij had in elk geval iets voor Reinhardt Gruen: Judd Ryder was in Athene en had informatie gekregen rechtstreeks van NSA. 'Je hebt natuurlijk de mobiele nummers van Tucker Andersen en Judd Ryder. Ik wil precies weten waar ze zijn.'

'Dan zal ik u terug moeten bellen. Het moet via NRO lopen, ziet u, en als Ryder en Andersen een beveiligde telefoon gebruikten, zal het even duren.'

Canon gaf hem zijn nummer. 'Bel me meteen als je de informatie hebt. En ik bedoel metéén!'

61

Athene, Griekenland

De stille hotelkamer baadde in verblindend zonlicht. Judd sliep en Eva lag op haar bed, weer gekleed in haar spijkerbroek en groene sweater. Gespannen hief ze haar armen boven haar hoofd en keek door het raam naar een roodstaartbuizerd die traag rondcirkelde tegen de blauwe lucht. Ze had slecht geslapen, was wakker geworden, weer ingedommeld en opnieuw wakker geworden, achtervolgd door het gevoel dat ze al wist waar in *Het boek der spionnen* de bibliothecaris de locatie van de Gouden Bibliotheek waarschijnlijk had verborgen – als ze het maar kon uitknobbelen.

'Hoe lang ben je al wakker?'

Ze draaide haar hoofd om. Judd keek haar met slaperige grijze ogen aan; zijn gebleekte haren zaten in de war. Ze zocht naar tekenen van koorts.

'Ik weet het niet. Een uur misschien. Hoe voel je je?' Ze gaf hem een aspirine, pijnstillers en een glas water.

'Veel beter. Je hebt nagedacht.' Hij kwam op een elleboog overeind en slikte de medicijnen door.

'Ja. Over waar in *Spionnen* de bibliothecaris een boodschap zou hebben achtergelaten. Ik heb alles wat Charles me heeft verteld en wat ik me van zijn aantekeningen herinner nog eens doorgenomen. Ik weet dat ik het antwoord bijna heb.'

Hij zweeg. 'Jammer dat Charles geen andere aanwijzing heeft achtergelaten.'

Ze fronste haar wenkbrauwen. 'Zeg dat nog eens.

'Jammer dat Charles geen andere...'

'Ándere aanwijzing. Dat is het.' Ze kwam opgewonden overeind. 'Ik zocht naar dingen die we nog niet hadden gebruikt. Grote fout.' Ze haastte zich naar *Het boek der spionnen*, dat dichtgeslagen op de tafel lag.

'Waar heb je het over?' Judd, in T-shirt en korte broek, schoof een stoel bij en kwam naast haar zitten.

'We hebben Charles' hoofd kaalgeschoren vanwege dat verhaal over Histiaeus en de boodschapper. Misschien was het dus niet alleen een aanwijzing om Charles' schedel te inspecteren, maar ook naar waar we in *Spionnen* moeten zoeken. Ik weet dat ik het verhaal ergens heb gezien.'

Haastig sloeg ze pagina's om. Eindelijk, in het midden van het dikke boek, vond ze het verhaal op een afzonderlijke pagina, even rijkelijk geïllustreerd als de andere en versierd met Perzische en Griekse soldaten in de marge. De rest van de pagina was gevuld met zwarte Cyrillische letters, het tekstblok dat het oude verhaal vertelde.

'Ik zie niets ongewoons.' Hij staarde ernaar.

'Ik ook niet. Ik zal het verhaal snel voor mezelf vertalen.' Terwijl ze las werd algauw duidelijk dat het verhaal in grote lijnen overeenkwam met wat Herodotus eeuwen tevoren had vastgelegd. Toen ze klaar was, leunde ze achterover.

'Niets?'

Ze schudde haar hoofd en pakte het boek op. 'Ik heb licht nodig.'

Ze gingen op de rand van haar bed zitten, waar het zonlicht door het raam viel. Ze legde het boek geopend op haar knieën en boog zich eroverheen. In haar werk als conservator had ze geleerd dat een oud gezegde klopt: de duivel zit hem in de details. Nu ze een overzicht had, bestudeerde ze de ruimten tussen de letters en woorden en de penseelstreken. Toen haar niets opviel, ging ze over naar de afbeeldingen van de soldaten.

Ze ging rechtop zitten. 'Ik denk dat ik het heb gevonden. Kijk hier eens, Judd.' Ze wees naar nietige letters onder enkele van de kleuren.

Hij boog zich eroverheen. 'Ze zijn bijna onzichtbaar.'

'Dat was ook de bedoeling. Ze staan voor de Latijnse woorden die de kunstenaar die ze schilderde moest gebruiken om de tekeningen in te kleuren. Deze 'v' betekent *viridis* ofwel groen. Het gewaad van de slaaf is dus in verschillende tinten groen geschilderd. De 'r' is voor *ruber* of rood – de appels aan de boom achter hem. En de lucht is uiteraard 'a' – *azure* voor blauw.'

Hij fronste vragend zijn wenkbrauwen. 'Wat betekenen 'leng' en 'bre' en de cijfers daarbij dan?'

Ze grinnikte. 'Dat heb ik me ook afgevraagd. Om te beginnen heb ik nog nooit een reeks van drie of vier letters gezien om de kleur op een manuscriptpagina aan te duiden. Ten tweede zijn het geen van beide Latijnse woorden.'

Hij grijnsde terug. 'Aangezien we naar de locatie van het eiland zoeken, vermoed ik dat het afkortingen zijn. Dat gevoegd bij het feit dat er getallen staan – *leng*tegraad en *bre*edtegraad.'

'Om met Pythagoras te spreken: eureka.'

Hij pakte zijn mobiel en zette hem aan. 'Op zulke momenten is online zijn pas echt handig. Lees me voor wat je hebt, dan merken we wel of we gelijk hebben.'

Hij hield de mobiel zo dat ze op het scherm kon kijken. Hij sloeg toetsen aan en de wereldkaart van Google verscheen, verschoof, verschoof nogmaals en zoomde toen in op het zuiden van de Egeïsche Zee.

Hij fronste zijn voorhoofd. 'Geen eiland. Geen atol. Zelfs geen hoop rotsblokken.'

Ze voelde een rilling. 'Probeer het nog eens.' Ze las de cijfers voor, een voor een.

Hij voerde ze nauwgezet in. Opnieuw zoomde de kaart in op een lege zee. Haar schouders zakten af. Hij probeerde enkele andere kaarten. Het enige geluid in de kamer was het klikken van het toetsenbord. Maar elke kaart toonde dezelfde moedeloos makende resultaten.

Ze zwegen.

'Het kan gewoon niet,' hield ze vol. 'De makkelijkste, meest voor de hand liggende verklaring voor de afkortingen en de cijfers is dat het meridiaanpunten zijn. Zelfs als dat oude kaarten zouden zijn, zou het eiland erop moeten staan.'

Hij staarde haar aan. 'Niet waar. Bij god, als ik gelijk heb, geeft het een beeld van de macht van de boekenclub.' Hij typte opnieuw. 'Met het oog op het terrorisme heeft de regering Google en andere online-kaartenmakers verboden bepaalde plaatsen te tonen. Soms was het een overheidsinstelling, andere keren een "belangrijk gebied" dat om de een of andere reden clandestien was. Ook particuliere bedrijven die voor Defensie werken, kunnen de overheid vragen bepaalde plekken taboe te verklaren.'

'Hoe zou de boekenclub de regering kunnen overhalen om hun eiland te verbergen?'

'Via interne bronnen, of misschien omkoping. Laten we eens kijken.'

Hij bracht het sms-bericht dat hij de vorige dag van NSA had gekregen op het scherm en ze lazen de lijst van eilanden die min of meer beantwoordden aan Robins beschrijving.

'Mijn god,' fluisterde ze terwijl ze de lijst bekeek. 'Een van die eilanden heeft dezelfde coördinaten als in het boek staan.'

Opgeluchte opwinding stroomde door haar heen. Ze sloeg haar armen om zijn nek en hij omhelsde haar. Ze voelde het gestage kloppen van zijn hart, hoorde zijn ademhaling in haar oor en talmde even.

Maakte zich toen los. 'Ik zou Tucker maar bellen.'

De meesterspion was er binnen enkele minuten, in dezelfde gekreukte katoenen broek, blauw hemd en sportjasje als daags tevoren. Eva zag dat de rimpels in zijn gezicht dieper waren en de grote ogen achter zijn schildpadbril waren rood omrand door slaaptekort. Maar zijn lichtbruine snor en grijze baard waren onberispelijk en hij straalde alertheid uit.

'Hebben jullie het gevonden?' vroeg hij terwijl hij de deur op slot deed.

'En óf ze het heeft gevonden.' Judd wees naar Eva.

Ze glimlachte vergenoegd. 'Het heeft anders wel even geduurd.'

Ze gingen rond de tafel zitten en Eva legde uit hoe ze het antwoord hadden gevonden.

'Ik zal contact opnemen met NSA voor de meest recente satellietfoto's en gegevens over het eiland,' zei Judd bruusk. 'Eva, doet je laptop het nog of is hij nat geworden op het jacht?'

'Hij zat in het hoofdvak van mijn tas, dus hij is ongedeerd.'

'Mooi zo. Ik stuur de gegevens van NSA ernaar door.'

'Heeft dat eiland een naam?' vroeg Tucker.
'Alleen een nummer,' zei Judd.
'Doe het,' beval Tucker. 'Nu.'

62

De provincie Khost, Afghanistan
Na een uitgebreid ontbijt liep Syed Ullah naar de veranda voor de rode bakstenen villa waar hij, zijn vrouw en hun nog in leven zijnde kinderen en kleinkinderen woonden, plus de vrouwen en kinderen van
zijn vier broers, die allemaal waren gesneuveld in de strijd tegen de
Sovjets, de taliban, Al Qaida of lokale clans en stammen.

Gerestaureerd uit puin op grond die al heel lang familiebezit was
stond de grote villa twee verdiepingen hoog op de harde aarde. Erachter stond de satellietschotel naast een roestige T-55-tank van de
Sovjets. Aan de ene kant lag een moestuin met appel-, peren- en moer-
beibomen, precies zoals toen hij een kind was. Hij had alles de afgelopen jaren aangeplant. De jonge bomen symboliseerden de toekomst,
had hij zijn jongste en enig overgebleven zoon verteld: sterk, maar ze
moesten beschermd worden.

Zijn schutters, met tulband en zonnebril, patrouilleerden bij de opnieuw opgetrokken stenen muur rondom het uitgestrekte landgoed.
Een tiental stamoudsten – markante oude mannen met kromme neu-
zen, en baarden als patriarchen – stond voor de veranda in de rij om
hun respect te betuigen. Ullah was nu vierenvijftig en had al zijn ri-
valen bestreden en gedood om deze positie te bereiken, maar zo ging
dat nu eenmaal al tientallen jaren. Mannen hadden weinig voedsel
voor hun buik, maar volop munitie voor hun wapens. Hij kon zich
nauwelijks herinneren dat het ooit anders was geweest.

De krijgsheer ging op zijn houten stoel met hoge rugleuning op zijn
stenen veranda zitten. Hij trok zijn riem recht en at wat gesuikerde
amandelen terwijl hij de oudsten hoffelijk begroette, hun betuigingen
van respect accepteerde, burenruzies beslechtte en hen van zijn bescherming verzekerde. Het waren mannen met grote families en zoons,
kleinzoons en achterkleinzoons die hij nodig had.

'Is het morgenavond?' vroeg de laatste van de oudsten. Zijn tanige gezicht stond ongeduldig, wat erop wees dat hij had verwacht dat iemand het eerder zou hebben gevraagd.

'Vanavond,' corrigeerde Ullah hem, en tegen de anderen zei hij: 'Blijf in jullie huizen met jullie vrouwen. Jullie zoons weten wat hun te doen staat.'

En toen waren ze weg en de kippen stoven uiteen toen ze naar de bergen marcheerden en omlaag naar het dorp, van zo'n drieduizend inwoners. In de heuvels zag hij een kleine Amerikaanse legerpatrouille in twee gepantserde, in camouflagekleuren geschilderde HMMWV's – Humvees – over een zandweg rijden. Een ezel met hoge bepakking werd over een verraderlijk pad geleid.

De krijgsheer stond op, een reus van een man, zwaar en sterk, met een trots gezicht dat gemakkelijk glimlachte. Dat was de kracht van de Pathanen: taaiheid. Hij was trots op zijn afkomst van krijgers, dichters, helden, grappenmakers en warmhartige gastheren. Ze hielden van het land en hun familie. Eeuwenlange overheersing en bezetting hadden niets veranderd, hadden hun toewijding slechts versterkt. Zijn toewijding. Zijn familie moest in leven blijven, daarna zijn clan en daarna zijn stam.

Hij bestudeerde de lange keten van ruige bergen, waar sneeuw glinsterde op de hoge toppen. Krinkelende linten van rook stegen op uit andere huizen in de verte, de meeste van leem en met een rieten dak. Een netwerk van rookpluimen zweefde boven het dorp, waar vele van de gebouwen tijdens gevechten en overvallen waren verwoest. De provincie Khost was een centrum van handel en smokkel en het mikpunt van de taliban en Al Qaida, die stiekem binnendrongen vanuit het noorden van Waziristan, vlak over de grens met Pakistan. Ze kwamen onder dekking van de nacht om te ronselen, zaken te doen en collaborateurs, vaak lokale politieagenten, te vermoorden.

Aan de andere kant van het dorp lag de geheime, zwaarbewaakte vooruitgeschoven basis van Amerika, in camouflagekleuren geschilderd en onder camouflagenetten verborgen om haar onzichtbaar te maken van bovenaf en moeilijk zichtbaar vanaf de grond. Er steeg geen rook op, want een gigantische generator leverde alle energie die ze nodig hadden.

Ullah hief zijn hoofd op en snoof. Hij rook schapenvlees, pittig en zoet, dat in de keuken van de villa werd gebraden. Een goed middagmaal. Sinds hij in deze door oorlog geteisterde streek aan de macht was, aten hij en zijn familie goed en als Martin Chapman er niet was geweest, zou hij nog meer geld tot zijn beschikking hebben gehad – de buitenlandse bankrekening die Chapman had bevroren. Tot de papaveroogst in het najaar had hij weinig inkomsten uit opium en heroïne. Hij had Chapman nodig om zijn geld te deblokkeren en dat betekende dat zijn mannen vanavond de Amerikaanse legeruniformen waarvoor Chapman had gezorgd zouden aantrekken en een honderdtal inwoners van het dorp en enkele omliggende gehuchten zouden elimineren, geselecteerd vanwege hun verzet tegen hem, en vastgelegd door de camera's van verslaggevers van bevriende stammen uit Pakistan. Dan zou hij eindelijk zijn geld hebben, plus Chapmans betaling voor het land.

Op dat moment zwenkten de twee Humvees in de richting van zijn villa. Zijn bewakers draaiden zich om en keken op.

De krijgsheer riep naar binnen om thee en liep heen en weer over de veranda. Toen de thee op een beschilderd dienblad werd geserveerd, ging hij op zijn stoel zitten.

De Humvees bulderden het erf op en stopten in een witte stofwolk. Soldaten zaten achter de machinegeweren die op elk voertuig waren gemonteerd, hun pet over hun ogen tegen de ochtendzon, en hun ogen verborgen achter zwarte zonnebrillen.

De commandant van de vooruitgeschoven legerpost, kapitein Samuel Daradar, sprong van de passagiersstoel van het voorste voertuig, beende op hem af, zette zijn pet af en streek met zijn arm over zijn voorhoofd.

'Pe kher ragle.' Ullah stond niet op, maar verwelkomde hem.

'Meneer Ullah, het doet me deugd dat ik u zie,' antwoordde kapitein Daradar in het Pathaans terwijl hij de treden beklom. 'Alles goed met u?' Hij was begin dertig, had een goudkleurige huid, heldere zwarte ogen en een nuchter gezicht.

'Ja, dankzij Allahs zegeningen. Wilt u me de eer doen thee met me te drinken?'

'Natuurlijk. Ik stel uw gastvrijheid op prijs.'

Terwijl zijn mannen wachtten in de Humvees, nam Sam Daradar plaats op de andere stoel, waarvan de zitting en de rugleuning lager waren dan van die van de krijgsheer. Het was alsof hij naast een koning op een troon zat. Hij zou Ullahs kleine verwijzingen naar zijn macht amusant hebben gevonden als ze niet stuk voor stuk een dodelijk signaal waren van het complexe weefsel van loyaliteiten en vendetta's tussen Pathaanse stammen, en als Afghanen in het algemeen niet veel feller antiwesters gezind waren dan het Westen kon begrijpen.

'U bent op patrouille,' zei de krijgsheer, welwillende belangstelling tonend. 'Hebt u iets gevonden?' Hij schonk thee in de koppen op de houten tafel tussen hen in.

'Niets dan de wind, de lucht en de aarde.' Sam glimlachte kort.

'Gesproken als een ware Pathaan. Ik zal nooit begrijpen waarom uw familie naar de Verenigde Staten is verhuisd.'

'Ook wij hebben weidse ruimten. Bezoek me eens in Arizona. Ik zal u de Grand Canyon laten zien.' De kapitein nam een slok thee. 'Ik heb vandaag nieuws gekregen waarvan ik dacht dat u het zou willen horen. Sinds u ons hebt geholpen de taliban en Al Qaida te verdrijven, zijn er in het hele land tweeduizend nieuwe klinieken en scholen gebouwd, er worden voortdurend banen gecreëerd en de bazaar in Khost is volledig herbouwd. Bijna zeven miljoen kinderen hebben lager onderwijs genoten, de nieuwe centrale bank is solide en de munt is stabiel.'

'Allemaal heel goed,' zei Ullah. 'Ik ben blij.' Hij glimlachte een rij grote, witte tanden bloot. 'Toch zijn er veel problemen. Kijk om u heen. De armoede. Mijn mensen lijden honger. Het komt door de corruptie in Kabul. Niemand kan dat oplossen.'

Het kwam ook doordat Ullah corrupt was, maar Sam was niet van plan dat te zeggen. De meeste ontwikkelingslanden hadden een betrekkelijk effectieve centrale bank en leger, maar een corrupt en geminacht politiekorps, en Afghanistan was geen uitzondering. Corruptie was ook de reden waarom het makkelijker was om wegen aan te leggen dan om recht en orde te creëren, makkelijker om een school te bouwen dan een staat. Geen enkele opleiding kon een rechter helpen die te maken kreeg met drugsbarons die bereid waren zijn familie te vermoorden. Het was voor buitenstaanders nagenoeg onmogelijk zo'n systeem te veranderen en hoewel Ullah graag dacht dat hij onafhankelijk was van Kabul, maakte hij deel uit van een door en door verrot systeem.

'Ik maak me zorgen over de geruchten dat er vandaag taliban in de omgeving zijn,' zei Sam.

'Aha, daarom word ik dus met een bezoek vereerd.'

'En dat er een of andere actie wordt voorbereid, met of zonder de taliban.'

De taliban waren voornamelijk Pathanen en beide waren, net als Al Qaida, soennieten. In een land waar gewapende mannen trouw zwoeren aan elke nieuwe machthebber die langskwam, was het onvermijdelijk dat zich voormalige taliban- en Al Qaida-strijders in hun gelederen bevonden. Zelfs Ullah had ooit gezegd dat hij tot de taliban behoorde... tot de taliban de drugshandel hadden verboden toen ze het land overnamen. Sindsdien waren ze Ullahs vijanden.

'Het is de schuld van de Pakistani,' verkondigde de krijgsheer. 'Die zouden moeten verhinderen dat de taliban de grens oversteken. Ze hebben ze zelf voortgebracht.'

'Dat is zo, maar Pakistan noch Afghanistan slaagt daarin,' zei Sam mild. 'Ik weet dat u slechts het beste wilt voor uw mensen. Vertel me wat er gaande is.'

Ullahs dikke zwarte wenkbrauwen gingen omhoog en zijn brede snor trilde. Er verscheen een blik van volmaakte onschuld op zijn gezicht.

'Ik heb niets gehoord,' zei de krijgsheer. 'U kunt er zeker van zijn dat ik bel als ik zelfs maar een gerucht hoor. Wilt u nog wat thee?'

De twee mannen in de dorpsmoskee stonden op, bogen, stonden opnieuw op en beëindigden hun middaggebed. Er heerste een eerbiedige sfeer in de zaal, die Ullah trots maakte. Het was zijn moskee; hij had elke steen en elke tegel betaald.

Maar toen gebood de moellah met zijn witte tulband en zijn jonge gezicht met de keurig geknipte baard iedereen te gaan zitten. Ze lieten zich op hun gebedskleed zakken. Ullah zuchtte, nam plaats en kruiste zijn benen.

Met een koran in zijn handen stond de moellah voor hen in zijn lange, golvende zwarte gewaad. 'Wanneer de profeet en zijn metgezellen ten jihad trokken, voerden ze zwarte banieren mee, want oorlog is niet goed. Als we vandaag ten jihad trekken, zou dat niet moeten zijn omdat we willen vechten, maar omdat we gedwongen zijn te vechten ter wille van de islam en voor de vrijheid van Afghanistan. Maar dat is het werk van het leger en de politie, niet van gewone burgers.'

Ullah rechtte zijn rug en kreunde inwendig.

'Er is slechts één Allah en ons leven op aarde staat in dienst van hem alleen,' ging de moellah verder. Hij staarde Ullah aan. 'Maar de mens is zwak en onverstandige moellahs met verkeerde ideeën zijn ongehoorzaam geweest aan de wetten van de Koran en hebben mensen op gevaarlijke paden geleid. De strijd tussen moslims onderling en tegen het Westen gaat over macht, niet over Allah. Hij wil niet dat onze mensen doden. Lang geleden werd de moslimwereld aangevallen door de christelijke kruisvaarders, die de islam van de aardbodem wilden wegvagen. Toen ging de jihad om overleven, een laatste redmiddel. Allah leert ons dat de grootste jihad de strijd in elk van ons is om de ziel – de jihad van het hart. Het hart is een heilige plaats en we moeten er altijd voor zorgen elkaar niet te kwetsen.'

Na afloop van de preek negeerde Ullah de moellah nadrukkelijk, pakte zijn AK-47 en beende naar de deur, op de voet gevolgd door zijn twee lijfwachten. De moellah was nieuw en erg jong, hield hij zichzelf vol afkeer voor. Hij moest nog veel leren over wat de Koran in werkelijkheid zei.

Een eindje voor hem liep ook de commandant van de vooruitgeschoven basis, Sam Daradar, naar buiten. De militair moest laat zijn binnengekomen en achterin zijn gebleven. Ullah hield zijn pas in en liet Daradar voorgaan. Toen liep hij naar de deur en keek toe terwijl Daradar in een Humvee klom. Ze knikten elkaar glimlachend toe.

Ullah wachtte ongeduldig terwijl een van zijn mannen de auto ging halen, maar toen de zilverkleurige Toyota Land Cruiser arriveerde, zag hij een merkwaardige uitdrukking op het gezicht van zijn chauffeur.

Hij fronste zijn wenkbrauwen, klom op de passagiersstoel terwijl de andere lijfwacht achter instapte en onmiddellijk een zacht geluid diep in zijn keel maakte. Ullah draaide zich snel om. Op de vloer lag Sher Chandar, zijn zwarte taliban-tulband naast hem, zijn salwar kameez en vest rondom hem uitgespreid als de vleugels van de doodsengel.

'Rijden,' beval de taliban-leider.

'Ik had je lang geleden moeten doden,' gromde Ullah.

Terwijl het voertuig, hotsend door kuilen, de straat uit reed, lachte Chandar en gaf instructies. De straat ging over in een zandweg en toen in een pad dat hen de helling op voerde, weg van Ullahs villa.

Toen ze aan de andere kant afdaalden, buiten het blikveld van het dorp, de legerbasis en de villa, ging Chandar rechtop zitten, keek om zich heen naar de kale heuvels en gaf opnieuw aanwijzingen.

Ze reden terug langs de achterkant van Ullahs landgoed en daalden ten slotte af in een diepe kloof, waar een smal stroompje een groot bos met cipressen en pijnbomen voedde. De krijgsheer voelde zich niet op zijn gemak: in deze bossen zouden zijn mannen zich vanavond verzamelen.

Chandar beval hun het bos in te rijden en de Toyota tot stilstand te brengen naast de onder donkere dekzeilen verborgen Amerikaanse kratten. Een stuk of zes mannen met zwarte tulbanden kwamen uit de begroeiing tevoorschijn, hun geweren in de aanslag.

'Zet de motor af.' Toen de stilte hen omhulde, wees Chandar naar de stapel kratten. 'Een geschenk voor de taliban?'

Ullah zei niets.

'De plannen zijn gewijzigd,' vertelde Chandar hem. 'Ik weet wat je vanavond van plan was. Je zult de dorpsbewoners niet doden; sommigen van hen zijn taliban. In plaats daarvan zullen je mannen de Amerikaanse uniformen aantrekken en zich bewapenen met de Amerikaanse wapens, zoals ze verwachten. Als ze zich eenmaal vermomd hebben, zullen ze de legerbasis kunnen binnendringen. En dan zullen ze alle ongelovigen doden.'

Ullahs keel werd droog. 'Dat is onmogelijk.'

Chandar grinnikte. 'Je hebt toch wel meer fantasie. Je Pakistaanse journalisten zullen het vanaf een afstand vastleggen. Ze zullen denken dat de Amerikanen in oorlog zijn met elkaar vanwege een bloederige stammenvete zoals we die hier hebben. Dat zal je de benodigde publiciteit leveren om de basis te laten sluiten. Dat is toch wat je wilt?'

Ullag vloekte inwendig.

'Die Amerikaanse ongelovigen hebben niet de zegen van Allah,' ging Chandar verder. 'We hebben de afgelopen jaren met je samengewerkt. Jij hebt water bij de wijn gedaan. Wij hebben water bij de wijn gedaan. Als Kabul van onze afspraak zou horen...'

Hij maakte zijn zin niet af, maar Ullah besefte de dreiging onmiddellijk. Hoe zwak de regering in Kabul ook was, ze had nog tanden. Als er voldoende troepen hierheen werden gestuurd, konden hij en zijn familie van de aardbodem worden weggevaagd.

'De Amerikanen zullen een onderzoek instellen,' voerde Ullah aan.

'Ik stel een compromis voor: ik zal alle dorpsbewoners die je aanwijst ongedeerd laten.'

'Niet goed genoeg. We willen de Amerikaanse soldaten doden. Het bevel komt rechtstreeks uit Zuid-Waziristan.' Met andere woorden: Al Qaida.

Ullah keek over zijn schouder naar Chandars onaangedane gezicht. Toen gleed zijn blik naar de zes gewapende mannen wier geweren onwrikbaar op hem gericht waren.

Het probleem was dat, als hij Chandar had gedood toen hij daar de kans toe had, een ander diens plaats zou hebben ingenomen en hem zou hebben vermoord. Hij kon dit gevecht onmogelijk winnen. Toen hij dat eenmaal had geconcludeerd, voelde hij een moment van opluchting. Chandars plan kon lukken.

'Ik zal doen wat je wilt als je belooft me later te helpen,' besloot hij. 'De grond zal worden gekocht door Amerikanen, die er een bedrijf willen beginnen. Ik weet nog niet precies wat. Ik heb je nodig om hun veiligheid te waarborgen.'

'Tegen een goede prijs.'

Ullah glimlachte. 'Natuurlijk. Tegen een goede prijs.'

Nu ze een akkoord hadden bereikt, stapte de taliban-leider uit en voegde zich bij zijn mannen in het bos. Toen verdwenen ze.

'Naar huis,' beval Ullah.

In gedachten rook hij weer het zoete aroma van schapenvlees dat in de keuken werd gebraden. Het nieuwe plan beviel hem steeds beter; het betekende ook dat hij van een goed middagmaal zou kunnen genieten.

Toen ze terugreden naar de villa ging zijn satelliettelefoon over. Hij nam op en hoorde de stem van Martin Chapman. Hij begroette hem in het Pathaans.

'Ligt u op schema?' vroeg Chapman.

'Uiteraard,' stelde de krijgsheer hem moeiteloos op zijn gemak, denkend aan de ongelovigen die zouden sterven. 'Het zal een mooie nacht worden, tot meerdere glorie van Allah.'

63

Athene, Griekenland

Een frisse bries waaide naar binnen door het open raam en Judd zat met Eva en Tucker aan de tafel in de hotelkamer, haar laptop opengeklapt voor hen. Ze bestudeerden de foto's en de geografische informatie van NSA over het naamloze eiland waarop de Gouden Bibliotheek misschien zou staan.

Er waren rotsachtige aardlagen, brede dalen en glooiende heuvels. Het was vijfentwintig vierkante kilometer prachtige wildernis, op de boomgaarden na en een plateau aan de zuidkant, waarop de drie gebouwen stonden die Robin had beschreven.

'Dat grote gebouw zou de bibliotheek kunnen zijn,' zei Eva. 'Maar als er het hele jaar door twintig mensen wonen, wáár dan? Het lijkt niet groot genoeg.'

Judd scrolde door de kleine foto's op het scherm tot hij er drie vond die het plateau onder een hoek toonden. Hij vergrootte de beelden en koos de beste uit. De resolutie was uitstekend, scherp tot op vijftien centimeter. Ze waren allemaal een uur geleden genomen.

'Vier verdiepingen onder de grond,' zei Tucker. 'Dat beantwoordt de ene vraag. Jammer dat het glas getint is. Je kunt onmogelijk naar binnen kijken.'

'Dat begint erop te lijken. Ik wed dat de bibliotheek daar ergens is,' zei Eva. 'Dat zou optimaal zijn om het zonlicht te weren en de vochtigheidsgraad, de temperatuur enzovoort te controleren.'

Ze hadden al gewapende bewakers in Jeeps zien patrouilleren – dertig mannen, twee in elk voertuig – op de zandwegen die als linten over het eiland liepen en toegang boden tot de afgelegen delen. Judd concentreerde zich op één duo.

'M4-geweren. Ze maken daar geen grapjes. Herken je iemand, Tucker?' Hij liet hem enkele foto's zien.

'Nee, allemaal onbekenden,' zei Tucker. 'Kijk eens naar een van de stranden. Eens zien wat voor andere beveiligingsmaatregelen er zijn getroffen.'

Judd klikte een foto aan en maakte hem steeds groter. 'Daar zijn je bewakingscamera's, Tucker. En kijk... bewegings- en warmtemelders.'

'Schitterend.'

'We hebben eekhoorns en vogels gezien. Zouden die het alarm niet in werking stellen?' vroeg Eva.

'Het systeem kan zodanig worden geprogrammeerd dat het dieren negeert,' legde Judd uit.

Ze analyseerden de andere stranden en kliffen rondom het eiland en vonden overal dezelfde strikte bewaking.

'Het is een fort.' Haar stem klonk moedeloos.

Judd concentreerde zich op de haven, waar een vrachtschip aangemeerd lag. Mannen brachten er kisten naartoe.

'Ze laden iets in.' Eva staarde. 'Ik vraag me af wat dat betekent.'

'Heeft een van jullie waakhonden gezien?' Judd ging verzitten en verdreef de pijnlijke schotwond in zijn zij uit zijn gedachten.

Ze schudden hun hoofd.

'Dat is tenminste iets. Oké, laten we ons richten op het klif onder de gebouwen.'

Ze bestudeerden de foto's.

'Heel steil,' zei Tucker. 'Minstens honderdvijftig meter hoog, lijkt me. Het zou onmogelijk zijn de camera's en de monitors te ontwijken als we zouden proberen naar boven te klimmen.'

'Je hebt gelijk. Laten we de top van het plateau bekijken.'

Judd vergrootte meer foto's, van het zwembad, een picknickplaats en een satellietschotel. Een tuinman gaf planten water op een patio en een vrouw zette emmers met ballen op de tennisbanen. Twee zandwegen, vanuit het oosten en het westen, kwamen samen ten noorden van het complex en gingen over in een betonnen tweebaansweg die naar het zuiden liep, langs een satellietschotel en afdalend onder de oostelijke kant van het hoofdgebouw. Daar stond op het vlakke terrein naast het huis een stapel kisten en kratten. Mannen laadden ze in een busje. De weg naar het oosten volgend zag Judd dat die niet alleen naar het noorden afboog, maar ook naar het zuiden, naar de haven.

'Het zit me niet lekker,' mompelde hij. Hij selecteerde foto's van de buitenkant van de gebouwen.

'Geen monitors,' zei Tucker. 'Ze dachten waarschijnlijk dat niemand ooit dicht genoeg in de buurt zou kunnen komen om een dreiging te vormen. Zoom in op de ramen op de begane grond van het grote huis.'

Dat deed Judd. De ramen strekten zich over de volle breedte rondom het hele huis heen uit en boden uitzicht op zee. Hoge glazen deuren stonden open. Ze zagen twee middelbare vrouwen in witte rok en blouse met dienbladen vol glazen door de woonkamer lopen.

'Geen spoor van Preston,' zei Judd. 'Of van Yitzhak en Roberto.' Toen zag hij meer kisten tegen de achtermuur.

Hij vergrootte de foto's, zoomde in. De stapel was zo hoog en breed, dat het wel een muur leek. Ernaast stonden meubels onder lakens.

Tucker boog zich naar voren. 'Mijn god, ze zijn aan het inpakken om weg te gaan. Stik.'

'Ze zouden morgen weg kunnen zijn,' beaamde Judd. 'We zouden de Gouden Bibliotheek kwijt kunnen zijn.'

Er viel een bezorgde stilte.

'Het zal niet gemakkelijk worden,' merkte Eva op. 'Er zijn veel meer bewakers dan Robin zei. In de Jeeps alleen al dertig.'

'Ze zei dat het jaarlijkse banket vanavond zou plaatsvinden,' bracht Judd haar in herinnering. 'Ze verwachtte meer beveiliging, maar je hebt gelijk... het wordt steeds gevaarlijker. Yitzhak en Roberto worden misschien gegijzeld, dus we moeten hen redden en tegelijk uitvissen wie er achter de moord op mijn vader zit en wat de Gouden Bibliotheek te maken heeft met terrorisme. Wat het ook zijn mag, mijn vader moet gedacht hebben dat het dringend was. En nu staan we extra onder druk omdat de bibliotheek wordt verplaatst. Als we er niet gauw naartoe gaan, vinden we haar misschien nooit meer.'

'Kunnen we Catapult om hulp vragen?' vroeg Eva aan Tucker. 'Of Langley?'

De meesterspion roffelde met zijn vingers op het tafelblad. 'Hudson Canon werkt waarschijnlijk voor de tegenstander, dus hij mag er niet achter komen waar we zijn en wat we van plan zijn. Het is het veiligst niemand te bellen. Maar ik heb een gedeeltelijke oplossing: in Souda Bay op Kreta is een kleine Amerikaanse marinebasis. Dat is niet ver van het eiland. Als daar momenteel niet een van onze paramilitaire teams gestationeerd is, zou Gloria in staat moeten zijn Hudson lang genoeg te ontwijken om aan enkele touwtjes te trekken en er een paar teams naartoe te sturen voor een korte opdracht.'

Judd knikte. 'Mooi zo. We kunnen wel wat hulp gebruiken.'

Tucker pakte zijn mobiel en schakelde hem in. Toen toetste hij een nummer. 'Gloria neemt niet op,' zei hij. Toen in de telefoon: 'Met Tucker. Bel me zodra je mijn bericht hebt ontvangen.'

Judd keek op zijn horloge en fronste zijn wenkbrauwen. 'Gloria weet dat het link is geworden. Zou ze niet sowieso moeten opnemen? Jezus, ze ligt vast thuis in bed. Het is daar midden in de nacht. Ze zou toch wakker geworden moeten zijn.'

'Niet als ze haar mobiel heeft uitgeschakeld,' bracht Tucker hem in herinnering. 'Ik zal mijn mail eens checken.'

Ook Judd zocht in zijn mobiel naar e-mails en toen naar sms-berichten. 'Niets.'

'Kijk dit eens,' zei Tucker grimmig en hij hield het scherm zo dat Judd en Eva het konden lezen.

Canon maakt jacht op je. Ik heb Debi gesproken; ze zei dat hij NSA Judds mobiel en de jouwe laat traceren. Ik stuur dit vanaf een nieuwe BlackBerry. Ongecodeerd. Ik zal hem weggooien. Je bent op jezelf aangewezen. Ontdoe je van die mobiele telefoons! Sorry.

Er viel een geschokte stilte.

'We moeten hier weg.' Judd sprong op.

Eva opende de weekendtas en gooide er dingen in.

'Ik kom terug met mijn spullen.' Tucker rende de deur uit.

Enkele minuten later hadden ze ingepakt. Terwijl Judd het raam opende en omlaag gluurde, stak Tucker zijn hoofd om de deuropening.

'Geef me je mobiel.'

Judd gooide hem naar Tucker. 'Wat ga je...'

Maar Tucker was al verdwenen.

Judd ritste de tas dicht. 'Ik ga eerst,' zei hij tegen Eva.

Hij hing de tas aan zijn schouder en klom op de raamdorpel. Een warme wind floot langs hem heen. Ze waren vijf verdiepingen boven de oprit, die op een smalle steeg leek. Aan de overkant stond een ander hotel, van baksteen en even hoog als het hunne. Het zonlicht viel ertussen, zodat de helft van de oprit in de schaduw lag.

'Kom, Eva.' Hij stak zijn hand naar binnen en voelde haar stevige greep.

Met haar schoudertas op haar rug klom ze voorzichtig naast hem op de raamdorpel.

Ze keek om zich heen. 'Gelukkig is er een brandtrap. Sinds Londen mag ik zeggen dat ik ervaring heb.'

'Ik ben er weer,' zei Tucker binnen, achter hun benen.

Ze schoven opzij en hij hees zichzelf op de dorpel. 'Mijn kamer ligt aan de achterkant en er stond een bus met bagage op het dak, klaar om te vertrekken. Het was een te goede gelegenheid om onbenut te laten. Ik heb de telefoons erop gegooid. Nu zullen ze een bewegend doelwit moeten volgen. Canon laat onze toestellen waarschijnlijk volgen door NSA.'

'Zo winnen we misschien wat tijd,' zei Judd instemmend.

Hij zette een voet op de metalen sport en begon omlaag te klimmen. Hij voelde de brandtrap wiebelen toen Eva en Tucker hem volgden. Hij keek naar hen om.

'Hoe komen we op het eiland?' vroeg Eva.

'Kun je parachutespringen?' antwoordde Tucker.

'Wie, ik?'

'Dat dacht ik al. De veiligste manier is 's nachts met zwarte parachutes en uitrusting. Ik heb een oud-collega in de stad die daarmee kan helpen. Ik hoop dat het banket van de Gouden Bibliotheek voor afleiding zorgt, want het ziet ernaar uit dat we ons in het hol van de leeuw wagen, zonder hoop op ondersteuning.'

Judd voelde een huivering. 'We kunnen je niet meenemen,' zei hij tegen Eva. 'Je bent niet getraind. Veel te gevaarlijk.'

'Je laat me niet achter.' Haar ogen fonkelden. 'Ik spring samen met een van jullie. Je kunt mijn kennis van de bibliotheek misschien gebruiken.'

Tucker nam een besluit. 'Ze heeft gelijk. Dit is te gevaarlijk om het te verpesten.'

Het zat Judd niet lekker. Er schoot een golf van bezorgdheid door hem heen toen hij de derde verdieping bereikte. Toen verstarde hij. De twee mannen die in de metro bij Preston waren geweest, liepen weg van de achterkant van het gebouw, heen en weer kijkend, met hun handen tegen hun oren terwijl ze naar hun telefoon luisterden. Ze hadden hun andere hand in hun zak. Ze hadden nog niet omhooggekeken.

'Stik,' mompelde Eva achter hem.

Judd schudde zijn spieren los. Ze hoorden het geluid van een zware motor en een lange, wit met grijze toeristenbus draaide achter de mannen de oprit op en reed in de richting van de straat. Er klonk een kort claxonsignaal en de twee moordenaars weken uit, naar de kant van het hotel, om de bus te laten passeren. Ze waren nog geen tien meter van hen vandaan.

Judd fluisterde over zijn schouder: 'We sluiten ons aan bij onze telefoons.'

Tucker zuchtte en knikte. Eva keek hem aan en knikte.

Zo geruisloos als hij kon klom Judd verder naar beneden terwijl de bus dichterbij kwam. Maar toen kraakte de brandtrap boven hem. Bij het geluid keken Prestons mannen tegelijkertijd op. Hun pistolen verschenen in hun handen terwijl de toeristenbus onder de brandtrap rolde.

'Springen!' Judd liet zich vallen en landde hard op twee platte canvas koffers.

Terwijl hij eraf rolde, sprongen Eva en Tucker op de achterkant van de bus. Ze doken weg tussen de stapels bagage. Kreten volgden de bus toen die de straat in draaide.

'Alles goed?' vroeg Judd onmiddellijk.

Ze knikten, draaiden zich om en keken naar het hotel. Preston rende gesticulerend door de voordeur naar buiten. Een busje scheurde met gierende banden naar de trottoirband en hij sprong erin. De schommelende bus was geen racemonster en Preston zou hen weldra inhalen.

'Is dat wie ik denk dat het is?' Tucker had naar de spijkerbroek en het zwarte jack gekeken.

'In hoogsteigen persoon,' zei Judd. 'Die klootzak van een Preston.'

'O, verdomme,' zei Eva. 'Wat doen we nu?'

'Improviseren. Kom.' Judd kroop naar de trottoirzijde van de bus.

Ze reden een helling af, langs Platia Exarchia. Langs de laan stonden winkels, restaurants, hotels en kantoorgebouwen.

'Ik ken deze omgeving,' zei Eva. 'Zie je dat grote gebouw in het volgende blok? Daar moeten we heen. Het is een parkeergarage.'

Ze keken om. Er reed slechts één auto tussen hen en Preston.

'Weet je,' zei Tucker, 'ik ben het beu. Jullie gaan naar de parkeergarage. Ik neem Preston voor mijn rekening. Ik haal jullie wel in.' Hij trok zijn browning.

Toen ze de parkeergarage naderden, kwam Tucker net genoeg overeind om vanuit het busje gezien te kunnen worden. Hij schuifelde over de bus naar de straatkant. Over de bagage heen zag Judd dat het busje naar de andere rijbaan zwenkte om dichter bij Tucker te zijn.

'Maar hij is zo oud!' zei Eva bezorgd.

'Als maar een tiende van wat ik over hem heb gehoord klopt, kan hij zichzelf meer dan redden.'

Terwijl Tucker zijn pistool richtte, draaiden ze zich weer om naar de parkeergarage. Bij het gebouw ervoor pakten ze de reling boven op de bus vast en lieten zich met bungelende benen zakken, sprongen en wankelden. Boven hen en uit het busje aan de andere kant klonk een salvo. De bus waggelde. Judd ving een glimp op van verbaasde en toen geschrokken gezichten toen de inzittenden hem en Eva zagen. Ze draaiden hun hoofd om om door de bus heen in de richting van de schoten te kijken.

Judd trok zijn Beretta en rende naar de bestuurderskant van een auto die juist de garage binnenreed.

'Geef me de sleutels,' eiste hij terwijl Eva zich op de passagiersstoel liet glijden.

De bestuurder werd lijkbleek. Zijn gebalde vuist ging open en de sleutels gleden eruit.

Judd ving ze op. Hij hoorde het harde geluid van een botsing en zag dat het busje van Preston een auto op de tegemoetkomende rij-strook had geraakt. Tucker liet zich van de achterkant van de bus glij-den, struikelde en rende over het trottoir in hun richting. Zijn ver-weerde gezicht toonde een grimmige lach.

Judd opende het achterportier en sprong toen achter het stuur. Hij gaf gas. Hijgend viel Tucker op de achterbank en knalde het portier dicht.

'Heb je Preston omgelegd?' vroeg Judd.

'Ik weet het niet,' gromde Tucker. 'Maar er zitten zoveel gaten in het dak van dat busje, dat het wel een Zwitserse kaas lijkt.'

'Rij rechtdoor,' commandeerde Eva. 'Deze parkeergarage heeft een uitgang aan de volgende straat. Ze vinden ons nooit.'

Tot de volgende keer, dacht Judd, maar hij zei niets. Hij gaf plank-gas.

64

Het eiland Perikles

Om vier uur 's middags vlogen de acht leden van de boekenclub in een comfortabele Bell-helikopter naar het eiland Perikles. Hoewel de wieken luidruchtig maalden en het toestel trilde, genoot Martin Chapman met volle teugen. Hij had voordat ze vertrokken met Syed Ullah gesproken en een positief verslag gekregen. Het nieuws over het succes van de krijgsheer in Khost zou hem tijdens het banket bereiken.

De helikopter cirkelde rond en Chapman keek naar de welige, met tijm begroeide heuvels, de statige olijf- en palmbomen, de wilde inheemse kruiden. Hectaren bloeiende citrusgaarden strekten zich uit over de hellingen. Glinsterende watervallen stortten zich in ravijnen. In zichzelf glimlachend nam hij de witte kiezelstranden, de verlaten baaien en de dramatische kliffen in zich op en genoot ervan dat dit geheime shangri-la eigendom was van alleen hem en enkele anderen.

Het toestel vloog laag over het zuidelijke strand en over de haven, waar het vrachtschip werd ingeladen, en toen door het dal omhoog naar het plateau, lager dan de omringende heuvels. Daarop stond het Gouden Bibliotheek-complex, een halve eeuw geleden gebouwd. Eronder waren vier lange verdiepingen met getint glas, diep in de steile helling gebouwd, vanboven af nauwelijks zichtbaar en moeilijk te zien vanaf het strand. Het meeste van wat er in het complex gebeurde, gebeurde ondergronds.

Het toestel landde op het heliplatform en Chapman stapte uit, gevolgd door de boekenclub. Diep bukkend om de rondtollende wieken te vermijden haastten ze zich weg. Op datzelfde moment gaf Preston een teken en een gelijk aantal lijfwachten rende naar hen toe. Elk van hen nam de tas en de aktetas van een van de leden over.

Er hing een gevoel van gespannen afwachting in de zilte zeelucht toen de acht mannen naar de gebouwen liepen, gevolgd door Preston en de lijfwachten.

'Verdomd jammer dat we vanavond geen bibliothecaris hebben,' zei Brian Collum terwijl hij zijn zonnebril rechtzette.

'Het is inderdaad uiterst betreurenswaardig dat we geen toernooi houden,' beaamde Petr Klok. 'Ik zal het enorm missen. Ik heb me twee dagen voorbereid met de tolken.'

'Verzin iets, Marty,' beval Maurice Dresser, het oudste lid. De autoritaire Canadese oliemagnaat beende vooruit; de hete zon kleurde de huid op zijn schedel roze onder zijn dunne zilvergrijze haren. 'Dat is een bevel.'

De anderen keken Martin Chapman goedgehumeurd aan, maar nu Charles Sherback en Robin Miller – hun enige bibliothecarissen – geëlimineerd waren, was er geen sprake van dat het toernooi kon doorgaan.

'Ja, Marty, het is jouw probleem,' zei Reinhardt Gruen effen.

'Absoluut,' zei Martin Chapman, al even joviaal. Toen kreeg hij een idee. 'Voor het onmogelijke draai ik mijn hand niet om. Daarom hebben jullie me directeur gemaakt.'

'Ik moet iets drinken... en ik wil het menu zien, dan kan ik alvast beginnen te watertanden,' zei Dresser over zijn schouder. 'En wie wil er daarna een potje tennissen?'

Ze betraden het gazon rondom het complex met zijn rijen rozen. De drie eenvoudige witte gebouwen met hun Dorische zuilen, schitterend in het zonlicht, stonden erbij als een Grieks eerbetoon aan het verleden. Het olympische zwembad glinsterde. De tennisbanen waren verlaten, maar blijkbaar niet voor lang. Achter het complex stond een enorme satellietschotel, de verbinding tussen het eiland en de buitenwereld. Ooit was er een dorp geweest op het plateau en de omringende heuvels, waarvan de hoogwaardige zoutmijnen de belangrijkste bron van inkomsten waren geweest. Maar de mijnen waren uitgeput en afgezien van het vaste personeel werd het eiland nu slechts bewoond door knaagdieren, meeuwen, flamingo's en andere vogels.

'Verdomme, ik zal dit missen,' zei Collum.

'Wie niet?' viel Grandon Holmes hem bij. 'Jammer dat de bibliotheek moet verhuizen. Maar goed, ik heb altijd van de Alpen gehouden.'

'We wisten dat deze dag ooit zou komen,' bracht Chapman hen in herinnering.

Zwijgend passeerden ze twee huizen. In een ervan had Charles Sherback gewoond, het andere was van Preston. Ze betraden het grote hoofdgebouw, dat rondom een spiegelend, door palmen omzoomd zwembad lag. Chapman bleef staan om nog één keer van de aanblik te genieten. Alles was zoals tijdens zijn vorige bezoek. Het huis was ingericht met Grieks meubilair en aan de muren hingen kostbare schilderijen uit heel Europa. Kroonluchters van Venetiaans glas fonkelden aan smeedijzeren kettingen vanaf het hoge plafond. Hier en daar stonden antieke Griekse beelden en vazen op de glanzende vloer van wit marmer, gedolven op de Penteliberg bij Athene. Een manshoge open haard van hetzelfde marmer strekte zich uit aan het uiteinde van de kamer. De lucht was koel, dankzij het reusachtige klimaatbeheersingssysteem onder de grond. Mannen brachten meubels uit andere kamers naar de lift en naar beneden, waar ze op vrachtwagens werden geladen en naar het vrachtschip gebracht.

De gastenverblijven waren op deze verdieping, in drie van de vleugels rondom het glinsterende zwembad. De boekenclub verdeelde zich in twee groepen, die elk naar een andere vleugel en hun vaste kamers gingen. Chapman betrad de zijne, op eerbiedige afstand gevolgd door zijn lijfwacht.

Hij zag hem binnenkomen. 'Je bent nieuw.'

De man had een gebruind gezicht, maar Chapman herkende het niet.

'Ja, meneer. U bent Martin Chapman. Ik heb een artikel over u gelezen in *Vanity Fair*, het artikel over uw grote aandelenruil om Sheffield-Riggs te kopen. De financiering was een pareltje. Mijn naam is Harold Bustamante. Preston heeft me vanmorgen met twee anderen vanaf Mallorca hierheen gebracht.'

Mallorca was een bekende woonplaats voor rijke, onafhankelijke huurlingen. De man was stevig gebouwd, aan zijn manier van bewegen te zien atletisch, en hij had dicht bruin haar met grijze strepen aan de slapen. Er hing een pistool op zijn heup. Hij was begin vijftig, schatte Chapman, en had iets stijlvols – verfijnde trekken, rijzig postuur, eerbiedig zonder onderdanig te zijn. Chapman mocht dat wel.

'Ben je een uitzendkracht?' vroeg hij.

'Alleen voor de twee dagen dat u hier bent. Ik heb jarenlang over Preston horen spreken, dus ik tekende uiteraard toen ik met hem kon werken. Ik wist niet dat ik het voorrecht zou hebben ook voor u te werken, meneer Chapman.'

Preston verscheen in de deuropening. 'Geef mij maar.' Terwijl Bustamante vertrok, legde hij de koffer op de serveertafel en de aktetas op het bureau.

Chapman liep naar het raam. Hij keek naar buiten en dronk het uitzicht in van de lucht, het door de wind gebeeldhouwde eiland en de onmogelijk blauwe zee. Toen Preston hem het menu gaf, liet hij zijn blik over het zevengangendiner glijden.

'Uitstekend,' zei hij. 'Je hebt voorbereidingen getroffen om de gebouwen op te blazen zodra we weg zijn?'

'Ja. Ik schat morgenmiddag. Tegen de tijd dat we klaar zijn, zullen alle bewijzen dat de bibliotheek of wij hier ooit geweest zijn, zijn uitgewist.'

Chapman knikte. 'Nog problemen op het eiland?'

'Geen enkel. De koks en het eten zijn aangekomen. Ze zijn de hele dag in de keuken geweest. Een paar luidruchtige discussies, maar nog geen serieuze ruzies – misschien kom ik er dit jaar goed vanaf. Het zilver is gepoetst. Het kristal glinstert. De wijn is gedecanteerd. De bibliotheek heeft er nog nooit zo goed uitgezien. Ik heb meer dan de gebruikelijke extra bewakers aangenomen. In totaal vijftig. Iedereen is op zijn post en weet wat hem te doen staat.'

'Mooi. Stuur de tolken naar mijn kantoor en zeg dat ze wachten. Ik moet ze spreken, nadat ik een paar telefoongesprekken heb gevoerd.' Hij keek Preston aan en zag een vage rode striem op zijn wang. 'Nog nieuws over Judd Ryder en Eva Blake?'

'Ik had ze in Athene opnieuw bijna te pakken. Het scheelde maar een haar.'

Chapman wees. 'Is je gezicht daar zo toegetakeld?'

Preston bracht zijn hand naar zijn gezicht en grijnsde. 'Zoals ik al zei, het scheelde maar een haar. Nu weet ik waarom we Tucker Andersen niet konden vinden: hij is bij hen. Hudson Canon hoorde dat ze het eiland zoeken, aan de hand van onze coördinaten.'

'Jezus! Dan zullen we er rekening mee moeten houden dat ze hierheen komen.' Hij dacht even na. 'Anderzijds, de ene is een amateur en de andere heeft zijn beste tijd gehad. Je hebt vijftig goed getrainde mannen tot je beschikking. Misschien is op het eiland met ze afrekenen uiteindelijk de beste oplossing. Ze zullen domweg verdwijnen en Langley zal nooit weten wat er met ze is gebeurd, of waar.'

65

Langley, Virginia

De achtste verdieping van het oude CIA-hoofdkantoor bruiste om negen uur 's morgens van activiteit. Achter de gesloten deuren waren de kantoren van de directeur van de Central Intelligence en andere topfunctionarissen van de spionagedienst, plus vergaderzalen en centra voor speciale operaties en ondersteuning. Gloria Feit liep haastig door de gang, langs stafleden met aktetassen, plastic klemborden en mappen met kleurcodes. Er hing een gevoel van urgentie in de lucht. Meestal vond ze het spannend om hier te zijn, maar ditmaal waren haar gedachten bij mislukte operaties... en de daaraan verbonden kosten.

Hudson Canon had gezegd dat ze de nacht moest besteden aan nadenken over Tucker Andersen en de Gouden Bibliotheek-missie, maar dat zou ze sowieso hebben gedaan. Ze had gewoeld en rondgelopen tot het licht werd.

Bezorgd ging ze de kantoorsuite van Matthew Kelley binnen, het hoofd van Clandestine Service.

Zijn secretaresse keek op van haar bureau. 'Hij verwacht je.'

Gloria klopte aan en een krachtige stem antwoordde: 'Kom binnen.'

Toen ze zijn ruime kamer betrad, vol boeken, familiefoto's en ingelijste CIA-oorkonden, stond Matt glimlachend op achter zijn kostbare bureau. Hij was een lange man met een hartelijk, gegroefd gezicht die indertijd de volmaakte spion had geleken: onopvallend, slonzig, bijna onzichtbaar. Nu hij een wat publiekere functie had, kon hij zijn smaak tonen. Hij was vandaag gekleed in een afkledend maatpak en een wit overhemd met manchetten. Met zijn hoekige gezicht en de zweem van roofzucht waarop hij vroeger had vertrouwd, zag hij eruit alsof hij rechtstreeks van de modepagina van een mannenblad was gestapt.

Ze gaven elkaar een hand. 'Goed je te zien, Gloria. Het is even geleden. Hoe is het met Ted?'

Hij gebaarde en ze gingen aan de salontafel aan de andere kant van zijn kantoor zitten. Hij nam een leren fauteuil en zij koos de bank.

Ze wisselden slechts even persoonlijke informatie uit en toen kwam

Matt ter zake. 'Je hebt een probleem. Wat is het?'

'Heb jij de Gouden Bibliotheek-operatie afgelast?' vroeg ze.

'Ja. Tucker heeft een horzel onder zijn zadel, meer niet.'

'Zou Hudson je normaliter bij het besluit betrekken?'

'Natuurlijk niet. Maar het was een troeteloperatie van Cathy en hij wilde er zeker van zijn dat ik erachter stond.' Hij fronste zijn wenkbrauwen. 'Wat is je punt?'

'Wat zou je zeggen als ik je vertelde dat ik begin te denken dat Cathy's auto-ongeluk geen ongeluk was?'

Matt verstarde. 'Vertel op.'

Een halfuur lang beschreef Gloria de gebeurtenissen waarvan ze op de hoogte was of die ze eerder die morgen had ontdekt door de e-mails en aantekeningen van Tucker en Cathy door te nemen. 'Nadat Tucker Catapult had verlaten, werd ik door hem gebeld. Hij had juist een huurmoordenaar gevangengenomen in de Capitol Hill Market. Terwijl ik die huurmoordenaar ophaalde, vertrok Tucker naar Athene om zich bij Ryder en Blake aan te sluiten.'

'Je denkt dat Hudson iemand heeft gewaarschuwd. Daarom was die huurmoordenaar daar, om Tucker uit te schakelen.'

'Ja.'

Matt dacht na. 'Het is op zijn best flinterdun bewijs tegen Hudson. Huurmoordenaars hadden bij toerbeurt dagenlang bij Catapult kunnen wachten tot Tucker verscheen.'

'Maar hoe heeft de boekenclub Ryder en Blake in Istanbul gevonden? De enige verklaring was volgens Tucker dat iemand binnen Catapult het hun had verteld. De enige die het wist, was Hudson Canon.'

'Dat wijst naar Hudson, maar alleen als Tucker gelijk heeft.' Matt veranderde van onderwerp. 'Het is verdomme niet niks, Gloria, die huurmoordenaar op eigen houtje opsluiten in de kelder.'

Ze stak haar kin naar voren. 'We hebben een mol binnen Catapult. De operatie moet beschermd worden. Die knaap zit daar prima. Ik heb hem met zijn handen en benen aan een zware stoel geboeid. Hij krijgt drie maaltijden per dag, meer dan een heleboel anderen.'

'Een bureaubaan heeft je geen spat veranderd.' Hij zuchtte. 'Oké, ik wil die huurmoordenaar spreken.' Hij pakte de telefoon die op de salontafel lag en keek haar aan. 'Ik zal het Hudson moeten vertellen. Hij kán onschuldig zijn.'

Ze kreeg een brok in haar keel. '"Flinterdun bewijs." Ik begrijp het.'
Hij draaide. 'Hallo, Hudson. Met Matt. Gloria zit bij me in mijn
kantoor. Ze vertelt me dat ze een tweebenige bron heeft opgesloten in
de kelder van Catapult.' Hij hield de telefoon een stukje van zijn oor
en Gloria hoorde een stroom luide verwensingen. Toen ging hij verder: 'Over disciplinaire maatregelen hebben we het later. De man is
een huurmoordenaar. Hij had het op Tucker gemunt. We moeten hem
ondervragen. Laat hem door twee van je mensen naar Langley brengen. Ik wil hem onmiddellijk hier hebben.'

'Zeg hem dat de sleutels van het souterrain op mijn bureau liggen,'
zei Gloria.

Matt zuchtte en zei in de telefoon: 'De sleutels liggen op haar bureau. We moeten praten. Ik wil dat je meekomt. Ik ben in mijn kantoor.'

'We moeten Tucker helpen,' zei Gloria zodra hij de verbinding had
verbroken. 'Ik heb navraag gedaan bij het communicatiecentrum van
Catapult. Het blijkt dat Blake, Ryder en hij onderzoek hebben gedaan
naar een privé-eiland in de Egeïsche Zee. Ik vermoed dat de Gouden
Bibliotheek daar staat, en dat betekent dat ze er binnenkort naartoe
zullen gaan. Misschien zijn ze al onderweg. Maar we hebben een marinebasis op Kreta. We kunnen er luchtlandingstroepen naartoe sturen.' Ze keek op haar horloge. Het was bijna zes uur 's avonds in Griekenland.

Matt liet zich niet opjagen. 'Je zou gelijk kunnen hebben. Maar
eerst het belangrijkste: Hudson en de huurmoordenaar. Als Hudson
de mol is, moet hij een opdrachtgever hebben. Die kan de informatie
hebben die we nodig hebben. Bekijk het eens zo: misschien is Tucker
niet van plan naar dat eiland te gaan. Misschien is het het verkeerde
eiland of misschien is er iets gebeurd waardoor hij van gedachten is
veranderd. Kun je hem bereiken?'

Ze schudde bezorgd haar hoofd. 'Ik hoop dat de huurmoordenaar
of Hudson meer weet dan ik. Zo niet, en tenzij Tucker het risico wil
nemen om me te bellen of te mailen, dan staan hij en de anderen in
de kou.'

'Het spijt me, maar ik ga geen privé-eiland op Grieks grondgebied
binnenvallen als ik niet iets heel concreets heb. Het laatste wat Langley kan gebruiken is een internationaal incident. We zullen op Tuckers gezonde verstand moeten vertrouwen... en zijn geluk.'

Washington D.C.
Hudson Canon kon nauwelijks ademhalen. Hij draaide weg van zijn bureau, boog zich voorover en sloeg met een vuist in zijn handpalm. Tandenknarsend wierp hij zijn hoofd in zijn nek en bleef slaan. Ten slotte ebde de angst weg. Hij ging rechtop zitten en haalde diep adem.

Toen belde hij Reinhardt Gruen. 'We hebben een probleem.' Hij vertelde over het telefoontje van Matt Kelley in Langley. 'Hoeveel weet die huurmoordenaar?' Toen, dwingend: 'Weet hij van míj?'

Het bleef even stil. Opgelucht hoorde hij een geruststellende kalmte in de stem: 'Het is niet het einde van de wereld, beste vriend,' zei Gruen. 'Die moordenaar is anoniem ingehuurd. Hij kan ons of jou onmogelijk traceren. Doe wat je baas zegt. Ga met de huurmoordenaar en je mensen naar Langley en speel de grote spionnenchef die je bent. Er kan je niets gebeuren.'

Het eiland Perikles
Woedend vanwege het geknoei in Washington stak Reinhardt Gruen de hand met zijn mobiele telefoon uit. Zijn bediende op het eiland Perikles nam hem onmiddellijk aan en verving hem door een dikke handdoek. Gruen droogde zich af en liep weg van het zwembad.

'Geef je het nu al op?' riep Brian Collum hem uitdagend achterna. 'Nog één wedstrijdje. Wat zeg je ervan, Reinhardt? Kom op, man. Kom op!'

'Verdomde Amerikanen,' mopperde Gruen binnensmonds. 'Hou je broek maar aan. Ik ben zo terug.'

Hij vond Martin Chapman in diens kantoor aan zijn bureau, te midden van sokkels waarop klassieke marmeren beelden stonden die hij in Griekenland had verzameld. Achter hem stonden de vier tolken van de bibliotheek, twee mannen en twee vrouwen, gekleed in smoking om in te kunnen bedienen tijdens het banket. Het waren allemaal wetenschappers, met grijzend haar en de afhangende schouders van mensen die te lang over boeken gebogen hebben gezeten. Hun expertise was essentieel om de boekenclub van de bibliotheek te laten genieten en ze werden dan ook met een zekere eerbied behandeld. Dat gold nog sterker voor de bibliothecarissen... tenzij hun loyaliteit in twijfel werd getrokken.

Gruen toverde een glimlach op zijn gezicht. 'Ik zie dat je samenzweert met onze geweldige tolken, Martin. Ben je toevallig klaar? Ik zou je willen spreken.'

Chapman legde twee vellen papier op zijn bureau en legde zijn hand er bezitterig bovenop. 'Ja, ze hebben juist iets voor me gedaan en me een goed rapport gegeven. Het archief van de bibliotheek is al aan boord. Zodra het banket is afgelopen, pakken ze hun persoonlijke spullen in. Ze zullen klaar zijn om bij het aanbreken van de dag te vertrekken.'

'Mooi, mooi.' Gruen stapte opzij om hen door te laten. Toen de deur dicht was, zei hij nors: 'Ik ben net gebeld door Hudson Canon in Washington.' Hij liet zich in een fauteuil vallen. 'De huurmoordenaar die door Preston is gestuurd, zit opgesloten in Catapult en wordt dadelijk naar Langley gebracht. Canon heeft opdracht met hem mee te gaan. Ik heb gezegd dat hij niet ontmaskerd kon worden en hem gekalmeerd. Hoe zit het echt?'

Chapman trok een gezicht. 'De huurmoordenaar weet dat Preston hem heeft ingehuurd. Verdomme! Wanneer houdt het nou eens op?' Hij streek door zijn haren. 'We rekenen met Andersen, Ryder en Blake af als ze erin slagen het eiland te bereiken. Maar we kunnen niet toestaan dat de moordenaar of Canon naar Langley gaat.' Hij graaide zijn telefoon van zijn bureau en toetste een nummer in. 'Preston, ik heb je nodig. Nu!'

Washington D.C.
De ochtendspits was druk toen Michael Hawthorne met de enige gepantserde auto van Catapult de stad uit reed en de brug over de Potomac op. Hudson Canon zat naast hem, zijn armen over elkaar geslagen en vechtend tegen zijn zenuwen terwijl hij bedacht wat hij tegen Matt zou zeggen. Op de achterbank zat de geboeide huurmoordenaar en naast hem hield Brandon Ohr met een geweer de wacht. De twee jonge geheim agenten waren blij dat ze hun bureau in Catapult even konden verlaten, al was het nog zo'n flutopdracht.

'Ik hoor dat Debi een nieuwe vriend heeft,' zei Michael.

'Heeft ze je ooit die dodelijke blik van haar toegeworpen?' vroeg Brandon. 'Mijn god, wat een vrouw.'

'Zeg dat wel. Wat een...' Hij zweeg. 'Zie jij wat ik zie?' Hij keek in zijn achteruitkijkspiegel.

'Ik had hem al in de gaten. Een zwarte Volvo, zo zwaar als een tank. Net dichterbij gekomen. Andere rijbaan,' zei Ohr op de gebruikelijke neutrale toon van een beroepsspion die met problemen wordt geconfronteerd.

Canon draaide zijn hoofd om en keek door de achterruit. De Volvo zat vlak achter hen, slechts drie meter van hun achterbumper. Links van hen reed snel rijdend verkeer, aan de andere kant flitste de vangrail voorbij... en diep onder hen was de snelstromende Potomac.

Zonder zijn richtingaanwijzer uit te zetten gaf Hawthorne een ruk aan het stuur en het busje zwenkte naar de veilige linkerrijbaan.

Maar opeens klonk er lang, luid getoeter. Een monsterlijke vrachtwagen verscheen achter hen en wilde passeren; de grote cabine torende boven hen uit. Hawthorne gaf ogenblikkelijk gas, duwde hun bus in het gat vóór hen en haalde de rode pick-up in die vlak voor hen de brug op was gereden. Canon zag dat Hawthorne, als ze het haalden, de bus naar de linkerrijbaan kon sturen en de grote truck voor kon blijven.

Maar bijna op hetzelfde moment flitsten er remlichten op en bleven branden. De pick-up remde af. En de truck hield hen bij terwijl de Volvo achter hen zat.

Terwijl Ohr het raam omlaag draaide en zijn geweer hief, snauwde Canon tegen Hawthorne: 'We zitten in de val. Het kan me niet schelen wat je doet, maar haal ons hier vandaan!'

Voordat Hawthorne kon antwoorden, ramde de grote cabine van de truck de zijkant van het busje. Het slingerde. Canon werd tegen zijn gordel gesmeten en toen diep in de harde stoel. De raamdorpel met één hand beetpakkend vuurde Ohr een lang salvo af met zijn geweer en de kogels drongen door het linkerportier van de torenhoge cabine. Onmiddellijk stampte Hawthorne het gaspedaal in en ramde de achterkant van de pick-up.

Te laat. De cabine ramde de bus opnieuw en drukte door. Hawthorne vocht met het stuur en probeerde terug te duwen, maar eerst centimeter voor centimeter en daarna met decimeters tegelijk werd de bus opzij geduwd. Canons keel werd droog toen hij in het water keek.

Er klonk een krijsend geluid van metaal op metaal toen de bus langs de vangrail schampte. Vonken spatten langs zijn raam. De truck gaf de bus een laatste zet en opeens braken ze door de vangrail en zeilden door de lucht. Canons hart ging als een razende tekeer. Hij gilde en de bus dook voorover in de Potomac.

66

Het eiland Perikles

Gedompeld in maanlicht rees het privé-eiland van de Gouden Bibliotheek plotseling op uit de donkere zee, met zijn hoge, ontoegankelijke richels en zijn diepe, angstaanjagend donkere dalen. Judd bestudeerde het vanuit het raam van de Cessna Super Cargomaster, bestuurd door Tuckers vriend Haris Naxos. Met gedoofde lichten cirkelde het toestel rond en het zou dadelijk naar springhoogte klimmen, drieduizend meter.

De tijd was verstreken en ze gingen er zonder ruggensteun op af. Ze waren allemaal hyperalert en praatten niet over het gevaar.

'Daar is de sinaasappelboomgaard en de landingsplek die we gekozen hebben,' zei Eva.

Eva en Judd zaten naast elkaar op banken langs de zijwanden van het vrachtruim. Net als Tucker, die op de stoel van de copiloot zat, droegen ze een zwarte overall en een helm. Om hun hals hing een infraroodbril en hun gezicht was ingesmeerd met zwarte camouflageverf. Ze hadden niet alleen hun pistool meegenomen, dat in een holster op hun heup hing, maar Judd en Tucker hadden ook granaten en een ingeklapte uzi aan hun benen gebonden. Tucker had een kleine parachute op zijn rug en Judd een grotere, met een groter scherm, dat zijn gewicht en dat van Eva kon dragen. Verder droegen de twee mannen een rugzak met materieel. Eva had niets op haar rug omdat ze aan Judd vast zou zitten, vóór hem.

Judd knikte. 'Ja, dat moet lukken.' Hij zat vol pijnstillers en voelde alleen een doffe pijn in zijn zij.

Ze hadden de koplampen van de Jeeps geobserveerd die over het eiland reden en naar patronen gezocht. Een ervan was langs de sinaasappelboomgaard gereden. Nu, een halfuur later, passeerde er een tweede.

'Hoe is het met de luchthelderheid, Haris?' vroeg Tucker terwijl het toestel klom.

'Geen verandering. Ziet er goed uit voor een sprong.' Haris Naxos was grijs, hoekig en taai, maar hij deed af en toe nog losse klussen. 'Je bent geen springbok, Tucker. Nachtelijke sprongen zijn gevaarlijk. Wees voorzichtig.'

'Ik weet het. Je hebt oude springers en waaghalzen, maar je hebt geen oude waaghalzen.'

Haris lachte, maar hij was de enige. Judd bedacht zoals steeds wat hij zou doen als de parachutes niet open zouden gaan, de lijnen in de war zouden raken, de tientallen dingen die mis konden gaan.

Even later vroeg Haris: 'Herinner je je alles wat ik heb gezegd, Eva?' Hij had haar een halfuur geïnstrueerd en een video-opname laten zien van tandemspringen in zijn hangar op de luchthaven van Athene. Hij had een springschool en een vliegtuigverhuurbedrijf.

'Reken maar dat ik niets vergeet.' Er klonk een vleugje nervositeit in haar stem.

'Uitstekend. Dan kan ik nu melden dat we op springhoogte zijn en de dropzone naderen.'

Judd en Eva stonden op. Ze draaide zich om en hij gespte hun harnassen aan elkaar en trok eerst het zijne en daarna het hare strak tot haar rug stevig tegen zijn borst zat. Ze was gespannen. Haar rozenwatergeur vulde zijn gedachten; hij zette het haastig van zich af.

'Oké?' vroeg hij kort.

'Oké.'

Ze zetten hun infraroodbril op en Tucker kwam het vrachtruim binnengekropen. 'Ik doe de deur open.'

Hij bewoog behendig, met geconcentreerde blik. Terwijl Judd en Eva zich vasthielden aan lussen, deed hij de deur van het slot, draaide aan de klink en duwde. Koude lucht gierde naar binnen.

Judd schakelde de hoogtemeter in die in zijn helm gemonteerd was, met het afleesscherm makkelijk leesbaar vanuit zijn ooghoek, en plaatste Eva zodanig dat ze naar de cockpit keken. Hun rechterzijden waren slechts enkele centimeters van de zwarte afgrond.

'Spring!' riep de piloot.

'Probeer ervan te genieten, Eva,' fluisterde Judd.

Voordat ze iets kon zeggen, kantelde hij met haar uit het vliegtuig. Abrupt waren ze in vrije val, met een snelheid van meer dan tweehonderdveertig kilometer per uur, hun armen en benen uitgestrekt als vleugels. De zijdezachte lucht omhulde hen en ze had niet het gevoel dat ze vielen: de luchtweerstand gaf een gevoel van gewicht en richting. Terwijl hij hun positie boven het eiland checkte, genoot Judd van de opwindende sensatie van volledige vrijheid.

'Dit is een van de zeldzame momenten waarop je voelt hoe het is om een vogel te zijn,' zei hij. 'We kunnen alles wat een vogel kan... behalve weer naar boven gaan.'

Toen Tucker uit het vliegtuig sprong, manoeuvreerde Judd tot ze als een bal in de lucht hingen. Hij liet haar een salto maken en trok haar toen weer recht, rolde hen op hun zij, hun rug en weer terug, vrij ronddraaiend. Hij voelde dat ze nog meer gespannen werd en toen slaakte ze een vrolijke lach.

Weer normaal afdalend reikte hij achter haar en opende de remparachute; de lijnen en het kleine scherm staken zwart af tegen de sterren. Tot zover ging alles goed. De remparachute vertraagde hun vrije-valsnelheid van twee mensen tot die van één enkele skydiver. Hij zag dat Tucker knikte ten teken dat ook zijn uitrusting functioneerde.

Op zevenhonderdvijftig meter trok Judd aan een pen en de opberghoes viel open en liet het grote scherm los, een zwarte *parafoil*. Hij ving de wind en spreidde zich uit in de vorm van een lange, gebogen wig. Er waren enkele seconden van intense vertraging en toen daalden ze met zo'n achttien kilometer per uur af. Hij bestudeerde de omgeving onder hen. Zag het bos van citrusbomen, de open vlakte vol onkruid en rotsblokken in tinten groen door zijn infraroodbril en het lange ravijn in het zuiden. Er reed net een Jeep langs de bomen, dus ze hadden ongeveer een halfuur voordat de volgende kwam. Het grootste directe risico was een gebroken enkel, ervan uitgaande dat ze de bomen en de rotsblokken misten.

Terwijl ze horizontaal steeds verder afdaalden, trok hij aan de lijnen om bij te sturen. Tot dusver verschenen er geen koplampen meer bij de dropzone.

Op dertig meter voelde hij een krachtige neerwaartse trekstroom en het was alsof ze in een zwartgroen gat doken. Eva spande haar spieren weer. Hij trok aan de lijnen om bij te sturen en ze gleden geruisloos. Tevredengesteld gebruikte hij zijn lichaam om haar rechtop te brengen en zijn knieën om de hare in hurkzit te duwen. Ze zwierden tussen grote rotsblokken en landden hard, kwamen struikelend tot stilstand vlak voordat ze de weg langs de bomen bereikten. Hij voelde dat ze naar adem hapte.

'Je hebt het geflikt.' Hij maakte de riemen die hen verbonden los. 'Goed werk. En laten we nu maken dat we wegkomen.'

Hij maakte de remparachute en de parafoil los en ze renden weg.

Terwijl ze de schermen opraapten, kwam Tucker laag aanzeilen. Hij rukte aan zijn lijnen en miste op een haar na een bijna manshoog rotsblok. Hij landde met gebogen knieën, struikelde en hervond ten slotte zijn evenwicht.

Toen hij stilstond, hief hij zijn hoofd op. 'De pot op, Haris. Er zit nog volop leven in deze oude springbok.'

'Alles ging goed,' zei Eva opgewonden. 'De parachutes gingen open. Niemand heeft een been gebroken. Ik zou eraan kunnen wennen.'

Toen klonk er een vogel in de bomen. Ze hoorden geritsel in de boomgaard, snelle bewegingen.

'Stik.' Judd trok zijn Beretta. 'Ze hebben ons opgewacht. Rennen.'

Met hun wapens in de hand renden ze over de harde grond naar het ravijn. Judd keek om en zag zes in het zwart geklede mannen die onder de bomen uit kwamen, een M4 in de aanslag. Ze hadden infraroodbrillen op. Al rennend vuurden ze lange salvo's af. De kogels floten en drongen in aarde en rotsen. Tucker gromde. Een kogel schampte Judds oor. Ze lieten zich op de grond vallen. Judd wees en Eva kroop naar de beschutting van een hoog rotsblok. Tucker en hij volgden.

In het zuidwesten gingen de koplampen van een Jeep aan en het voertuig scheurde over de weg in hun richting. De lucht trilde van het geluid van rennende voeten en het grommen van de motor.

'Jezus,' gromde Tucker. 'Ik heb de pest aan hinderlagen.'

'Ben je geraakt?' Judd keek naar Tucker en inspecteerde toen Eva's zwart gemaakte gezicht, zag de gespannen trek om haar mond. Ze leek ongedeerd.

Tucker schudde zijn hoofd. 'Niks aan de hand. Mooie snee in je oor, Judd. Blij dat ze je hersens niet geraakt hebben. Het ravijn is vlakbij. Eva, we geven je dekking. Zodra we beginnen te schieten: blijf laag bij de grond, maar ren als een gek. Lukt dat?'

'Natuurlijk.' Ze ging op haar hurken zitten.

De twee mannen namen elk een kant van het rotsblok. Judd keek naar Tucker. Hij knikte. Ze bogen zich opzij en vuurden automatische salvo's af met hun uzi.

Terwijl het oorverdovende geweervuur achter haar doorging, bereikte Eva het ravijn en liet zich snel vallen, met haar benen over de rand. Aan de hand van de NSA-foto's hadden ze geschat dat het gemiddeld zo'n drie meter diep was. Het leidde met een boog naar het complex beneden. De schaduwen waren donkergroen. Alleen de rand aan haar kant van de bijna verticale helling was flauw verlicht en ze zag kale grond, onkruid en rotsblokken. Ze nam haar s&w in beide handen, zoals Judd haar had voorgedaan, en enkele seconden later gleed ze ruggelings de afgrond in.

Maar terwijl ze diep in het groene donker gleed, werd haar aandacht getrokken door een rotsblok tegenover haar. Toen zag ze een korte beweging, een arm. Een ineengedoken man, die zich klein maakte. Angst dreigde haar te overweldigen. Ze onderdrukte het gevoel en mikte. Plotseling was er beweging rechts van haar. Ze zwaaide met haar wapen en besefte onmiddellijk haar fout. Een voet schoot door de lucht. Haar pistool vloog uit haar hand en twee oersterke mannen zaten boven op haar.

De Jeep was nog maar driehonderd meter van hen vandaan. Judd zag dat er één man in zat, de bestuurder. Om de een of andere reden stopte hij, met draaiende motor, boog zich opzij en opende het rechterportier.

Eva was in veiligheid, dus Judd gebaarde naar Tucker. Tucker trok een gezicht en leek tegen te willen sputteren. Toen sprong hij op en rende.

Judd boog zich opnieuw opzij en vuurde drie salvo's af. Ze hadden één man uitgeschakeld en de anderen lagen eveneens plat op de grond, maar ze schoten zodra ze een doelwit meenden te hebben en soms ook als ze dat niet dachten.

Voordat de bewakers tijd hadden om het vuur te beantwoorden, trok Judd een sprint en Tucker verdween in het ravijn. Judd keek niet, hij sprong blindelings en liet zijn hakken fungeren als inefficiënte remmen terwijl hij de steile helling af gleed in de dikke groene soep.

Tucker keek in het rond. 'Waar is ze?'

'Eva,' riep Judd met zachte stem.

Er kwam geen antwoord, maar boven hen hoorden ze een kreet.

'Ze komen eraan,' zei Tucker. 'Wegwezen.'

'Niet zonder Eva. Eva!' riep Judd.

'Verdomme, jongen. Ze hebben haar waarschijnlijk te pakken. Anders had ze wel gewacht. Misschien dat die Jeep daarom met geopende portieren stopte... om haar en degene die haar te pakken had gekregen op te pikken. Je kunt niets voor haar doen als je gepakt of gedood wordt. Rénnen!'

Judd zei niets, maar hij draaide zich om om door het ravijn naar de Jeep te gaan. Naar Eva.

Tucker gaf een klap op zijn helm. 'Verdomme, Judson. De andere kant op.'

Judd schudde zijn hoofd om het weer helder te maken en gooide toen zijn helm af. Ze renden in zuidoostelijke richting naar het complex. Tucker zette zijn helm af en ze herlaadden. Het ravijn was bezaaid met ongelijke rotsblokken en ze vorderden langzaam.

'Dit wordt niks,' zei Judd terwijl hij luisterde naar het geluid van voeten die langs de rand van het ravijn renden en hen inhaalden. 'We moeten die klootzakken kwijt zien te raken. Ga verder, ik reken met ze af.'

Hij pakte een fragmentatiegranaat van een lus aan zijn broek en hield hem in zijn rechterhand. Tucker zag het en versnelde zijn pas terwijl Judd in de diepe schaduwen aan de noordkant van het ravijn verdween.

Hij wachtte roerloos terwijl de bewakers naderden.

'Ze gaan naar het huis,' zei een zelfverzekerde basstem.

Radio of walkietalkie, dacht Judd.

'Natuurlijk,' ging de man verder. 'Geen probleem. We krijgen ze wel te pakken.'

Ze waren bijna recht boven hem. Judd ademde in en weer uit, trok met zijn linkerhand de veiligheidspin los, rolde de granaat over de rand en sprintte. Zijn laarzen raakten de rotsblokken zó snel, dat zijn snelheid hem overeind hield. Wit licht flitste. De explosie dreunde. Terwijl het zand neerdaalde, haalde hij Tucker in, die zich tegen de wand van het ravijn had gedrukt en achteromtuurde.

'Allemaal gevallen,' meldde Tucker. 'Een paar zware verwondingen. Dat zal ze bezighouden.'

Ze holden door, maar Judd zag dat Tucker moe werd. Hij vertraagde tot een snelle pas en pakte de ontvanger die de zender in Eva's enkelband volgde.

'Ze is al in het complex. Zo te zien enkele verdiepingen onder het hoofdgebouw.' Hij keek Tucker aan. 'Heb je Jeeps in de buurt gezien?'

'Geen een.'

'Jammer. Ik hoopte dat we er een konden kapen. Goed, plan b. Als

we dichter bij het complex zijn, heb ik een idee om binnen te komen.'
'Een verrekt goed idee, hoop ik,' zei Tucker. 'Ze zullen verdomme klaarstaan.'

67

De boekenclub was aan de derde gang toe. In hun op maat gemaakte smokings, met daaronder een pistool in een holster, zaten de mannen rond de royale ovale tafel in de grote Gouden Bibliotheek, in de vaste overtuiging dat de indringers zouden worden gedood, zo niet door de bewakers, dan in elk geval door henzelf.

Terwijl ze spraken, keerden hun blikken telkens weer terug naar de schitterend geïllustreerde manuscripten die de wand van de marmeren vloer tot het gewelfde plafond bedekten. Rijen vergulde banden keken hen aan, de met de hand gehamerde voorzijden schitterden in het licht dat als visuele muziek van wand naar wand en over de tafel kaatste. Het hele vertrek leek gehuld in een magische gloed. Het was altijd een intense ervaring en Martin Chapman zuchtte vergenoegd.

'Heren, vóór u staan twee exquise droge witte Montrachet-wijnen,' legde de sommelier met een zwaar Frans accent uit. 'De ene is een Domaine Leflaive, de andere een Domaine de la Romanée-Conti. U zult gegrepen worden door hun ontroeringsfactor – het kenmerk van een schitterende wijn.' De gespierde man met het gebruikelijke laatdunkende gezicht van een topwijnkelner trok zich terug naar de boeken bij de deur, waar zijn tafel met wijnflessen stond.

Chapman genoot terwijl hij de stimulerende mix van fysicalisme, kennis, geschiedenis en privileges in de bibliotheek indronk. De grote kaarsen flakkerden toen hij zijn kreeft met gegrilde portobello's en vijgensaus aansneed en langzaam kauwde, genietend van de hemelse smaken. Hij nam een slok van een van de witte wijnen en hield hem tegen zijn verhemelte. Met een heerlijk gevoel van genot slikte hij hem door.

'Daar ben ik het niet mee eens,' zei Thomas Randklev. 'Neem nou Freud, die zijn arts vertelde dat het verzamelen van oude dingen, zoals boeken, voor hem een verslaving was die qua intensiteit slechts werd overtroffen door nicotine.'

'Er is nóg een aspect,' zei Brian Collum. 'Wij zijn de enige soort die over onze eigen dood kan nadenken, dus hebben we uiteraard iets groters dan onszelf nodig om die kennis draaglijk te maken. Zoals Freud zou zeggen: het is de prijs voor onze hoogontwikkelde voorhoofdskwabben – en de lijm die ons bijeenhoudt.'

'Ik ben blij dat het niet alleen over geld gaat,' grinnikte Petr Klok. Gelach weerkaatste rondom de tafel.

De waarheid was, dacht Chapman, dat ze allemaal waren begonnen als fervente lezers, en als het leven anders was geweest, zouden ze misschien een andere weg hebben gevolgd. Wat hemzelf betrof, hij had oneindig veel meer bereikt dan hij als jongen had durven dromen.

'Ik heb er een voor jullie,' daagde Carl Lindström hen uit. '"Als je iemand een boek geeft, geef je hem niet slechts papier, inkt en lijm, je geeft hem de mogelijkheid van een heel nieuw leven." Wie schreef dat?'

'Christopher Morley,' zei Maurice Dresser onmiddellijk. 'En John Hill Burton stelde dat een grote bibliotheek niet kon worden samengesteld, maar in de loop der eeuwen ontstaat. Zoals de Gouden Bibliotheek en...' de vijfenzeventigjarige wees op zichzelf, 'ik.'

De groep grinnikte en Chapman voelde zijn pieper trillen tegen zijn borst. Hij keek: Preston. Geïrriteerd verontschuldigde hij zich terwijl het gesprek op de smaak van de twee etherische witte bourgognes kwam. Toen hij vertrok, werd de sommelier geroepen om aan de discussie deel te nemen.

Chapman stapte in de eerste van de twee liften. Die steeg geruisloos op, een degelijke capsule, maar ja, alle ondergrondse verdiepingen waren bestand tegen een atoomaanval.

Op de hoogste ondergrondse verdieping stapte hij uit in het porselein, staal en graniet in de keuken. Daarachter lag een gang, met deuren naar kantoren en magazijnen. Verderop was een enorme garage.

Hij keek om zich heen en inhaleerde de verrukkelijke geuren van bradende springbokmedaillons uit Zuid-Afrika. De chefs de cuisine met hun hoge witte mutsen blaften bevelen in het Frans terwijl ze het gerecht voorbereidden. De souschefs, de chefs de partie en de uit het bibliotheekpersoneel geselecteerde kelners renden heen en weer.

Preston keek gekweld toen hij de keuken uit kwam en Chapman bij de lift ontmoette.

'U moet met ze praten, meneer,' zei Preston.

'Zijn ze nog in mijn kantoor?'

'Ja. Ze worden bewaakt door drie mannen.'

Terwijl ze met de lift afdaalden naar de derde verdieping, vroeg hij: 'Wat is het laatste nieuws over Ryder en Andersen?' Chapman wist dat ze twee bewakers hadden gedood en vier andere ernstig hadden verwond. Preston had extra mannen te voet op pad gestuurd om hen te zoeken.

'Ik heb de bewaking rondom het complex opgeschroefd. Iedereen is in opperste staat van waakzaamheid.'

'Dat is ze verdomme geraden.'

De lift ging open en ze liepen naar een zitgedeelte, waar het personeel bijeenkwam voor informele aangelegenheden. Het vertrek was zoals verwacht verlaten, want iedereen was aan het werk. De deuren in de gang waren van kantoren en de laatste van een sportzaal met de nieuwste cardio- en pilatestoestellen.

Preston duwde de deur van Chapmans kantoor open en stapte opzij.

Chapman beende hem voorbij naar een bevroren tableau van uitdaging. Eva Blake en Yitzhak Law, roerloos en woedend, waren op stoelen vastgebonden, met hun handen op hun rug. Blake was nog in haar parachutistenoverall en had een zwart gezicht. Ze leken hem niet te herkennen, maar ja, het was ook niet erg waarschijnlijk dat ze zijn wereld zouden kennen.

Hij negeerde de bewakers en schoof een stoel voor Blake en Law. 'Ik zal het makkelijk maken. Ik heb de tolken een lijst laten maken van mogelijke bronnen voor de vragen die de boekenclub vanavond tijdens het toernooi zal stellen. Aangezien we teksten in de bibliotheek hebben die eeuwenlang verloren zijn geweest, kunt u die inhoud onmogelijk kennen. Andere zult u uiteraard al kennen. Het is uw taak bij elke vraag het juiste boek aan te wijzen. U zult een plattegrond krijgen waarop staat waar alle geïllustreerde manuscripten worden bewaard, en bij elk enkele beschrijvende zinnen. Als u alle vragen van de boekenclub correct beantwoordt, zal ik u in leven laten. Dat wordt een stimulans genoemd.'

Ze keken elkaar aan en richtten hun onaangedane blik toen weer op hem.

Chapman keek om naar Preston. 'Breng Cavaletti binnen.' Hij leunde achterover, woedend dat hij uit zijn diner was gehaald.

Enkele seconden later werd Roberto Cavaletti de kamer binnengeduwd. 'Yitzhak. Eva.' De kleine man zag er verfomfaaid uit, zijn bebaarde gezicht was bleek.

Voordat iemand iets kon zeggen, commandeerde Chapman: 'Sla hem, Preston.'

Terwijl Law en Blake riepen en aan hun boeien rukten, kromp Cavaletti ineen en Preston gaf hem een doffe dreun tegen zijn wang.

Cavaletti bracht een bevende hand naar zijn gezicht, wankelde en viel op zijn knieën.

'Smeerlap,' gilde Blake.

De professor werd bleek. 'Jullie zijn monsters.'

'Denk nog eens. goed na,' snauwde Chapman. 'Jullie zijn met z'n tweeën. Samen hebben jullie veel meer kans om vanavond te winnen dan elk afzonderlijk. Als jullie het niet voor julliezelf doen, doe het dan voor Cavaletti.'

Er verscheen een dikke striem op Cavaletti's linkerwang.

Yitzhak Law staarde hem aan. 'Goed, maar alleen op voorwaarde dat u Roberto met rust laat. Geen mishandeling meer.'

'Nee, Yitzhak,' zei Roberto. 'Nee, nee. Wat ze ook willen, je kunt het onvermijdelijke niet tegenhouden.'

Blake keek Chapman dreigend aan. 'Goed. Ik ga er ook mee akkoord. Hebben we uw woord dat u ons zult laten gaan als we winnen?'

'Natuurlijk,' zei hij luchtig. 'Bustamante, zorg ervoor dat ze schoon en toonbaar zijn.' Hij stond op en liep weg.

Preston haalde hem in in de zitkamer. 'Ik zal u op de hoogte houden aangaande Ryder en Andersen.'

Chapman knikte, in gedachten alweer bij het diner. Op dat moment hoorden ze de liftdeuren dichtgaan. Ze renden erheen en zagen dat hij op de laagste verdieping was gestopt, nummer vier, de Gouden Bibliotheek. Ze stapten onmiddellijk in de andere lift en Preston drukte op de knop.

'Wie kan dat verdomme zijn?' Prestons gezicht stond grimmig.

De lift kwam uit in een elegante antichambre. Recht voor hen was een gewelfde doorgang naar de kantoren aan de van ramen voorziene gaanderij. Maar ze renden naar links en Preston opende een gebeeldhouwde houten deur naar de bibliotheek en de banketzaal.

De sommelier liep naar zijn tafel, met zijn brede, in smokingjas gestoken rug naar hen toe. Bij het geluid draaide hij zich om. Ze zagen dat hij twee flessen rode wijn droeg, ongeopend.

Preston maakte een kort gebaar en de sommelier kwam naar hen toe. Hoewel hij er nog even arrogant uitzag, lag er een zweem van schuldgevoel in zijn blik. Hij hield de flessen op alsof ze een schild waren.

'Wat doet u op de derde verdieping?' vroeg Preston.

'Het spijt me bijzonder, meneer. Ik merkte dat ik naar de keuken moest om meer wijn te halen. De heren hebben meer waardering voor de wijn dan ik had verwacht. Ik haastte me om terug te gaan en drukte in de lift op de verkeerde knop. Ik ben uiteraard hier pas uitgestapt.'

Chapman voelde dat Preston zich ontspande.

'Ga weer aan je werk,' zei Chapman.

De sommelier boog en vertrok. Chapman haastte zich naar zijn diner.

68

Tucker en Judd zaten in de diepe schaduw van een knoestige olijfboom boven het complex. Terwijl ze hun gezicht en handen schoonmaakten en hun haren kamden, bestudeerden ze de gebouwen en de vijftien mannen die patrouille liepen onder de bewakingslichten van het complex. Ze hadden allemaal een M4 en hielden het terrein en de heuvels scherp in de gaten.

'Ik vraag me af hoeveel er in het hoofdgebouw zijn,' zei Tucker zacht.

'Met wat geluk vallen we niet op, tussen zoveel nieuwe bewakers. Het zal in ons voordeel werken.'

'Ik ben graag de nieuweling. Er wordt minder van je verwacht.' Tucker inspecteerde zijn uzi, zijn mes en zijn wurgkoord. 'De achterdeur ziet er goed uit.'

'Dat vond ik ook. Ben je er klaar voor?'

'Kun je nog steeds fietsen?'

'Als de beste,' zei Judd.

Ze hingen hun uzi op hun rug en tijgerden door het hoge gras en tussen de struiken door de helling af. Kleine stenen drongen in Tuckers overall. Nadat ze enkele adembenemende keren waren gestopt wanneer bewakers naar de helling tuurden, bereikten ze de rand van het plateau en verstopten zich achter een rij keurig gesnoeide struiken.

Ze wachtten tot de dichtstbijzijnde bewakers een andere kant op keken, renden toen naar de achterkant van het zwembadhok en doken in elkaar. Judd wees op zichzelf. Tucker knikte. Hij vond het verschrikkelijk dat hij niet de voorhoede vormde, maar het was niet anders: Judd was jonger, sterker en in betere conditie om de bewaker die dadelijk langs het hok zou komen onschadelijk te maken.

Hij luisterde naar de voetstappen van de bewaker op het marmeren pad en schuifelde zijdelings achter Judd aan naar de andere kant van het hok. Judd schoof naar voren en haalde een spiegel aan een flexibel eenbeenstatief tevoorschijn. Hij schoof het statief uit, keek in de spiegel en gooide die toen naar Tucker. Hij stond op en pakte zijn wurgkoord.

Vanaf zijn lage positie zag Tucker een been verschijnen en toen het tweede. Onmiddellijk stapte Judd vlak achter de bewaker, sloeg zijn wurgkoord om diens hals en rukte. De man viel achterover. Er stegen gesmoorde geluiden op uit zijn keel terwijl Judd hem om de hoek van het hok trok. Tucker rukte zijn M4 uit zijn handen en deed hem plastic boeien om. De schildwacht hapte naar adem en probeerde te gillen. Hij maaide heftig achter zich met ellebogen en voeten en kronkelde rond.

Tucker keek met de spiegel of er nog meer bewakers waren en keek toen om. Judds grimmige gezicht stond strak terwijl hij de slagen ontweek. Hij liet de man zakken toen deze slap werd.

Ze pakten hem zijn uitrusting en zijn kleren af. Terwijl Judd het zwarte kaki pak en de zwarte coltrui van de dode aantrok, trok Tucker hem Judds overall aan en smeerde zwarte camouflageverf op zijn gezicht en handen. Zorgvuldig om zich heen kijkend sleepte hij hem naar de rand van het terrein en rolde hem in het hoge gras.

Toen hij terugkwam, was Judd aangekleed en uitgerust met de radio, het pistool en de zaklamp van de bewaker en diens M4. Hij hing twee granaten aan zijn riem, checkte de ontvanger van Eva's enkelband en stopte hem in zijn broekzak. Hij wees naar het huis, waar een andere bewaker de ronde zou doen. Toen wees hij op zichzelf.

Tucker knikte.

Met de spiegel timede Judd zijn vertrek en toen verdween hij.

Tucker rende om het hok heen. Gehurkt keek hij Judd na terwijl die naar zijn doelwit slenterde. Juist toen de bewaker zijn wenkbrauwen fronste, ramde Judd zijn m4 onder zijn kin en verbrijzelde zijn strottenhoofd. Zijn hoofd klapte achterover en er verscheen bloed op zijn lippen. Terwijl Tucker naar hen toe rende, ving Judd de man op en liet hem geruisloos zakken.

Tucker voelde aan zijn halsslagader.

'Dood?' fluisterde Judd.

Tucker knikte.

Ze keken om zich heen. Er waren nog geen schildwachten te zien en niemand achter het raam van de achterdeur. Ze kleedden de man uit en Tucker trok diens zwarte coltrui en broek aan, minstens een maat te groot, en haalde de riem aan. Judd legde de laatste hand aan de dode man en sleepte hem weg om hem naast de andere dode te verstoppen.

Terwijl hij op Judd wachtte, checkte Tucker de m4 en de radio... en vóélde meer dan hij zág dat er iemand achter de ruit in de deur stond. Hij trok een kalm, begroetend gezicht en draaide zich om.

De deur ging open. 'Waarom patrouilleer je niet?' De schildwacht was een boom van een vent met stekeltjeshaar en zware kaken. Er verscheen een fonkeling van twijfel in zijn ogen. 'Wie ben je ver...'

Tucker ramde de kolf van zijn m4 in zijn buik. Het was altijd een betrouwbaardere manier van uitschakelen dan de kin. Toen de man zijn longen leegde en dubbel klapte, ramde Tucker de kolf in zijn luchtpijp. Het bloed spoot uit zijn mond en neus. Tucker pakte hem beet en sleepte hem naar de helling achter het hok waar de twee andere lijken lagen.

'Het begint op een feestje met een slechte afloop te lijken,' zei Judd.

Hij rolde de man in het gras en keek toe terwijl de hoge halmen zich over hem heen sloten. 'We gaan Eva halen.'

69

De provincie Khost, Afghanistan

Het was na middernacht en kapitein Sam Daradar liep alleen, met zijn M4 op zijn arm. Hij snoof de zoete nachtelijke berglucht op. Toen hij pas was aangekomen, had diezelfde lucht zijn neusgaten geïrriteerd, maar nu kon hij er niet genoeg van krijgen. Hij droomde er wel eens van hiernaartoe te emigreren. Het leven hier was diepverbonden met de elementen en zinvol op een manier waaraan geen enkele westerse stad of streek kon tippen.

Hij keek omhoog. De nachtelijke hemel was bezaaid met fonkelende sterren. Om de een of andere reden deed de hemel deze nacht te weids aan. Hij werd vervuld van een naamloos onbehagen. Hij bestudeerde de uitgestrekte ruimte van hellingen en bergen, met daarin verborgen afgelegen dorpen die moeilijk te bereiken waren met grote eenheden conventionele strijdkrachten. Hij en veel van zijn manschappen hadden de dag ginds en in de stad doorgebracht, met de inwoners gepraat.

Eerder die avond had hij het opperbevel gebeld en zijn zorgen gemeld. Maar hij had alleen kunnen verwijzen naar het rusteloze gefluister op het plaatselijke marktplein en naar het feit dat Syed Ullah in de moskee was verschenen voor het middaggebed – midden in de week – in plaats van het zoals altijd thuis of onderweg te doen.

Sam keerde om onder de grote tent van speciale camouflagenetten en liep langs de een halve meter dikke stenen muren van de sobere geheime basis. Er waren slechts vijfhonderd soldaten gelegerd, maar ze waren goed getraind en ervaren. Hij stopte bij de poort, keek op naar de wachttoren, knikte, en er werd terug geknikt.

Hoofdschuddend om zijn niet te benoemen onbehagen liep hij door de poort de basis op. Twee Humvees waren nog steeds op pad, om de wacht te houden en te patrouilleren. Ze werden over een uur terugverwacht. Misschien zouden ze iets voor hem hebben, iets wat hun niets zou zeggen, maar hij zou het begrijpen.

Op zijn buik liggend tuurde Syed Ullah de helling af. De twee Humvees reden over een zandweg boven een dal dat twee bergkammen van de stad verwijderd was. De koplampen waren stralende kegels tegen de nachtlucht en de voertuigen waren makkelijk te volgen. Tussen de dennenbomen op de oostelijke helling boven de weg hielden zijn mannen zich verborgen, gekleed in de Amerikaanse uniformen en met het Amerikaanse materieel. Hij en zijn zoon Jasim hadden zich in het noorden opgesteld, op een open vlakte die hoog genoeg was om een uitstekend, door de maan verlicht uitzicht te hebben.

'Ik ben er niet zo zeker van dat het zal lukken.' Jasim, achtentwintig jaar oud, was juist teruggekeerd uit Pesjawar en eveneens in Amerikaans uniform gekleed. Hij had hetzelfde grote lichaam als zijn vader en een dichte, zwarte baard, net kort genoeg geknipt om te prikken. Hij was gezegend met zijn moeders verfijnde trekken, maar zijn gezicht begon nu grover te worden door leeftijd, soldatenleven en het weer. Hij was een mooi kind geweest en nu was hij een echte man.

'Wat zit je dwars, jongen?'

'Er zijn meer dan twee keer zoveel soldaten op de legerbasis.'

'Aha, maar onze mannen hebben iets wat zij niet hebben: het verrassingselement. Ze zijn hetzelfde gekleed en ze hebben Amerikaanse helmen op. Afgezien van degenen die wacht hebben op de basis, slapen de Amerikanen of ze spelen videospellen. De enige vraag is hoe we onze mensen binnen krijgen. En het antwoord daarop zullen we gauw weten.' Zonder zijn blik van de weg af te wenden legde hij uit wat er ging gebeuren.

Terwijl ze keken, bereikten de gepantserde Humvees de aanvalszone. Het geluid van de zware motoren kaatste heen en weer door het stille dal. In de geschutskoepel van elk ervan zat een schutter, omringd door stalen beschermplaten, zijn M-240B-mitrailleur in de hand. De mitrailleurs bestreken een schootsveld van bijna driehonderdzestig graden, maar de pantserplaten sloten niet aaneen. Op elke hoek waren vier verscheidene centimeters brede openingen.

Plotseling klonken er twee explosies en op twee onlangs gekapte open plekken tussen de bomen laaiden vuren op, één voor de Humvees, het andere erachter. Twee brandende auto's tuimelden van de open plekken naar de weg. Er steeg rook uit op en vonken vlogen in het rond en staken het droge gras in brand. De Humvees bevonden zich tussen de auto's die de weg naderden, de grote dennenbomen erboven en de rots beneden.

De monsterlijke legervoertuigen minderden vaart. De Amerikanen zouden aanvankelijk vermoeden dat het pesterij was, dat de brandende auto's de weg zouden oversteken en van de rotsen zouden vallen. Maar Ullahs mannen hadden rotsblokken opgestapeld aan de rand van de weg.

Toen de auto's stopten en de Humvees de weg versperden, openden de twee schutters het vuur en bestookten de bomen en de weg met zware salvo's. Boomstammen explodeerden, dennennaalden vlogen door de lucht. En ten slotte werd het stil. Langzaam gingen de deuren van de Humvees open. Terwijl de schutters boven de wacht hielden en hun wapens naar doelwitten zochten, sprongen de ongelovigen naar buiten, M4's in de hand, en liepen naar het brandende voertuig voor hen.

Geweervuur van zijn tweehonderd Pathanen klonk op achter de rotswand en uit in het dennenbos gegraven schuttersputten. Het was zo snel en verzengend dat de ongelovigen op de weg slechts enkele schoten konden lossen, terwijl de mitrailleurschutters in de koepel het vuur heftig beantwoordden. De ongelovigen op de weg vielen gillend en kermend en zes van zijn Pathanen tijgerden over het zand, kropen naar de zijkanten van de Humvees en gooiden verdovingsgranaten door de openingen in de koepels. Er klonken twee luide knallen en toen was het enige geluid dat van zijn mannen die samentrokken en van afzonderlijke knallen toen ze de ongelovigen door het hoofd schoten.

Terwijl ze de lichamen naar het bos sleepten, stond Ullah op. Ze hadden de bewusteloze mitrailleurschutters uit de koepels gesleurd en doodden hen nu.

'Kom.' Hij rende weg.

Met een kreet van blijdschap passeerde Jasim hem.

'Allah zij geprezen,' zei Ullah toen hij op het slagveld aankwam. Hij hapte naar adem. 'Hoeveel doden of gewonden hebben we?'

Hamid Qadeer, in Amerikaans legeruniform, richtte zich op en bracht verslag uit. 'Veertien maar.'

'Mooi, mooi.' De krijgsheer liep om de Humvees heen en bestudeerde de voertuigen. Ze waren smerig en er zaten kogelgaten in, maar dat deerde niet. De schildwachten op de legerbasis zouden ze doorlaten en meer had hij niet nodig.

'Ik voeg me nu bij onze mannen.' Jasim stond naast hem. Zijn opwinding was weggeëbd en hij had de strenge blik van de ware Pathaanse krijger.

Ullah werd vervuld van trots. 'Natuurlijk, jongen.'

70

Het eiland Perikles

Het banket was voorbij, een doorslaand succes. Terwijl de borden werden afgeruimd en de sommelier cognac serveerde, strekten de mannen zich uit in hun stoelen, verzadigd, lichtelijk aangeschoten. Chapman vertelde het laatste nieuws: Prestons mannen hadden Ryder en Andersen nog niet gevonden.

'Ik hoop eerlijk gezegd dat die verdomde lui het huis binnendringen en hierheen komen,' verkondigde Grandon Holmes. Hij klopte op de kant van zijn borst waar zijn pistool in een holster zat.

Nooit eerder in de geschiedenis van het jaarlijkse banket hadden de leden het gewapend bijgewoond, maar het was dan ook geen gewone avond. Ondanks de goede stemming was er iets van dreiging ontstaan. Het eiland was geschonden.

'Het is even geleden dat ik schietoefeningen heb gedaan.' Brian Collum glimlachte kil.

'Anderzijds,' gromde Maurice Dresser, 'waarom betalen we de bewakers astronomische bedragen als ze het niet aankunnen?'

'Maurice heeft gelijk,' zei Petr Klok. 'Ryder en Andersen zullen de bibliotheek nooit bereiken.'

'Jammer.' Carl Lindström zuchtte.

'Ik heb nieuws van Syed Ullah,' veranderde Chapman van onderwerp. 'Zijn Pathanen zijn geüniformeerd, gewapend en staan te trappelen. Over een uur of zo zouden we meer moeten horen.'

'Uitstekend,' zei Reinhardt Gruen. 'Ik heb wat opgezocht over het dorp bij de legerbasis in Khost. Ik had gelijk: de hele omgeving is een broeinest van jihadactiviteiten. Ullah moet een verdomd taaie krijgsheer zijn, als hij dat onder de duim wist te houden. Ik denk dat hij de aanslag van vanavond zal gebruiken om zich van zijn lokale talibanvijanden te ontdoen – dus ook van onze vijanden. Dan zal de grond van ons zijn. Ik heb over die diamanten gedroomd. Al met al, Marty, ziet het er heel goed uit. Het zal een mooie nacht worden. Een voor de geschiedenisboeken.'

Met haar armen strak voor haar borst gekruist liep Eva heen en weer en inspecteerde opnieuw het vertrek waarin ze waren opgesloten. Er stonden geen meubels. De scharnieren van de zware deur waren aan de buitenkant aangebracht en twee sloten hielden hen gevangen. Een tl-lamp aan het plafond brandde constant, te hoog om erbij te kunnen, en de schakelaar was op de gang. De muren waren van massieve betonblokken. Als er een mogelijkheid was om uit te breken, had zij die niet gevonden.

'Je moet je erbij neerleggen, Eva. We zitten in de val.' Roberto, ineengedoken in een hoek, keek naar haar op. Zijn oog was gezwollen en zat dicht en zijn wang was dik en vuurrood.

'Een juiste inschatting van onze situatie,' zei Yitzhak, die naast Roberto zat. 'Maar het is niet het einde van de wereld.'

'Nog niet.'

'Voor iemand die bang is om onze tijdzone te verlaten, breng je het er aardig goed af, Roberto,' zei Yitzhak met warme stem.

'Ik ben heldhaftig.' Roberto glimlachte even en schudde zijn hoofd. Maar er lag een fonkeling in zijn ogen die Eva duidelijk maakte dat hij het nog niet volledig had opgegeven.

'We verzinnen wel iets, Roberto,' zei ze bemoedigend. 'Wat denk je, Yitzhak, moeten we de lijst nog een keer doornemen?' Er stonden zestien geïllustreerde manuscripten op, twee keer zoveel als ze zouden moeten noemen. In andere omstandigheden zouden ze verrukt zijn geweest over de vele verloren gegane boeken, maar hun bestaan droeg slechts bij aan hun frustratie en het aantal aan hun angst.

'Ik denk het niet.' Yitzhak keek op; zijn kale hoofd glom bleek in het veel te felle tl-licht. 'Samen weten we bijna de helft en naar de rest zullen we moeten raden.'

'Ik wou dat ze me samen met jullie naar de bibliotheek zouden brengen,' zei Roberto. 'Maar het is wel duidelijk dat ze dat niet zullen doen.'

Hij had gelijk. Eva en Yitzhak waren gekleed in een smoking die Preston hun had gegeven, maar Roberto droeg nog steeds het gekreukte overhemd en de broek die hij aan had gehad toen ze gevangen waren genomen.

'Maar er is hoop, Roberto,' zei Eva. 'We ademen nog.'

'Dat is tenminste iets, en ik zal het koesteren.' Hij zuchtte.

Ze hoorden het geluid van sloten die werden geopend en de bewaker die ze Harold Bustamante hadden horen noemen verscheen met zijn geweer in de aanslag. Hij was potig en had dik bruin haar met grijze strepen.

'Tijd om te gaan,' kondigde hij aan.

Ze zocht naar een spoor van hulp in zijn ogen, maar zag slechts onverschilligheid.

Roberto en Yitzhak stonden op.

'Jij niet,' beval Bustamante. 'Alleen de professor en doctor Blake.' Roberto liet zich weer langs de muur op de grond zakken en ze namen afscheid.

Preston wachtte in de gang, gekleed in zijn zwartleren jack en spijkerbroek, lang en dreigend, met onbewogen gezicht. Hij had twee dikke badhanddoeken bij zich.

'Waar zijn die voor?' vroeg Eva onmiddellijk.

'Dat gaat je niet aan. Hup.'

Ze leidden Eva en Yitzhak naar de trap naast de liften en naar een antichambre een verdieping lager. Heel even voelde Eva een huivering van opwinding: ze zouden de Gouden Bibliotheek zien. Ze voelde een elektrische stroom van Yitzhak en wist dat hij hetzelfde dacht.

Een bewaker opende een grote bewerkte deur en er verscheen een goudkleurig licht. Yitzhak gaf Eva een arm en ze liepen naar binnen en bleven staan. Heel even verdween haar angst. Het was alsof ze in een cocon van tijdloze kennis waren, bekleed met de meest duizelingwekkende elementen van de aarde.

'Betoverend,' fluisterde Yitzhak.

Ze dronken de vier wanden vol met bladgoud belegde boeken in. De ingelegde edelstenen glinsterden in de zuivere lucht. Heel even leek het Eva dat niets anders ter wereld ertoe deed.

'Geef me niet de koude tombe van een museum, maar de vuur ademende wereld van woorden en ideeën,' zei Yitzhak. 'Geef me een bibliotheek. Déze bibliotheek.'

De lange man die Preston bevel had gegeven Roberto te slaan kwam naar hen toe. 'Wie zei dat, professor?'

Yitzhak keek hem scherp aan. 'Ik.'

De man grinnikte. 'Ik ben Martin Chapman. Kom mee. Het is tijd dat u iedereen leert kennen.'

Hij gebaarde de bewakers te vertrekken. Preston deed de deur dicht en bleef ervoor staan. Ze volgden Chapman naar een grote ovale tafel waar zeven mannen omheen zaten die uit cognacglazen dronken.

Met een schok zag Eva Brian Collum, haar advocaat, haar vriend. Er lag een glimlach op zijn lange, knappe gezicht, dat haar observeerde. Ze wendde haar blik af, trok een effen gezicht en draaide zich om.

'Je ziet er geweldig uit in smoking,' zei hij.

'Klootzak.'

'Ook leuk je te zien. En in zo'n toepasselijke omgeving.'

Ze zei niets en vocht tegen de woede die door haar heen stroomde toen ze zich realiseerde dat hij degene moest zijn die Charles bij de Gouden Bibliotheek had betrokken. En hij had haar naar de gevangenis gestuurd, wetend dat ze onschuldig was. Terwijl Chapman iedereen voorstelde, dwong ze zichzelf tot kalmte. Toen taxeerde ze de situatie: afgezien van de acht leden van de boekenclub waren alleen de sommelier en Preston in de kamer. Hij had de badhanddoeken nog in zijn hand. Verbaasd probeerde ze te bedenken waar die voor dienden.

'Begrijpt iedereen de regels?' vroeg Chapman. Toen er een koor van ja's klonk, zei hij: 'Dan begint het toernooi. Petr, jij bent dit jaar de eerste.'

'Socrates, 469 of 470 tot 399 voor Christus,' zei een bebaarde man met stijlvol geknipte haren. 'Hij wordt natuurlijk geëerd als een van de grondleggers van de westerse wijsbegeerte. Wat de meeste mensen niet weten, is dat zijn utopische, door filosoof-koningen geregeerde republiek ook de verheerlijking betekende van de voordelen van een kastenstelsel en een sterk argument voor het recht van legers om te veroveren en te koloniseren. Hitler zou het geweldig hebben gevonden. Uw uitdaging is het vinden van het geïllustreerde manuscript waarin Socrates wordt getoond als een clown die zijn studenten leert hoe ze zich uit de schulden moeten kletsen.'

'Er bestaat geen echte geschiedschrijving uit de tijd van Socrates die over hem of Griekenland handelt.' Eva verborg haar nervositeit en keek Yitzhak aan, maar die schudde zijn hoofd. Hij wist het antwoord niet. Ze had een vaag idee, maar het was lang geleden, in haar studietijd, dat ze er iets over gelezen had. 'We hebben echter wel toneelstukken en andere geschriften. Ik herinner me *De wolken*, een oud blijspel van Aristophanes.'

Ze keek de vragensteller aan, in de hoop dat ze aan zijn gezicht zou kunnen zien of ze gelijk had. Zijn uitdrukking verraadde niets.

Yitzhak zocht de plaats van het manuscript op de lijst en ze liepen snel langs een van de lange wanden om het te zoeken. Met beide handen pakte hij een vergulde, met saffieren ingelegde band en gaf die aan Petr Klok.

Er viel een lange stilte terwijl ze op zijn antwoord wachtten.

Klok nam het boek met een zwierig gebaar aan en legde het op tafel om het te bewonderen. 'De wereld bezit slechts elf volledige blijspelen van Aristophanes, hoewel hij er veertig heeft geschreven. De Gouden Bibliotheek heeft ze allemaal.'

Er werd geapplaudisseerd.

Eva en Yitzhak keken elkaar opgelucht aan.

Chapman maakte er een eind aan. 'Thom, nu jij. Probeer ze te verslaan, ja?'

Judd opende de achterdeur van het huis en glipte naar binnen, gevolgd door Tucker. Met hun M4 in de aanslag luisterden ze naar geluiden en checkten een glazen wand waarachter het spiegelende zwembad en de verlichte palmen zichtbaar waren die ze op NSA-foto's hadden gezien. Toen ze niets hoorden, slopen ze langs gesloten deuren en betraden een enorme woonkamer, die zich over de hele voorkant van het huis uitstrekte en uitzicht bood op de zee. De glazen wand strekte zich uit om de hoek aan de westkant, met zware glazen tuindeuren naar een marmeren pad naar de tennisbanen, het zwembad en het heliplatform verderop.

Ze zagen twee schildwachten patrouilleren, met hun gezicht naar de zee, niet naar het huis.

'Tot zover gaat alles goed,' mompelde Judd. Hij pakte zijn ontvangertje.

Maar juist toen ze zich naar de trap naast de liften haastten, kraakten hun radio's. Ze rukten hem van hun riem en keken naar buiten. Ook de schildwachten pakten hun radio. En nu verscheen er een derde schildwacht, die hetzelfde deed.

Tucker vloekte en ze drukten op de ONTVANGST-knop.

'Drie doden,' snauwde de lichaamloze stem. 'Trefpunt achter het zwembadhok. Nú.'

'Het is slechts een kwestie van tijd voordat ze snappen dat we binnen zijn,' zei Tucker terwijl hij langs pakkisten naar de deur van het trappenhuis rende en hem openrukte.

Met hun M4 in de aanslag renden ze een trap af, keken door een raam in de deur, zagen een drukke keuken en renden opnieuw een trap af. Door het raam in de deur zagen ze een verlaten gang met gesloten deuren.

Terwijl ze een derde trap af holden, fluisterde Judd: 'Ze is op de volgende verdieping.'

Bij de deur keken ze in een zitkamer met comfortabele banken en stoelen. Niemand te zien.

Judd ademde in en weer uit en glipte, zijn M4 in beide handen, gebukt door de deur. In een oogwenk stond Tucker naast hem. Niemand te bekennen.

Met bonzend hart rende Judd, met zijn blik op het ontvangertje, de gang door en bleef staan. Eva. Hij ramde de sloten open en deed de klink omlaag.

'Judd, ben jij dat?' Roberto Cavaletti keek hem aan en er verscheen een glimlach op zijn gehavende gezicht. 'Je bent blond.' Hij krabbelde overeind.

'Waar is Eva?'

'In de Gouden Bibliotheek.' Hij kwam haastig op hen af. 'Ze heeft me haar enkelband gegeven, zodat je me zou vinden en ik je zou kunnen waarschuwen. We hebben de bewakers horen praten; alle gasten op het grote banket zijn gewapend. Eva en Yitzhak zijn ernaartoe gebracht om mee te doen aan een of ander dodelijk spel. Als ze verkeerd raden, sterven ze. Maar ik denk dat, als ze goed raden, ze ons evengoed zullen doden.'

'Waar is de bibliotheek?' vroeg Judd grimmig.

71

De provincie Khost, Afghanistan

Syed Ullah ontmoette de Pakistaanse verslaggever en de cameraman bij de moskee en reed hen naar de rand van het slapende stadje. Hij parkeerde bij de overblijfselen van lemen hutten en de drie mannen stapten uit, gehuld in lange donsmantels tegen de nachtelijke kou. Ullah snoof en rook de sterke geur van dierenmest.

'Wilt u zich alstublieft omdraaien, generaal,' zei de verslaggever.

De cameraman wees hem een plaats aan. De twee waren in dienst van de gerespecteerde Pakistaanse Television Corporation, de nationale tv-zender van het land, waarvan het nieuws regelmatig werd overgenomen door nieuwsdiensten en media overal ter wereld.

'Dit is Asif Badri.' De verslaggever hield een microfoon op en keek ernstig in de camera. 'Ik ben vanavond in de provincie Khost, in Afghanistan. Bij mij is de hooggeachte generaal Syed Ullah, een legendarische moedjahedienheld van de oorlog tegen de Sovjets. Vertel ons alstublieft wat dat daar in de verte is, generaal.'

De camera richtte zich op Ullah. Zijn ernstigste gezicht opzettend sprak hij in de microfoon van de verslaggever en wees met zijn AK-47. 'Dat is een geheime Amerikaanse basis. Circa vijfhonderd soldaten.' Hij zweeg even en dacht na. Hij wilde de Amerikaanse luisteraars niet diep beledigen, vooral niet omdat hij van plan was veel geld aan te nemen van Chapman. Zijn woorden zorgvuldig kiezend ging hij verder: 'Ze zijn hier om illegale activiteiten de kop in te drukken en gedragen zich over het algemeen goed. Helaas is er een ernstig probleem.'

De camera zwenkte naar de legerbasis met de felle schijnwerpers erop en eromheen, onder de speciale netten die zich als een groot baldakijn tot ver buiten de muren uitstrekten. Boven de netten was de zwarte nacht, eronder stralend daglicht. Het gaf een schril beeld van het technisch vernuft van de ongelovigen en hun afschuwelijke vermogen om de wereld voor de gek te houden.

'Is uw nationale regering op de hoogte van de basis?' vroeg de verslaggever.

'Kabul weet van niets,' loog de krijgsheer.

'U had het over een ernstig probleem. Kunt u ons daarover vertellen?'

'Het is een droevig verhaal,' galmde Ullah, zijn geweer omarmend. 'De Amerikanen klagen over de geschillen tussen onze stammen, maar die hebben ze zelf ook. Sport, politiek, religie... en zaken. Vergeet niet dat het moordcijfer er het hoogste ter wereld is. Een van mijn mensen hoorde twee Amerikaanse soldaten met elkaar praten, in een andere stad, bestuurd door een andere generaal. Ze hebben ook een geheime basis in de bergen. De soldaten daarvan zijn erg boos op onze soldaten. Het spijt me u te moeten vertellen dat ze allemaal drugs smokkelen en heroïne exporteren. Zoals u weet is dat heel lucratief.' Hij schudde bedroefd zijn hoofd. 'Die andere soldaten zijn van plan de soldaten hier vannacht te vermoorden omdat ze onder hun duiven schieten.'

'Hebt u Kabul op de hoogte gebracht?'

'Wat kan ik doen? Ik heb hier de leiding en een andere generaal heeft de leiding over een andere stad. We zijn machteloos tegen de ver-uit superieure Amerikaanse wapens. Ik kan het de wereld alleen maar vertellen, in de hoop dat het nooit meer zal gebeuren.' Hij zuchtte. 'Het is tragisch.'

De verslaggever schakelde zijn microfoon uit. 'Heb je alles, Ali?'

De cameraman knikte. 'Wanneer gaan we naar de basis?'

Ullah keek naar de heuvels en wees met zijn AK-47 naar twee stel koplampen. Zijn zoon Jasim zat met Hamid Qadeer, die vloeiend Amerikaans Engels sprak, in het voorste voertuig.

'Ze komen nu uit de bergen,' vertelde hij hun. 'Dat daar zijn twee Amerikaanse Humvees. Volgens mijn informant zouden er in totaal zo'n tweehonderd soldaten zijn. De komst van de Humvees betekent dat de rest nu vlakbij in positie is. Het plan is dat als de Humvees een-maal binnen zijn, de soldaten in de wachttoren worden gedood en de poort wordt geopend. De rest is onvermijdelijk. Stap in mijn auto. Ik zal u dichterbij brengen. We moeten langzaam rijden en met gedoof-de koplampen. U zult de actie buiten kunnen filmen en als het voor-bij is, zult u als eersten de afschuwelijke slachtpartij kunnen vastleg-gen.'

72

Het eiland Perikles
Iedereen in de Gouden Bibliotheek concentreerde zich op Preston, die met zijn M4 en dikke badhanddoeken bij de deur stond en naar een bericht op zijn radio luisterde. Terwijl Eva toekeek, liep hij naar Chap-man en fluisterde hem iets in het oor.

'Heren, we hebben bezoek,' kondigde Chapman vergenoegd aan. 'Pak uw pistolen.'

Snel legden de mannen hun wapens naast de geïllustreerde manu-scripten op tafel. Hoewel ze duidelijk hadden gedronken, was hun hand en hun blik vast en ze bewogen zich autoritair. Er was ook een onderstroom van enthousiasme, dacht Eva. Ze popelden om hun pistool af te vuren.

Ze wisselde een bezorgde blik uit met Yitzhak.

De sommelier kwam naderbij met flessen cognac. Hij schonk de fles leeg in Chapmans glas en schonk toen uit een nieuwe de glazen van de anderen vol.

Terwijl hij terugkeerde naar zijn tafel, keek iedereen Chapman aan. Eva en Yitzhak hadden zeven van de acht toernooivragen juist beantwoord. De opwindende rivaliteit tussen de mannen aan de bankettafel was bijna tastbaar terwijl ze op de laatste uitdaging wachtten, van de directeur, Martin Chapman.

'Jezus van Nazareth, bekend als de Rabbi en later als Jezus Christus, 7 tot 2 voor Christus tot omstreeks 26 of 36 na Christus,' zei Chapman. 'Jezus was de leider van een apocalyptische beweging, gebedsgenezer en volksmenner, en samen met Johannes de Doper de grondlegger van het christendom. Geleerden zijn het erover eens dat de vier canonieke evangelies over zijn leven – Matteüs, Marcus, Lucas en Johannes – niet zijn geschreven door apostelen of ooggetuigen, zij het dat ze waarschijnlijk wel uit de eerste eeuw na zijn dood dateren. De uitdaging bestaat erin dat u in de bibliotheek moet vinden waar Jezus tegen een van zijn apostelen zegt dat hij de anderen "zal overtreffen" en "de geheimen van het koninkrijk" zal leren kennen.'

Eva herkende geen van de citaten. Ze keek naar Yitzhak en deze schudde bezorgd zijn hoofd. Ze draaiden zich om om de lijst te bestuderen. Er waren drie mogelijkheden. De ene was de vijftiende-eeuwse Vulgaat van Hiëronymus. De tweede was *Vetus Latina*, die vóór de Vulgaat was samengesteld. De derde was nog ouder en de vertaalde titel luidde *De oude evangeliën*. Ze lazen de beschrijvingen.

'Hij probeert ons op het verkeerde been te zetten door naar Matteüs, Marcus, Lucas en Johannes te verwijzen,' fluisterde Yitzhak.

Eva was tot dezelfde conclusie gekomen. 'Denk je dat het in het gnostische evangelie van Judas staat?' De enige bekende tekst van het evangelie van Judas was zeventienhonderd jaar geleden geschreven en fragmenten ervan waren in 1945 gevonden in de Egyptische woestijn en vertaald uit het Koptisch in 2006, toen ze het had gelezen.

'Ja.'

'Dan is de derde mogelijkheid, *De oude evangeliën*, de enig juiste,'

351

zei ze, 'hoewel ze ouder zijn dan de gnostische teksten.'

'Sla ze met stomheid.' Woede fonkelde in zijn ogen.

Ze draaide zich om naar de tafel. De cognacglazen blonken. De berekenende ogen van de mannen sloegen haar gade.

Ze zweeg even. 'In het Nieuwe Testament verraadt Judas Iskariot Jezus voor dertig zilverlingen aan de Romeinen. Het evangelie van Judas zegt precies het omgekeerde: dat het Jezus' idee was en dat hij Judas had gevraagd het te doen opdat zijn lichaam kon worden geofferd aan het kruis. Als Jezus het inderdaad aan Judas heeft gevraagd, is het logisch dat hij hem misschien heeft aangemoedigd door te zeggen dat hij de andere apostelen "zal overtreffen" en de "geheimen van het koninkrijk" zal leren kennen. Het citaat is dan ook afkomstig uit *De oude evangeliën*. Volgens de lijst die we hebben gekregen, zijn dat er nogal wat, zoals het evangelie van Jacobus, Petrus, Maria Magdalena, Filippus... en Judas.'

Had ze gelijk? Chapmans gezicht verraadde niets. Yitzhak liep al langs de wand. Ze volgde hem en passeerde een sectie over de Koran en andere vroege islamitische werken. Ernaast stonden bijbels en christelijke lectuur.

Yitzhak staarde naar een met gehamerd goud bedekt manuscript, met in het midden een eenvoudige versiering, kleine blauwe topazen in de vorm van een vis. Hij pakte het oude boek aarzelend op en bracht het naar Chapman.

Eva's longen knapten bijna. Ze dwong zichzelf adem te halen.

'Verdomme.' Chapman pakte het boek aan. 'U hebt gelijk. *De oude evangeliën* is een origineel, geschreven op perkamenten pagina's die begin vierde eeuw in opdracht van Constantijn de Grote waren ingebonden en verguld. Het is pregnostisch, gecompileerd in de eerste eeuw na Christus, in de tijd dat de boeken van Matteüs, Marcus, Lucas en Johannes werden geschreven. Het kan met recht worden beschouwd als even accuraat als het Nieuwe Testament.' Hij streelde het boek. 'De macht hiervan is aanzienlijk. Het ondermijnt de mythe van het monolithische christendom en laat zien hoe divers en fascinerend de jonge beweging in werkelijkheid was.'

Er werd enthousiast geapplaudisseerd... voor Chapman, niet voor hen. Hij legde het geïllustreerde manuscript naast zijn pistool op de tafel en glimlachte ernaar.

De mannen hieven hun cognacglas.

'Goede vraag, Martin,' zei iemand.

'Bravo.'

Ze dronken.

Terwijl Chapman slikte en zijn glas neerzette, keek hij Eva en Yitzhak fronsend aan en wenkte Preston.

In een oogwenk stond het hoofd van de beveiliging naast hem, zijn M4 in de ene hand, de handdoeken in de andere.

'Nu?' vroeg Preston.

'Ga je gang.'

Preston zette het geweer tegen de tafel en haalde het pistool uit de holster op zijn heup. De mannen keken geboeid toe terwijl hij met de twee handdoeken naar Eva en Yitzhak liep.

'De latere Assassijnen.' Yitzhak deinsde terug. 'Daarvoor dienen die handdoeken. Ze bedekten de in- en uitschotwonden om de troep van rondspattend bloed tegen te houden.'

73

Judd, Tucker en Roberto renden door de verlaten gang naar het trappenhuis. Judd zag onmiddellijk dat beide liften naar beneden gingen. Hij rende ze voorbij, rukte de deur van het trappenhuis open en hoorde hoog boven hen voetstappen die, terugkaatsend tegen de stenen muren, afdaalden. Het leek wel een bataljon.

'Rennen!'

Gevolgd door Tucker en Roberto sprong hij de trap naar de vierde verdieping af en keek door het raam naar een formele antichambre. Met zijn geweer in beide handen glipte hij naar binnen, op de voet gevolgd door Tucker. Er was niemand te bekennen.

Tucker trok Roberto uit het trappenhuis, deed de deur dicht en op slot en duwde de kleine man in een hoek naast een hoge kast, waar hij buiten de vuurlinie zou zijn.

Judd knikte naar de grote bewerkte houten deur. 'De Gouden Bibliotheek.' Maar voordat ze die konden openbreken, zouden ze met de beveiligingsteams in de liften moeten afrekenen.

'Daar lijkt het wel op,' beaamde Tucker.

Judd liet zich op de grond vallen tegenover een van de twee liften. Tucker lag voor de andere. Ze richtten hun m4.

Tuckers lift arriveerde als eerste. Er stonden vijf bewakers in. Tucker zond een salvo automatisch vuur door hen heen; het geluid was oorverdovend. Volkomen verrast hadden ze geen tijd om te mikken. Terwijl ze de wanden en elkaar vastpakten en vielen, ging de deur van Judds lift open. Ditmaal drong er geweervuur uit de kooi, maar hoog gericht, waar ze tegenstanders verwachtten. Judd beantwoordde het vuur onmiddellijk en schoot salvo's af op de borstkas van de mannen. Ze wankelden en vielen, bloed stroomde uit hun borst. De lucht werd vervuld van een metalige geur.

Judd en Tucker sprongen overeind en stelden beide liften buiten werking.

Roberto stond al bij de grote houten deur van de bibliotheek, met grote ogen en vastberaden blik.

'Ga niet naar binnen,' snauwde Tucker aan de andere kant van het vertrek.

Toen ze naar hem toe renden, verscheen er een bewaker in het trappenhuis, die aan de deur rukte om hem te openen. Achter hem op de treden stonden nog meer bewakers. De man zag Judd en Tucker. Toen hij door het glas schoot, sprintten ze weg. De kogels drongen in muren en spiegels.

Opeens werd het stil: ze waren buiten het blikveld van het raam van het trappenhuis en over enkele seconden zou de bewaker de deur openbreken. Terwijl er opnieuw schoten knalden, keken Judd en Tucker elkaar aan. Tucker ging voor Roberto staan en hief zijn geweer.

Judd opende de deur op een kier en realiseerde zich onmiddellijk dat de kern uit staal bestond, met verzonken scharnieren en een pneumatisch mechanisme. Het was een kluisdeur. Geen schijn van kans dat iemand er met een m4 doorheen kon schieten en er was geen slot dat ze konden forceren.

Ze glipten met hun geweer in de aanslag naar binnen. Terwijl Tucker de deur achter hen op slot deed en de bewakers buitensloot, staarde Judd naar acht gerichte pistolen van mannen die rondom een grote eettafel stonden. Hij nam de kamer snel in zich op.

Rechts stond een geschrokken sommelier te trillen voor een tafel vol wijn; zijn hand greep onder zijn smokingjas naar zijn hart. Verderop tegen dezelfde muur zat Yitzhak ineengedoken; het zweet glinsterde op zijn kale schedel. Eva lag naast hem languit op de grond. Ze waren vreemd genoeg beiden gekleed in smoking. Preston richtte zijn pistool van Eva op hen. Hij was gekleed in dezelfde spijkerbroek en het zwartleren jack als de laatste keer dat Judd hem had gezien. Hij liet twee handdoeken uit zijn hand vallen.

'Judd, wat een aangename verrassing,' zei Martin Chapman. 'Ik dacht dat ik nooit meer het genoegen zou hebben je te zien.' Rijzig en elegant stond hij voor de bankettafel, met zijn dichte zilvergrijze golvende haren, zijn blauwe ogen die geamuseerd fonkelden en zijn kalm geheven pistool.

Judd staarde de oude vriend van zijn vader aan. 'Ben jij degene die mijn vader heeft vermoord? Vuile klootzak.' Er sloeg een golf van woede door hem heen en hij voelde Tuckers kalmerende hand op zijn arm.

'Eigenlijk,' zei Chapman, 'heeft Jonathan het zelf gedaan. Ik probeerde het hem uit het hoofd te praten, maar je weet wat een heethoofd hij was. Hij was niet voor rede vatbaar. Het spijt me dat we hem kwijt zijn. We mochten hem allemaal erg graag.'

Hij gebaarde met zijn vrije hand naar de andere mannen rondom de tafel. Ze kwamen naar voren en gingen in een rij aan weerszijden van hem staan, hun wapens strak op Tucker en hem gericht.

Judd bestudeerde de mannen in hun dure avondkleding. Ze waren stuk voor stuk minstens een meter tachtig lang en varieerden in leeftijd van begin veertig tot eind zestig. Ze waren piekfijn verzorgd, hadden een sterk, atletisch lichaam en straalden een onmiskenbaar gevoel van trots en zelfvertrouwen uit. De onderlinge gelijkenis was huiveringwekkend.

'Yitzhak.' Roberto rende voorbij de sommelier langs de muur van de kamer.

De sommelier keek met grote ogen toe. Hij was in de zestig, had diepe rimpels en de gezwollen rode neus van een man die veel te veel van wijn houdt.

'Sst,' zei Yitzhak waarschuwend.

Roberto liet zich naast de professor op de grond zakken. Toen Preston in hun richting keek, haalde Eva met een voet uit naar zijn been.

Preston deed een stap terug en richtte zijn pistool op haar. 'Opstaan.'

Judd realiseerde zich dat enkele van de mannen in smoking wankelden. Degenen die bij de tafel stonden, hielden zich eraan vast.

Chapman merkte het ook. Verbaasd keek hij links en rechts de rij langs.

De knieën van twee van de mannen knikten en ze vielen.

'Wat duivel...' De oudste greep naar zijn voorhoofd en viel om.

'Verdomme.' Een andere man staarde naar zijn hand. Die trilde onbeheersbaar.

Twee anderen vochten om overeind te blijven en toen zakten ze alle drie in elkaar.

'De cognac... hij moet vergiftigd zijn,' zei de jongste tegen Chapman.

Hij en Chapman waren de laatsten die nog stonden. Ze richtten hun pistool op de sommelier.

Met de hand die hij naar zijn hart had gebracht, rukte de sommelier een 9mm Walther tevoorschijn. Met één vloeiende beweging schoot hij twee keer. Eén kogel trof de jongste man in het hoofd, de andere verbrijzelde de hand waarin Chapman zijn pistool had.

Chapman wankelde en raapte met de andere hand de M4 op.

Op hetzelfde moment duwde Preston Eva opzij en rende langs de wand met boeken, mikkend op de sommelier. Voordat deze zich kon omdraaien om te schieten, vuurde Preston een schot af dat door de schouder van de sommelier drong. Aan de andere kant van het vertrek schoot Judd drie keer in Prestons borst.

Preston verstarde. Er verscheen een trek van woede op zijn aristocratische gezicht toen hij naar het bloed keek dat zich over zijn borst verspreidde. Hij zette nog twee stappen. 'Je weet niet wat je doet. De boeken moeten beschermd...' Hij viel languit op zijn gezicht, zijn armen slap langs zijn zijden. Zijn hand ging open en zijn wapen viel met een klap op de marmeren vloer.

De sommelier negeerde Chapman, rende naar Preston en pakte het pistool. 'Goed schot, Judd. Bedankt.' Er droop bloed over zijn jasje toen hij Prestons halsslagader voelde.

'Loop allemaal naar de hel!' Martin Chapman richtte de M4 op Judd, zijn vinger wit om de trekker.

Judd mikte.

'Nee!' riep de sommelier, gehurkt naast Preston. 'We moeten Chapman levend hebben!'

Niemand bewoog. Chapman keek dreigend, zijn wapen op Judd gericht, Judds wapen op hem gericht.

Toen werd Chapmans gezicht weer minzaam. Er verscheen een twinkeling in zijn ogen en warmte in zijn stem. 'Je moet weten, Judd, dat je vader altijd heeft gehoopt dat je lid zou worden van onze boekenclub.' Met zijn bloedende vrije hand gebaarde hij weids naar de hoog oprijzende rijen met juwelen bezette boeken. 'Die kunnen ook van jou zijn. Denk eens aan de geschiedenis, aan de taak die je vader en ik hebben geërfd. Een heilige taak. Nu ook Brian dood is, hebben we drie leden te weinig. Sluit je bij ons aan. Het zou Jonathan veel genoegen hebben gedaan.'

Achter Chapman had Eva toegekeken. Judd hield zijn blik schijnbaar op Chapman gericht, maar hij zag dat ze haar schoenen uittrok.

'Heilig?' kaatste hij terug. 'Wat je hier hebt is geen taak. Het is godvergeten egoïsme.'

Eva sprintte op kousenvoeten over de marmeren vloer, met wapperende haren en half dichtgeknepen ogen. Ze liet zich languit op haar buik vallen en gleed geruisloos onder de bankettafel.

Chapman glimlachte wrang naar Judd. 'Zoals John Dryden zei: "Geheimen zijn scherpe wapens die uit handen van kinderen en dwazen moeten worden gehouden." Door je opvoeding kun je de onschatbare waarde van deze bijzondere bibliotheek beseffen. Niemand kan er beter voor zorgen, haar koesteren, dan wij. Je hebt de plicht ons te helpen...'

Eva kwam overeind en gooide haar schouders tegen zijn knieholten. Hij wankelde, viel toen grommend voorover en kwam hard neer. Zijn M4 vloog weg. Hij vloekte luid en kroop ernaartoe.

Maar Eva raapte het wapen op en rolde weg, en Judd, Tucker en de sommelier snelden toe. De vier stonden over Chapman heen gebogen en richtten hun wapens.

Met een vuurrood gezicht legde hij zijn ongeschonden hand op de bloedende hand op zijn gekreukte witte overhemd en keek om zich heen naar zijn liggende metgezellen en toen over zijn schouder naar de dode Preston. Ten slotte keek hij op en er lagen een intense woede en een vreemde gekwetstheid in zijn ogen.

'Wie ben je?' vroeg hij aan de sommelier.

'Noem me Domino,' zei deze met schorre stem. Hij had een breed gezicht en een stevig postuur. 'De Carnivoor laat u de groeten doen. Ik moet u eraan herinneren dat u bent ingelicht over zijn voorwaarden. Daarna moet ik u doden.'

'Ik ben nog niet dood, klootzak. Wat heb je met ze gedaan?'

'Gammahydroxybutyraat – GHB. Smaakloos, geurloos en kleurloos. Een verkrachtingsdrug. In de cognac natuurlijk, ingeschonken uit de "nieuwe" fles. Ze zullen over een paar uur met barstende hoofdpijn wakker worden. Ik heb jullie horen praten. Zeg op, wat gaat er in Khost gebeuren?'

'Waarom zou ik?'

Judd had geen idee wat Domino bedoelde, maar hij kwam namens de Carnivoor en dat was voor hem reden genoeg om hem te vertrouwen. Alle vier de wapens wezen naar Chapmans hoofd.

'Zeg op!' zei Judd.

Chapman staarde naar de wapens. 'En als ik dat doe?'

'Dan blijf je misschien leven, vuile bofkont,' zei Judd. 'Maar als we je nu moeten doden, is het ook goed. Je vrienden zullen bijkomen en niemand zal iets zeggen.'

Chapman knipperde langzaam met zijn ogen. Toen ging hij rechtop zitten en vertelde over een vergeten diamantmijn in Afghanistan en over de krijgsheer die taliban-strijders zou elimineren, zodat de legerbasis zou worden gesloten en Chapman de grond kon kopen.

'Het is te laat om er iets tegen te doen,' besloot hij. 'Het gebeurt op dit moment. Bovendien hebben we er allemaal baat bij. De hele wereld zelfs. Je wilt het niet verhinderen.'

'Godvergeten idioot!' barstte Tucker uit. 'Denk je dat je erop kunt vertrouwen dat een krijgsheer woord houdt? Hij doet alleen wat in zijn eigen belang is. Er kunnen wel tien verschillende scenario's zijn en geen ervan zal ons bevallen. Erger nog, de Verenigde Staten handhaaft die geheime bases omdat Kabul ons nodig heeft. Dit zou de regering ten val kunnen brengen en een nieuwe, bloedige oorlog kunnen uitlokken.' Hij keek de kamer rond. 'Waar is een satelliettelefoon?'

Domino gaf hem er een en op datzelfde moment trilde de deur.

'Misschien hebben ze iets pittigers dan M4's,' zei Judd, luisterend.

Terwijl Tucker een nummer intoetste, bleven ze zwijgend staan, in de val.

74

De provincie Khost, Afghanistan
De kilte van de nacht in Khost bekroop Sam Daradar terwijl hij met
de soldaten Abe Meyer en Diego Castillo bij het open raam van de
wachttoren stond. Hij keek naar de koplampen van de naderende co-
lonne Humvees in de verte. Ze leken eenzaam en kwetsbaar daar in
de zwarte nacht.

'Enig teken van onraad?' vroeg Sam.

'Nee, kapitein,' zei Meyer. 'Even rustig als gewoonlijk.'

'Roep ze op.'

Meyer schakelde zijn radio in. 'Luitenant, de kapitein wil u spreken.'

Sam Daradar drukte de toets op zijn radio in. 'Waarom ben je zo
laat?'

Er werd gehoest in de Humvee. 'Sorry, kapitein, ik geloof dat ik
kou heb gevat. We hebben een extra verkenning uitgevoerd rondom
Smuggler's Point. Ik vermoedde iets en wilde het natrekken, maar er
was niemand daar of in het dal.' Zijn stem was bijna onherkenbaar,
zo schor.

Sam vloekte in stilte. Het laatste wat hij kon gebruiken was een epi-
demie op de basis. 'Heb je ergens anders iets gezien?'

'Nee, kapitein. Zo stil als het graf.'

'Ik wil een volledig rapport als je er bent.' Sam verbrak de verbinding. 'Ik ga naar buiten.'

Hij klom van de toren naar beneden en liep langs de zandzakken
die tegen de muur waren opgestapeld. Vlakbij waren de grote leger-
tenten waarin de mess en het Tactical Operating Center waren gehuis-
vest, en verderop de barakken waar zijn mannen sliepen. De poort
werd van het slot gedaan en net ver genoeg geopend om hem naar
buiten te laten glippen.

Hij rende door het licht, bereikte het donker en minderde vaart. Hij
liet zijn ogen aan het donker wennen en keek om zich heen naar de
vlakte, die overging in heuvels en daarna in hoge bergtoppen. Links
van hem lag het stadje. Hij kon het grillige silhouet ternauwernood
onderscheiden. Er brandde weinig licht. Niets ongewoons. Het maanlicht viel op de struiken en bosschages rondom de basis. Er was een

zuchtje wind opgestoken. Hij zocht naar beweging, luisterde naar ge-luiden, snoof geuren op. Hij werd onderhand even middeleeuws als de andere inwoners hier.

Hij maakte rechtsomkeert, haastte zich weer naar binnen en de wachttoren in. Toen hij zijn post bij het raam weer innam, zag hij iets bewegen wat uit de richting van het stadje kwam. Het was een voer-tuig, zilverachtig glinsterend in het maanlicht. Raar dat de koplam-pen niet brandden.

Hij zette een nachtkijker voor zijn ogen en staarde. Verdomme, het was de Toyota Land Cruiser van Syed Ullah. Terwijl hij keek, stopte het voertuig en er stapten drie mannen uit, onder wie Ullah. Ze tuur-den naar de basis en praatten. Toen tilde een van hen iets op zijn schou-der en richtte. Sam keek ingespannen. Het leek wel een filmcamera. Wat gebeurde er verdomme?

Toen de Humvees zo'n vijftig meter van de basis waren, gaf hij be-vel de poorten te openen.

De radio kraakte. Hij pakte hem in de verwachting dat het de lui-tenant zou zijn, om te melden dat hij Ullah eveneens had gezien.

In plaats daarvan zei een onbekende stem: 'Kapitein Daradar, ik verbind u door met Tucker Andersen, CIA. Hij heeft belangrijke infor-matie voor u.'

Onmiddellijk daarna zei een krachtige stem: 'Met Andersen. Ik moet u iets vertellen. Ik zal het kort houden.'

Sam luisterde met stijgende bezorgdheid.

Toen Andersen klaar was, zei Sam: 'Er zijn geen aanslagen geweest in de stad of op de hutten die we van hieruit kunnen zien. Er komt zo dadelijk een patrouille binnen. Ik heb de luitenant zojuist gesproken en hij zei dat het ook in de wildernis rustig was. Maar Ullah is in de zandkom verderop, met twee anderen, en het lijkt erop dat ze zich klaarmaken om de basis te filmen. Misschien is het de Pakistaanse nieuwsploeg waarover u vertelde.'

'Kent u Syed Ullah persoonlijk?'

'Zo goed als voor een buitenstaander mogelijk is.'

'Waar is hij toe in staat?'

Sam aarzelde geen moment. 'Tot alles.' Hij verbrak de verbinding en zei tegen soldaat Meyer: 'Sla alarm. Ik wil alle manschappen op hun post en de rest hier. Doe de poort dicht zodra de Humvees bin-nen zijn.'

Terwijl het alarm loeide en bevelen via luidsprekers werden verspreid, pakte hij zijn geweer en rende naar beneden. Hij bleef achter de wachttoren staan, onzichtbaar vanaf de poort. De Humvees zouden stoppen op de hard aangestampte aarde, op een goed verlichte plek recht voor hem. Enkele seconden later voegden een luitenant en een korporaal zich bij hem.

'Wat is er aan de hand, kapitein?' vroeg de luitenant.

'Dat weet ik nog niet.' Sam had echter het gevoel dat hij het antwoord kende, en het beviel hem niet. 'Heeft een van de mannen een virus of een verkoudheid?'

De luitenant en de korporaal schudden hun hoofd.

'Dat dacht ik al. Ik kan het mis hebben, maar we mogen geen enkel risico nemen. Ik denk dat Ullahs mensen misschien in de Humvees zitten.' Hij vertelde de luitenant wat hij moest doen.

Er arriveerden meer soldaten en de luitenant gaf de helft van hen bevel bij Sam te blijven en holde met de rest naar de andere kant van de poort, waar ook zij uit het gezicht zouden zijn.

Dreunend reden de Humvees de basis binnen. Sam gluurde om de hoek van de wachttoren om hen te bekijken. De schutters in de koepels droegen Amerikaanse legeruniformen en helmen. Ze zaten te dommelen boven hun mitrailleurs. Hij kon hun gezicht niet zien en ook degenen die erin zaten waren door het getinte glas onzichtbaar. Maar er zaten verse kogelgaten in de voertuigen. De poorten vielen met een knal dicht.

Sam gaf een teken en vierhonderd volledig uitgeruste, gepantserde en gewapende soldaten verspreidden zich zo snel dat de schutters slechts tijd hadden om op te kijken voordat ze uit de koepels werden getrokken en ontwapend. Het was een overweldigend vertoon van macht; rijen geweren wezen uit alle mogelijke hoeken naar de Humvees.

Heel even was er geen beweging. Toen gingen de portieren open en meer mannen in legeruniformen stapten uit, hun handen met door het Amerikaanse leger verstrekte M4's hoog boven hun hoofd. Het waren allemaal Afghanen. Soldaten pakten hun geweren af en namen de pistolen van hun koppelriemen.

Sam keek op naar de wachttoren en riep: 'Is Ullah er nog?'

Soldaat Castillo leunde naar buiten. 'Ja, kapitein. Ze filmden de Humvees toen die de basis op reden, maar het licht op de camera is nu uit.'

Sam baande zich tussen zijn manschappen door een weg naar Ullahs zoon, Jasim, wiens lange lijf met armen en benen uitgespreid tegen het voorste voertuig hing. Zijn gezicht stond nors. Sam pakte hem bij de kraag van zijn jack en wrong die tegen zijn hals. 'Wil je je vader dood hebben?' dreigde Sam. Toen loog hij: 'Er zit een scherpschutter in de toren en ik hoef het bevel maar te geven en Syed Ullah is een ezeldrol. Vertel me verdomme wat er aan de hand is.'

De ogen van de jongeman werden groter, maar hij zei niets.

Sam herinnerde hem er ruw aan dat hij een Pathaan was: 'Je eerste plicht is het beschermen van je familie.'

Met haperende stem vertelde Jasim gedetailleerd over het plan om de basis binnen te vallen en alle soldaten te doden.

Sam kromde zijn schouders van woede. Hij schudde Jasim één keer hard heen en weer en liet hem los. 'Zoek uit waar ze de lichamen van onze mensen hebben gelaten en sluit hem dan op. We rukken uit.'

Sam scheurde in een Humvee de basis af. Soldaten in andere Humvees en te voet verspreidden zich in een waaier over de vlakte. Ullahs mannen stonden op achter struiken, in kuilen in de grond en achter bomen en renden als hazen weg door het kale landschap. De meesten zouden gevangen worden genomen, ofschoon niet allemaal. Maar Sam was er verdomd zeker van dat hij Ullah te pakken zou krijgen.

In de verte klonk het geluid van een motor en Ullahs Land Cruiser keerde met een wijde boog.

Sams Humvee en twee andere scheurden over het terrein met een veel hogere snelheid dan de Land Cruiser en sneden die de pas af toen hij de weg insloeg die naar de heuvels en Ullahs villa leidde.

Sam leunde met een megafoon uit zijn geopende raam. 'Uitstappen. Iedereen uitstappen. Nu!'

Met zijn M4 in de hand sprong hij uit zijn Humvee en trof hen op de zandweg. Hij werd onmiddellijk omringd door zijn mannen, hun geweer in de aanslag.

Ullahs brede gezicht toonde verrassing, belangstelling, bezorgdheid. 'Kapitein Daradar, zo laat nog op patrouille?'

'Goedenavond, meneer Ullah. Er is in mijn Humvee ruimte voor jullie allemaal. Uw zoon vraagt naar u.'

Bij het horen van Jasims naam gingen Ullahs zwarte wenkbrauwen even omhoog en toen fronste hij. Het was een klein gebaar, maar voor een Pathaan was het alles. Nu zijn zoon in hechtenis zat, was hij niet alleen overweldigd door macht, maar in een hoek gedreven door de Pashtunwali-code.

'Geef me uw geweer,' beval Sam.

Met een zwierig gebaarde draaide Ullah zijn AK-47 om. Hij glimlachte innemend en overhandigde het wapen plechtig, met de kolf naar voren, de overwonnene die zijn nederlaag erkent – voor het moment.

Sam had die verdomde krijgsheer het liefst doodgeschoten en de journalisten het interview van hun leven gegund, maar de regering in Kabul en Uncle Sam zouden het niet leuk vinden. 'Stap in. We gaan terug naar de basis voor een kop Amerikáánse thee.'

75

Het eiland Perikles

Ze hoorden een zachte dreun en de deur van de Gouden Bibliotheek schudde. Nog een paar minuten en de bewakers zouden binnen zijn. Ondanks het krachtige ventilatiesysteem was het alsof de lucht in de kamer bedompter werd. Toen Eva opstond en naast Judd ging staan en terwijl Tucker met Khost sprak, zag Judd iets in de ogen van Domino.

'Wat anders?'

Domino knikte en zette zijn Walther tegen Chapmans oor. 'Geef me je satelliettelefoon.'

Langzaam tastte Chapman onder zijn smokingjas en pakte de telefoon. 'Jullie komen hier nooit levend vandaan.'

Domino negeerde hem, trok de telefoon uit zijn hand en gaf die aan Judd. 'Ik kan dit niet doen, maar jij wel. Er staat op Kreta een snel inzetbare eenheid gereed. Een zekere Gloria Feit wacht op een telefoontje van jou of Tucker. Ze hebben me verteld dat ze geen andere manier had om met jullie in contact te komen en ze wist niet of jullie hulp nodig zouden hebben of aannemen.'

Terwijl de stem van Tucker dreunde op de achtergrond trok Eva verbaasd haar wenkbrauwen op. 'Hoe weet je van Gloria Feit?'

'Daar hebben we het later over.'

'Archimedes!' Yitzhak was langs de boekenwand gelopen. Hij pakte een band en sloeg die opgewonden open. 'Goeie god, ze hebben zijn volledige werken.'

Judd draaide het nummer al.

Gloria nam onmiddellijk op. 'Souda Bay is gewaarschuwd,' zei ze in zijn oor. 'Drie Black Hawks met volledig bewapende luchtlandingsteams. Ze vertrekken over vijf minuten. Reken een halfuur om daar te komen. Misschien langer. Houden jullie het zo lang uit?'

'We zullen wel moeten.' Judd verbrak de verbinding.

Terwijl hij hen inlichtte, beëindigde Tucker zijn gesprek en luisterde mee.

'Een halfuur is heel lang,' zei Roberto bezorgd. 'Misschien hebben je mensen meer tijd nodig om het eiland te bereiken, en bovendien zijn we hier beneden. Diep onder de grond.'

Judds longen knapten bijna. Plotseling klonk er opnieuw een explosie, ditmaal luider. De deur boog de kamer in en rookslierten krulden naar binnen.

'De tafel,' zei Tucker kortaf.

Judd, Domino en Tucker gooiden hem op zijn kant. Glazen en kandelaars vielen op de grond in scherven. Ze draaiden de tafel rond door de puinhoop tot hij tegen de deur stond. Het blad was van acht centimeter dik marmer op tien centimeter hout, een stevig schild.

'Ga erachter zitten,' beval Judd. 'Jij niet.' Hij trok Chapman overeind. 'Eva, jij zorgt voor Roberto en Yitzhak.'

Roberto pakte Yitzhaks arm en trok hem weg van de boeken en achter de tafel. Eva volgde met Chapmans M4 en keek over haar schouder naar Judd. Hij keek in haar ogen en knikte. Ze glimlachte gespannen en knikte terug.

Plotseling stond Yitzhak op achter de tafel. 'Jullie mogen de bibliotheek niet beschadigen!'

'Niet nu, Yitzhak!' Eva duwde hem omlaag en hurkte naast hem neer.

'Neem jij die kant van de deur.' Domino gebaarde en rende weg. 'Ik pak de andere.'

Tucker sprintte er meteen naartoe. Hij drukte zich net als Domino plat tegen de muur, wapen in de aanslag. Judd dwong Chapman naast Tucker te gaan staan en haakte een fragmentatiegranaat van zijn riem.

Met een enorme dreun vloog de deur van de bibliotheek open, viel op het marmer en gleed door de kamer. Grijze rook golfde langs hen heen en krulde terug naar de antichambre. Judd trok de veiligheidspin uit de granaat en gooide die hoog in de rook in de antichambre. Onmiddellijk klonk er geweervuur en de kogels floten in salvo's lukraak langs hen heen; ze drongen in stoelen, de tafel en de boeken.

'Nee!' brulde Chapman en hij keek verwilderd om toen de vergulde banden uiteenspatten en boeken op de grond vielen. Hij ramde een elleboog in Judds zijde en probeerde zich los te rukken. 'Niet schieten! Dit is Martin Chapman. Ik beveel jullie niet te schieten.'

Tucker sloeg een arm om Chapmans keel en rukte hem terug.

De bibliotheek schudde door de luide knal van de granaat in de antichambre. De rook was dik en bitter. De mannen hoestten in de plotselinge stilte. Aan de andere kant van de deur klonk gekerm.

Judd knikte naar Domino. Ineengedoken, hun wapen in de aanslag, rolden ze zich om en keken naar de lichamen van zo'n zes mannen die over de hele vloer verspreid lagen. De muren zaten vol bloedspatten. Lichaamsdelen van misschien vier mannen waren afgerukt en weggeslingerd, lagen op andere mannen, bij de liften en voor het trappenhuis.

'We gaan.' Judd kwam overeind en riep achterom in de bibliotheek. 'Snel!'

Domino stond in een oogwenk bij de trap. Hij had zijn Walther opgeborgen en een M4 in zijn hand. Judd rende om de stapel lichamen heen naar het trappenhuis terwijl Tucker Chapman de antichambre in gooide. Achter zich hoorde hij Eva naar adem happen. Toen volgden hun snelle stappen hem naar boven.

'We hebben er een stuk of tien onschadelijk gemaakt toen we binnendrongen,' zei Judd tegen de rug van Domino. 'Nog eens zes in de antichambre. Er zijn er dus nog zo'n vierendertig.'

'Klopt.'

'Heb je de plattegrond in je hoofd?'

'Er is een garage op het eerste ondergrondse niveau. Achter de keuken, aan het eind van de gang. Ze zullen zich niet realiseren dat je dat weet.'

'Veiliger dan door het huis,' beaamde Judd.

Plotseling klonken er zware voetstappen, die in hun richting kwamen. Judd keek op en zag een grote '1' op de stenen muur, ten teken dat ze zich net onder de begane grond bevonden. Ze renden zij aan zij naar de overloop, toen er twee bewakers verschenen.

Judd liet zich languit op de trap vallen, pakte een granaat, trok de pen eruit en gooide. Domino liet zich naast hem vallen en ze bedekten hun hoofd met hun armen. De explosie, gevangen in het trappenhuis, was oorverdovend. Steenscherven regenden neer. Ze sprongen overeind, liepen door de rook en openden de deur van een hightech-keuken, die aanvankelijk verlaten leek, tot Judd koks en kelners zag die ineengedoken tegen de achtermuur zaten.

'Ga liggen!' blafte hij en hij richtte de M4.

Terwijl de mannen en vrouwen zich lieten vallen, rende Domino naar een zijdeur en duwde hem open. Hij zag een lange gang. Heen en weer kijkend rende hij erdoorheen en bestudeerde in het voorbijgaan gesloten deuren.

Judd opende de keukendeur en luisterde. Er kwamen nog meer bewakers de trap af rennen.

'Ongedeerd?' vroeg Tucker terwijl hij Chapman langs Judd duwde.

Chapmans gezicht leek onbuigzaam en zijn ogen fonkelden van woede. 'Als mijn mannen je te pakken hebben, vermoord ik je eigenhandig.'

Judd negeerde hem. 'Niks aan de hand. Geef me een van je granaten. Volg Domino.'

Terwijl ze ervandoor gingen, arriveerde Eva met Yitzhak en Robert. De twee mannen hijgden diep en zeiden niets. Het beviel hem niet zoals Yitzhak eruitzag. Het ronde gezicht van de professor was grauw en het zweet stond op zijn kale schedel.

Eva glimlachte hem overdreven opgewekt toe en loodste Yitzhak en Roberto de gang in.

Judd, weer alleen, ging op zijn hurken zitten, zijn M4 op het keukenpersoneel gericht, terwijl hij luisterde naar de afdalende voetstappen. Zodra hij het eerste paar voeten zag, trok hij de pen uit de laatste granaat, rolde die op de overloop, deed de deur dicht en sprintte weg. Het geluid van de explosie volgde hem door de keuken. In gedachten telde hij het aantal nog overgebleven bewakers in het trappenhuis – twee of drie in totaal, concludeerde hij. Het was niet veel. Hij had verwacht dat de hele groep achter hen aan zou zijn gestuurd toen ze de eerste explosies hoorden.

Hij smeet de deur naar de gang dicht en rende naar de garage aan het andere eind. Er waren minstens dertig minuten verstreken, dacht hij. Roberto had gelijk. Zelfs als de helikopters al waren geland, zou het langer duren. Tien minuten, twintig misschien voordat de overvalteams zich een weg langs de overgebleven bewakers hadden gevochten en hen bereikten. Hij zette zijn angst dat ze het niet zouden volhouden van zich af.

Hij opende de deur. En verstarde. Staarde. Domino zat op zijn knieën op de grond en greep naar zijn borst, waar een verse kogelwond zichtbaar was. Zijn smokingjasje zat onder het bloed en zijn gezicht was gehavend. Tucker hielp hem overeind en Eva hield haar M4 op Martin Chapman gericht. Op hetzelfde moment zakte Yitzhak met gekruiste benen op de grond en klapte hijgend over zijn dikke buik heen terwijl Roberto bezorgd zijn rug masseerde. Zes bewakers lagen languit op de betonnen vloer, dood of bewusteloos. Dat verklaarde voor een deel waar Chapmans extra mannen waren.

Judd checkte onmiddellijk de deur. Die kon niet worden afgesloten.

'Ze verwachtten ons,' zei Domino kalm terwijl hij overeind kwam, zijn M4 in een hand. 'Ze moeten een of ander traceersysteem hebben waarvan ik niet op de hoogte was. Tucker kwam net op tijd.'

'Goed werk, alle twee.'

Domino knikte. Met zijn geweer in de aanslag rende Tucker door de enorme, verlaten garage naar de geopende muil van de schuifdeur. Domino hinkte achter hem aan.

Nu zat Judd opgescheept met één gewonde schutter, een professor die zo ziek leek dat hij niet kon lopen, en Chapman die onafgebroken bewaakt moest worden. Hij vloekte inwendig. Opeens voelde hij zich uitgeput en hij realiseerde zich dat de wond in zijn zij pijnlijk klopte. Toen pakte hij een laadkar.

'Kom, professor. Je krijgt een lift.' Hij gaf zijn geweer aan Roberto, tilde de oudere man voorzichtig op en zette hem op de kar. 'Instappen, Roberto.'

Roberto ging naast Yitzhak zitten. 'Gaat het?'

De professor zei niets, knikte slechts kort. Zijn ogen waren dof van pijn.

'Jij voorop, Eva.' Judd keek naar haar gespannen gezicht.

'Met alle genoegen. Hup, Chapman.' Toen zei ze waarschuwend: 'Ik zit vlak achter je en ik zal je met alle plezier neerschieten.'

'Laat me gaan,' zei Chapman terwijl zijn koele blik hun verzwakte positie taxeerde. 'Ik zal mijn mannen terugroepen en jullie hier vandaan brengen.'

'Pleur op, man,' kaatste ze terug. 'Je leeft. Meer kun je niet verlangen. Zoals Horatius zei: "*Semper avarus eget.*" Dat betekent dat een hebzuchtig man altijd meer wil, hebzuchtige klootzak.'

Ze duwde hem voor zich uit en Judd rende haar voorbij, achter de kar. Tucker stond aan de ene kant van de grote garagedeur, Domino aan de andere. Ze gluurden voorzichtig naar buiten. Judd keek over zijn schouder naar de gangdeur om er zeker van te zijn dat die dicht bleef en om te zien of Eva Chapman nog steeds onder controle had.

Maar toen hij de garagedeur naderde en de koele nachtlucht op zijn huid voelde, hoorde hij de kreten van mannen op de hellingen. Hij duwde de kar opzij, tegen de muur. Dat verklaarde de rest van Chapmans mannen. Anderen zouden door het huis achter hen aan komen.

'Blijf hier,' zei hij tegen Yitzhak en Roberto. Voordat ze iets konden zeggen, voegde hij zich bij Domino, die opzij stapte om hem de leiding te laten nemen. 'Zie je iets?'

'Ze komen dichterbij,' zei Domino met gezwollen lippen. Zijn kaak werd dikker.

Abrupt vlogen er salvo's geweervuur door de opening, floten voorbij en spatten in de betonnen vloer. Judd liet zich vallen, rolde om en kwam bij de geopende deur op zijn ellebogen overeind, korte salvo's afvurend naar de lichtflitsen. In een oogwenk lag Domino naast hem, eveneens schietend. Donkere schaduwen van mannen daalden af om zich bij de schutters te voegen, veel meer dan het aantal van Chapmans overgebleven mannen dan hij had gedacht. Had Chapman meer bewakers ingeschakeld dan hij zich realiseerde?

Vanuit zijn ooghoek zag hij dat Eva Chapman naar Tuckers kant van de deur duwde. Nu ze er waren, liet ook Tucker zich vallen om te schieten.

Terwijl Judd salvo's afvuurde, keek hij net op tijd op om te zien dat Chapman het schouwspel met berekenende blik in zich opnam. Alleen Eva bewaakte hem nog.

'Eva!' waarschuwde hij. 'Chapman gaat...'

Te laat. De lange man tolde om zijn jas, haalde uit met zijn voet en schopte haar M4 weg. Ze graaide ernaar en hij viel op haar. Ze vocht terug, gaf hem een knietje en ze rolden om, met verstrengelde benen en armen. Judd kon niet schieten zonder Eva te raken.

Vervuld van razernij sprong hij overeind en rende naar hen toe terwijl salvo's geweervuur de garage bleven bestoken. Kogels schampten langs zijn rug, verzengend.

Plotseling hoorde hij dat de deur naar de gang werd opengegooid. In de beschutting van de muur draaide hij zich om en vuurde blindelings.

'Judd, stop!' brulde Tucker. 'Het zijn onze mensen.'

Een parachutistenteam in zwarte kleding en zwarte gevechtsuitrusting verspreidde zich naast de deur, ineengedoken, M4 in de aanslag.

Op hetzelfde moment kondigde Domino uitgeput aan: 'Jullie mensen verjagen ook de bewakers op de heuvels.'

Judd zei niets en keek snel naar buiten terwijl hij naar het verwoestende geweervuur luisterde. Er drongen geen salvo's meer de garage binnen. Het schieten klonk op al de donkere hellingen, mondingsvuur lichtte fel op terwijl de para's tegen de bewakers vochten.

Hij sprintte naar Eva. 'Kom van haar af, klootzak!' Maar voordat Chapman zich kon bewegen, schopte Judd hem tegen zijn hoofd.

Eindelijk was het stil in de heuvels. Schimmen bewogen, dreven de laatste bewakers bijeen. In de garage wachtte Eva naast Judd, getroost door zijn nabijheid, terwijl hij en Tucker de luitenant die de leiding had over de operatie bijpraatten. Wat verderop zat Chapman op de grond, met zijn handen op zijn rug gebonden, zijn hoofd schuin terwijl hij probeerde te verstaan wat ze zeiden. Zijn zilvergrijze haren zaten vol bloed waar Judd hem geschopt had. Hij weigerde iets te zeggen, was op zijn hoede, zijn gezicht woedend, zijn lippen dun en strak gesloten.

Een hospik had Yitzhak onderzocht en een ernstige mate van uitputting vastgesteld. Roberto en Yitzhak zaten hand in hand op de kar terwijl een van de soldaten hen over de vloer naar het huis reed.

Domino trok zijn smokingjas uit en de hospik scheurde zijn overhemd open, gaf hem antibiotica en pijnstillers en reinigde zijn wond.

'De kogel heeft uw longen zo te zien gemist, maar ik denk dat u een gebroken rib hebt,' concludeerde hij. 'Ik zal u verbinden tot ik u naar een ziekenhuis kan brengen. De pijnstillers zouden nu moeten werken.'

'Geef mij maar.'

Domino pakte een pakje steriel verband. Hij duwde de hospik opzij, scheurde er twee open en drukte één verband op de intredewond in zijn rug en één op zijn borst.

Hij keek Judd aan. 'Laten we maken dat we hier wegkomen.'

Eva wilde iets zeggen, bedacht zich toen. Ze voegde zich bij Domino, Judd en Tucker toen die door de garage liepen. Ze voelde hun vermoeidheid en werd zich plotseling bewust van de hare.

'Je werkt dus voor de Carnivoor, Domino?' vroeg ze.

'Ik knap af en toe een klus voor hem op. Hij vond dat ik geknipt was voor juist deze.' Zijn gezicht was nu kalm en onverstoorbaar.

'Wie is de Carnivoor?'

Hij grinnikte en legde een vinger tegen zijn rode neus. 'Hij zei al dat je het waarschijnlijk zou vragen. Het antwoord is, dat hij een man zonder gezicht is. Hij benadert me alleen per e-mail.' Hij keek Judd even aan. 'Ik sta bij je in het krijt voor het doden van Preston. Je hebt me het leven gered.'

'Met alle genoegen, geloof me.'

'Evengoed zal ik het niet vergeten.'

Ze namen de lift naar de begane grond. De woonkamer vertoonde de gevolgen van een vuurgevecht. Meubels en vazen waren verwoest en schilderijen waren bezaaid met kogelgaten. Ze liepen door de openslaande deuren naar het marmeren pad.

De maan scheen en hulde het terrein in een zacht schijnsel. Naast de tennisbanen lag een half dozijn lijken. Koks en personeelsleden zaten op de grond, bewaakt door twee leden van het parachutistenteam. Verderop stonden drie slanke Black Hawk-helikopters op en rondom het heliplatform. De rotoren van een ervan draaiden. Yitzhak en Roberto klommen juist aan boord.

Ze kwamen langs twee huizen.

'Dat daar was van je man,' zei Domino tegen Eva. 'Voor het geval je het wilt zien.'

Ze bleef staan en keek naar de witte muren en toen naar de bewerkte deur, die veel leek op die van de Gouden Bibliotheek. 'Ja, je hebt gelijk. Ik wil naar binnen.'

'Ik ga met je mee,' bood Judd aan.

'We moeten het over de Carnivoor hebben, en hoe je van het bestaan van Gloria Feit wist,' zei Tucker tegen Domino.

'Natuurlijk. Ik zal je alles vertellen, maar gun me even rust. Wat vind je van de helikoptervlucht naar huis?'

Tucker knikte begrijpend. 'Afgesproken.'

Terwijl de twee mannen buiten wachtten, betraden Judd en Eva de kleine hal van het huis van Charles Sherback en kwamen in een ruime woonkamer, die doorzocht was. Stapels boeken stonden overal verspreid op de grond, de planken aan de muren waren leeg. De kussens op de banken en de fauteuils stonden rechtop en de laden van het schrijfbureau waren opengelaten. Eva greep naar haar keel.

Judd volgde haar naar de slaapkamer. De sprei en de lakens van het grote tweepersoonsbed waren afgehaald. Kleren uit het bureau en de kast lagen op de grond. Mannenkleren – en vrouwenkleren.

Eva liep naar een ingelijst borduurwerk boven een dressoir. Het was een citaat.

'IK KAN NIET LEVEN ZONDER BOEKEN.'

– THOMAS JEFFERSON, BRIEF AAN JOHN ADAMS, 1815

'Dat heb ik Charles gegeven,' zei ze zacht. 'Het hing in zijn kantoor in de Moreau Library. Ik was het vergeten.'

Judd had in de woonkamer geen foto's gezien, maar aan de muur in de slaapkamer hingen er verscheidene van Charles en Robin, samen aan het werk in de bibliotheek, tijdens een strandwandeling, sinaasappels plukkend in een boomgaard. Hij zag dat ze zich omdraaide om ernaar te kijken.

'Misschien had hij het meegenomen als herinnering aan jou,' zei hij zachtmoedig.

'Of omdat hij het een mooi citaat vond. Had ik gezegd dat ik kan borduren?'

Hij liep naar haar toe en sloeg een arm om haar schouder. 'Ik denk dat er veel is wat je me niet hebt verteld. Ik wil alles weten.'

Ze glimlachte naar hem, maar zei niets, vervuld van emoties die ze niet kon benoemen.

Heel even was hij teleurgesteld, toen leidde hij haar naar de deur. Ze liepen de nacht in. De rotoren van een andere helikopter draaiden nu en de motor zond golven van geluid door de frisse zeelucht.

'Waar zijn Tucker en Domino?' Judd keek haastig rond.

Ze renden. Tucker hees zichzelf overeind achter een struik.

'Tucker, wat is er gebeurd?' vroeg ze.

'Die klootzak overviel me toen ik niet keek.' Tucker grinnikte en klopte zijn broek af. 'Hij wilde mijn vragen blijkbaar niet beantwoorden.'

'Daar is-ie,' zei Judd, turend naar de hoge heuvel achter hen.

Domino was een eenzame, snel klimmende gestalte. Hij had zijn witte overhemd uitgetrokken en droeg nu een zwart T-shirt met lange mouwen. Met zijn zwarte smokingbroek was hij moeilijk te zien. Toen draaide hij zich om en het maanlicht viel op zijn gezicht. Met zijn M4 in de hand kreeg hij hen in het oog.

'Kom terug, verdomme!' riep Tucker.

Maar hij hief twee vingers op en bracht ze naar zijn voorhoofd in een kort saluut. Eva meende het gebaar vaag te herkennen... En toen zag ze het voor zich: een maanverlichte nacht zoals nu, de Thracische kust in Turkije. Zij en Judd in een klein vliegtuig, op het punt om naar Turkije te vertrekken, en Judd had teruggegroet.

De mannen vloekten toen zijn silhouet lichtvoetig wegrende en over de top verdween.

Maar Eva voelde een vreemde opwinding. 'Mijn god, hij was het. De moordenaar zonder gezicht. Er bestaat geen Domino. Dat was de Carnivoor.'

Epiloog

Georgetown, D.C.

Zelfs in de lange schaduwen van de schemering was de juniavond zwoel, kenmerkend voor een zomer in het District of Columbia. De trottoirs en de granieten gebouwen straalden warmte uit en de geuren van bloeiende bloemen vermengden zich met de stank van olie en beton toen Eva Blake zich in het centrum van Georgetown door Wisconsin Avenue haastte.

Ze werd vervuld van herinneringen. Het was twee maanden geleden dat ze de Gouden Bibliotheek op het eiland Perikles hadden gevonden en eindelijk had ze een idee van wat ze met haar toekomst wilde. Nu de veroordeling wegens de dood van Charles was herroepen, had ze zijn levensverzekering geïncasseerd, een flat in Silver Spring gehuurd en was naar de omgeving van Washington verhuisd.

Krantenkoppen overal ter wereld hadden geschreeuwd dat de Gouden Bibliotheek eindelijk was gevonden. Nieuws was ook de arrestatie door de Griekse justitie van Martin Chapman en de andere nog levende leden van de boekenclub – allemaal internationale zakenlieden – op beschuldiging van de ontvoering van Yitzhak Law en Roberto Cavaletti. De mannen waren al korte tijd later op borgtocht vrijgelaten; ze beweerden dat Yitzhak en Roberto gewoon op bezoek waren geweest. Omdat Yitzhak kort voordat hij en Roberto verdwenen tegen de universiteit in Rome had gezegd dat hij voor zaken de stad uit ging, klonk de verdediging van de boekenclub niet helemaal ongeloofwaardig. Hoe dan ook, de zeven mannen hadden een wereldklasseteam van juristen die dag en nacht voor hen werkten, terwijl de CIA zijn rol geheim moest houden en van weinig nut zou zijn om de aanklacht tegen hen te staven. Yitzhak en Roberto waren in elk geval weer veilig thuis in hun vertrouwde omgeving.

Een voetnoot bij het wereldnieuws maar een krantenkop in Los Angeles was dat Charles op het eiland was gevonden, dood. Voormalige vrienden en collega's hadden gebeld om haar te condoleren en nieuwsgierige vragen te stellen. Tegelijkertijd waren de media uitgezwermd, hadden haar voicemail ingesproken met verzoeken om interviews en hun tenten opgeslagen bij haar hotel. Ze kon niet naar de apotheek gaan, gestoomde kleding ophalen of in een café eten zonder dat ze onder vragen werd bedolven. Gelukkig was ze daar in Washington aan ontsnapt.

Zoals dat in Afghanistan ging, was Syed Ullah geen krijgsheer meer. De regering in Kabul had het leger op hem afgestuurd om hem te dwingen zijn regio over te dragen aan een jonge rivaal in opkomst en nu had Ullah zich kandidaat gesteld voor de eerstvolgende parlementsverkiezingen. Het zag ernaar uit dat hij zou winnen, maar Kabul liet niet merken of het zich zorgen maakte. De diplomatieke banden met Pakistan werden niet verbroken. De films van de twee Pakistaanse verslaggevers waren in beslag genomen en de regering in Islamabad had hun bevel gegeven alles te vergeten wat ze hadden gezien, dus de Amerikaanse basis was veilig. Pakistan had er alle belang bij Afghanistan zo stabiel mogelijk te houden, althans voorlopig.

Terwijl ze door de drukke straat liep, hield Eva de donkere schaduwen in de gaten. Ze voelde nog steeds de intense uitputting van opgejaagd worden, van de achtbaan van angstaanjagende mislukkingen en opwindende successen. En ze miste haar vriendin Peggy Doty ontzettend. Ze had verscheidene telefoongesprekken gevoerd met Peggy's geliefde, Zack Turner, die nog steeds ontroostbaar was.

Ze onderdrukte haar woede als ze dacht aan Charles' in scène gezette dood, haar gevangenisstraf en het nog steeds niet geïdentificeerde lijk in Charles' graf. Het ene verraad na het andere. Ze vroeg zich af wie ze vóór de gevangenis en de Gouden Bibliotheek-operatie was geweest. Ze was onmiskenbaar veranderd. Het werd tijd om uit te zoeken wie ze nu was.

Judd en Tucker zaten te wachten aan een tafel in Five Guys Burgers & Fries op de hoek van Dumbarton Street. Ze zaten tegenover elkaar, de oudere, academisch ogende man met zijn schildpadbril en de toegetakelde atleet met zijn sportjack en coltrui. Ze glimlachte toen ze hen zag.

Ze gebaarde hun te blijven zitten en kuste hen op de wang. 'Je hebt al vóór me besteld. Bedankt, Tucker.'

'Je ziet er goed uit, Eva,' zei Judd. 'Uitgerust.'

'Zo voel ik me ook.' Ze glimlachte en ging tussen hen in zitten.

De mannen zaten al te eten, dus ze viel aan op haar hamburger met frites. Ze had Tucker niet meer gezien sinds ze weer in de Verenigde Staten was aangekomen en Judd alleen tijdens de debriefing. Hij leek soms nog steeds terneergeslagen; niet alleen omdat zijn vader was vermoord, maar ook omdat die intensief betrokken was geweest bij de machtige, immorele boekenclub.

'Hoe is het met je moeder, Judd?' vroeg Tucker.

'Veel beter. Alweer druk bezig met haar liefdadige instellingen. Ze weet niets over mijn vader en de Gouden Bibliotheek.'

'Ze hoeft het ook niet te weten,' zei Eva snel.

'Wat is het laatste nieuws over de boekenclub, Tucker?' vroeg Judd.

Tucker kauwde even. 'Ik kan uiteraard niet in details treden, maar ik kan je vertellen dat Justitie onderzoekers aan het werk heeft gezet in de verschillende landen waarmee ze zakendoen. Het probleem is dat we de leden niet kunnen aanpakken, zelfs niet als we criminele activiteiten ontdekken, tenzij het in de Verenigde Staten is of in een land waarvan de regering wil meewerken.'

Judd schudde vol walging zijn hoofd. Toen veranderde hij van onderwerp. 'Hebben we vrede gesloten met de Grieken?'

Tucker grinnikte. 'H.L. Mencken heeft eens geschreven dat naties met elkaar overweg kunnen niet door de waarheid te vertellen, maar door elegant te liegen. We hebben het op een akkoordje gegooid. Als de Grieken bereid zijn te vergeten dat we para's hebben ingezet op hun grondgebied, mogen ze met de eer gaan strijken voor het vinden van de Gouden Bibliotheek.'

'Dat verklaart de krantenartikelen. Charles zou woedend geweest zijn.' Eva lachte. Nu had de befaamde Griekse overheidshistoricus Nikos Amourgis de eer gekregen. 'Wat gebeurt er nu met de bibliotheek?'

Tucker was klaar met eten en schoof zijn bord van zich af. 'Die is verdwenen. De boodschap is dat ze privé blijft.'

'Weet je niet waar ze is?' vroeg ze verbaasd. 'En de Grieken ook niet?'

'Ze hebben hun onderzoek op het eiland vorige maand afgesloten. Een week later bleek uit verkenningsvluchten dat ze verdwenen was. Er staan geen gebouwen meer op het plateau. De verdiepingen onder de grond zijn volgestort en er is een boomgaard aangeplant. Zelfs de haven is opgedoekt. Het komt erop neer dat het eiland privébezit is, evenals de collectie, dus ze kunnen doen wat ze willen. De bibliotheek is niet belangrijk voor onze nationale veiligheid, dus we zetten geen mankracht in om haar weer te vinden.'

Ze zwegen teleurgesteld.

'En de Carnivoor?' vroeg Eva nieuwsgierig. 'Heb je hem gevonden?' Tucker had para's naar het eiland gestuurd om hem te zoeken. Ze hadden melding gemaakt van een kleine, donkere speedboot aan de westkant die in het donker was weggevaren. Het was mogelijk dat de Carnivoor aan boord was, maar omdat ze de helikopters nodig hadden gehad om de gewonden van het eiland te halen, waren ze er niet achteraan gegaan.

Tucker schudde zijn hoofd. 'Nee. Gloria had onze agenten een boodschap gestuurd dat, wanneer zij of hun informanten contact met ons zouden opnemen, ze ons moesten bellen voor hulp. Dus toen ik wilde weten hoe de Carnivoor het wist, liet ik haar een tweede bericht sturen met de vraag er verslag over uit te brengen. Het leverde niks op. Verdomd frustrerend.'

'Er is iemand binnen Catapult die de Carnivoor kent,' zei Judd, 'of hem kan bereiken.'

'Inderdaad. Maar niemand die iets zegt.'

'Maar goed, zijn hulp was doorslaggevend,' zei Eva. 'Sterker nog, je kunt gerust stellen dat zijn hulp ons het leven heeft gered.'

'Ja, en ik ga niet op hem jagen,' zei Tucker. 'Er gebeuren kwalijke dingen als er iemand achter de Carnivoor aan gaat, maar dat is het punt niet. Ik zie er gewoon de zin niet van in, in elk geval nu niet.'

'Ik ben vreemd genoeg blij,' zei Eva.

Tucker keek het drukke fastfoodrestaurant rond. Twee mannen van middelbare leeftijd hadden met hun burgers plaatsgenomen aan de volgende tafel.

'Kom, we stappen op.' Tucker stond op en ging hun voor naar buiten.

Toen ze over Wisconsin Avenue liepen, Tucker in het midden, keek hij hen om beurten aan. 'Ik weet dat de Gouden Bibliotheek-operatie moeilijk voor jullie was. Jullie hebben heel onprettige dingen ontdekt over mensen van wie jullie hielden. Daar staat tegenover dat ik altijd heb gevonden dat illusies overschat worden. Vergelijk het met een groot ballet. Vanuit de zaal zie je geweldige dansers, schijnbaar zo licht als lucht, die springen, pirouettes maken en zich bewegen als sylfiden, op manieren waarvan de meeste mensen slechts kunnen dromen. Maar achter de schermen vind je zweet, gescheurde spieren en misvormde voeten. Wat is beter?' Voordat ze konden antwoorden, ging hij verder: 'Ik kies voor het achtertoneel. Daar leer je wat ervoor nodig is om iets bijzonders te creëren. Daar zie je de menselijke geest op zijn onverzettelijkst. En de volgende keer dat je in de zaal zit, is de illusie verdwenen en begin je te zien dat we allemaal met wat inspanning een soort van glorie kunnen bereiken in ons leven.'

'Heb je het over Charles en over Judds vader?' vroeg Eva.

'Ja. Ze hebben allebei verachtelijke dingen gedaan, maar ook goede dingen. Die gedachte zal jullie helpen met de feiten te leven.'

Ze zwegen.

Ten slotte zei Tucker: 'Judd, ik heb werk voor je wanneer je maar wilt. Ik weet dat je nu aarzelt, maar onthou dat ik je kan gebruiken. Ivan de Verschrikkelijke had een punt toen hij *Het boek der spionnen* bestelde. Spionnen hebben een lange, zij het geschakeerde geschiedenis, en we zijn nog steeds hard nodig.'

Judd schudde zijn hoofd. 'Bedankt, maar nee, bedankt.'

Eva schraapte haar keel. 'En ik?'

De mannen keken haar aan.

'Wat bedoel je?' vroeg Judd scherp.

'Jullie vinden blijkbaar alle twee dat ik goed werk heb verricht,' zei ze kalm. 'Ik wil de CIA-opleiding volgen. Als ik sjees, het zij zo.'

'Je hield van je werk als conservator,' wierp Judd tegen.

'Ja, maar ik heb nooit dezelfde betrokkenheid gevoeld, hetzelfde gevoel van iets doen wat verschil zou kunnen maken. Je moet gevoeld hebben dat ik die kant op ging, Judd. Anders zou je niet de moeite hebben genomen me zoveel te leren.'

Tucker grinnikte. 'Je hebt gelijk, Eva. Je hebt er de aanleg en de hersens voor. Ik zal morgen wat telefoontjes plegen. Ik laat jullie hier achter. Ik heb met mijn vrouw afgesproken in het Kennedy voor een opera. Haar idee. Ik heb de schurft aan opera, maar ze kan momenteel krijgen wat ze wil.' Hij mepte Judd op zijn rug en kuste Eva op een wang. 'Ik weet dat ik ervan opaan kan dat jullie geen woord zullen zeggen over de operatie.' Hij draaide zich om en verdween.

'Is hij nu de baas bij Catapult?' vroeg Eva terwijl ze omkeek en zijn energieke tred observeerde.

'O nee zeg.' Zijn grijze ogen dansten. 'Ik wed dat hij het nooit zal aannemen. Gloria is boos, maar ze kan ermee leven.' Toen zei hij ernstig: 'Ik had je nog zó gewaarschuwd: ga niet te veel van het werk houden.'

Ze glimlachte. 'Verwijt je het me?'

'Nee. Je zult een verdomd goede aanwinst zijn voor Langley.'

Hij zocht in zijn zak en stak zijn hand uit. Toen hij die opende, zag ze haar trouwring en de halsketting die ze van Charles had gekregen.

'Heb je ze achtergehouden?' Ze voelde een vreemde emotie.

'Ik dacht dat je, nu het leven weer een beetje tot rust is gekomen, misschien beter zou weten wat je ermee wilt. Ze zijn tenslotte van jou.'

'De hanger is een Romeinse munt. De godin Diana. Het was Charles' eerste cadeau.'

'De godin van de jacht,' herinnerde hij zich.

'Ja, op de een of andere manier deed ik Charles aan haar denken.'

'Hij had geen ongelijk.'

Ze nam de sieraden en de verantwoordelijkheid. 'Ik zal ze schenken.' Ze liet ze in haar jaszak glijden.

Zwijgend liepen ze verder. Ze dacht na over wat Tucker had gezegd over illusies.

'Vreemd dat we geen van beiden de waarheid over je vader en Charles zagen,' zei ze ten slotte. 'Wat we in plaats daarvan zagen, was liefde. *Ut ameris, amabilis esto.* Dat is van Ovidius en het betekent: als je bemind wilt worden, wees dan beminnelijk. Op hun eigen manier waren ze beminnelijk. We zullen nooit kunnen vergeten wat ze hebben gedaan, maar het zou goed zijn als we zouden proberen het hun te vergeven.'

'Ik bel je,' zei hij.

'Ja, we praten verder.'

Ze glimlachte naar hem en hij glimlachte terug en keek in haar ogen. Ze wisselden een warme intimiteit uit.

'Ik ben blij dat ik je heb leren kennen, Eva Blake.' Hij pakte haar hand. Zijn greep was stevig.

Ze hief hun handen op en keek naar de zijne. Het leek haar niet langer de hand van een moordenaar. Maar ja, Michelangelo had met marmer gewerkt en dit was het warme vlees van een man. Een heel goed man.

Rome, Italië
De maand juli was het hoogtepunt van het Estata Romana, het Romeinse zomerfestival. Een zes weken durend festijn voor oor en oog, een stortvloed van voornamelijk openluchtvoorstellingen, vele in grazige parken en in ruïnes om te profiteren van de pracht van het oude Rome. De Carnivoor probeerde altijd minstens een paar dagen in de stad te zijn om zo veel mogelijk te genieten. Deze avond was er een goede avond voor, warm maar niet heet, en de sterren fonkelden helder.

Met aan zijn rechterhand de vervallen muren en zuilen van de tempel van Claudius beklom hij de steile Via Claudia en haalde diep adem, vulde zijn longen en blies met machtige stoten lucht uit, genietend van zijn hernieuwde vitaliteit, zijn goede gezondheid. Zijn ontsnapping van het eiland Perikles had alles van zijn krachten gevergd. De pijnstillers van de hospik hadden geholpen en hij had uiteraard lange ervaring met de regel van de kat: laat nooit merken dat je gewond bent, kwetsbaar.

Jack O'Keefe, Doug Kennedy en George Russell hadden op de afgesproken plek gewacht in een krachtige speedboot en enkele uren later waren ze op de luchthaven van Mykonos en op weg naar huis. De kogel was door belangrijke spieren gedrongen en afgeketst op een rib, dus hij had er alle tijd voor genomen om te herstellen en was vervolgens weer aan zijn cardio- en gewichtsoefeningen begonnen.

Bij het smeedijzeren hek kocht hij een kaartje en hij liep het terrein van de schitterende Villa Celimontana op. Het park strekte zich uit op de Celio-heuvel, een van de zeven heuvelen van de stad, ten noorden van het Colosseum. Het was een nauwelijks bekende oase van rust en groen in het chaotische Rome. Aan de overkant stond in kleurige geprojecteerde letters JAZZ. Hij liep tussen de letters door en nam de hoge cipressen en eeuwenoude eiken en pijnbomen in zich op. De kronkelende paden waren bezaaid met stukken gegraveerd marmer en gebroken klassieke beelden. Na vijf minuten was hij bij de zestiendeeeuwse villa, twee verdiepingen hoog en roze in de nachtelijke verlichting.

Hij sloeg een hoek om en passeerde een jazzpostergalerie in de openlucht, sculpturen, artistieke installaties en ten slotte een fontein, vlak voor de ingang. Hij luisterde naar de jazzy geluiden van Charles Lloyds zoetgevooisde tenorsax.

Terwijl de rijke muziek de lucht vulde, beklom hij de houten tribune die voor het zomerseizoen was gebouwd. Rijen tafels, voorzien van kleine rode lantaarns, vulden de bovenste drie rijen van het halfronde amfitheater, de concertplaatsen waren op de patio beneden, waar de stoelen tegenover het podium stonden, waarop Lloyd soleerde voor een kleine jazzband.

Hij vond zijn tafel, ging zitten en pakte het glas bier dat op hem wachtte, een gekoeld witbier van Birra Menabrea, geknipt voor de warme avond.

'Goed je te zien, oom Hal.' Bash Badawi had zijn gebruikelijke korte broek en T-shirt voor de gelegenheid verruild voor een versleten spijkerbroek en een purperen overhemd met openhangende kraag en opgerolde mouwen, die als cellofaan zo strak om zijn gespierde lichaam spanden. Ondanks het late tijdstip stond er een zonnebril boven op zijn sluike, gitzwarte haren en zijn donkere ogen glimlachten in zijn goudkleurige gezicht. Hij zag er op en top modern Romeins uit.

'Hoe is het met je moeder?' De Carnivoor nam een slok. Bash was geen volle neef, maar een achterneef, een kleinkind van een zus van zijn moeder. Het was ingewikkeld, maar ze kwamen dan ook uit een grote Italiaanse familie.

'Mama maakt het best. Maakt pasta alsof we allemaal nog thuis wonen. Ik heb gezegd dat ze een internetwinkel moest openen, maar ze was diep geschokt. De pasta zou niet vérs zijn, en ik was een idioot dat ik het voorstelde. Die vrouw kan nog steeds dodelijk uithalen met een houten lepel. Je weet wat ik bedoel: met de lange steel en de pittige spaghettisaus van de schep druipend. Pijnlijk.' Bash grinnikte en keek hem taxerend aan. 'Je ziet er best goed uit voor iemand wiens ingewanden overhoop zijn gehaald.'

'Alleen spieren.' Hij nam opnieuw een slok en genoot van de jongeman, die hem herinnerde aan degene die hij was geweest. Toen stelde hij de vraag waarvoor hij was gekomen: 'Is er iemand naar me op zoek?'

'Alleen de gebruikelijke schurken, fans en historici. Maar in ernst: ik denk dat je veilig bent. Ik kan niet precies zeggen hoe ik het weet – nationale veiligheid en zo – maar de man die je op het eiland hebt ontmoet, Tucker Andersen, heeft de jacht afgeblazen.'

De Carnivoor knikte slechts, maar hij was opgelucht. Hij had Andersen en Blake gemogen en hij stond bij Judd Ryder in het krijt.

'Krijg je hier problemen mee?' vroeg hij.

'Hé, niks aan de hand. Je hebt ons een plezier gedaan en ik hou mijn mond. Ze hebben me getraind in geheimhouding.' Hij stak een gespierde hand op, met twee vingers gespreid, om nog twee bier te bestellen. 'Dus je hebt nu even vrij. Nog opwindende klussen?' vroeg hij tussen neus en lippen.

De Carnivoor keek over de balustrade uit over het zuiden van Rome. De lichten van de stad fonkelden rondom de massale ruïne van de Thermen van Caracalla. Nu was het een lege huls van bakstenen, maar vroeger had het complex zich uitgestrekt over elf hectaren en plaats geboden aan zestienhonderd baders tegelijk. Hij herinnerde zich dat keizer Caracalla, die de thermen in de derde eeuw na Christus had laten bouwen, een wrede, meedogenloze heerser was geweest. Op weg uit Edessa, om een oorlog met Parthië te beginnen, was hij langs de kant van de weg gestopt om te urineren en door een van zijn eigen mensen vermoord, een gefrustreerde en eerzuchtige officier van de Keizerlijke Garde.

De Carnivoor grinnikte. 'Drink op, jongen. De nacht is nog jong en voor het moment zal ik doen alsof ik dat ook ben. Wat mijn plannen betreft: ook ik ben getraind in geheimhouding.'

Aantekeningen van de auteur

De mysterieuze geschiedenis van de Gouden Bibliotheek

De zoektocht naar de verloren gegane bibliotheek van Ivan de Ver-schrikkelijke – ook wel de Byzantijnse Bibliotheek genoemd – in de doolhof van tunnels onder Moskou heeft zo'n vijf eeuwen geduurd en tot de verbeelding gesproken van keizers, potentaten en het Vaticaan. Jozef Stalin staakte de jacht in de jaren 1930 omdat hij bang was dat het zoeken naar de tunnels hem kwetsbaar zou maken voor een aan-slag van onder de grond; Vladimir Poetin gaf, in een gebaar dat de nieuwe openheid van Rusland symboliseerde, in de jaren 1990 toe-stemming om de speurtocht te hervatten.

Momenteel buigen talloze geleerden, wetenschappers, historici en amateurs zich over oude kaarten en ze vragen officieel toestemming voor onderzoek. Ook wichelroedelopers die beweren gebruik te ma-ken van bio-energetische krachten om metaal te lokaliseren nemen deel aan de jacht, evenals spiritisten die fungeren als bescherming te-gen 'duistere machten' die de verborgen boeken mogelijk zouden be-waken (eerdere speurders zijn ten prooi gevallen aan ongelukken, ziek-tes, blindheid of de dood) en de Diggers of the Underground Planet, een groep speleologen met een sekte van volgelingen die afdalen in mansgaten en vergeten ijzeren deuren openbreken om de nog niet on-derzochte gangen te bereiken.

Mijn belangstelling dateert van ruim twintig jaar geleden. Op 28 juni 1989 werd mijn belangstelling gewekt door 'Kremlin Tunnels: The Secret of Moscow's Underworld' door Masha Hamilton in de *Los Angeles Times*.

Op een zomeravond in 1933 vonden twee jongemannen wat ze zochten: de ingang van een eeuwenoude ondergrondse tunnel binnen het gezichtsveld van de rode Kremlin-muren. Toen ze bij het licht van een lantaarn onder de grond naar de zetel van de macht in Moskou kropen, geloofden de mannen dat ze de legendarische bibliotheek van met goud bedekte boeken van Ivan de Verschrikkelijke zouden vinden. In plaats daarvan vonden ze vijf geraamtes, een doorgang die soms zo smal was dat ze er een voor een doorheen moesten kruipen en, nog geen honderd meter van het Kremlin, een roestige stalen deur die ze niet konden openen.

Ik raakte in de ban van deze 'bibliotheek van met goud bedekte boeken', die in mijn gedachten onmiddellijk de Gouden Bibliotheek werd. Functionarissen van het Kremlin maakten een eind aan de verkenningstochten van de jongelui en lieten hen, onder impliciete doodsbedreigingen, geheimhouding zweren, en Stalin gaf opdracht een zwembad boven het gebied te bouwen, zodat er definitief een eind kwam aan alle speurtochten.

Het verhaal van de fabelachtige bibliotheek is er een van geopolitiek, een gearrangeerd huwelijk, krankzinnigheid en eeuwigdurende liefde voor boeken. Het begon meer dan tweeduizend jaar geleden in de Grieks-Romeinse wereld van keizers, geleerden, krijgers en rijken.

Een opzettelijk lugubere oude Romeinse grafsteen draagt de volgende inscriptie: '*Sum quod eris, fui quod sis*' – 'Ik ben wat u zult zijn, ik was wat u bent.' Openbare en particuliere bibliotheken werden door de ouden vergaard om ervan te genieten, anderen op te leiden en te pronken met welvaart en privileges. Maar in de ruimste zin werden ze opgericht om kennis te bewaren. Bijzondere internationale bibliotheekcentra in Alexandrië, Pergamon, Antiochië, Rome en Athene bloeiden eeuwenlang. Helaas zijn ze allemaal verwoest, soms tijdens oorlogen, soms uit hebzucht, soms weloverwogen om geschiedenis en cultuur te vernietigen.

De laatste grote schatkamer in die westerse wereld van lang geleden was de koninklijke bibliotheek in Constantinopel. Deze stad, in 330 na Christus gesticht door Constantijn de Grote, ontstond op de plek van een Griekse stad, Byzantium. Het werd indertijd het Romeinse Rijk genoemd; tegenwoordig staat het bekend als het Byzantijnse Rijk. Omstreeks 475 telde de bibliotheek zo'n 120.000 banden, waardoor ze waarschijnlijk de grootste in haar tijd was. Ze brandde in de loop der eeuwen verscheidene keren af, waarbij talloze werken van onschatbare waarde verloren gingen, waaronder volgens sommigen een tekst van Homerus, in gouden letters op een drie meter lange slangenhuid.

Maar telkens weer herrees de keizerlijke collectie uit de literaire as. In de vijftiende eeuw beschreef de Spaanse ontdekkingsreiziger Pedro Tafur haar als volgt: '... een marmeren galerij die uitkomt in een hal met overal marmeren banken en soortgelijke tafels die op lage zuilen tegen elkaar zijn geplaatst; er zijn daar vele boeken, oude teksten en geschiedenissen.'

De definitieve klap kwam op 29 mei 1453, toen Mehmet de Veroveraar en zijn Ottomaanse Turken Constantinopel op wrede wijze innamen. De Engelse historicus Edward Gibbon schreef: 'Er zouden 120.000 manuscripten zijn verdwenen.'

Zes jaar later vluchtten de nog in leven zijnde leden van de Byzantijnse koninklijke familie toen de Ottomaanse Turken Morea binnenvielen, het rijke Griekse schiereiland dat werd geregeerd door Thomas Paleologus, de erfgenaam en neef van de keizer. Thomas werd op de kleine Venetiaanse galei vergezeld door zijn vrouw en kinderen, twee jonge zoons en een dochter, Zoë, circa twaalf jaar oud. Deze zou later een belangrijke rol spelen in de Gouden Bibliotheek.

Ze begaven zich naar Italië, waar Pius II hen onder zijn pauselijke vleugels nam, en het Vaticaan stelde een paleis en een stipendium ter beschikking. De paus had een belangrijk politiek en religieus doel voor ogen: Thomas kronen in een heroverd Constantinopel. Thomas en zijn familie waren Grieks-orthodox, maar hadden zich na aankomst in Italië prompt bekeerd tot het rooms-katholicisme. Als de paus in zijn opzet slaagde, zou Thomas regeren over een christelijk, westers gezind Nieuw-Byzantium dat katholieken en orthodoxen verenigde – en onder religieuze controle van Rome stond.

De Venetianen, die fortuinen verdienden aan de handel met de Ottomaanse Turken, waren er allesbehalve gelukkig mee. Toen Pius tweemaal probeerde een vijfde kruistocht te organiseren, ditmaal tegen Constantinopel, werden de Venetianen nerveus. Uiteindelijk hielden ze hun vloot zo lang achter, dat de laatste aanvalspoging mislukte, en de paus stierf.

De volgende paus, Paulus II, voerde schijnbewegingen uit. Ook hij richtte zijn blik oostwaarts, maar nu op de weduwnaar geworden Ivan III, de grootvorst van Moskou, die korte tijd later Ivan de Grote zou worden genoemd. De Russisch-orthodoxe kerk bloeide daar al lange tijd. In de hoop Ivan als militaire bondgenoot tegen de Turken te krijgen, plus zijn instemming met de hereniging van de kerken, schonk de paus hem in 1472 de hand van Zoë, die toen een jaar of twintig was.

Moskou was de machtigste van de Russische staten en de snelst groeiende macht van die tijd, hoewel het nog gebukt ging onder het moslimjuk. Ivan accepteerde het voorstel en nog datzelfde jaar trouwde het vorstelijke paar in Moskou. Zoë nam de naam Sophia aan.

We weten dat Sophia met een groot gevolg over land en zee naar Moskou reisde. Ze werd vergezeld door Italianen en Grieken, die zich daar eveneens vestigden, invloedrijk werden en zelfs het Kremlin in Russisch-Italiaanse stijl herbouwden.

Volgens verscheidene commentatoren bracht Zoë kostbare geïllustreerde manuscripten uit de Byzantijnse koninklijke verzameling mee naar Moskou. 'De kronieken maken melding van honderd karren, beladen met driehonderd kisten vol zeldzame boeken die in Moskou aankwamen,' aldus Alexandra Vinogradskaja in *The Russian Culture Navigator*. Een andere versie luidt: 'De prinses kwam in Moskou aan met een bruidsschat van zeventig karren, waarop honderden koffers die de nalatenschap van vroege culturen bevatten: de door de Byzantijnse keizers verzamelde bibliotheek,' aldus Nikolaj Khinsky op www.whererussia.com, de Russische nationale toeristengids voor internationale reizigers.

Wat vaststaat is dat Sophia inderdaad de Ivoren Troon van de Byzantijnse keizers meebracht waarop alle latere Russische vorsten werden gekroond, evenals de tweekoppige adelaar, duizend jaar lang het keizerlijke symbool van het Byzantijnse Rijk en daarna bijna vijfhonderd jaar dat van het Kremlin. Ook introduceerde ze de hoftradities van Byzantium, waaronder ceremoniële etiquette en kostuums. Al voor het huwelijk had Ivan de titel tsaar – Caesar – aangenomen en er 'grozny' ('geducht') aan toegevoegd, een respectvol bijvoeglijk naamwoord dat in de Byzantijnse autocratie gangbaar was, omdat de soeverein gezien werd als het aardse evenbeeld van God en bekleed met al diens heilige en rechterlijke macht.

Aangezien Sophia zoveel meevoerde uit Byzantium, is het heel goed mogelijk dat zich geïllustreerde manuscripten onder haar geschenken bevonden. Zoals Deb Brown, bibliograaf en bibliothecaris aan het onderzoekscentrum voor Byzantijnse studies in Dumbarton Oaks me schreef: 'De (gepubliceerde) bronnen uit die tijd schijnen niets te bevatten waaruit blijkt dat Zoë/Sophia boeken in haar bezit had, maar ik ben er niet van overtuigd dat ze geen boeken meevoerde. Het stilzwijgen van de bronnen moet worden afgewogen tegen de aard van de bronnen: het zijn er weinig en ze hebben betrekking op staatsaangelegenheden en geld, en op weinig andere dingen. Er zijn vele aanwijzingen dat ze onderlegd en goed opgeleid was.'

Het geopolitieke spel van het Vaticaan slaagde uiteindelijk gedeeltelijk. Sophia was degene die Ivan III er in 1478 toe overhaalde de Gouden Horde te weerstaan. 'Toen de gebruikelijke boodschappers van de Tataarse khan kwamen om de traditionele schatting op te eisen, smeet Ivan het verdrag op de grond, stampte en spuugde erop en doodde alle ambassadeurs op één na, die hij terugstuurde naar zijn meester,' aldus Gilbert Grosvenor in *National Geographic Magazine*. Na verloop van tijd versloegen Ivans legers de soldaten van Ahmet Khan en die vormden sindsdien geen serieuze bedreiging meer voor Moskou. Ivan, een van de langst regerende Russische tsaren, verdrievoudigde zijn grondgebied en legde de grondslag voor de staat, grotendeels gebaseerd op de autocratische heerschappij van Byzantium.

De opzet van het Vaticaan slaagde niet in zoverre dat de stoel van Petrus niet werd verenigd met de troon van Constantijn: na aankomst in Moskou had Sophia onmiddellijk weer het orthodoxe geloof omhelsd.

De Gouden Bibliotheek zou van hen zijn overgegaan op hun zoon, Vasili III, en van hem op zijn zoon, Ivan IV. In 1547 verijdelde Ivan op zeventienjarige leeftijd een Kremlin-complot en kroonde zichzelf tot Tsaar aller Russen. Ook hij werd later bekend als Grozny – Ivan de Verschrikkelijke – berucht om zijn wreedheid, het afslachten van complete steden en plezier in folteren. Tegelijkertijd, honderd jaar voordat Peter de Grote hetzelfde deed, opende Ivan Rusland voor het Westen. Hij correspondeerde frequent met Europese vorsten, onder wie Elizabeth I van Engeland, wisselde diplomaten uit en bevorderde de internationale handel. Hij breidde Rusland uit tot aan de Grote Oceaan en introduceerde de drukpers in Rusland.

'Hoeveel oosterse manuscripten heeft de vorst?' vraagt Khinsky, verwijzend naar verklaringen waarin de bibliotheek van Ivan de Verschrikkelijke wordt beschreven. 'Tot wel achthonderd. Sommige heeft hij gekocht, andere ten geschenke gekregen. De meeste manuscripten zijn in het Grieks, maar vele ook in het Latijn. Tot de Latijnse die ik heb gezien, behoren geschiedkundige werken van Livius, *De republica* door Cicero, verhalen over keizers door Suetonius. Deze manuscripten zijn geschreven op dun perkament en in goud gebonden.'

Uit zijn brieven weten we dat Ivan bekend was met de Bijbel, de Apocriefen, de Chronografen, die de wereldgeschiedenis behandelden, en verhalen uit de *Ilias*. Hij kreeg boeken cadeau van buitenlandse gezanten en bezoekers, liet boeken schrijven en andere in het Russisch vertalen voor eigen gebruik.

'Historici weten van het bestaan van de bibliotheek doordat Ivan de Verschrikkelijke schrijvers opdracht gaf de boeken in het Russisch te vertalen,' aldus een artikel in de Londense *Times*. 'Volgens de legende vulde de bibliotheek ooit drie zalen en ze was voor Ivan de Verschrikkelijke zo waardevol, dat hij een ondergrondse bewaarplaats liet bouwen om ze te beschermen tegen de branden die Moskou regelmatig teisterden.' Maar deze bewaarplaats, die onder het Kremlin zou hebben gelegen, kan ook een uiting zijn geweest van Ivans geestelijke labiliteit en groeiende paranoia.

Het nieuws van de bibliotheek verspreidde zich over Europa. 'De Duitsers, Engelsen en Italianen deden vele pogingen om de Russische tsaar ertoe over te halen de schat te verkopen,' schrijft Vinogradskaja. 'Maar Ivan de Verschrikkelijke, zelf een man met aanzienlijke literaire talenten, was een gretig verzamelaar van zeldzame boeken en zich volledig bewust van de enorme waarde van zijn verzameling. Hij weigerde ook maar íéts te verkopen.'

Ivan was bovendien gefascineerd door spionnen en huurmoordenaars en maakte herhaaldelijk gebruik van hen. Zijn topspion en hoofd van zijn lijfwacht had toegang tot zijn slaapvertrekken via een van de tunnels onder het Kremlin. En Ivan riep de gevreesde opritsjniki in het leven, zijn geheime politie, die spioneerde en moorden pleegde. Ze waren volledig in het zwart gekleed en reden op zwarte paarden.

Het netwerk van eindeloze ondergrondse tunnels, waarmee in de twaalfde eeuw een begin was gemaakt en dat in de loop der eeuwen werd uitgebreid, was oorspronkelijk bedoeld als ontsnappingsroute, die toegang bood tot water indien het Kremlin werd belegerd, en om tijdens de strenge Russische winters comfortabel van het ene gebouw naar het andere te gaan. Het was op sommige plekken twaalf verdiepingen diep en bevatte geheime vertrekken, riviertjes en kerkers.

'De legende wil dat al zijn [Ivans] goud in één tunnel was verborgen,' schrijft Khinsky, 'schilderijen en iconen in een andere en manuscripten uit de Byzantijnse bibliotheek in weer een andere. Al deze schuilplaatsen waren zorgvuldig dichtgemetseld.' Zout is een goed conserveermiddel en er zijn in de bodem onder Moskou blijkbaar natuurlijke zoutlagen aangetroffen.

Nadat hij 's morgens zijn testament had voorgelezen en 's middags zijn schaakbord had laten brengen, stierf Ivan in 1584. Het testament, waarin zijn bibliotheek mogelijk was opgenomen, verdween op mysterieuze wijze. Toen zijn lichaam in 1963 werd opgegraven, werden er sporen van kwik en arsenicum ontdekt, maar niet genoeg voor vergiftiging, hoewel het een wijdverspreide overtuiging is dat hij inderdaad werd vergiftigd.

Volgens Khinsky arriveerde er zestien jaar na de dood van de vorst een gezant van het Vaticaan om te onderzoeken wat er met de bibliotheek was gebeurd. Oude archieven en boekendepots werden doorzocht en er werden verkenningsgroepen op pad gestuurd om te graven. 'Het bestaan van de bibliotheek wordt voor het eerst vermeld in documenten uit de tijd van Peter de Grote, die begon in 1682,' aldus Hamilton van de *Los Angeles Times*.

Ivan was de laatst bekende eigenaar van de Gouden Bibliotheek. 'Historici, archeologen, Peter de Grote en zelfs het Vaticaan hebben honderden jaren tevergeefs naar de vermiste bibliotheek gezocht,' aldus de Londense *Times*. In de zeventiende eeuw waren de meeste van de oudste tunnels al buiten gebruik gesteld en vergeten en door het verstrijken van de tijd is het zoeken steeds moeilijker geworden als gevolg van verzwakte fortificaties, aardverschuivingen, overstromingen en onvolledige kaarten.

'Het Kremlin is de woonplaats van fantomen,' schreef de Marquis de Custine, die Rusland begin negentiende eeuw bezocht. 'Het was alsof de ondergrondse geluiden daar uit het graf kwamen.'

Het is niet verwonderlijk dat deze belangrijke verzameling boeken, wellicht de belangrijkste in de geschiedenis die mogelijk nog bestaat, het voorwerp van intense belangstelling blijft. De uitgestrekte doolhof van ondergrondse tunnels heeft in de loop van verscheidene verkenningstochten heel wat oude schatten prijsgegeven, waaronder een verborgen wapenarsenaal van Ivan de Verschrikkelijke, de vertrekken van de tsarina waarin Peter de Grote zijn jeugd heeft doorgebracht en de grootste schat aan zilveren munten, gouden sieraden, documenten en kostbaar servies en bestek, waarvan een groot deel is tentoongesteld voor het publiek. Vele van deze unieke vondsten bevinden zich in het Archeologisch Museum van Moskou.

'Vrees mij, Gigantische Rioolknaagdieren, want ik ben Vadim, de heer van het Ondergrondse!' luidt de titel van een artikel door Erin Arvedlund in *Outside Magazine* over Vadim Mikhailov en zijn enthousiaste club ondergrondse onderzoekers, de Diggers of the Underground Planet. Ze dromen ervan de Gouden Bibliotheek te vinden. In plaats daarvan hebben ze geraamten gevonden, gemuteerde vissen, voortvluchtigen, wolken gifgas, lelijk gras, albinokakkerlakken en een ondergronds meer dat ooit werd gebruikt voor massale zelfmoorden. Ze hebben ook nuttiger vondsten gedaan, zoals 250 kilo radioactief materiaal onder de universiteit van Moskou, dat misschien een verklaring vormt voor een lange, anekdotische geschiedenis van ziektes, haaruitval en onvruchtbaarheid onder studenten en personeel. Het materiaal is door de overheid opgeruimd.

Een zevenentachtig jaar oude inwoner van Moskou, Apollos Ivanov, die technisch medewerker was geweest in het Kremlin en de ondergrondse structuur van Moskou had bestudeerd, dacht dat de Gouden Bibliotheek zich bevond in een van de vertakkingen boven een uitgestrekt catacombennetwerk dat hij had gezien. Hij onthulde zijn geheim in 1997 tegenover de burgemeester, die snel toestemming gaf voor een speurtocht. Menigeen was ervan overtuigd dat de verdwenen collectie eindelijk boven water zou komen. Ivanov was blind geworden en volgens de legende heeft iedereen die te dicht bij de bibliotheek kwam zijn gezichtsvermogen verloren. Maar Ivanov had het mis en de bibliotheek wordt nog steeds vermist.

De zoektocht wordt nog immer enthousiast voortgezet en nieuwe onderzoekers gebruiken steeds modernere instrumenten. De schitterende koninklijke bibliotheek van het Byzantijnse Rijk was tenslotte de laatste hoop van de westerse wereld van lang geleden, vervuld van wijsheid en verloren gegane kennis van de ouden, en zelfs niet geëvenaard door de Vaticaanse Bibliotheek. De gedachte dat de Gouden Bibliotheek, het neusje van de literaire zalm, rustig slaapt in de mysterieuze onderwereld van Moskou is onweerstaanbaar.

Literaire schatten die de Gouden Bibliotheek mogelijk bevat

Dit boek is uiteraard fictie, maar alle historische verwijzingen en anekdotes zijn feitelijk of op feiten gebaseerd. Zo liet keizer Trajanus inderdaad het ontzagwekkende monument voor zijn succesvolle oorlogen – de Zuil van Trajanus – oprichten tussen twee vredige galerieën van de bibliotheek van Rome, die hij eveneens liet bouwen. En Cassius Dio Cocceianus, een Romeins senator en beroemd geschiedschrijver, schreef *Romaika*, de belangrijkste kroniek over de laatste jaren van de Romeinse republiek en het vroege keizerrijk. Het omvatte tachtig boeken, waarvan alleen de delen 36 tot en met 60 zijn overgebleven. Als Cassius Dio over de Zuil van Trajanus heeft geschreven, schat ik dat het verhaal in deel 77 zou hebben gestaan.

Ook het volgende is waar: Julius Caesar ontving inderdaad een lijst van samenzweerders die hem wilden laten vermoorden, maar las die nooit. Hannibal plunderde inderdaad de streek rondom Rome en verwoestte alles, behalve de bezittingen van Fabius. Met als gevolg dat Fabius zijn handen vol had aan een bijna muitend Rome. En in zijn parodie *De wolken* schildert Aristophanes de geëerbiedigde wijsgeer Socrates inderdaad af als een clown die studenten leert hoe ze zich uit de schulden moeten smoezen.

De grote uitzondering is het boek dat ik *Het boek der spionnen* noem. Maar aangezien Ivan de Verschrikkelijke boeken liet schrijven en geïntrigeerd werd door spionnen en huurmoordenaars, is het mogelijk dat hij opdracht heeft gegeven tot het samenstellen van zo'n werk.

We kennen de geschiedenis alleen via mondelinge overlevering en het geschreven woord. Wat in de loop van duizenden jaren door oorlogen, branden, plunderingen, moedwillige verwoestingen, opzettelijke vernietiging en censuur verloren is gegaan, is tragisch. Onze geschiedenis is de geschiedenis van verloren gegane boeken.

Als ik mijn zin kreeg, zou de Gouden Bibliotheek bestaan en ontdekt worden, en dan zouden niet alleen de verloren boeken die ik heb genoemd worden gevonden, maar op zijn minst ook de werken van de volgende vroege zes.

Sappho (610 tot circa 570 v. Chr.) was de gelauwerde Griekse dichteres wier leven wordt verteld in mythen die gebaseerd zijn op haar lyrische, hartstochtelijke liefdesgedichten. Haar overgebleven werk, het hoogtepunt van wat vrouwen in de dichtkunst hebben bereikt, werd in de derde of tweede eeuw v. Chr. verzameld en uitgegeven in negen banden, maar tegen de achtste of negende eeuw na Chr. werd ze alleen nog maar aangehaald in het werk van anderen.

Het klassieke Athene kende drie grote tragedieschrijvers, alle drie tijdgenoten: Aischylos (525 of 524 tot 456 of 455 v. Chr.), Sophocles (495 tot 406 v. Chr.) en Euripides (480 tot 406 v. Chr.)

De vader van het moderne toneel, Aischylos, schreef meer dan dertig stukken en verlichtte de tragediekunst met poëzie en frisse theatrale kracht. Hij introduceerde een tweede acteur op het podium en werd daarmee de vader van de dialoog, het dramatische conflict en de dramatische verwikkelingen. De Atheners bezaten slechts één exemplaar van zijn *Volledige werken*, dat ze ter kopiëring uitleenden aan Alexandrië, waar Ptolomaeus III andere ideeën had: hij gaf bevel het niet te transcriberen of te retourneren. Geleerden morden. Eeuwen verstreken. Toen brandden de bibliotheken van Alexandrië af en de rollen gingen verloren in de vlammen. Slechts zeven van zijn stukken overleefden het.

De auteur van 123 stukken, waaronder *Koning Oedipus*, maakte gebruik van decors, vergrootte de omvang van het koor en introduceerde een derde acteur, waardoor het bereik en de complexiteit van het toneel aanzienlijk werden vergroot. Sophocles zei dat hij mensen liet zien zoals ze hoorden te zijn; zijn jongere tijdgenoot Euripides, toonde hen zoals ze waren. Er zijn slechts zeven stukken van Sophocles overgebleven.

Euripides kleedde koningen als bedelaars en liet vrouwen zien als intelligent en complex en hij gebruikte traditionele verhalen om menselijkheid en ethiek te tonen. Hij schreef meer dan negentig stukken, die opmerkelijk zijn doordat ze een realistisch beeld geven van zijn tijd. Het lezen ervan zou ons veel over Athene vertellen. Er zijn er slechts achttien overgebleven.

Confucius (551 tot 479 v. Chr.) wordt al eeuwenlang vereerd om zijn wijsheid en zijn revolutionaire idee dat menselijkheid centraal staat in hoe we met elkaar moeten omgaan. Hij schreef 'Zes werken': *Het boek der poëzie, Het boek der rituelen, Het boek der muziek, Het boek der geschiedenis, Het boek der veranderingen* en *De lente- en herfstannalen,* die een volledig studiepakket vormden. Maar de vervolmaking van zijn visie is onvolledig, want *Het boek der muziek* is verloren gegaan.

De eerste Romeinse keizer, Augustus (63 v. Chr. tot 14 na Chr.) was een van de beste bestuurlijke geniën ter wereld, die de wankelende Romeinse republiek reorganiseerde, transformeerde en uitbouwde tot een machtig rijk met makkelijke communicatie, duizenden kilometers gebaande wegen, bloeiend toerisme en een florerende handel. Hij was een gecultiveerd man die de kunsten ondersteunde en vele werken schreef. De meeste ervan zijn verloren gegaan. Bijzonder tragisch is het verlies van zijn dertien delen tellende *Mijn autobiografie,* mogelijk de visie van de man die toezicht hield en leidinggaf tijdens een lange en cruciale periode in de geschiedenis.

Een geselecteerde bibliografie voor *De geheime boekenclub.*

Around the Kremlin: The Moscow Kremlin, Its Monuments, and Works of Art, Progress Publishers, Moskou, 1967.

Arvedlund, Erin, 'Fear Me, Giant Sewer Rodents, for I Am Vadim, Lord of the Underground!' *Outside Magazine*, september 1997.

Backhouse, Janet, *The Illuminated Page: Ten Centuries of Manuscript Painting*, The British Library, 1993.

Basbanes, Nicholas A., *A Gentle Madness*, Henry Holt and Company, LLC, 1995.

'Blind man "has key to Tsar's secret library",' *The Times*, Londen, september 1997.

Brown Stewart, Deborah, e-mail aan auteur, bibliograaf en bibliothecaris Research Services Librarian, Byzantine Studies, Dumbarton Oaks Research Library and Collection, Washington, D.C., 7 augustus 2007.

Canfora, Luciano, *The Vanished Library: A Wonder of the Ancient World*, University of California Press, 1990.

Cockburn, Andrew, 'The Judas Gospel,' *National Geographic Magazine*, mei 2006.

Ehrlich, Eugene, *Veni, Vidi, Vici*, HarperCollins, 1995.

Grosvenor, Gilbert H., 'Young Russia: Land of Unlimited Possibilities,' *National Geographic Magazine*, november 1914.

Hamel, Christopher De, *The British Library Guide to Manuscript Illustration: History and Techniques*, The Boston Library, 2001.

Hamilton, Masha, 'Kremlin Tunnels: The Secret of Moscow's Underworld,' *The Los Angeles Times*, 28 juni 1989.

Holmes, Charles W., 'Unsolved Mystery: What Happened to Ivan the Terrible's Library?', *Cox News Service*, 31 oktober 1997.

Holmes, Hannah, 'Spelunking: And Please, No Flash Pictures of the Blob', *Outside Magazine*, maart 1995.

Ilinitsky, Andrei, 'Mysteries under Moscow', *Bulletin of the Atomic*

Scientists, mei/juni 1997.

Kelly, Stuart, *The Book of Lost Books*, Random House, 2005.

Khinsky, Nikolay, 'Secret Treasures: Moscow's Caches', www.WhereRussia.com, jaren negentig.

Madariaga, Isabel de, *Ivan the Terrible*, Yale University Press, 2005.

Panshina, Natalya, 'Archaeology Expert Hopeful About Library of Ivan IV', Tass, 18 september 1997.

Polastron, Lucien X, *Books on Fire: The Destruction of Libraries Throughout History*, Inner Traditions International, 2007.

Severy, Merle, 'The Byzantine Empire: Rome of the East', *National Geographic Magazine*, december 1983.

Sheldon, Rose Mary, *Espionage in the Ancient World: An Annotated Bibliography*, McFarland & Company, Inc., 2003.

– *Intelligence Activities in Ancient Rome*, Routledge, 2005.

Simpson, D.P., *Cassell's New Compact Latin Dictionary*, Cassell & Co., Ltd., 1963.

Vinogradskaja, Alexandra, 'A Map of Moscow That Does Not Exist', *Russian Culture Navigator*, 9 november 1999.

– 'The Mysteries of Underground Moscow', *Russian Culture Navigator*, 12 april 1999.

– 'The Mystery of the Byzantine Library', *Russian Culture Navigator*, 18 januari 1999.

Yevdokimov, Yevgeny. 'Possible Whereabouts of Famous Library Revealed to Mayor', *ITAR-TASS News Agency*, 16 september 1997.

Woord van dank

Mijn leven is vol goede, hulpvaardige mensen, van wie velen me hebben geholpen bij het schrijven van dit boek. Bijzonder dankbaar ben ik mijn geweldige agent, Lisa Erbach Vance van het Aaron M. Priest Literary Agency, mijn redacteur van wereldklasse, Keith Kahla, hoofdredacteur van St. Martin's Press, en mijn veelzijdig getalenteerde assistent en zakelijk manager, Tara Stockton, die vier talen spreekt en de hele wereld afreist.

Ik heb vaak advies gevraagd aan de auteur Melodie Johnson Howe, die grote delen van dit boek heldhaftig las en van wijs commentaar voorzag. De auteurs Kathleen Sharp en Josh Conviser waren genereuze partners tijdens brainstormsessies over de internationale misdaad. De voormalige CIA-agenten Alan More en Robert Kresge, van wie de laatste tevens een collega-auteur is, waren bronnen op wie ik altijd kon rekenen.

Mijn kinderen en hun echtgenoten en mijn stiefdochter bespraken het boek met me en verschaften gegevens over geografie en plaatsen die ik niet kon bezoeken: Paul Stone en Katrina Baum, Julia Stone en Kari Timonen, en Deirde Lynds. Voor degenen onder u die haar verhaal hebben gevolgd: mijn andere stiefdochter, Katie Lynds, verblijft in een geweldig goede inrichting voor personen met een hersenbeschadiging en gaat goed vooruit.

St. Martin's is mijn uitgevershuis en ik vind het er heerlijk. Bijzonder dankbaar ben ik Sally Richardson, Matthew Baldacci, Matthew Shear, Joan Higgins, John Murphy, Nancy Trypuc, Monica Katz, Brian Heller, John Karle en Kathleen Conn.

Deborah Brown, bibliograaf en bibliothecaris Research Services voor Byzantijnse studies van de Dumbarton Oaks Research Library and Collection in Washington, D.C., was enorm behulpzaam bij mijn onderzoek naar het fascinerende verhaal over de Gouden Bibliotheek. Anderen bij wie ik in het krijt sta, zijn Kathleen Antrim, Barbara Paul Blume, Steve en Liz Berry, Ray Briare, Lee Child, Julian Dean, David

Dun, Emily Erikson en Joe Ligman, Yogiraj Gurunath, David Hewson, Bones Howe, Randi en Doug Kennedy, Bill McDonald, David en Donna Morrell, Naomi Parry, M.J. Rose, Elaine en George Russell, Jim Rollins, Greg Stephens, Tom Stone en Alexandra Leslie, Steve Trueblood en Diane Vogt.

Het is bij het lezen van dit boek misschien leuk te weten dat enkele personages de echte naam dragen van lezers die deelnamen aan een wedstrijd op mijn website. Tot mijn grote genoegen gaven ze per e-mail toestemming om hun naam te gebruiken, of het nu was voor een misdadiger, een lijk of een held. Geen van de beschrijvingen is waarheidsgetrouw en ik vertel u beslist niet welke de hunne zijn. Het is tenslotte suspense.

Bedankt allemaal.